D0589408

LE SEPTIÈME PAPYRUS

DU MÊME AUTEUR
CHEZ POCKET

LE DIEU FLEUVE

WILBUR SMITH

LE SEPTIÈME PAPYRUS

PRESSES DE LA CITÉ

Titre original
THE SEVENTH SCROLL

Traduit par
Eric Lindor Fall

Édition originale publiée en 1995
par Macmillan London Limited
département de Pan Macmillan
Publishers Limited, Cavaye Place, London SW 10 9PG

ISBN 2-266-07540-3

Ce livre est, une fois de plus, pour mon épouse Danielle.

En dépit des nombreuses années de bonheur que nous avons passées ensemble, je sens que tout ne fait que commencer. Il y a encore tant à venir.

W. S.

1

Le crépuscule s'étendit lentement sur le désert tel un épais manteau de velours, inondant les dunes de reflets pourpres, étouffant les derniers bruits du soir. Le calme régna bientôt.

Depuis le sommet de la dune où ils se trouvaient, ils pouvaient voir l'oasis et les petits villages disséminés à sa périphérie. Les maisons, toutes blanches et au toit plat, étaient dominées par d'immenses dattiers. Mais c'étaient surtout la mosquée islamique et l'église copte que l'on remarquait : ces deux bastions de la foi, situés chacun sur une rive opposée du lac, semblaient se défier.

Les eaux du lac s'assombrissaient. Un vol de canards obliqua vivement vers sa surface et vint se poser près des roseaux qui bordaient ses rives dans une gerbe d'écume blanche.

L'homme et la femme offraient un contraste saisissant. Lui était grand, quoique légèrement voûté, et ses cheveux argentés retenaient les derniers rayons du soleil couchant. Elle était jeune – tout juste la trentaine –, mince, vive et pleine d'entrain. Un nœud retenait sur sa nuque son épaisse chevelure bouclée.

– Il est temps d'y aller, déclara-t-il en lui souriant avec tendresse. Alia va s'impatienter.

C'était sa seconde épouse. A la mort de sa première femme, il s'était dit que le soleil ne brillerait plus jamais pour lui. Et voilà qu'au soir de sa vie, contre toute attente, il connaissait de nouveau le bonheur. Il était comblé.

Elle s'écarta soudain et dénoua le lien qui retenait ses cheveux. Elle secoua la tête, leur redonnant vie. Elle éclata d'un rire plaisant. Puis elle entreprit de dévaler la pente raide et glissante de la dune ; sa longue jupe décrivit aussitôt comme une corolle autour de ses jambes hâlées au galbe parfait. A mi-chemin, emportée par son élan, elle trébucha.

Du haut de la dune, il la regardait, un sourire indulgent aux lèvres. Elle était parfois comme une enfant. Mais il lui arrivait également d'offrir le spectacle d'une femme grave et réservée. Il n'aurait su dire laquelle des deux il préférait, car il l'aimait entièrement.

Elle parvint au bas de la dune en roulant et, sans cesser de rire, se releva en chassant le sable de ses cheveux.

– A toi, maintenant ! s'écria-t-elle.

Il descendit lentement, avec cette légère raideur propre au grand âge. Une fois en bas, il l'aida à se relever et, bien que la tentation fût grande, ne l'embrassa pas. Même envers une épouse adorée, les démonstrations publiques d'affection n'entraient pas dans les mœurs arabes.

Elle lissa ses vêtements et, avant qu'ils ne repartent pour le village, attacha ses cheveux. Ils longèrent les fourrés de roseaux et passèrent les ponts branlants qui traversaient les canaux d'irrigation. Les paysans qui revenaient des champs les saluèrent avec un respect manifeste.

– *Salaam aleikoum, Doktari !* Que la paix soit avec toi, docteur.

Ils tenaient les érudits en haute estime, mais avaient pour lui une considération toute particulière, eu égard aux services qu'il leur rendait depuis des années, à eux et à leurs familles. La plupart de ces hommes avaient travaillé pour son père et n'accordaient guère d'importance au fait qu'il soit chrétien et eux, musulmans.

Aux abords de la villa, Alia, la vieille gouvernante, les accueillit avec des grommellements et des haussements d'épaules.

– Vous êtes en retard. Vous êtes toujours en retard. Pourquoi n'êtes-vous jamais à l'heure, comme les gens bien ? Nous avons une réputation à tenir.

– Tu as raison, comme toujours, vieille mère, plaisanta-t-il gentiment. Que ferions-nous si tu n'étais pas là pour veiller sur nous ?

Elle s'éloigna en marmonnant pour dissimuler l'affection qu'elle avait pour lui.

Ils dînèrent sur la terrasse d'un frugal repas de dattes et d'olives, de pain non levé accompagné de fromage de chèvre. La nuit tomba avant qu'ils aient terminé mais, dans le ciel, les étoiles du désert brillaient comme des bougies.

– Royan, ma fleur, fit-il en se penchant par-dessus la table pour lui effleurer la main. C'est l'heure de reprendre le travail.

Il quitta la table et la précéda vers leur bureau qui ouvrait sur la terrasse.

En entrant, Royan Al Simma alla droit à l'imposant coffre de métal scellé dans le mur du fond et en composa la combinaison. Dans cette pièce, parmi les vieux livres et les manuscrits, au milieu des statues antiques et des trésors funéraires qui composaient son univers intime, ce coffre moderne jetait une note incongrue.

Quand la lourde porte d'acier pivota sur ses gonds, Royan resta un instant immobile. Elle ressentait toujours une légère crainte mêlée de respect quand elle approchait cette relique d'un autre âge, et ce même après une simple interruption de quelques heures.

– Le septième papyrus, murmura-t-elle.

Elle s'en saisit avec circonspection. N'avait-il pas près de quatre mille ans ? Il avait été écrit par un homme au génie intemporel, un homme retourné à la poussière depuis des millénaires mais qui était devenu un familier qu'elle respectait autant que son propre mari. Son verbe était immortel, il lui parlait avec clarté par-delà la tombe, depuis les pâturages célestes, depuis l'entourage de la grande Trinité, Osiris, Isis et Horus, en laquelle il avait cru avec dévotion. Avec la même dévotion qu'elle vouait à une Trinité différente et plus récente.

Elle porta le manuscrit jusqu'à la table où Duraid, son époux, s'était mis au travail. Il leva les yeux et elle lut dans son regard la même lueur mystique qui illuminait le sien. Il exigeait que le rouleau de papyrus reste en permanence sur la table, et cela même s'ils n'en avaient pas besoin. Il pouvait en effet travailler sur des photographies et des microfilms mais il semblait qu'il ne puisse se passer de la présence invisible de l'auteur dont il étudiait les textes.

Il s'arracha à sa mélancolie pour redevenir le scientifique qu'il était.

– Tu as de meilleurs yeux que moi, ma fleur, dit-il. Que lis-tu dans cette lettre ?

Elle se pencha par-dessus son épaule et étudia la reproduction photographique du manuscrit et le hiéroglyphe qu'il désignait. Elle réfléchit un long moment puis s'empara de la loupe que Duraid tenait toujours. Elle scruta le caractère avec une attention accrue.

– On dirait que Taita a glissé là un nouveau cryptogramme de son invention pour le plaisir de nous tourmenter.

Elle parlait de l'écrivain disparu comme s'il vivait encore, comme d'un ami très cher mais un peu exaspérant qui leur jouait des tours malicieux.

– Il ne nous reste alors qu'à nous creuser la cervelle, déclara Duraid en savourant à l'avance ces énigmes d'un autre âge dont la résolution était toute sa vie.

La nuit était fraîche et propice à la concentration. Ils communiquaient indifféremment en arabe et en anglais : pour eux, ces deux langues n'en formaient qu'une seule. Ils recouraient moins souvent au français. Ils avaient été tous les deux formés dans des universités anglaises et américaines, loin de leur chère Égypte. Royan raffolait de cette expression qui revenait si souvent dans le manuscrit de Taita : « la chère Égypte ».

Elle se sentait une affinité particulière avec cet ancien Égyptien. Après tout, elle en était la descendante directe. Elle était chrétienne et copte, sans lien avec les Arabes qui quatorze cents ans plus tôt avaient conquis l'Égypte. Les Arabes étaient des nouveaux venus ici tandis que le sang de sa propre lignée coulait depuis l'aube de l'humanité, depuis l'ère des pharaons et des grandes pyramides.

A dix heures, Royan leur prépara du café sur le fourneau à charbon de bois qu'Alia leur avait allumé avant d'aller retrouver sa propre famille, dans le village. Ils burent le breuvage fort et sucré dans des tasses fines, à moitié pleines d'un marc épais. Ce faisant, ils bavardèrent comme de vieux amis.

Car, aux yeux de Royan, ils étaient de vieux amis. Elle avait connu Duraid en rentrant d'Angleterre. Elle venait d'obtenir son doctorat en archéologie et avait été embauchée au département des Antiquités dont il était le directeur.

Elle avait été son assistante lors de l'ouverture de la tombe de la Vallée des Nobles, la tombe de reine Lostris, une tombe datée de 1780 avant J.-C.

Elle avait éprouvé la même déception quand ils s'étaient aperçus que la tombe avait été entièrement pillée. Il ne restait que les merveilleuses fresques qui recouvraient les murs et les plafonds.

Elle travaillait sur le mur situé derrière l'estrade où avait reposé le sarcophage. Elle en photographiait les fresques quand un morceau de plâtre s'était détaché, révélant dix jarres d'albâtre dans une niche. Chacune des jarres renfermait un rouleau de papyrus, chaque papyrus avait été écrit et placé là par Taita, l'esclave de la reine.

Depuis cet instant, leur vie – celle de Duraid et la sienne – gravitait autour de ces parchemins. Ils étaient abîmés et détériorés mais, dans l'ensemble, avaient remarquablement traversé près de quatre mille années.

Et ils racontaient une histoire fascinante ! Celle d'une nation assaillie par un ennemi d'une force supérieure, armé de chars et de chevaux, toutes choses dont les Égyptiens de cette époque ignoraient jusqu'à l'existence. Écrasé par les hordes hyksos, le peuple du Nil avait été obligé de fuir. Guidés par leur reine, la Lostris de la tombe, ils avaient longé le grand fleuve en direction du sud, vers sa source, vers les terribles montagnes des hauteurs de l'Éthiopie.

Là, au cœur de ces monts imprenables, Lostris avait fait bâtir une tombe pour le corps momifié de son époux, le pharaon Mamose, tué lors de la bataille contre les Hyksos.

Longtemps après, Lostris avait ramené son peuple vers le nord, vers la chère Égypte. Armés désormais de leurs propres chevaux et chars, endurcis par les sauvages étendues africaines qui en avaient fait de solides guerriers, ils avaient déferlé depuis les cataractes du grand fleuve pour affronter une nouvelle fois l'envahisseur. Ils avaient fini par en triompher et par lui arracher la double couronne de Haute et Basse Égypte.

C'était une histoire qui éveillait des échos dans chaque fibre de son être, une histoire qui l'avait fascinée à mesure qu'ils déchiffraient les hiéroglyphes dont le vieil esclave avait couvert le papyrus.

Il leur en avait coûté des années de travail nocturne

dans cette villa près de l'oasis où ils se retrouvaient après avoir accompli leur routine quotidienne, au musée du Caire. Maintenant, les dix manuscrits étaient déchiffrés. Seul le septième leur résistait. C'était lui qui recelait l'énigme, lui que l'auteur avait couvert de charades ésotériques et d'allusions si obscures qu'elles étaient aujourd'hui dépourvues de signification. Il s'était servi de signes qu'ils n'avaient jamais rencontrés auparavant, dans les milliers de textes qu'ils avaient étudiés. Il était patent que Taita avait tenu à ce que les rouleaux ne soient lus et compris que par la reine qu'il vénérait. Ils étaient son dernier présent, celui qu'elle avait emporté avec elle dans la tombe.

Ils avaient réuni leurs talents, avaient fait appel à toute leur imagination, à toute leur ingéniosité et, enfin, ils approchaient du but. De nombreux fragments demeuraient intraduisibles et il y avait des passages dont ils n'étaient pas sûrs d'avoir saisi le sens exact, mais ils avaient mis au jour l'ossature du manuscrit. Peu à peu, une silhouette émergeait.

Duraid, ce soir-là, sirotait son café. Il hocha la tête comme il l'avait déjà fait tant de fois :

– Je suis effrayé par cette responsabilité. Que faire de ce que nous avons appris ? Et si ces informations tombaient dans de mauvaises mains ?

Il but un peu de café avant de reprendre.

– Même si nous nous adressons aux bonnes personnes, qui croira à une histoire vieille de près de quatre mille ans ?

– Pourquoi devrions-nous y mêler d'autres personnes ? demanda Royan avec une pointe d'exaspération. Pourquoi ne pas faire nous-mêmes ce qui doit être fait ?

C'étaient ces conversations qui exacerbaient leurs différences : il avait la prudence de l'âge et elle l'impétuosité de la jeunesse.

– Tu ne comprends pas, dit-il.

Elle n'aimait pas qu'il lui parle ainsi. Il la traitait comme les Arabes traitaient leurs femmes, selon les critères d'un monde strictement masculin. Elle avait connu un tout autre univers, une société où les femmes demandaient, et obtenaient, d'être tenues pour des égales. Elle était coincée entre ces deux univers : l'Occident et le monde arabe.

La mère de Royan était une Anglaise qui travaillait pour l'ambassade britannique du Caire pendant la période troublée qui suivit la Seconde Guerre mondiale. Elle avait rencontré et épousé le père de Royan qui était alors un jeune officier égyptien de l'entourage du colonel Nasser. Cette union improbable s'était révélée un échec alors que Royan n'était encore qu'une adolescente.

Sa mère avait insisté pour accoucher en Angleterre dans sa ville natale de York. Elle tenait à ce que sa fille ait la nationalité britannique. Après la séparation de ses parents, Royan, toujours sur l'insistance de sa mère, avait été envoyée en Angleterre pour ses études. Mais elle revcnait au Caire pour passer ses vacances avec son père. La carrière de celui-ci avait suivi une extraordinaire trajectoire. Il finit par entrer dans le cabinet ministériel du gouvernement Moubarak. L'amour qu'elle éprouvait pour son père la faisait se sentir plus égyptienne qu'anglaise.

C'était son père qui avait décidé de son mariage avec Duraid Al Simma. C'était la dernière chose qu'il avait faite pour elle. Le sachant sur le point de mourir, elle n'avait pas trouvé le courage de le défier. Sa culture occidentale la poussait à résister à l'antique tradition copte des mariages de convenance, mais son éducation, sa famille, son Eglise l'emportèrent : elle s'était soumise.

Son union avec Duraid n'avait pas été aussi insupportable qu'elle l'avait craint. Ce mariage aurait même été confortable et satisfaisant si elle n'avait pas connu l'amour romantique. Elle avait eu une liaison à l'université. David l'avait séduite, il l'avait emportée dans un tourbillon délirant et passionné puis il lui avait tout naturellement brisé le cœur en épousant l'Anglaise blonde et rose répondant aux vœux de ses parents.

Elle respectait et aimait Duraid mais parfois, la nuit, elle se sentait brûler du désir de sentir peser sur elle un corps aussi ferme et aussi jeune que le sien.

Duraid parlait toujours mais elle ne l'avait pas écouté. Elle s'efforça de lui accorder toute son attention.

– Je me suis encore entretenu avec le ministre mais je pense qu'il ne me fait pas confiance. Je crois que Nahoot l'a convaincu que j'étais un peu fou, fit-il avec un sourire triste.

Nahoot Guddabi était son adjoint, un homme ambitieux aux relations puissantes.

– Quoi qu'il en soit, le ministre prétend que le gouvernement ne dispose d'aucun fonds et que je dois chercher des capitaux à l'extérieur. J'ai épluché la liste des sponsors possibles. Je n'en vois que quatre. Le musée Paul-Getty, bien sûr, mais je n'ai jamais beaucoup aimé travailler avec ces grosses institutions. Elles sont trop impersonnelles. Je préférerais ne dépendre que d'un seul homme. Les décisions sont prises plus rapidement, tu comprends.

Rien de tout cela n'était nouveau mais elle écoutait attentivement.

– Et puis il y a von Schiller. Il a l'argent, il s'intéresse au sujet mais je ne le connais pas assez bien pour lui faire totalement confiance.

Il se tut mais Royan avait déjà tant de fois partagé ses méditations qu'elle pouvait les anticiper.

– Et l'Américain ? C'est un amateur célèbre, avança-t-elle.

– Peter Walsh est un partenaire de travail délicat. Il ne rêve que d'accroître sa fortune, et ce par tous les moyens. Il me fait un peu peur, je l'avoue.

– Alors, demanda-t-elle, qui reste-t-il ?

Il ne dit rien car ils connaissaient tous deux la réponse à sa question. Il préféra retourner aux documents éparpillés sur la table de travail.

– Tout ça a l'air si inoffensif, si banal. Un vieux rouleau de papyrus, quelques photos, des carnets de notes, une sortie imprimante. C'est difficile de croire que cela deviendrait dangereux si ça tombait dans des mains mal intentionnées. (Il soupira encore.) Terriblement dangereux, même. (Puis il s'esclaffa.) Mais je divague. Peut-être est-ce l'heure tardive ? Si nous nous remettions au travail ? Nous pourrons nous préoccuper de ces choses après avoir résolu toutes les énigmes que ce vieux filou de Taita a disséminées pour nous. Et après avoir terminé la traduction !

Il saisit la première des photographies de la pile qui lui faisait face. C'était une image de la partie centrale du rouleau.

– C'est un réel manque de chance que le morceau le plus abîmé du manuscrit soit celui-là.

Il chaussa ses lunettes avant de lire à voix haute.

– Il faut gravir de nombreuses marches pour accéder à la demeure d'Hâpy. Persévérance et efforts nous firent atteindre la seconde marche mais nous n'avançâmes pas plus loin car ce fut à cet endroit que le prince reçut la révélation divine. Son père, feu le divin pharaon, le visita en rêve et lui ordonna : « J'ai voyagé longtemps et je suis bien las. C'est ici que je veux reposer pour l'éternité. »

Duraid ôta ses lunettes et regarda Royan.

– La seconde marche. Pour une fois, la description est précise. Taita ne fait pas toujours son vieux renard.

– Si nous revenions aux photos prises par satellite ? proposa Royan en attirant à elle les rectangles brillants.

Duraid contourna la table pour se placer derrière elle.

– A mon avis, il semble logique que le premier obstacle qu'ils auront rencontré dans la remontée de la gorge soit une succession de rapides ou de cataractes. S'il s'agit de la seconde cataracte, ça les emmène ici.

Royan posa l'index sur un point de l'image satellite, où l'étroit serpent du fleuve se faufilait entre les masses noires des montagnes.

C'est à cet instant que son attention fut distraite. Elle leva la tête.

– Écoute !

Sa voix était différente, soudainement tendue.

– Qu'est-ce que c'est ? demanda Duraid, en se redressant lui aussi.

– Le chien.

– Ce fichu bâtard, acquiesça-t-il. Ses aboiements donnent quelque chose de terrible à la nuit. Je m'étais promis de m'en débarrasser.

Les lumières s'éteignirent à cet instant précis.

Surpris par l'obscurité, ils se figèrent. Le murmure étouffé du vieux générateur diesel installé au fond de la palmeraie s'était tu. Il était devenu indissociable des autres bruits nocturnes au point qu'ils n'en remarquaient le bruit que quand il s'arrêtait.

Leurs yeux s'accommodèrent à la faible clarté que les étoiles distillaient par les baies vitrées de la terrasse. Duraid traversa la pièce et alla jusqu'à l'étagère près de la porte où une lampe à huile avait été rangée en prévision d'un tel incident. Il l'alluma et adressa à Royan un regard de résignation comique.

– Je vais devoir descendre...

– Duraid, coupa-t-elle, le chien !

Il tendit l'oreille et eut une expression soucieuse. Là-bas, dans la nuit, le chien s'était tu.

– Je crois qu'il n'y a aucune raison de s'inquiéter.

Il gagna la porte. Sans raison, elle s'exclama :

– Duraid, sois prudent !

Il haussa les épaules et sortit sur la terrasse.

Elle crut tout d'abord qu'il s'agissait de l'ombre de la vigne qu'agitait la brise venue du désert. Mais la nuit était calme. Elle comprit alors qu'il s'agissait d'un homme ! Une silhouette emboîta furtivement le pas à Duraid tandis que celui-ci contournait l'étang aux poissons rouges creusé au centre de la terrasse.

– Duraid ! hurla-t-elle.

Il fit volte-face, la lampe levée.

– Qui êtes-vous ? cria-t-il. Que cherchez-vous ?

L'intrus s'approcha sans un mot. La longue *dishdasha*, la robe traditionnelle, dansait contre ses jambes et un *ghutrah* blanc lui enturbannait le front. A la lumière de la lampe, Duraid s'aperçut qu'il avait levé un pan du turban contre son visage pour en dissimuler les traits.

L'inconnu lui tournant le dos, Royan ne vit pas le couteau qu'il tenait dans la main droite. Mais elle ne pouvait se tromper sur le sens du mouvement vertical de la main qui vint frapper l'estomac de Duraid. Ce dernier grogna et se plia sous le choc. Son assaillant dégagea sa lame et frappa encore. Cette fois, Duraid lâcha la lampe et saisit la main de son agresseur.

Par terre, la flamme de la lampe à huile crachait et fumait. Les deux hommes luttaient dans la pénombre et Royan vit la tache sombre qui s'agrandissait sur la chemise blanche de son mari.

– Fuis ! lui hurla-t-il. Va chercher de l'aide ! Je ne peux pas le retenir...

Le Duraid qu'elle connaissait était un être doux, un homme délicat, lettré et cultivé. Elle voyait bien que l'inconnu allait l'emporter.

– Va ! Je t'en prie ! Sauve-toi, ma fleur...

Elle devinait, à sa voix, qu'il faiblissait. Mais il s'accrochait toujours aussi désespérément au bras armé de son assaillant.

Elle avait été figée par le choc et le désarroi pendant quelques secondes fatales. Elle rompit le charme maléfique et courut jusqu'à la porte. Aiguillonnée par la terreur et la volonté de porter secours à Duraid qui essayait d'empêcher son agresseur de lui barrer la route, elle traversa la terrasse, vive comme une chatte.

Elle sauta par-dessus le muret et atterrit dans un bosquet, quasiment dans les bras d'un second individu. Elle hurla et se dégagea alors que ses doigts lui lacéraient le visage. Elle se crut libre mais la main la retint par son chemisier en coton.

C'est alors qu'elle vit le couteau, un long éclair argenté dans la lumière des étoiles. Elle réagit promptement. Le tissu se déchira et elle se retrouva libre, mais elle n'avait pas été assez vive pour éviter la lame.

Elle sentit une morsure dans le haut de son bras. De toute la force de son corps juvénile, elle envoya son pied en avant. Elle heurta l'entrejambe du type avec une telle force qu'elle manqua se tordre la cheville. Son agresseur hurla et s'effondra.

Elle était libre maintenant. Elle traversa la palmeraie au pas de course, cherchant uniquement à mettre le plus de distance possible entre elle et l'homme, sans savoir où elle allait. Elle finit par vaincre la panique qui s'était emparée d'elle.

Elle jeta un regard derrière elle : personne ne la suivait. Elle ralentit en atteignant les abords du lac et prit alors conscience du filet tiède qui coulait le long de son bras et s'égouttait au bout de ses doigts. Elle s'adossa au tronc rugueux d'un palmier, déchira un bout de son chemisier et se fit un garrot de fortune. Elle tremblait tellement que sa main valide refusait de lui obéir. Elle dut se servir de ses dents pour nouer le bandage sommaire.

Elle ne savait pas de quel côté fuir. Soudain, elle vit la lueur de la lampe qui brillait à la fenêtre d'Alia, dans sa petite maison, de l'autre côté du canal d'irrigation. A peine avait-elle franchi une centaine de mètres qu'une voix jaillit des buissons, derrière elle. L'homme parlait en arabe.

– Yusuf, est-ce que la femme est de ton côté ?

Une torche électrique perça les ténèbres devant elle, et une autre voix répondit :

– Non, je ne l'ai pas vue.

Quelques secondes de plus et elle se serait jetée dans ses bras ! Elle s'accroupit et regarda autour d'elle. Une autre torche approchait, à travers les bosquets, derrière elle, le long du chemin qu'elle avait suivi. Il devait s'agir de l'homme qu'elle avait frappé, mais elle voyait bien aux mouvements du halo de la torche qu'il était tout à fait remis.

Elle était cernée. Elle pivota vers les bords du lac. La route passait par là. Peut-être pourrait-elle y arrêter un véhicule ? Elle dérapa sur le sol caillouteux et s'écorcha les genoux. Elle se redressa vivement et repartit en courant. A sa seconde chute, sa main gauche rencontra une pierre ronde, de la taille d'une orange. Elle se releva en serrant la pierre de toutes ses forces, légèrement rassurée par cette arme improvisée.

Son bras blessé commençait à la faire souffrir et elle se mit à penser à Duraid. Elle savait qu'il était grièvement blessé car elle avait vu la direction du coup et la force avec laquelle il avait été porté. Il fallait trouver de l'aide.

Derrière elle, les deux hommes équipés de torches arpentaient les bosquets. Elle n'arrivait pas à conserver l'avance qu'elle avait prise sur eux : ils approchaient, elle pouvait les entendre s'interpeller.

Elle atteignit enfin la route et, tout en gémissant faiblement, gravit avec soulagement le fossé d'irrigation puis se hissa sur le pâle gravier. Ses jambes tremblaient si violemment qu'elles ne la portaient qu'avec peine.

Elle se dirigea vers le village. Elle n'avait pas atteint le premier virage quand elle vit des phares devant elle qui papillotaient entre les palmiers. Elle se jeta au milieu de la chaussée.

– Aidez-moi ! hurla-t-elle en arabe. Je vous en prie, aidez-moi !

La voiture sortit du virage. Avant que les phares ne l'éblouissent, elle eut le temps de voir qu'il s'agissait d'une petite Fiat de couleur sombre. Elle se planta au milieu de la route en agitant les bras pour arrêter le chauffeur.

La Fiat pila à quelques mètres. Elle courut jusqu'à la portière du chauffeur et s'accrocha à la poignée.

– Par pitié, il faut que vous m'aidiez...

La porte s'ouvrit avec une telle force qu'elle bascula, déséquilibrée. Le chauffeur bondit hors de la voiture et la saisit par le poignet de son bras blessé. Il la traîna à la Fiat et ouvrit la portière arrière.

– Yusuf ! Bacheet ! cria-t-il en direction des bosquets. Je la tiens !

Elle entendit les deux hommes répondre et vit leurs torches palpiter non loin de là. Le chauffeur la forçait à se courber pour la pousser sur la banquette arrière. Elle se rendit compte que sa main valide tenait toujours la pierre. Elle se détourna légèrement, rassembla ses forces et frappa l'homme en pleine tempe. Sans un cri, il glissa à terre et ne bougea plus.

Royan lâcha la pierre et détala le long de la route. Elle s'aperçut qu'elle courait en plein dans la lumière des phares. Derrière elle, les deux hommes crièrent encore. Ils jaillirent sur la route quasiment épaule contre épaule. Elle jeta un regard en arrière et les vit. Sa seule chance était l'obscurité, loin de la route. Elle sauta au pied du talus et se retrouva dans l'cau jusqu'à la taille.

Dans l'obscurité et avec la panique, elle ne s'était pas aperçue qu'elle avait atteint l'endroit où la route longeait la rive du lac. Elle n'avait plus le temps de remonter sur la route ! Elle se souvint des épais massifs de roseaux et de papyrus qui poussaient quelque part devant elle. Ils pourraient lui servir d'abri.

Elle pataugea le plus loin possible, jusqu'à ne plus avoir pied et être forcée de nager. Elle se lança dans une brasse maladroite, gênée par sa jupe et son bras blessé. Pourtant ses mouvements lents et furtifs ne ridaient pratiquement pas la surface de l'eau. Elle atteignit un épais buisson de roseaux avant que ses poursuivants ne rejoignent l'endroit où elle avait sauté.

Elle se glissa jusqu'au plus dense du bosquet de roseaux et, là, se laissa couler. Elle sentit ses orteils s'enfoncer dans la vase qui tapissait le fond du lac. Elle resta ainsi, sans bouger, avec le sommet du crâne qui émergeait et le visage tourné loin de la rive. Ses cheveux sombres, elle le savait, ne réfléchiraient pas la lumière des torches.

Elle distinguait les éclats de voix des hommes sur le bord de la route. Ils braquaient leur torche sur le lac et les roseaux pour la retrouver. Un instant, un des rayons se posa sur sa tête. Elle inspira profondément, prête à se laisser couler, mais le rayon se déplaça. Ils ne l'avaient pas vue.

Ils parlaient arabe, et elle reconnut la voix de celui qu'on appelait Bacheet. Il semblait être le chef car c'est lui qui donnait des ordres.

– Rentre là-dedans, Yusuf, et sors cette salope de là.

Elle entendit Yusuf glisser et déraper le long de la berge puis distingua un bruit d'éclaboussures.

– Va plus loin, ordonna Bacheet. Dans ces roseaux, là où je dirige la torche.

– C'est trop profond. Tu sais bien que je ne sais pas nager. Je vais couler.

– Ici ! Devant toi. Dans ces roseaux. Je peux voir sa tête.

Bacheet l'encourageait et Royan eut peur qu'ils ne l'aient repérée. Elle se laissa couler le plus loin possible de la surface.

Yusuf pataugeait lourdement, au hasard, mais il avançait vers son abri, lorsque retentit un vacarme désordonné qui l'emplit de terreur.

– Des djinns ! s'écria-t-il. Dieu, protège-moi !

Des canards prenaient leur envol à grand bruit.

Yusuf rejoignit le rivage à la hâte et aucune des menaces et des exhortations de Bacheet ne purent le convaincre de reprendre les recherches.

– Cette femme n'est pas aussi importante que le parchemin, protesta-t-il en escaladant le talus pour rejoindre la route. Sans le parchemin, il n'y aura pas d'argent. Elle, nous pourrons toujours la retrouver.

Royan tourna légèrement la tête et vit les cercles blancs des torches s'éloigner le long de la route. Ils retournaient à la Fiat dont les phares étaient restés allumés. Elle entendit claquer les portières, puis le moteur vrombit et les bruits faiblirent en direction de la villa.

Elle était trop choquée et terrifiée pour tenter de quitter sa cachette. Elle craignait qu'ils n'aient laissé un des leurs sur la route, pour attendre qu'elle se montre. Elle restait sur la pointe des pieds avec l'eau qui palpitait contre ses lèvres, tremblant autant de peur que de froid, bien décidée à attendre le jour.

Mais plus tard, quand elle aperçut la lueur de l'incendie dans le ciel et les langues des flammes qui rougeoyaient entre les troncs des palmiers, elle renonça à la prudence et se traîna jusqu'à la berge.

Elle s'agenouilla dans la boue, au bord de l'eau. Elle était parcourue de violents frissons, elle tremblait et suffoquait, affaiblie par la perte de sang. A travers le voile de ses cheveux trempés, elle fixa les flammes.

– La villa ! Duraid ! Mon Dieu, non ! Non ! Non !

Elle se redressa et tituba en direction de sa maison en flammes.

2

Bacheet coupa en même temps les phares et le moteur de la Fiat avant le virage qui menait à la villa. Il laissa la voiture continuer en roue libre jusqu'au bord de la terrasse.

Les trois hommes descendirent du véhicule et gravirent les marches de pierre qui menaient à la terrasse dallée. Le corps de Duraid gisait toujours à l'endroit où l'avait laissé Bacheet, près du bassin. Ils le contournèrent sans un regard et pénétrèrent dans le bureau toujours plongé dans l'obscurité.

Bacheet déposa sur la table le fourre-tout en nylon qu'il avait apporté.

– Nous avons assez perdu de temps. Il faut faire vite, maintenant.

– C'est à cause de Yusuf, protesta le conducteur de la Fiat. Il a laissé s'enfuir la femme.

– Tu as eu ta chance sur la route, aboya Yusuf, et tu n'as pas fait mieux.

– Ça suffit, coupa Bacheet. Si vous voulez votre argent, il vaut mieux qu'il n'y ait pas d'autres erreurs.

Bacheet éclaira le rouleau qui était resté sur la table avec sa torche.

– C'est celui-là !

Il était certain de ne pas se tromper. On lui avait montré une photo pour être sûr qu'il n'y aurait pas d'erreur.

– Ils veulent tout. Les cartes et les photos. Les livres aussi, et les papiers. Tout ce qui est sur la table et dont ils se servaient pour travailler. Ne laissez rien.

Ils entassèrent rapidement les documents dans le fourre-tout.

– Le *doktari*, maintenant. Amenez-le ici.

Les deux acolytes ressortirent sur la terrasse et ils se penchèrent vers le corps. Ils s'emparèrent chacun d'une cheville et traînèrent Duraid jusqu'au bureau. La nuque de Duraid rebondit mollement contre la pierre du pas de la porte, son sang laissant une longue traînée visqueuse sur le carrelage qui luisait à la lumière des torches.

– Va chercher la lampe ! ordonna Bacheet.

Yusuf ressortit et ramassa la lampe à pétrole qui était restée à l'endroit où l'avait laissée tomber Duraid. La flamme était éteinte. Bacheet porta la lampe à son oreille et la secoua.

– Pleine, fit-il avec satisfaction.

Il dévissa le bouchon du réservoir.

– Très bien, dit-il aux deux autres. Allez ranger le sac dans la voiture.

Pendant qu'ils obtempéraient, Bacheet répandit le pétrole de la lampe sur les vêtements de Duraid puis il s'approcha des étagères et renversa ce qu'il restait de liquide sur les livres et les manuscrits.

Il laissa tomber la lampe vide et fouilla les plis de sa *dishdasha* pour trouver une boîte d'allumettes. Il en gratta une ; le ruban huileux prit feu, les flammes se propagèrent et noircirent les bords des pages qui s'enroulèrent sur elles-mêmes. Bacheet se détourna et s'approcha de Duraid. Il gratta une autre allumette et la laissa tomber sur la chemise mouillée de sang et de pétrole. Une cape de flammes bleues dansa sur la poitrine de Duraid. Les flammes changeaient de couleur selon qu'elles brûlaient d'abord le tissu de coton puis la chair, en dessous. Une fumée grasse montait en spirale des langues palpitantes et orangées.

Bacheet courut à la porte, traversa la terrasse et dévala l'escalier. Quand il monta dans la voiture, le chauffeur lança le moteur et la voiture s'éloigna dans l'allée.

La douleur réveilla Duraid. Il fallait qu'elle fût terrible pour l'arracher ainsi aux limbes où il dérivait.

Il gémit. Sa première sensation fut l'odeur de sa propre chair qui brûlait. Puis la douleur le submergea avec toute sa puissance. Un spasme cabra son corps tout entier et il ouvrit les yeux.

Ses vêtements fumaient. La douleur ne ressemblait à rien de ce qu'il avait déjà éprouvé. Il s'aperçut vaguement que la pièce était en feu. La fumée et les vagues de chaleur déferlaient au-dessus de lui, lui cachant la découpe de la porte.

Puis il se souvint de Royan. Il essaya de prononcer son nom mais aucun son ne franchit ses lèvres noircies et craquelées.

Seule la pensée de sa femme lui donna la force de bouger. Il roula sur lui-même et la chaleur lui mordit le dos, qui était resté intact jusqu'ici. Il gémit plus fort et roula encore, se rapprochant davantage de l'entrée.

Chaque geste exigeait de lui un effort surhumain et exacerbait la douleur. Il s'aperçut qu'un courant d'air frais, attiré par les flammes, arrivait par la porte ouverte. Une bouffée de l'air venu du désert le galvanisa, lui procurant assez de forces pour franchir le seuil de pierre et se traîner sur les dalles froides de la terrasse.

Ses vêtements et son corps brûlaient toujours. Il se battit faiblement la poitrine pour tenter d'étouffer les flammes mais ses mains n'étaient plus que des griffes noires et fumantes.

Puis il pensa à l'étang. L'idée de plonger son corps torturé dans l'eau froide l'aida dans cet ultime effort. Il se tortilla et rampa comme un serpent malade.

L'âcre fumée qui montait de sa chair lui coupa la respiration mais il continua sa progression. Laissant de larges lambeaux de peau calcinée sur le revêtement de pierre, il roula une dernière fois sur lui-même et sombra dans le bassin. Un ruban de vapeur siffla, un nuage blanc lui recouvrit les yeux pendant un temps si long qu'il se crut aveugle. La morsure de l'eau froide dans ses brûlures à vif fut si forte qu'il manqua perdre connaissance.

Quand il revint à lui, il vit une forme qui gravissait en titubant l'escalier au bout de la terrasse.

Il crut un instant à un fantôme, à une fantasmagorie produite par la douleur, mais quand la lumière de l'incendie l'éclaira, il reconnut Royan. Ses cheveux humides pendaient en désordre sur son visage, ses vêtements lacérés ruisselaient et étaient maculés de boue et d'algues vertes. Son bras droit était emmailloté de chiffons boueux, le sang suintait à travers, un sang mêlé d'eau sale, d'une teinte rosâtre.

Elle ne l'avait pas vu. Elle se figea au milieu de la terrasse et scruta le bureau dévasté avec horreur. Duraid était-il toujours à l'intérieur ? Elle tenta de faire un pas en avant mais la chaleur avait la consistance d'une muraille infranchissable. Elle s'arrêta net. Le toit s'effondra, projetant des torches de flammes haut dans le ciel noir. Elle recula en se protégeant le visage de son bras levé.

Duraid essaya de l'appeler mais aucun son ne sortait de sa gorge mise à vif par la fumée. Royan se détourna et descendit l'escalier. Il se dit qu'elle partait chercher de l'aide. Il fit un effort extrême et un croassement franchit ses lèvres noires et boursouflées.

Royan fit volte-face et le regarda. Puis elle poussa un hurlement. Sa tête n'avait plus rien d'humain. Il avait perdu ses cheveux et sa peau pendait en lambeaux à son menton et à ses joues. Des carrés de chair à vif perçaient dans le masque de croûtes noires. Elle recula comme devant quelque monstre hideux.

– Royan.

Il croassait d'une voix à peine reconnaissable. Il leva un bras dans sa direction. Elle se précipita et saisit la main tendue.

– Au nom de la Vierge, que t'ont-ils fait ?

Elle sanglotait tout en essayant de le tirer hors de l'étang. Quelque chose céda et la peau de sa main lui resta dans les doigts, tout entière, comme un horrible gant de caoutchouc. La patte dénudée saignait comme de la viande crue.

Royan tomba à genoux sur les dalles et se pencha pour le prendre dans ses bras. Elle savait qu'elle n'avait pas la force de le sortir de l'eau sans lui causer d'horribles blessures supplémentaires. Tout ce qu'elle pouvait faire était de le retenir, d'essayer de le réconforter. Elle voyait bien qu'il était en train de mourir. Aucun homme ne pouvait survivre à de si effrayantes blessures.

– On viendra bientôt nous aider, murmura-t-elle en arabe. Quelqu'un aura vu les flammes. Sois courageux, mon chéri, on viendra nous aider.

Il se tordait dans ses bras, torturé par ses douleurs mortelles et par l'effort qu'il faisait pour parler.

– Le papyrus...

Sa voix était à peine intelligible. Royan leva les yeux vers l'holocauste qui dévorait leur maison. Elle secoua la tête.

– Il n'y a plus de papyrus. Brûlé ou volé.

– Ne l'abandonne pas, marmonna-t-il. Tout notre travail...

– Il a disparu, répéta-t-elle. Personne ne nous croira sans...

– Non.

Sa voix était faible mais ferme.

– Pour moi. Ma dernière...

– Ne dis pas ça, supplia-t-elle. Tout ira bien.

– Promets-le-moi, demanda-t-il. Promets !

– Nous n'avons aucun moyen. Je suis seule. Je ne peux rien faire seule.

– Harper ! dit-il.

Royan se pencha si près que son oreille effleura ses lèvres ravagées.

– Harper, répéta-t-il. Homme intelligent... fort... dur...

Elle comprit. Harper était le quatrième personnage de la liste des mécènes qu'il avait établie. Il venait en dernier mais elle savait que l'ordre de préférence de Duraid avait toujours été inversé. Nicholas Quenton-Harper était celui qu'il avait choisi. Il avait souvent évoqué cet homme, avec respect et affection. Parfois même avec crainte.

– Mais que vais-je lui dire ? Il ne me connaît pas. Comment vais-je le convaincre ? Le septième papyrus a disparu.

– Aie confiance en lui, chuchota-t-il. Homme généreux. Aie confiance. Promets-moi !

Puis elle se souvint du carnet de notes resté dans l'appartement de Giza. Et des copies du récit de Taita faites sur le disque dur de son ordinateur. Tout n'était pas perdu.

– Oui, acquiesça-t-elle, je promets, mon chéri. Je promets.

Bien que ses traits mutilés ne pussent plus montrer la moindre expression humaine, sa voix vibrait d'un écho satisfait.

– Ma fleur...

Sa tête bascula en avant et il mourut dans ses bras.

Les paysans du village trouvèrent Royan à genoux près de l'étang. Elle parlait à Duraid en chuchotant. Les flammes étaient en train de mourir et la faible lueur de l'aube éclipsait leur éclat finissant.

L'équipe qui dirigeait le musée ainsi que le département des Antiquités assistait au service funèbre, dans l'église de l'oasis. Atalan Abou Sin lui-même, ministre de la Culture et du Tourisme et supérieur hiérarchique de Duraid, était venu du Caire dans sa Mercedes noire climatisée.

Il avait pris place sur un banc derrière Royan et, bien qu'il fût musulman, il joignit sa voix à celles des répondants. Nahoot Guddabi était assis près de son oncle. La mère de Nahoot était la plus jeune des sœurs du ministre et Duraid avait maintes fois souligné en raillant que ce lien suppléait parfaitement au manque de qualification du neveu, à son inexpérience en archéologie et à son manque d'aptitude à la fonction d'administrateur.

Il faisait une chaleur oppressante. A l'extérieur, la température dépassait trente degrés et même dans le cloître de l'église copte, on étouffait. Les épais nuages d'encens et les murmures de l'officiant en robe noire tournaient la tête à Royan. Les points de suture de son bras l'indisposaient. Chacun de ses regards au long cercueil noir posé devant l'autel richement décoré lui rappelait la terrible image de Duraid, de son crâne nu et écorché. Elle vacillait sur son siège et devait s'y agripper pour ne pas tomber.

Enfin, ce fut fini. Elle put s'échapper à l'air libre, dans la lumière du désert. Mais d'autres devoirs l'attendaient. Elle était le principal parent du mort et le rite exigeait qu'elle marche derrière le cercueil, tout au long de la procession qui montait vers le cimetière, au milieu des palmiers, jusqu'au mausolée familial où reposaient les parents et les grands-parents de Duraid.

Avant de repartir pour Le Caire, Atalan Abou Sin vint lui serrer la main et lui murmurer quelques mots de condoléances.

– Quel terrible drame, Royan. Je me suis entretenu personnellement avec le préfet de police. Ils arrêteront les monstres responsables de cette atrocité, croyez-moi. Je vous en prie, reposez-vous aussi longtemps que vous le voudrez avant de revenir au musée.

– Je serai à mon bureau dès lundi, répliqua-t-elle.
Il tira un agenda de la veste de son costume croisé, le consulta et griffonna quelques mots avant de revenir à elle.
– Alors, venez me voir au ministère dans l'après-midi. A quatre heures.
Il regagna sa Mercedes pendant que Nahoot Guddabi s'approchait pour lui serrer la main. C'était un homme au teint jaunâtre, avec des taches couleur café sous les yeux, grand et élégant, à l'épaisse chevelure et aux dents immaculées. Son costume était impeccablement coupé et il émanait de lui un discret parfum de luxe. Son visage était grave et triste.
– C'était un excellent homme. Je tenais Duraid en haute estime.
Elle hocha la tête en guise de réponse à ce qui était un mensonge flagrant. Il n'y avait jamais eu de sentiment de ce genre entre Duraid et son assistant. Il n'avait jamais autorisé Nahoot à consulter les rouleaux de Taita et, surtout, ne lui avait jamais autorisé l'accès au septième papyrus. Ce qui n'avait fait qu'ajouter à l'hostilité de leurs rapports.
– J'espère que tu te présenteras pour le poste de directeur, Royan. Tu es tout à fait qualifiée.
– Merci, Nahoot, tu es très bon. Je n'ai pas encore eu l'occasion de songer à l'avenir. Mais ne vas-tu pas te présenter, toi aussi ?
– Bien entendu. Mais ça ne veut pas dire que personne d'autre ne le peut. Peut-être vas-tu me souffler le poste sous le nez ?
Son sourire était condescendant. Elle était une femme dans une société arabe et lui était le neveu du ministre. Nahoot n'ignorait pas de quel poids les choses pesaient en sa faveur.
– Rivaux mais amis ? demanda-t-il.
– Amis en tout cas, fit-elle avec un triste sourire. J'aurai besoin de tous ceux que je pourrai trouver pour affronter l'avenir.
– Tu sais que tu as de nombreux amis. Tout le monde dans le département t'apprécie, Royan.
Cela au moins était la vérité, se dit-elle.
– Puis-je, reprit-il avec onctuosité, te proposer de te ramener au Caire ? Je suis certain que mon oncle n'y verra aucun inconvénient.

– Je te remercie, Nahoot, mais je suis venue avec ma propre voiture. Et je voudrais passer la nuit à l'oasis pour trier les affaires de Duraid.

C'était un mensonge. Royan comptait être le soir même à l'appartement de Giza mais, pour des raisons dont elle-même doutait, elle préférait que Nahoot ignorât ses projets.

– Nous nous verrons donc au musée, lundi.

Royan quitta l'oasis dès qu'elle put échapper aux amis, à la famille et aux paysans dont un bon nombre avait travaillé pour la famille de Duraid pendant leur vie entière. Elle se sentait engourdie et isolée. Leurs condoléances et leurs pieuses exhortations n'avaient aucun sens et ne lui apportaient aucun réconfort.

Même à cette heure tardive, la route qui traversait le désert était encombrée. Des files de véhicules progressaient lentement dans les deux sens car le lendemain était vendredi, jour de sabbat. Elle dégagea son bras blessé de son harnais. Il ne l'empêchait pas trop de conduire, elle pourrait effectuer le trajet en un temps raisonnable. Il était pourtant plus de cinq heures quand, dans la désolation fauve du désert, elle aperçut la bande verte qui annonçait le début de l'étroit ruban de terre irriguée et cultivée le long du Nil, grande artère de l'Égypte.

Comme toujours, la circulation était plus dense aux abords de la capitale. Elle atteignit l'immeuble où se trouvait l'appartement à la nuit tombée. Il surplombait à la fois le fleuve et les grands monuments de pierre qui dressaient leur masse imposante dans le ciel nocturne et qui, pour elle, représentaient l'âme et le passé de sa terre.

Elle gara la vieille Renault verte de Duraid dans le sous-sol de l'immeuble et prit l'ascenseur jusqu'au dernier étage. A peine entrée dans l'appartement, elle se figea. Le salon avait été entièrement retourné, les tapis déplacés et les tableaux arrachés des murs. Le parquet était jonché de meubles et de bibelots brisés. Leur chambre avait été dévastée, elle aussi. Ses vêtements et ceux de Duraid étaient éparpillés sur le sol. Les portes du placard béaient. L'une d'elles pendait sur ses gonds forcés. Le lit était retourné, les draps et les oreillers jetés au hasard.

Une forte odeur de cosmétiques émanait de la salle

de bains mais elle se refusait à y aller. Elle savait ce qu'elle y trouverait. Elle prit le couloir jusqu'à la vaste pièce qui servait de bureau et d'atelier.

C'était le chaos. Elle vit tout d'abord le jeu d'échecs ancien que Duraid lui avait offert lors de leur mariage. Le plateau, en carrés de jais et d'ivoire, avait été brisé en deux et les pièces avaient été dispersées à travers la pièce avec une violence délibérée et inutile. Elle se baissa et ramassa la reine blanche. Sa tête avait été cassée net.

La reine dans la main, elle s'approcha comme en rêve de son bureau. Son ordinateur était saccagé. Ils avaient brisé l'écran et le moniteur à coups de hache. Il était évident qu'il ne restait plus la moindre information sur le disque dur. Il était irréparable.

Elle baissa les yeux sur le tiroir où étaient rangées ses disquettes. Celui-là et les autres avaient été sortis et jetés au travers de la pièce. Ils étaient vides, bien sûr. Il ne restait plus aucune trace non plus de ses carnets et photographies. Ses ultimes liens avec le septième rouleau étaient rompus. Après trois années de travail, les preuves mêmes de son existence s'étaient envolées.

Elle se laissa glisser au sol, comme vidée de son sang. Son bras lui faisait mal et elle se sentait seule et plus vulnérable qu'elle ne l'avait jamais été. Elle n'aurait jamais cru que Duraid lui manquerait tant. Les épaules secouées de sanglots, elle sentit les larmes monter depuis le plus profond d'elle-même. Elle essaya de les retenir mais elles étaient déjà à ses paupières et elle les laissa couler. Assise au milieu des vestiges de son existence, elle pleura jusqu'à être complètement vide. Puis elle se roula en boule sur le tapis couvert de débris et, cédant au désespoir et à la fatigue, s'endormit brutalement.

Le lundi suivant, elle avait remis de l'ordre dans sa vie. La police s'était rendue à l'appartement et avait enregistré sa déposition. Puis elle avait rangé une grande partie du désordre. Elle avait même recollé la tête de la reine blanche.

Quand elle quitta l'appartement au volant de la Renault verte, son bras allait beaucoup mieux. Sans être vraiment de bonne humeur, elle était beaucoup plus optimiste et se sentait sûre de ce qu'elle avait à faire.

A peine arrivée au musée, elle se précipita dans le bureau de Duraid. A sa grande déconvenue, elle y trouva Nahoot. Il était en compagnie de deux gardes qui s'occupaient d'emporter les papiers de Duraid.

– Tu aurais pu avoir la délicatesse de me laisser m'en occuper moi-même, fit-elle avec froideur.

Il lui fit son sourire le plus enjôleur.

– Je suis désolé, Royan. Je croyais bien faire.

Il fumait une de ses grosses cigarettes turques dont elle haïssait le parfum. Elle contourna le bureau de Duraid et tira le tiroir du haut.

– L'agenda de mon mari était ici. Il n'y est plus. L'as-tu vu ?

– Non, ce tiroir était vide.

Nahoot interrogea les deux gardes du regard, qui secouèrent la tête. Cela n'avait aucune importance, se dit-elle. Le carnet ne contenait rien qui ait un grand intérêt. Duraid s'en était toujours remis à elle pour enregistrer et conserver les informations importantes, dont l'essentiel avait été sur son ordinateur.

– Je te remercie, Nahoot, dit-elle en le congédiant. Je m'occuperai du reste. Je ne voudrais pas t'empêcher de travailler.

– Toute mon aide t'est acquise, Royan. N'hésite pas à me la demander, je t'en prie.

Il s'inclina imperceptiblement et s'en alla.

Il ne lui fallut guère plus longtemps pour terminer le rangement du bureau. Elle fit porter les cartons remplis des affaires de son mari jusqu'à son propre bureau où les gardes les empilèrent contre un mur. Elle employa l'heure du déjeuner à mettre son bureau en ordre. Elle avait terminé une bonne heure avant le rendez-vous avec Atalan Abou Sin.

Pour tenir la promesse faite à Duraid, elle allait devoir s'absenter quelque temps. Désirant saluer ses trésors bien-aimés, elle se rendit à l'étage réservé au public.

Lundi était jour d'affluence et les salles d'exposition étaient bondées de groupes de touristes. Ils trottinaient derrière les guides comme des moutons après leur berger, s'agglutinaient autour des pièces les plus célèbres et écoutaient les conférenciers réciter dans toutes les langues de Babel leur discours bien rodé.

Les salles du second étage qui abritaient les trésors de

Toutânkhamon étaient si bondées qu'elle ne s'y attarda guère. Elle joua des coudes jusqu'au petit cabinet qui renfermait le masque funéraire de l'enfant-pharaon. Comme toujours, la splendeur et le mystère de la pièce lui firent battre le cœur un peu plus vite. En le contemplant, bousculée par deux touristes d'âge mûr, transpirant et dotées de poitrine avantageuse, elle se prit à penser que si un roi aussi faible et insignifiant avait pu emporter une telle merveille dans sa tombe, alors la dynastie des Ramsès avait dû remplir ses temples funéraires d'objets extraordinaires.

Ramsès II, le plus puissant d'entre eux, avait régné pendant soixante-sept ans. Il avait passé des décennies à accumuler son trésor funéraire en pillant les vastes territoires qu'il avait conquis. L'imagination perdait pied devant l'étendue de ce qu'il devait être.

Royan rendit visite au vieux roi. Après trente siècles, Ramsès II dormait avec sur son visage sévère une profonde expression de sérénité. Sa peau rayonnait d'un éclat marmoréen, les rares cheveux qui lui restaient étaient blonds et passés au henné, ses mains colorées elles aussi étaient longues, minces et élégantes. Il était, hélas, enveloppé dans un vulgaire chiffon de coton. Les pilleurs de tombes avaient démailloté sa momie pour s'emparer des amulettes et des scarabées déposés entre les bandes de tissu. Désormais, son corps était quasiment nu. Quand, en 1881, sa dépouille avait été découverte à Deir el-Bahari, il ne restait qu'un morceau de papyrus attaché à son buste pour proclamer sa lignée.

Il doit y avoir une morale à cette histoire, se dit-elle. Et devant ces reliques pathétiques, elle se demanda encore, comme elle et Duraid se l'étaient tant de fois demandé, si Taita le scribe disait vrai. Si, quelque part dans les lointaines montagnes d'Afrique, un autre grand pharaon dormait, tranquille au milieu de ses trésors intacts. Cette idée la faisait frissonner d'excitation, lui donnait la chair de poule et elle sentait se hérisser les fins cheveux noirs de sa nuque.

– Je t'en fais la promesse, mon cher mari, murmura-t-elle en arabe. Je le ferai pour toi et en mémoire de toi, parce que c'est toi qui as montré la route.

Elle regarda sa montre en descendant l'escalier principal. Il lui restait un quart d'heure avant son rendez-vous avec le ministre. Ce qu'elle voulait voir se trouvait dans une des ailes les moins fréquentées. Les guides y entraînaient rarement leurs troupeaux, sinon pour rejoindre plus vite la statue d'Aménophis.

Royan s'immobilisa devant une vitrine qui se dressait jusqu'au plafond de la pièce tout en longueur. Elle était remplie de petites pièces manufacturées, d'outils, d'armes et d'amulettes, de vaisselle et d'ustensiles, dont les plus récents remontaient à la XXe dynastie du Nouvel Empire, vers 1100 avant J.-C., tandis que les plus anciens avaient survécu depuis les âges reculés de l'Ancien Empire, il y avait presque cinq mille ans. Ces pièces accumulées étaient répertoriées de façon rudimentaire ; une grande partie d'entre elles n'étaient pas décrites.

Tout au bout de la salle, sur l'étagère la plus basse, étaient exposés des bijoux, des bagues et des sceaux. A côté de chaque sceau, il y avait une empreinte de cire.

Royan s'agenouilla pour examiner un de ces objets avec plus d'attention. Le minuscule morceau de lapis-lazuli posé au centre de l'étagère était superbement ciselé. Le lapis était une matière précieuse pour les anciens, car on le trouvait rarement à l'état naturel dans l'empire d'Égypte. L'empreinte de cire montrait un faucon à l'aile brisée. Pour Royan, la légende était limpide : TAITA, SCRIBE DE LA GRANDE REINE.

Il s'agissait du même homme, elle en était certaine. Il avait utilisé le même faucon pour signer les rouleaux. Qui avait trouvé cet objet ? se demanda-t-elle. Et où ? Peut-être un paysan avait-il pillé la tombe disparue du vieil esclave ? Le saurait-elle jamais ?

– Tu te moques de moi, Taita ? Tout ceci est-il un tour de ta fabrication ? Ris-tu de moi, maintenant, depuis ta tombe ?

Elle se pencha jusqu'à ce que son front touche la vitre glacée.

– Es-tu mon ami, Taita, ou serais-tu mon plus implacable adversaire ?

Elle se redressa et épousseta sa jupe.

– On verra bien. Je vais jouer avec toi et on verra bien qui sera le plus malin !

Le ministre ne la fit attendre que quelques minutes. Atalan Abou Sin portait un costume de soie noire. Il était installé à son bureau. Royan n'ignorait pas qu'il préférait la robe, plus confortable, et les coussins disposés sur les tapis. Il remarqua son regard et sourit, comme pour s'excuser.

– J'ai une réunion avec des Américains, cet après-midi.

Elle l'aimait bien. Il s'était toujours montré très bon avec elle et c'est à lui qu'elle devait son poste au musée. La plupart des hommes, à sa place, auraient refusé la demande de Duraid d'avoir un assistant de sexe féminin. Surtout sa propre femme.

Il s'enquit de sa santé, elle lui montra son bandage.

– Les points seront retirés dans une dizaine de jours.

Ils bavardèrent avec courtoisie. Seuls des Occidentaux auraient eu la grossièreté d'aborder directement le sujet de leur rendez-vous. Enfin, pour lui épargner l'embarras de le faire lui-même, Royan s'empara de la première occasion.

– Je crois que j'ai besoin de m'accorder du temps. J'ai besoin de me remettre, de décider de ce que sera ma vie maintenant que je suis veuve. Je vous serais très reconnaissante d'accepter de m'accorder un congé de six mois. Je voudrais rendre visite à ma mère, en Angleterre.

Atalan semblait réellement ému.

– Je vous en prie, ne soyez pas absente trop lontemps ! Votre travail ici est irremplaçable. Nous avons besoin de vous pour mener à bien ce qu'avait commencé Duraid.

Il ne pouvait, pourtant, dissimuler entièrement son soulagement. Elle se doutait bien qu'il s'était attendu à ce qu'elle mentionne sa candidature au poste de directeur. Il en avait certainement parlé avec son neveu et ce n'était pas le genre d'homme à se réjouir d'avoir à lui dire que cet emploi ne pouvait convenir à une femme. Les choses changeaient en Égypte, certaines femmes arrivaient à sortir de leur rôle traditionnel mais les habitudes se modifiaient lentement et en surface. Ils n'ignoraient pas, l'un comme l'autre, que la direction du département devait revenir à Nahoot Guddabi.

Atalan l'accompagna à la porte de son bureau et lui serra la main en guise d'adieu. Elle se laissa emporter par l'ascenseur avec un sentiment de liberté.

La Renault attendait au soleil, sur le parking du ministère. La chaleur à l'intérieur du véhicule était assez forte pour cuire du pain. Elle ouvrit toutes les fenêtres et secoua sa portière pour faire circuler l'air chaud mais, quand elle s'installa au volant, le revêtement du siège lui brûla les cuisses.

Le flot de la circulation cairote l'engloutit, à peine franchies les grilles du ministère. Elle peinait derrière un bus bondé qui crachait les fumées bleues de son diesel sur sa Renault. La circulation au Caire était un de ces problèmes qui semblent n'avoir aucune solution. Les places de stationnement étaient si rares que les voitures se garaient en triple file, voire quadruple, transformant le milieu de la chaussée en cauchemar.

Le bus pila net, la forçant à s'arrêter. Royan sourit en songeant à la vieille plaisanterie qui courait à propos de certains automobilistes obligés d'abandonner leurs voitures à cause des embouteillages. Il devait bien y avoir un fond de vérité dans cette histoire car certains véhicules n'avaient pas bougé depuis des semaines. Leurs pare-brise étaient complètement obscurcis par la poussière et, d'ailleurs, un bon nombre avaient les pneus à plat.

Elle jeta un œil dans le rétroviseur. Un taxi s'était arrêté à quelques centimètres de son pare-chocs ; derrière, la circulation semblait irrémédiablement figée. Seuls les motocyclistes pouvaient évoluer à peu près librement. L'un d'eux déboula en slalomant avec une désinvolture suicidaire. C'était une vieille Honda rouge 200 cc. Le conducteur et son passager s'étaient emmitouflé le bas du visage dans leurs turbans pour se protéger des gaz et de la poussière.

La Honda se faufila à contresens, entre le taxi et les épaves garées le long de la route. Le chauffeur du taxi fit un geste obscène du pouce et invoqua Allah, le prenant à témoin d'une manœuvre à la fois interdite, dangereuse et stupide.

La moto ralentit légèrement, et, arrivant au niveau de la Renault, le passager se pencha et laissa tomber quelque chose sur le siège de devant. Le chauffeur accéléra alors si brutalement que la roue avant de la moto quitta la chaussée. Il fit virer son engin qui bondit dans une allée, manquant de peu une vieille femme qui se trouvait sur son chemin.

Alors que le passager se retournait vers elle, le vent souleva le tissu de coton qui le masquait et elle reconnut le visage ainsi découvert : c'était celui d'un des hommes qu'elle avait aperçus sur la route de l'oasis.

– Yusuf !

La Honda disparut. Royan regarda l'objet qui était tombé sur le siège à côté d'elle. C'était une chose ovoïde, à la surface quadrillée et peinte en vert kaki. Une grenade à fragmentation ! La goupille avait été retirée et l'engin allait exploser dans quelques secondes.

Instinctivement, elle agrippa la poignée de la portière et se jeta de tout son poids sur le côté. La portière s'ouvrit brutalement et elle tomba sur le macadam. La Renault fit un bond en avant et buta contre l'arrière du bus.

La grenade explosa au moment où Royan rampait entre les roues du taxi.

La fenêtre du conducteur vomit une torchère de flammes, de fumée et de débris. La vitre arrière explosa, l'arrosant d'éclats scintillants ; la détonation fut assourdissante.

Un silence hébété suivit le choc de l'explosion. On n'entendait que le carillon du verre brisé qui tombait en pluie. Puis, très vite, ce fut un chœur de gémissements. Royan s'assit en serrant son bras contre sa poitrine. Elle s'était fait mal en tombant et la douleur était insupportable.

La Renault n'était plus qu'une épave, mais Royan aperçut son sac qui gisait non loin d'elle. Elle se mit maladroitement sur ses pieds et tituba jusqu'à lui. Autour, la confusion était absolue. Quelques passagers du bus avaient été blessés. Un éclat avait atteint une fillette sur le trottoir. A l'aide de son écharpe, sa mère s'efforçait de nettoyer son visage ensanglanté. La fillette se débattait en gémissant affreusement.

Personne ne prêtait attention à Royan mais elle se doutait que des policiers allaient arriver d'une minute à l'autre. Ils étaient entraînés à réagir rapidement aux actes terroristes des fondamentalistes. S'ils la trouvaient là, elle aurait droit à d'interminables interrogatoires. Elle passa la bretelle de son sac à son épaule et s'éloigna aussi rapidement que le lui permettait sa jambe meurtrie.

Il y avait des toilettes publiques au bout de la rue. Elle s'enferma dans une des cabines et resta assise, les yeux fermés, pour tenter de remettre de l'ordre dans le chaos de ses pensées.

L'horrible assassinat de Duraid lui avait fait oublier sa propre sécurité et la réalité du danger qu'elle courait venait de lui être révélée de la plus brutale des façons. Elle se souvint des mots qu'un des assassins avait criés : « Nous savons où la trouver ! »

L'attentat avait échoué de peu, mais elle pouvait être convaincue qu'il y aurait une autre tentative.

« Je ne peux pas retourner à l'appartement, songea-t-elle. La villa est détruite et, de toute manière, ils m'y retrouveraient vite. »

Elle réfléchit à la conduite qu'elle devait adopter. Elle finit par sortir des toilettes et s'arrêta devant les lavabos. Elle se passa de l'eau froide sur le visage puis se peigna, retoucha son maquillage et retapa sa tenue de son mieux.

Elle franchit quelques pâtés de maisons à pied, tournant au hasard des rues pour couper court à toute filature éventuelle. Elle finit par héler un taxi qui passait. Elle demanda au chauffeur de l'arrêter dans la rue qui longeait l'arrière de sa banque et fit le reste du chemin à pied. La fermeture était imminente mais on l'introduisit dans le minuscule bureau d'un employé. Elle vida son compte qui contenait moins de cinq mille livres égyptiennes. Ce n'était pas grand-chose mais elle avait de l'argent sur son compte de York. Il lui restait aussi sa carte de crédit.

– Vous devez en principe avertir pour retirer un objet du coffre, fit l'employé avec sévérité.

Elle s'excusa platement, avec un air de petite fille qui fit plier le bureaucrate. Il lui tendit le paquet qui contenait son passeport britannique et ses papiers bancaires de la Lloyd's.

Les nombreux parents et amis de Duraid auraient été enchantés de la recevoir mais elle devait rester cachée, à l'abri de ses agresseurs. Elle choisit un des hôtels pour touristes qui se dressaient près du fleuve. Là, espérait-elle, au milieu des étrangers qui se succédaient à un rythme soutenu, elle passerait inaperçue.

Dès qu'elle se retrouva seule, elle appela le service des réservations de la British Airways. Il y avait un vol pour Heathrow, le lendemain matin, à dix heures. Elle retint un aller simple et leur communiqua le numéro de sa carte de crédit.

Il était six heures du soir en Égypte mais, en Angleterre, les bureaux étaient encore ouverts. Elle chercha dans son carnet le numéro de l'université de Leeds où elle avait fait ses études. On décrocha à la troisième sonnerie.

– Département d'archéologie. Bureau du professeur Dixon, fit une voix de gouvernante anglaise.

– Est-ce vous, Miss Higgins ?

– Oui, à qui ai-je l'honneur ?

– C'est Royan. Royan Al Simma. Ou Royan Said, si vous préférez.

– Royan ! Nous n'avons pas eu de tes nouvelles depuis des siècles. Comment vas-tu ?

Elles bavardèrent un instant puis Royan prit conscience du coût de la communication.

– Le professeur est-il là ? coupa-t-elle.

Percival Dixon avait plus de soixante-dix ans. Il aurait dû être à la retraite depuis des années.

– Royan, c'est bien toi ? Mon étudiante préférée ? Hein ?

– Je vous appelle de l'étranger, professeur. Je me demandais si votre offre tenait toujours.

– Grand Dieu, mais je croyais que nos projets ne s'accordaient pas, hein ?

– Les circonstances ont changé. Je vous raconterai tout quand je vous verrai. Si je vous vois.

– Mais bien entendu, nous serons enchantés de te recevoir. Quand peux-tu être là ?

– Je serai en Angleterre demain.

– Si vite ! Je ne sais pas si nous pourrons arranger quelque chose dans ces délais.

– Je serai chez ma mère, à York. Passez-moi Miss Higgins, je lui communiquerai le numéro de téléphone.

C'était un des hommes les plus brillants qu'elle connaisse, mais il était incapable de noter un numéro de téléphone correctement.

– Je vous rappellerai dans quelques jours.

Elle raccrocha et s'allongea sur le lit. Elle était épuisée et son bras la faisait toujours souffrir, mais elle s'efforça néanmoins de faire le point.

Deux mois auparavant, le professeur Dixon l'avait invitée à faire une conférence sur la découverte et les fouilles de la tombe de la reine Lostris et sur la découverte des manuscrits. C'était ce livre, bien sûr, et surtout la note de la fin, qui avait attiré son attention. La publication du livre avait éveillé de multiples intérêts. Ils avaient été contactés par des égyptologues du monde entier. Amateurs comme professionnels s'étaient manifestés, d'endroits aussi éloignés que Tokyo ou Nairobi. Tous s'interrogeaient sur l'authenticité du roman, et surtout sur les faits qui lui servaient de base.

Elle avait commencé par refuser l'idée qu'un auteur de fiction ait accès aux transcriptions. D'autant que le travail n'était pas terminé. Pour elle, ce genre d'entreprise ne pouvait que réduire une importante découverte scientifique à une vulgaire opération commerciale. Quelque chose comme ce qu'avait fait Spielberg à la paléontologie avec son parc rempli de dinosaures.

On ne l'avait pas écoutée longtemps. Même Duraid avait été contre elle. L'argent, bien sûr. Le département était toujours à la recherche de fonds pour conduire ses recherches les moins spectaculaires. Pour le grandiose, comme le déplacement du temple entier d'Abou Simbel loin des eaux du barrage d'Assouan, les nations du monde déversaient des millions de dollars. Les travaux quotidiens du département attiraient moins de sponsors.

Leur part des royalties du *Dieu Fleuve*, car tel était le titre du roman, avait permis de financer une année de recherche et d'exploration, mais cela n'avait pas suffi à calmer le ressentiment de Royan. L'auteur du livre avait pris de telles libertés avec les faits contenus dans les rouleaux ! Il avait attribué aux personnages des traits de caractère et des qualités dont rien ne prouvait l'existence. Il avait en particulier fait de Taita, le scribe, un bavard vantard et prétentieux. Ça, elle ne le supportait pas.

Par honnêteté, il lui avait bien fallu reconnaître que l'auteur avait simplement cherché à rendre les faits plus agréables à lire pour le plus vaste public possible. Elle reconnaissait avec réticence qu'il y était parvenu. Pourtant, sa formation de scientifique était révoltée par la vulgarisation d'une histoire aussi rare et aussi extraordinaire.

Elle chassa ces réflexions de son esprit en soupirant. Le mal était fait et y songer ne faisait que l'agacer davantage.

Elle préférait se concentrer sur des problèmes plus

immédiats. Pour mener à bien la conférence qu'elle devait donner, elle aurait besoin de ses diapositives, lesquelles étaient restées dans son bureau du musée. Elle réfléchissait au moyen de les récupérer sans y aller elle-même quand la fatigue la submergea. Elle s'endormit tout habillée, à même le couvre-lit.

3

Finalement, la solution à son problème se révéla la simplicité même. Elle appela les bureaux de l'administration du musée et obtint que l'on prît la boîte de diapositives dans son bureau et qu'on les fît porter en taxi à l'aéroport par un des secrétaires.

En lui tendant la boîte, devant le guichet de la British Airways de l'aéroport du Caire, le jeune homme lui dit :

– Quand nous avons ouvert le musée, ce matin, la police était là. Ils voulaient vous parler.

Ils avaient dû retrouver sa trace à l'aide de l'immatriculation de la Renault accidentée. Elle avait été bien inspirée de prendre son passeport britannique. Elle n'aurait pu quitter le pays avec ses papiers égyptiens sans se faire arrêter. La police avait probablement donné des instructions à tous les guichets de contrôle. Grâce à cette astuce, elle passa sans encombre. Une fois dans la zone réservée au départ, elle alla au kiosque à journaux et examina les présentoirs.

Tous les journaux égyptiens parlaient de l'explosion de sa voiture, la plupart évoquaient le meurtre de Duraid et liaient les deux événements. L'un d'eux soupçonnait une action d'intégristes religieux. *El Arab* publiait en première page une photo d'elle et de Duraid. Le cliché avait été pris le mois précédent, lors de la réception d'un groupe de voyagistes français.

L'image lui causa un choc. Son mari était beau et élégant, elle le tenait par le bras et lui souriait. Elle acheta un exemplaire de chaque journal et emporta la pile à bord de l'avion de la British Airways.

Pendant le vol, elle nota sur son carnet tous les détails dont elle se souvenait au sujet de l'homme qu'elle allait devoir retrouver. Elle inscrivit son nom en haut de la page : Sir Nicholas Quenton-Harper, baronnet.

Duraid lui avait expliqué que l'arrière-grand-père de Nicholas devait ce titre à sa carrière d'officier de l'armée coloniale britannique. Pendant trois générations, la famille avait noué des liens profonds avec l'Afrique, tout particulièrement avec les colonies et les zones d'influence britanniques d'Afrique du Nord : Égypte et Soudan, Ouganda et Kenya.

D'après Duraid, Sir Nicholas lui-même avait été au service de l'armée britannique, en Afrique et dans le Golfe. Il parlait couramment l'arabe et le swahili et était un amateur fervent d'archéologie et de zoologie. Pour enrichir ses collections aussi bien qu'explorer les régions les plus lointaines, il avait, comme son père, son grand-père et son arrière-grand-père avant lui, participé à de nombreuses expéditions en Afrique du Nord. Il avait écrit de nombreux articles dans des revues scientifiques et même donné des conférences à la Royal Geographical Society.

Son frère aîné étant mort sans enfant, il avait hérité du titre et de la maison familiale de Quenton Park. Il avait quitté l'armée pour s'occuper de la propriété et particulièrement du musée que le premier baronnet avait créé en 1885 et qui abritait une des plus importantes collections privées de faune africaine. La section d'objets d'Égypte antique et du Moyen-Orient était tout aussi fameuse.

Finalement, par les récits de Duraid, elle devinait dans la personnalité de Sir Nicholas les traits d'une nature libre et peut-être même affranchie des lois. Il n'avait visiblement pas peur de prendre des risques extraordinaires pour agrandir les collections de Quenton Park.

Duraid avait fait sa connaissance quelques années plus tôt, quand Sir Nicholas l'avait engagé comme agent de renseignement, lors d'une mission secrète destinée à faire sortir de Libye une série de bronzes puniques. Sir Nicholas en avait vendu une partie pour payer les frais de cette aventure mais avait gardé les plus beaux pour sa collection privée.

Une autre expédition avait été lancée récemment. Il

s'agissait, cette fois-ci, de passer clandestinement la frontière iraquienne pour subtiliser deux bas-reliefs au nez et à la barbe de Saddam Hussein. Sir Nicholas avait vendu une des frises pour une somme colossale, cinq millions de dollars américains, mais le second bas-relief, le plus beau, était toujours en sa possession.

Ces deux expéditions avaient eu lieu avant que Royan ne fasse la connaissance de Duraid. S'ils avaient été pris, la sanction n'aurait fait aucun doute : une exécution sommaire, pour l'un comme pour l'autre.

Comme Duraid le lui avait expliqué, ils ne s'en étaient sortis que grâce à l'ingéniosité de Nicholas et à un réseau d'amis et d'admirateurs en Afrique du Nord et au Moyen-Orient à qui il avait pu demander de l'aide.

– C'est un drôle de type, avait dit Duraid en hochant la tête, mais c'est l'homme à avoir avec soi quand quelque chose tourne mal. Nous nous sommes bien amusés à l'époque, mais quand je regarde en arrière, les risques que nous prenions me font trembler.

Elle s'était souvent interrogée sur les risques qu'étaient capables de prendre les vrais collectionneurs pour assouvir leur passion. Dès qu'il s'agissait d'accroître leur trésor, il semblait ne plus y avoir de commune mesure entre les risques encourus et l'objet désiré. Elle sourit de sa propre ingénuité. L'aventure dans laquelle elle comptait entraîner Sir Nicholas n'était pas exactement de tout repos et elle imaginait bien dans quel débat interminable la légalité de l'opération lancerait des avocats.

Elle s'endormit le sourire aux lèvres, épuisée par la tension des jours précédents. L'hôtesse de l'air la réveilla en lui demandant d'attacher sa ceinture pour l'atterrissage à l'aéroport de Heathrow.

Royan appela sa mère depuis l'aéroport.

– Bonjour, maman, c'est moi.

– Je sais. Où es-tu, ma chérie ?

Sa mère était toujours aussi imperturbable.

– A Heathrow. Je voudrais passer quelques jours avec toi, si tu veux bien.

– Pension Lumley, j'écoute, fit sa mère en riant. Bien, je vais aller préparer ton lit. Par quel train arriveras-tu ?

– J'ai jeté un œil sur les horaires. Il y en a un de King's Cross qui me déposera à York à sept heures, ce soir.

– Je serai à la gare. Que s'est-il passé ? Duraid et toi vous êtes chamaillés ? Il pourrait être ton père. J'ai toujours dit que ça ne marcherait pas.

Royan se tut. Le moment était mal venu pour les explications.

– Je te raconterai tout ce soir.

Georgina Lumley, sa mère, attendait sur le quai dans l'obscurité glacée du soir d'hiver. Elle portait son vieux Barbour vert et avait Magic, son cocker, assis à ses pieds. Même quand ils n'étaient pas en train de remporter des trophées à un concours canin, ces deux-là formaient un couple inséparable. Aux yeux de Royan, ils représentaient de façon réconfortante et familière ses racines anglaises.

Georgina déposa un baiser négligent sur la joue de Royan.

– Je n'ai jamais été douée pour les démonstrations d'affection, répétait-elle avec satisfaction.

Elle s'empara d'un des sacs de Royan et la précéda vers la vieille Land Rover maculée de boue garée sur le parking.

Magic renifla les mains de Royan et battit de la queue en signe de reconnaissance. Puis, avec une dignité empreinte de condescendance, il se laissa flatter le haut du crâne. Comme sa maîtresse, il n'avait rien d'un grand sentimental.

Elles roulèrent en silence pendant un moment, puis Georgina alluma une cigarette.

– Bien, qu'est-il arrivé à Duraid ?

Pendant une minute, Royan ne put rien articuler. Puis les digues se rompirent et elle laissa ruisseler ses larmes.

Il fallait vingt minutes pour aller du nord de York au petit village de Brandsbury et Royan parla pendant tout le trajet. Sa mère n'émettait que quelques vagues murmures d'encouragement et de réconfort. Quand, au récit de la mort de Duraid et de son enterrement, sa fille éclata en sanglots, Georgina allongea le bras et lui tapota la main.

Tout était dit quand elles arrivèrent au cottage. Royan avait pleuré tout son saoul et c'est avec les yeux secs et l'esprit clair qu'elle s'installa devant le dîner que sa mère avait préparé et gardé au chaud pour elle. Royan n'aurait pu préciser depuis quand elle n'avait pas goûté une tourte au bœuf et aux rognons.

– Alors, que comptes-tu faire, maintenant ? demanda Georgina en versant ce qui restait de la bouteille de Guinness dans son verre.

– Pour être franche, je n'en sais rien.

Tout en la prononçant, Royan se demandait pourquoi tant de gens recouraient à cette phrase avant de proférer un mensonge.

– J'ai demandé six mois de disponibilité au musée et le professeur Dixon s'est arrangé pour que je donne une conférence à l'université. C'est tout pour le moment.

– Bien, fit Georgina en se levant. Il y a une bouillotte chaude dans ton lit et tu peux rester ici le temps que tu voudras.

C'était, dans sa bouche, une véritable déclaration passionnée d'amour maternel.

Les jours suivants, Royan prépara sa conférence en classant ses diapositives et ses notes. Elle accompagnait Georgina et Magic dans leurs longues promenades dans la campagne alentour.

– Connais-tu Quenton Park ? demanda-t-elle à sa mère, lors d'une de ces excursions.

– Un peu ! s'exclama Georgina avec enthousiasme. Magic et moi y allons quatre ou cinq fois par saison. Une chasse de première. Les plus beaux faisans et coqs de bruyère du Yorkshire. Les oiseaux volent si haut qu'ils sont un défi aux meilleurs fusils d'Angleterre.

– Connais-tu le propriétaire, Sir Nicholas Quenton-Harper ?

– Je le vois lors des chasses mais je ne le connais pas. Excellent fusil, en tout cas. J'ai connu son père, autrefois. Avant d'épouser le tien.

Son sourire suggestif surprit Royan.

– Excellent danseur. Nous avons réussi quelques superbes figures ensemble. Et pas seulement dans une salle de bal.

– Maman ! s'esclaffa Royan. Tu es indécente !

– J'étais indécente, admit Georgina de bon cœur. C'est quelque chose que je n'ai plus tellement l'occasion d'être, de nos jours.

– Quand Magic et toi retournez-vous à Quenton Park ?

– Dans deux semaines.
– Puis-je vous accompagner ?
– Bien sûr. Le garde-chasse manque toujours de rabatteurs. Vingt livres, un déjeuner et une bouteille de bière pour la journée.
Elle s'immobilisa et regarda sa fille d'un air interrogateur.
– Et pourquoi toutes ces questions ?
– J'ai appris que la propriété comportait un musée. La collection égyptienne est fameuse dans le monde entier. J'aimerais la voir.
– Il n'est plus ouvert au public. Seulement sur invitation. L'actuel propriétaire, Sir Nicholas, est un drôle de coco. Taciturne et tout le bataclan.
– Pourrais-tu m'obtenir une invitation ? demanda Royan.
Georgina secoua la tête.
– Pourquoi ne demanderais-tu pas au professeur Dixon ? Il vient souvent chasser à Quenton Park. C'est un vieux copain de Quenton-Harper.

Le professeur Dixon ne la reçut que dix jours plus tard. Elle emprunta la Land Rover de sa mère et roula jusqu'à Leeds. Le professeur l'étouffa dans une étreinte d'ours puis il la mena jusqu'à son bureau pour prendre le thé.
Revenir dans cette pièce bourrée de livres et d'objets anciens lui rappela avec nostalgie l'époque où elle était son étudiante préférée. Royan lui parla du meurtre de Duraid et Dixon se montra vivement choqué. Mais il tenait à voir ses diapositives et fut fasciné par tout ce qu'elle avait à montrer.
Ce n'est qu'au moment de partir qu'elle eut l'occasion d'aborder le sujet du musée de Quenton Park. Il répondit avec vivacité :
– C'est étonnant que tu ne l'aies pas visité pendant que tu étais étudiante. Il s'agit d'une collection admirable. La famille s'en occupe depuis plus de cent ans. Il se trouve que je chasse sur la propriété, jeudi prochain. J'en parlerai à Nicholas. Le pauvre vieux n'est pas en grande forme, ces jours-ci. L'année dernière, il a vécu une tragédie épouvantable. Sa femme et ses deux filles sont mortes dans un accident de voiture. (Il hocha la tête en précisant :) Une histoire horrible. C'est Nicholas qui conduisait. Je crois qu'il se le reproche.

Il la raccompagna jusqu'à la Land Rover.
– Nous nous verrons donc le 23, fit-il à Royan au moment où ils se séparaient. Je crois que tu auras du public. Au moins une centaine de personnes. J'ai même été contacté par un journaliste du *Yorkshire Post.* Ils ont entendu parler de ta conférence et ils veulent t'interviewer. Tu acceptes, bien entendu. Très bonne publicité pour le département. Pourrais-tu venir une ou deux heures plus tôt pour leur parler ?
– En fait, je vous verrai probablement avant le 23, répondit-elle. Jeudi, maman va chasser à Quenton Park et elle m'a trouvé une place de rabatteur pour la journée.
– Je te promets de faire attention à toi, promit-il.
Il la regarda partir en agitant la main.

Le vent du nord était glacial et perçant. Les nuages se bousculaient, lourds, bleus et gris, si bas que dans leur fuite ils frôlaient les sommets des collines.

Royan portait trois épaisseurs de vêtements sous la vieille veste Barbour verte que lui avait prêtée Georgina mais, en arrivant sur la crête des collines, au milieu de la ligne formée par les rabatteurs, elle grelottait quand même. La chaleur de la vallée du Nil lui avait comme dilué le sang, et deux paires de chaussettes de pêcheur ne suffisaient pas à sauver ses orteils de l'engourdissement.

Pour cette battue, la dernière de la journée, le chef garde-chasse avait fait passer Georgina de sa place habituelle, derrière la ligne des fusils où elle et Magic étaient supposés ramasser les oiseaux blessés qui les survoleraient, à la ligne de rabatteurs.

Le garde-chasse avait besoin de toutes les recrues qu'il pouvait intégrer à sa ligne pour pousser le faisan hors de l'immense terrain qui s'allongeait au pied des collines et l'amener au-delà de la crête, au-dessus de la vallée où les fusils attendaient leur proie.

Pour Royan, toute cette agitation confinait à l'absurdité. Comment pouvait-on élever et engraisser un faisan, depuis sa sortie de l'œuf jusqu'à ce qu'il soit adulte, pour ensuite se mettre en quatre pour truffer sa chasse de tous les obstacles que pouvait imaginer un garde-chasse ? Georgina lui avait expliqué que plus les oiseaux étaient difficiles à abattre, plus les chasseurs étaient contents et prêts à payer une forte somme pour tirer les oiseaux.

– Tu ne devineras jamais combien ils paient pour une journée de chasse, lui avait-elle dit. Celle d'aujourd'hui fera entrer quatorze mille livres dans les caisses de la propriété. Cette saison, il est prévu vingt jours de chasse. Un peu d'arithmétique te convaincra vite que les chasses sont une des principales sources de revenus de la propriété. Et puis en dehors du plaisir de sortir les chiens et de participer à la battue, elles rapportent pas mal d'argent aux gens du coin.

Au stade où elle en était, Royan se demandait vraiment s'il y avait du plaisir à se trouver parmi les rabatteurs. Traverser les taillis était une épreuve et elle avait dérapé dans la boue plus d'une fois. Elle avait maintenant les coudes et les genoux couverts de boue. Devant elle s'ouvrait un fossé à moitié rempli d'eau dont la surface était recouverte d'une mince pellicule de glace. Elle s'en approcha avec précaution, utilisant son bâton pour garder l'équilibre. Elle était épuisée : ils en étaient à leur sixième battue, toutes aussi harassantes. Elle jeta un regard en direction de sa mère : Georgina endurait cette épreuve avec un plaisir qui forçait l'admiration. Elle allait à grands pas, menant Magic à coups de sifflet et de gestes des mains.

Elle décocha un sourire à Royan.

– Dernière ligne droite, ma chérie. Bientôt la fin.

Royan se sentit un peu honteuse d'avoir ainsi fait étalage de son désespoir. Elle empoigna fermement son bâton pour sauter le fossé bourbeux mais elle calcula mal son élan et atterrit à quelques centimètres de la rive. Elle s'enfonça dans l'eau glacée jusqu'au genou et sentit l'eau s'engouffrer dans ses bottes.

Georgina se mit à pouffer et lui tendit le bout de son bâton pour l'aider à sortir du lit de boue. Comme elle ne pouvait décemment pas ralentir l'avancée de la battue, elle reprit la route en clapotant lourdement à chaque pas.

– A gauche, halte !

L'ordre du garde-chasse, relayé par les talkies-walkies, immobilisa la ligne. Tout l'art et la qualité d'un garde-chasse consistent à effrayer les oiseaux pour qu'ils quittent leurs abris des sous-bois non pas en groupe, mais plutôt par vols réguliers de deux ou trois volatiles, laissant ainsi aux chasseurs qu'ils survolent le temps de prendre leur second fusil et de guetter le prochain oiseau.

Les pourboires du garde-chasse, et sa réputation, étaient à la mesure de son habileté à amener les oiseaux aux fusils.

Royan profita du répit pour reprendre son souffle et regarder autour d'elle. Par une trouée dans le taillis des mélèzes, elle pouvait apercevoir toute la vallée.

Il y avait une prairie au pied des collines. L'étendue d'herbe d'un vert tendre était ocellée du gris sale de la neige tombée la semaine précédente. Le garde-chasse avait installé là une longue ligne de postes de tirs. En début de journée, les fusils avaient tiré au sort le poste d'où chacun pourrait tirer.

Maintenant chaque homme était en place, avec son porte-fusil en faction derrière lui, prêt à remplacer le fusil vide. Tous scrutaient les hauteurs avec impatience pour voir surgir le faisan.

– Lequel est Sir Nicholas ? cria Royan à sa mère.

Georgina désigna l'extrémité de la ligne de chasseurs la plus proche.

– Le grand, fit-elle à l'instant où, dans les radios, la voix du garde-chasse retentissait.

– Doucement, à gauche. Recommencez à battre.

Dociles, les rabatteurs reprirent leurs bâtons. C'était une manœuvre délicate où cris et appels étaient strictement interdits.

– Avancez doucement. Halte au premier envol.

La ligne se mit en branle pas à pas. Dans les fourrés et les taillis loin devant, Royan entendait les glissades furtives des faisans qui s'enfuyaient, cherchant à retarder le plus possible le moment de s'envoler.

Ils parvinrent à un second fossé, celui-là quasiment noyé sous un taillis touffu et apparemment impénétrable. Les plus gros chiens rechignaient à entrer dans un obstacle aussi épineux.

Georgina siffla sèchement et les oreilles de Magic se dressèrent. Il était trempé et son poil n'était plus qu'une masse de boue, de bardanes et d'épines. Un bout de langue rose pendait au coin de son large sourire et il dressait une queue trempée en l'agitant joyeusement. C'était là le chien le plus heureux d'Angleterre, il allait commencer le travail pour lequel sa race était faite.

– Allez, Magic, ordonna Georgina. Rentre là-dedans. Sors-les de là.

Magic plongea dans le fourré le plus épais et le plus épineux et disparut complètement. Pendant une minute on n'entendit que des reniflements et des grattements dans les profondeurs du fossé, puis, soudain, toute une série de craquements et de battements d'ailes.

Deux volatiles jaillirent des fourrés, dont une femelle. C'était une créature de la taille d'une volaille domestique mais le mâle qui la suivait de près était une splendeur. Sa tête était un capuchon d'un vert iridescent et ses joues et sa crête étaient écarlates. Sa queue, rayée de cannelle et de noir, était aussi longue que son corps. Le reste de son plumage était une explosion de couleurs somptueuses.

En prenant de la hauteur, il étincela dans le ciel grisâtre tel un joyau inestimable. La beauté de l'animal laissa Royan pantoise.

– Regarde-les s'enfuir ! fit Georgina d'une voix rendue rauque par l'excitation. Des feux d'artifice. Le plus beau couple de la journée. Je te parie qu'aucun des fusils n'en touchera une plume.

Les oiseaux montaient de plus en plus haut, la femelle entraînant le mâle dans son sillage, jusqu'à ce que d'un seul coup le vent les emporte au-dessus de la vallée.

La ligne de rabatteurs n'attendait que cet instant, pour lequel ils s'étaient tant préparés. Leurs encouragements étaient ténus et fragiles dans la bourrasque mais ils portaient jusqu'aux oiseaux : ils n'aimaient rien tant que de voir un faisan voler à des hauteurs dissuasives.

– Allez ! exultaient-ils. Plus haut !

Cette fois, la ligne entière se figea involontairement pour suivre le vol du couple que le vent malmenait.

Dans la vallée, les visages étaient levés vers le ciel, pâles mouchetures contre le fond émeraude. Leur impatience était quasiment palpable. Ils attendaient que les faisans aient atteint leur vitesse maximale, celle où ils ne peuvent plus battre des ailes mais les tiennent abaissées vers l'arrière pour plonger dans les creux de la vallée.

C'était un tir des plus difficiles à réussir : deux oiseaux ballottés dans les remous d'un vent venu de l'arrière, pris en plein plongeon, et filant au-dessus de l'extrême pointe de la ligne de fusils. Depuis le fond de la vallée, les hommes devaient tenir compte de la vitesse et des directions.

Le meilleur fusil aurait pu espérer en toucher un mais personne n'aurait pensé être en mesure d'abattre les deux.

– Une livre ! s'exclama Georgina. Une livre qu'ils s'échappent tous les deux.

Mais aucun des rabatteurs qui l'avaient entendue ne releva le pari.

Le vent poussait les oiseaux sur le côté. Ils avaient d'abord volé en direction du centre de la ligne mais dérivaient maintenant vers son extrémité. Alors que l'angle de tir se modifiait, Royan pouvait voir les hommes campés dans leur aire se figer tour à tour, au rythme de l'avancée des oiseaux vers eux. Une fois dépassés, ils se détendaient avec un soulagement évident de ne pas avoir à relever pareil défi sous les regards de toute la chasse.

A la fin, seule la haute silhouette en bout de ligne restait dans la ligne de passage des oiseaux.

– A vous, Sir ! cria un des fusils avec un brin d'ironie.

Royan se rendit compte que l'attente lui faisait retenir son souffle.

Nicholas Quenton-Harper paraissait ne pas se rendre compte de l'arrivée des faisans. Il était immobile, complètement détendu, sa longue silhouette imperceptiblement voûtée, le fusil sous le bras droit, canon baissé.

Au moment où la femelle passait un point à environ soixante degrés de l'endroit où il se tenait, il fit décrire un arc à son arme et, quand le canon frôla son épaule et sa joue, tira.

Royan vit les canons tressauter avec le recul et une pâle bouffée bleue jaillir de leur gueule. Nicholas baissa son fusil au moment où, dans le ciel, la poule dressait le cou, ailes repliées. Il ne flottait aucune plume dans son sillage : frappée en pleine tête, elle était morte sur le coup. Elle entamait sa longue chute vers le sol quand Royan entendit seulement le coup de feu.

Le mâle était maintenant très haut au-dessus de la tête de Nicholas. Ce dernier se cambra et, encore une fois, l'arme cracha avant la fin de la courbe.

– Manqué ! souffla Royan avec un mélange de satisfaction et de déception.

Le faisan s'éloigna, sain et sauf. Sa silhouette s'estompait quand il replia les ailes et bascula sur le côté.

Royan se rendit alors compte que le coup de feu l'avait certainement atteint en plein cœur.

L'oiseau piqua vers la terre et un chœur d'acclamations jaillit spontanément de la rangée de rabatteurs. Il monta affaibli mais toujours aussi vibrant dans le vent glacé du nord. Les fusils joignirent alors leurs voix aux cris.

– Oh ! Beau tir, Sir !

Royan ne se joignit pas aux applaudissements mais la fatigue et le froid qui pesaient sur elle furent un instant oubliés. Elle n'entendait pas grand-chose à ces deux tirs mais elle était impressionnée, un peu admirative même. La première image qu'elle avait de l'homme qu'elle cherchait correspondait tout à fait aux espoirs que les récits de Duraid avaient éveillés en elle.

La dernière battue prit fin vers la tombée de la nuit. Un vieux camion de l'armée brinquebala à travers la forêt tout le long du chemin où attendaient les rabatteurs épuisés et leurs chiens. Quand il ralentissait, ces derniers grimpaient lourdement à l'arrière. Georgina aida Royan d'une bourrade et elle et son compagnon se hissèrent à sa suite. Elles se laissèrent tomber sur les bancs de bois dur avec délectation. Georgina alluma une cigarette et se mêla aux exclamations et aux bavardages des gardes-chasse et des autres rabatteurs.

Royan demeurait silencieuse. Elle savourait la sensation de plénitude que lui donnait sa victoire sur cette harassante journée. Elle était lasse mais détendue, et étrangement heureuse. Pendant une journée entière, elle n'avait pensé ni au papyrus dérobé, ni au meurtre de Duraid, ni à l'ennemi invisible et sans visage qui la menaçait d'une mort violente.

Le camion dévala la pente de la colline puis ralentit pour laisser passer une Range Rover verte. Royan tourna la tête au moment où les deux véhicules se croisaient. Son regard plongea dans le pare-brise de la luxueuse voiture et ses yeux rencontrèrent ceux de Nicholas Quenton-Harper.

C'était la première fois qu'elle était assez proche pour voir les traits de l'homme. Son apparence juvénile fut une surprise. Elle s'attendait à un homme de l'âge de Duraid, elle se rendait maintenant compte qu'il n'avait pas plus de quarante ans, que les premiers fils d'argent commençaient à peine à strier son abondante chevelure.

Son visage était tanné et marqué par la vie au grand air, ses yeux verts et pénétrants sous la broussaille noire de ses sourcils. Il avait une grande bouche expressive. Royan se souvint de ce qu'avait dit le professeur Dixon à propos de la tragédie qui l'avait frappé. Elle se sentit étrangement émue : elle n'était pas la seule à porter le deuil.

Il la regarda droit dans les yeux et elle vit son expression se modifier. Elle était belle et elle savait quand un homme s'en apercevait, mais elle n'apprécia pas l'effet qu'elle lui avait fait. Son chagrin était toujours aussi vif et douloureux. Elle détourna le regard et la Range Rover bondit en avant.

4

Sa conférence à l'université se passa extrêmement bien. Royan était un bon orateur et connaissait parfaitement son sujet. Son récit de l'ouverture de la tombe de la reine Lostris et de la découverte des parchemins qui s'ensuivit fascina l'auditoire. Une grande partie de celui-ci avait lu le livre et les questions dont ils l'assaillirent cherchaient visiblement à faire la part de vérité. Elle dut procéder avec diplomatie pour ne pas se montrer trop brutale avec l'auteur.

Puis le professeur emmena Georgina et Royan dîner. Il était enchanté par le succès de la jeune femme et commanda un grand cru pour fêter l'événement. Il fut un peu déconcerté de la voir refuser son verre.

– Oh, mon Dieu, j'oubliais que tu es musulmane, s'excusa-t-il.

– Je suis copte, rectifia-t-elle. Mais ce n'est pas une question de foi. Il se trouve que je n'aime pas le vin.

– Ne vous inquiétez pas, intervint Georgina. Je n'ai pas les mêmes pulsions masochistes que ma fille. Elle doit tenir ça de son père. Je vous aiderai à venir à bout de cette excellente bouteille.

Sous l'effet du délicieux breuvage, le professeur devint volubile. Il leur raconta quelques-unes des fouilles archéologiques qu'il avait entreprises dans sa vie. Ce n'est qu'au café qu'il annonça à Royan :

– Bonté divine, j'allais oublier de t'en parler. Je t'ai obtenu un rendez-vous pour visiter le musée de Quenton Park. Dans l'après-midi de ton choix, cette semaine. Il te suffit de téléphoner à la conservatrice la veille. Elle t'attendra sur place. Son nom est Mrs. Street.

Royan se souvenait du chemin qu'avait emprunté Georgina pour arriver à Quenton Park, le jour de la chasse, mais cette fois-ci, elle était seule au volant de la Land Rover. Les grilles du domaine étaient en fer forgé massif. Quelques mètres après, la route se divisait et une série de petites pancartes indiquaient différentes directions : « Quenton Hall – Privé », « Bureaux », « Musée ».

La route du musée traversait le parc des daims. Des troupeaux paissaient sous les chênes dénudés par l'hiver. Par moments, le brouillard laissait voir une immense bâtisse. Selon le guide que le professeur lui avait remis, les plans de la maison avaient été dessinés par Sir Christopher Wren en 1693, le paysagiste Capability Brown avait créé les jardins à la française soixante ans plus tard. Le résultat atteignait la perfection.

Le musée était niché dans un bosquet de hêtres pourpres, à huit cents mètres derrière la demeure privée. C'était un bâtiment tout en longueur qui, visiblement, avait été plusieurs fois agrandi au cours des ans. Mrs. Street l'attendait devant l'entrée. C'était une femme d'âge moyen, aux cheveux gris, et sûre d'elle.

– J'ai assisté à votre conférence, lundi soir. Passionnant ! J'ai un guide à votre disposition mais toutes les pièces sont étiquetées et assez bien répertoriées. Je m'occupe de ce musée depuis près de vingt ans. Vous serez le seul visiteur, aujourd'hui. Le musée tout entier est à vous. Promenez-vous à votre guise. Je ne m'en vais qu'à dix-sept heures, ça vous laisse l'après-midi entier. Si vous avez besoin d'aide, mon bureau est au bout de ce couloir. Je vous en prie, n'hésitez pas.

Dès qu'elle mit le pied dans la salle des mammifères d'Afrique, Royan fut séduite. La salle des primates abritait une collection complète de chaque espèce de singes du continent : du grand gorille mâle au dos argenté au colobe délicat dont la fourrure blanche et noire semblait flotter, ils étaient tous représentés.

Certaines pièces avaient plus de cent ans mais elles étaient magnifiquement conservées. Leur présentation était parfaite, dans des décors peints qui reproduisaient leur habitat naturel. De toute évidence, le musée employait une équipe d'artistes et de taxidermistes de premier plan. Tout ceci devait avoir coûté une fortune : elle en déduisit que les cinq millions de dollars qu'avaient rapportés les frises volées avaient été bien investis.

Elle se rendit dans la salle des antilopes et contempla avec émerveillement les magnifiques bêtes qui s'y trouvaient rassemblées. Elle s'arrêta devant le diorama d'un groupe de grandes antilopes des sables, une espèce angolaise actuellement en voie de disparition, *Hippotragus niger variani*. Elle admira un mâle noir de jais, au poitrail immaculé et aux longues cornes recourbées en arrière. Cet animal rare avait été tué de la main même d'un membre de la famille Quenton-Harper. Elle en était scandalisée mais se dit ensuite que, sans l'étrange passion du chasseur-collectionneur qui l'avait tué, les générations suivantes n'auraient peut-être eu aucune chance d'admirer l'animal au port altier.

Elle passa dans la salle suivante qui était consacrée à l'éléphant d'Afrique. Elle s'arrêta au milieu de la pièce, devant une paire de défenses si imposantes qu'elle avait du mal à croire qu'elles aient pu être portées par un animal en chair et en os. Elles évoquaient davantage les colonnes de marbre de quelque temple grec dédié à Diane, la déesse de la chasse. Elle se pencha pour lire la notice imprimée :

> Défenses d'éléphant africain, *Loxodonta Africana*. Tué dans l'enclave du Lado en 1899 par Sir Jonathan Quenton-Harper.
>
> Défense gauche : 289 livres. Défense droite : 301 livres. Longueur de la plus grosse : 3 mètres 40. Circonférence : 75 centimètres.
>
> Il s'agit de la plus grande paire de défenses prise par un chasseur européen.

Quand elle passa dans la salle des antiquités égyptiennes, elle s'émerveillait encore en songeant aux dimensions et à la force de la créature qui les avait portées.

Elle s'arrêta net en apercevant la silhouette dressée au centre de la pièce. C'était une statue de Ramsès II. Le monarque était représenté sous les traits d'Osiris. C'était un colosse de plus de quatre mètres, tout de granit rouge poli, campé fièrement sur des jambes musclées. Il portait des sandales et un pagne. Sa main gauche tenait les restes d'un arc de guerre dont les deux extrémités avaient été brisées. C'était le seul dommage qu'avait subi la statue au cours des siècles. Elle était en parfait état, le socle portait encore les marques du ciseau du sculpteur. Le pharaon tenait dans son poing droit un sceau gravé du cartouche royal. Sur sa tête majestueuse, il portait la double couronne de Haute et Basse Égypte. Son expression était calme et énigmatique.

Elle reconnut immédiatement la statue : sa jumelle trônait dans le grand hall du musée du Caire et elle passait devant tous les jours, en se rendant dans son bureau.

La colère bouillonnait en elle. Il s'agissait d'un des plus importants trésors de sa chère Égypte. Elle avait été volée dans des sites sacrés que ses ancêtres avaient vénérés pendant quatre mille ans. Elle n'avait rien à faire ici, elle appartenait aux rives du grand fleuve : le Nil.

Elle s'approcha. La violence des sentiments qu'elle éprouvait secoua son corps tout entier. Elle se pencha en avant pour lire les hiéroglyphes gravés dans le socle.

Le cartouche royal portait en son centre cet arrogant avertissement :

« Je suis le divin Ramsès, maître des dix mille chars. Tremblez, ô ennemis de l'Égypte. »

Royan n'avait pas eu à lire l'inscription. Une voix profonde mais douce qui venait de derrière elle l'avait fait à sa place. Elle n'avait entendu personne approcher. Elle fit volte-face et se retrouva face à lui.

Il avait les mains enfoncées dans les poches d'un cardigan informe. La laine bleue était percée à un des coudes. Il portait un jean délavé et de vieilles pantoufles en velours, usées mais monogrammées. Il affichait la mise négligée que cultivent certains Anglais, persuadés qu'il ne leur sied point de soigner leur apparence.

– Je suis désolé, je ne voulais pas vous effrayer.

Il souriait avec nonchalance, ses dents étaient blanches mais légèrement de travers. Son expression se modifia d'un coup quand il la reconnut.

– Oh, c'est vous.

Elle aurait pu se sentir flattée d'avoir été reconnue alors qu'il ne l'avait qu'entrevue, mais elle retrouvait dans son regard cet éclair qui déjà l'avait agacée. Toutefois elle ne pouvait refuser la main qu'il lui tendait.

– Nick Quenton-Harper. Vous devez être l'ancienne élève de Percival Dixon. Je crois vous avoir aperçue à la chasse, jeudi. Vous faisiez partie de la battue, n'est-ce pas ?

Son abord amical et direct fit fondre son ressentiment.

– Oui, répondit-elle. Je suis Royan Al Simma. Vous deviez connaître mon mari, Duraid Al Simma.

– Duraid ! Mais bien sûr, je le connais. C'est un grand ami. Nous avons passé beaucoup de temps dans le désert ensemble. Une personnalité exemplaire. Comment va-t-il ?

– Il est mort.

Elle avait fait une réponse sèche et dépourvue d'émotion. Elle le regrettait mais c'était la seule qu'elle était capable de faire.

– Je suis affreusement désolé. J'ignorais. Quand et comment cela s'est-il produit ?

– Il y a peu. Trois semaines. On l'a assassiné.

– Oh, mon Dieu !

L'affliction qu'elle lut dans son regard lui rappela que lui aussi avait souffert.

– Je lui avais téléphoné au Caire il y a quatre mois. Il était charmant, comme d'habitude. A-t-on retrouvé le coupable ?

Elle hocha la tête et détourna le regard pour lui cacher qu'elle avait les yeux humides.

– Vous avez une collection admirable, fit-elle en regardant les œuvres.

Il accueillit le changement de sujet sans sourciller.

– Grâce à mon grand-père, surtout. Il faisait partie de l'équipe d'Evelyn Baring – le Vil Baring, comme l'appelaient ses nombreux ennemis. C'était le représentant britannique au Caire pendant...

Elle lui coupa sèchement la parole.

– J'ai entendu parler d'Evelyn Baring. Premier comte de Cromer, consul général de Grande-Bretagne en Égypte de 1883 à 1907. Ses pouvoirs plénipotentiaires en ont fait le plus sévère dictateur que mon pays ait connu à cette époque. Vous disiez qu'il avait de nombreux ennemis ?

Nicholas plissa imperceptiblement les yeux.

– Percival m'a averti que vous étiez une de ses meilleures élèves. Il ne m'a pas dit que vous étiez une fervente nationaliste. Il est évident que vous n'avez pas besoin de moi pour lire le cartouche de Ramsès.

– Mon père travaillait pour Nasser, murmura-t-elle. Nasser avait renversé le roi Farouk, la marionnette des Britanniques. Devenu président, il avait nationalisé le canal de Suez sous les yeux de la Grande-Bretagne outragée.

– Ha ! s'esclaffa-t-il. Nous sommes sur les bords opposés de la même route. Mais les choses ont changé. J'espère que nous n'allons pas être ennemis ?

– Pas le moins du monde. Duraid avait la plus grande estime pour vous.

– Moi de même, fit-il.

Puis il changea une fois de plus de sujet.

– Nous sommes très fiers de notre collection de shaouabtis royaux. Ils viennent des tombes de chaque pharaon, de l'Ancien Empire au dernier des Ptolémée. Me permettez-vous de vous les montrer ?

Elle lui emboîta le pas vers l'immense vitrine qui occupait toute la largeur du mur. Ses rayonnages étaient entièrement occupés par les figurines placées dans les tombes pour figurer les serviteurs et les esclaves dont aurait besoin le roi dans le monde des ombres.

Nicholas ouvrit les portes vitrées avec une clé qu'il tira de sa poche et allongea le bras pour sortir à la lumière les pièces les plus intéressantes.

– Voici le shaouabti de Maya qui servit trois pharaons. Toutânkhamon, Ay et Horemheb. Celui-ci provient de la tombe de Ay qui mourut en 1343 avant J.-C.

Il lui tendit la figurine. Elle déchiffra les hiéroglyphes vieux de trois mille ans aussi facilement que s'il s'agissait des titres du journal de la veille.

– Je suis Maya, trésorier des deux royaumes. Je répondrai au divin pharaon Ay. Qu'il vive toujours !

Elle s'était exprimée en arabe pour l'éprouver. Il répondit dans la même langue, avec aisance et sans une faute.

– Il semble que Percival Dixon ne m'ait pas menti. Vous deviez être une étudiante exceptionnelle.

Ils se mirent à bavarder avec passion du monde pour lequel ils éprouvaient le même intérêt. Ils passaient avec naturel de l'arabe à l'anglais et, peu à peu, les étincelles d'hostilité qui avaient jailli s'éteignirent. Ils traversèrent la salle d'exposition d'un pas tranquille, s'attardant devant chaque vitrine pour examiner avec attention les objets qu'elle abritait.

C'était comme s'ils avaient franchi les millénaires pour retrouver le passé. Les heures et les jours ne comptaient plus face à d'aussi antiques objets. Ils furent donc très étonnés de voir arriver la conservatrice.

– Je m'en vais, Sir Nicholas. Puis-je vous laisser fermer les portes et mettre en marche les alarmes ? Les gardiens sont déjà à leur poste.

– Quelle heure est-il ? demanda Nicholas en consultant la Rolex d'acier qu'il portait au poignet. Cinq heures quarante, déjà ! Où est passée cette journée, ajouta-t-il avec un soupir volontairement théâtral. Vous êtes libre, Mrs. Street. Désolé de vous avoir retenue si longtemps.

– N'oubliez pas de mettre les alarmes en marche, rappela-t-elle avant de s'adresser à Royan. Il peut être si étourdi quand il se met à un de ses hobbies.

L'affection qu'elle portait à son employeur lui donnait le ton qu'aurait pris une tante indulgente.

– Assez d'ordres pour aujourd'hui. Sortez d'ici ! fit Nicholas en riant. Je ne peux pas, dit-il à Royan, vous laisser partir sans vous montrer une chose dont Duraid et moi nous sommes occupés. Pouvez-vous rester quelques minutes de plus ?

Elle acquiesça. Il esquissa le geste de lui prendre le bras mais il laissa retomber sa main. Dans le monde arabe, toucher une femme est une insulte. Cette courtoisie la toucha. Ses excellentes manières et son naturel achevèrent de la séduire.

Il lui fit quitter l'aile des salles d'exposition par une porte marquée « Privé. Réservé au personnel ». Ils remontèrent un étroit couloir jusqu'à une salle située dans le fond.

– Le sanctuaire.

Il la fit entrer.

– Soyez indulgente pour le désordre. Je devrais vraiment me mettre au rangement. Cette année, peut-être. Ma femme avait l'habitude de...

Il s'interrompit brusquement et jeta un regard à la photo de famille posée sur le bureau, dans un cadre d'argent. Nicholas et sa femme, une très belle brune, avaient installé un pique-nique sous les branches déployées d'un chêne. Deux fillettes les accompagnaient. Elles ressemblaient beaucoup à leur mère. La plus jeune était assise sur les genoux de Nicholas tandis que l'aînée, derrière, tenait les rênes de son poney du Shetland. Royan jeta un œil à Sir Nicholas : un chagrin dévorant lui dévastait le visage.

La pièce était à la fois son bureau et son atelier. C'était un endroit spacieux et confortable, une pièce d'homme, qui ne cachait rien de sa personnalité paradoxale. L'érudit y côtoyait l'homme d'action. Dans le capharnaüm de livres et de spécimens de muséographie traînaient des fils de pêche et une canne à pêche Hardy pour le saumon. Un Barbour pendait à une patère, à côté d'un étui à fusil en toile et d'une cartouchière en cuir gravée à ses initiales.

Elle reconnaissait certaines des images encadrées au mur. Des aquarelles du XIXe signées par un peintre voyageur écossais, David Roberts, et d'autres de Vivant Denon, qui avait accompagné Napoléon et son armée en Égypte. C'étaient de splendides vues des monuments antiques, avant les fouilles et les restaurations modernes.

Nicholas alla jeter une bûche sur les braises mourantes de la cheminée. Il la remua dans l'âtre jusqu'à ce qu'elle brûle d'un feu vif puis demanda à Royan de s'installer bien en face du rideau qui dissimulait un pan du mur. Avec un geste de prestidigitateur, il ouvrit le rideau.

– Alors ? Qu'en dites-vous ?

Elle contempla le splendide bas-relief accroché au mur.

Chaque détail était une merveille et l'ensemble une perfection. Mais elle ne laissa rien voir de son admiration. Elle donna plutôt son avis d'une voix indifférente.

– Sixième roi de la dynastie amorite. Hammurabi, 1780 avant J.-C., fit-elle en feignant d'étudier les traits parfaitement ciselés du monarque. Oui, cette fresque provient probablement de son palais du sud-ouest de la ziggourat d'Ashur. Cette frise doit avoir un pendant. Je les estimerais à cinq millions de dollars américains chacune. A mon avis, elles ont été volées par deux brigands sans scrupule au chef vénéré de l'actuelle Mésopotamie, Saddam Hussein. J'ai entendu dire que l'autre frise se trouverait dans la collection d'un certain Peter Walsh, au Texas.

Il la regarda bouche bée puis éclata d'un rire homérique.

– Nom de Dieu ! J'espérais vous surprendre mais Duraid vous a tout raconté de notre petite aventure.

C'était la première fois qu'elle le voyait rire. Le rire lui était venu tout naturellement aux lèvres, il était chaleureux et franc.

– Pour l'actuel propriétaire de la seconde frise, dit-il en riant toujours, vous avez raison. Mais il a payé la frise six millions, pas cinq.

– Duraid m'a aussi parlé de votre voyage dans le Tibesti, au Tchad et dans le sud dc la Libye.

Il baissa la tête en feignant la contrition.

– Il semblerait que je n'aie plus aucun secret pour vous.

Il alla jusqu'à l'immense armoire appuyée contre le mur opposé. C'était un meuble de marqueterie d'une grande beauté, datant probablement du XVIIe français. Il en ouvrit les deux battants.

– Voici ce que Duraid et moi avons rapporté de Libye, sans le consentement du colonel Muammar al-Kadhafi.

Il prit un des petits bronzes délicats et le lui tendit. La figurine représentait une mère berçant son enfant, elle était entièrement recouverte d'une patine verte.

– Hannibal, fils de Hamilcar Barca, fit-il. 203 avant J.-C. Ces statuettes ont été trouvées par des Touaregs sur le site d'un de ses campements sur les rives du fleuve Bagradas, en Afrique du Nord. Hannibal a dû les y dissimuler quand il a pressenti sa défaite devant le général romain Scipion. Il y avait environ deux cents bronzes et j'ai gardé les cinquante plus beaux.

– Vous avez vendu les autres ? demanda-t-elle sans cesser d'admirer la statuette. Comment, reprit-elle avec désapprobation, avez-vous pu séparer d'aussi beaux objets ?

Il soupira tristement.

– Bien obligé, je le crains. C'est très trivial mais l'expédition qui les a rapportés m'a coûté une fortune. J'ai dû vendre une partie du butin pour couvrir mes frais.

Il retourna à son bureau et sortit une bouteille de

Laphroaig du tiroir du bas. Il posa la bouteille sur le bureau, ajouta deux verres puis la regarda.

– Puis-je vous tenter ?

Elle secoua la tête.

– Je ne vous blâme pas. Les Écossais eux-mêmes reconnaissent que ce brouet n'est buvable qu'en dessous de zéro, sur une colline, par vent de quarante nœuds, après avoir traqué et chassé un dix-cors. Puis-je vous proposer quelque chose de plus féminin ?

– Un coca ? suggéra-t-elle.

– Si vous voulez, mais c'est très mauvais. C'est pire encore que le Laphroaig. Tout ce sucre. Du poison.

Elle prit le verre qu'il lui tendait et trinqua avec lui.

– A la vie ! s'exclama-t-elle avant de reprendre : Vous avez raison, Duraid m'a tout raconté.

Elle replaça le bronze punique dans l'armoire puis se retourna et lui fit face.

– C'est aussi Duraid qui m'a envoyée vers vous. C'est sa dernière volonté.

– Ah ! Rien de tout cela n'est une coïncidence, alors. Il semblerait que je sois le pion innocent d'un sombre complot.

Il désigna le siège qui faisait face au bureau.

– Asseyez-vous ! ordonna-t-il. Et racontez-moi tout.

Il se percha sur le coin du bureau, son verre de whisky dans la main droite. Sa jambe se balançait mollement, comme la queue d'un léopard au repos. Il souriait d'un air interrogateur mais examinait son visage de son regard vert et pénétrant. Elle se dit qu'il devait être difficile de mentir à cet homme.

Elle prit une profonde inspiration.

– Avez-vous entendu parler d'une reine Lostris, de la deuxième période intermédiaire, à l'époque de l'invasion hyksos ?

Il eut un rire un peu moqueur et se leva.

– Oh ! Maintenant, *Le dieu Fleuve* entre en scène !

Il marcha jusqu'à l'étagère de livres et revint avec un exemplaire qu'il jeta sur le bureau devant elle.

– L'avez-vous lu ? demanda-t-elle.

– Oui, acquiesça-t-il. Je lis presque tout ce que publie Wilbur Smith. Il me détend. Il est venu chasser une fois ou deux, ici, à Quenton Park.

– Donc, fit-elle le visage fermé, vous aimez les livres pleins de sexe et de violence. Que pensez-vous de celui-là ?

– Je dois avouer m'être fait avoir. En le lisant, je me suis surpris à espérer qu'il soit fondé sur des faits réels. C'est pour cette raison que j'ai téléphoné à Duraid.

Nicholas prit le livre et feuilleta les dernières pages.

– Cette note de l'auteur est assez convaincante. Et je n'ai jamais pu me sortir la dernière phrase de l'esprit : « Quelque part dans les montagnes d'Abyssinie, près de la source du Nil Bleu, repose dans la tombe intacte de Pharaon Mamose la momie de Tanus. »

Il rejeta le livre sur le bureau.

– Mon Dieu ! Vous n'imaginerez jamais combien j'ai voulu que tout soit vrai, ni comme j'ai désiré voir la tombe du pharaon Mamose. J'ai parlé à Duraid. Et quand il m'a affirmé que tout ça n'était qu'un tas de balivernes, je me suis senti trahi. J'avais fait de tels rêves que la déception n'en a été que plus amère.

– Ce ne sont pas des balivernes ! Enfin, pas tout.

– Je vois, Duraid me mentait, c'est ça ?

– Il ne mentait pas, s'insurgea-t-elle. Simplement, il différait l'annonce de la vérité. Il n'était pas prêt à vous raconter toute l'histoire. Il n'avait pas de réponses aux questions que vous auriez posées. Il serait venu vous voir quand il aurait été prêt. Votre nom est le premier de la liste de mécènes potentiels pour une expédition.

– Duraid n'avait pas les réponses mais je suppose que vous, oui ? fit-il avec un sourire sceptique. Je me suis fait avoir une fois, je n'ai pas très envie d'avaler une autre histoire à dormir debout.

– Les rouleaux existent. Neuf sont toujours dans les caves du musée du Caire. C'est moi qui les ai découverts dans la tombe de Reine Lostris.

Elle ouvrit son sac à main et en tira un paquet de photographies couleurs. Elle en choisit une et la lui tendit.

– Une photo du mur du fond. On distingue les jarres d'albâtre dans la niche. La photo a été faite avant que nous ne les emportions.

– Belle photo. Mais elle peut avoir été prise n'importe où.

Elle ignora la remarque et lui tendit une seconde photo.

– Les dix rouleaux dans l'atelier de Duraid, au musée. Reconnaissez-vous les hommes debout derrière ce banc ?

– Duraid et Wilbur Smith.

Son expression sceptique se transforma en sourire amusé.

– Que diable essayez-vous de me dire ?

– Ce que *diable* j'essaie de vous dire est qu'en dehors des libertés poétiques que l'auteur s'est accordées, tout ce qu'il a écrit dans ce livre repose sur une réalité indéniable. Quoi qu'il en soit, le papyrus qui nous intéresse au plus haut point est le septième, et c'est celui qu'ont volé les hommes qui ont assassiné mon mari.

Nicholas fit quelques pas jusqu'à la cheminée. Il y jeta une autre bûche et la tisonna avec obstination, comme pour se libérer d'une trop grande tension nerveuse. Il parla sans se retourner.

– Quelle est l'importance de ce rouleau particulier ?

– C'est celui qui contient le récit de l'enterrement de Pharaon Mamose et, pensons-nous, des indications qui pourraient nous permettre de découvrir le site de la tombe.

– Vous n'en êtes pas sûre ?

Il se tourna vers elle en serrant le tisonnier comme une arme. Ainsi, il était terrifiant. Sa bouche était une ligne dure et ses yeux brûlaient d'un éclat métallique.

– De longs passages du septième papyrus sont écrits dans une sorte de code, un ensemble de vers codés. Duraid et moi étions en train de les déchiffrer quand... (Elle s'interrompit et respira profondément.)... quand il fut assassiné.

– Vous avez dû faire une copie d'un document d'une telle valeur ?

Il la fixait avec intensité. Elle secoua la tête.

– Les microfilms, les notes, tout a été emporté avec le papyrus original. Et ceux qui ont tué Duraid sont allés dans notre appartement du Caire et ont détruit l'ordinateur sur lequel je transcrivais nos recherches et nos résultats.

Il laissa tomber le tisonnier dans le seau à charbon, puis s'approcha du bureau.

– Donc, vous n'avez aucune preuve. Rien pour prouver que tout ceci est vrai.

– Rien, convint-elle, sauf ce que j'ai là. (Elle se tapota le front de l'index.) J'ai une mémoire excellente.

Il fronça les sourcils et se passa plusieurs fois les mains dans les cheveux.

– Et pourquoi êtes-vous venue me trouver ?
– Je suis venue vous proposer de découvrir la tombe de Pharaon Mamose, fit-elle simplement. Êtes-vous intéressé ?
Son humeur changea brutalement. Il eut un sourire d'élève dissipé.
– Il n'y a rien que je ne souhaite avec autant de force.
– Donc nous devons établir une sorte de contrat de travail, lui dit-elle en se penchant en avant avec sérieux. Je vous dis d'abord ce que je veux, puis vous faites pareil.
Le marchandage fut long et âpre. Il était une heure du matin quand Royan se leva.
– Je suis épuisée, jc n'arrive plus à penser. Pouvons-nous reprendre demain matin ?
– Nous sommes déjà demain matin. Mais vous avez raison. Je suis impardonnable. Vous pouvez passer la nuit ici. Après tout, il y a vingt-sept chambres dans le bâtiment.
– Non, merci. Je voudrais rentrer chez moi.
– La route sera verglacée, commença-t-il, mais son expression déterminée lui fit lever les mains en signe de capitulation.
– Bien, je n'insiste pas. A quelle heure, demain ? J'ai un rendez-vous à dix heures avec mes avocats mais nous devrions avoir terminé à midi. Pourquoi ne pas organiser un déjeuner d'affaires, ici ? Je devais aller chasser à Ganton l'après-midi mais je vais tout annuler. Ainsi, mon après-midi et ma soirée seront à votre disposition.

L'entretien de Nicholas avec ses avocats eut lieu le matin suivant dans la bibliothèque de Quenton Park. La réunion n'avait rien d'agréable mais il s'y attendait. Cette année, son univers tout entier s'était effondré. Cela avait commencé par cet instant de fatigue et d'inattention fatal, à minuit sur une autoroute verglacée, avec les phares aveuglants du camion qui roulait droit sur eux.
Le deuxième coup du sort avait pris la forme du rapport financier de la Lloyd's dont Nicholas, comme son père et son grand-père avant lui, était un actionnaire. Pendant un demi-siècle, la famille avait bénéficié du revenu régulier de leurs parts dans la compagnie d'assurances. Son statut d'actionnaire rendait Nicholas soli-

daire des pertes de la compagnie. L'énormité de cette responsabilité avait longtemps été sans conséquence : en cinquante ans, la compagnie n'avait subi aucune perte importante.

Le tremblement de terre en Californie et des amendes pour pollution infligées à une multinationale chimique avaient fait perdre près de vingt-six millions de livres sterling à la compagnie d'assurances. Nicholas avait huit mois pour payer sa part de la dette : elle s'élevait à deux millions et demi de livres.

Comme par un fait exprès, le champ de betterave sucrière de Quenton Park avait été ravagé par la rhizomania. La maladie qui s'attaquait aux racines avait détruit la récolte tout entière.

– Il ne me semble pas difficile de réunir cette somme, déclara un des hommes de loi. Il y a quelques pièces de valeur à Quenton Hall. Et il y a le musée. Que pouvons-nous attendre, en restant raisonnables, de la vente des collections ?

L'idée de vendre la statue de Ramsès, les bronzes et les fresques d'Hammourabi fit frémir Nicholas. Bien sûr, leur vente couvrirait ses dettes mais il ne pouvait vivre sans ces trésors.

– Nous ne vendrons rien, déclara-t-il sèchement.

L'avocat le dévisagea avec froideur.

– Bien, il faudra donc vendre les vaches laitières, fit-il sans l'ombre d'un état d'âme.

– Avec de la chance, nous en tirerons une centaine de milliers de livres, grommela Nicholas. Ce qui laisse deux millions quatre à trouver.

– Et vos chevaux de course ? demanda l'expert-comptable.

– Je n'en ai que six. Ce qui ferait deux cent mille livres, fit Nicholas avec un sourire triste. Nous voilà à deux millions deux. Nous approchons lentement.

– Le yacht, suggéra le plus jeune des avocats.

– Il est plus vieux que moi ! protesta Nicholas. Il a appartenu à mon père, bon dieu ! A ma place, vous ne pourriez pas vous en séparer. Sa seule valeur est sentimentale. Mes fusils rapporteraient plus.

Les avocats se penchèrent sur leur liste comme un seul homme.

– Ah, oui ! Nous avons deux Purdey à éjection latérale, en bonne condition, estimés à quarante mille livres.

– J'ai aussi des chaussettes et des sous-vêtements d'occasion, avoua Nicholas. Pourquoi ne pas les mettre sur votre liste ?

– Et puis, reprirent-ils imperturbables, il y a la maison de Londres.

Le plus âgé des avocats semblait indifférent à la souffrance humaine.

– Bonne adresse, décréta-t-il. Knightsbridge. Estimation : un million et demi.

– Certainement pas dans le climat financier actuel, le contredit Nicholas. Un million me semble plus réaliste.

L'avocat griffonna une note dans la marge de son rapport avant de reprendre.

– Bien entendu, si nous pouvons l'éviter, nous essayerons de ne pas mettre la totalité du domaine en vente.

La réunion âpre et pénible s'acheva sans qu'aucune décision soit prise, laissant Nicholas furieux et frustré.

Il raccompagna les avocats et gagna ses appartements privés. Il prit une douche rapide et changea de chemise. Puis, après réflexion, il se rasa et s'aspergea les joues de son après-rasage favori.

Il traversa le parc et gara la Range Rover sur le parking du musée. La neige avait tourné au grésil et, le temps d'arriver au bâtiment, des gouttes d'eau glacée lui avaient trempé les cheveux.

Royan attendait dans le bureau de Mrs. Street. Les deux femmes semblaient s'entendre parfaitement. Il fit une pause devant la porte pour écouter son rire. Cela lui remonta le moral.

La cuisinière leur avait fait porter un déjeuner chaud. Elle semblait croire qu'un repas copieux avait le pouvoir de tenir à distance un temps aussi épouvantable. Il y avait au menu un épais minestrone et un ragoût du Lancashire, accompagné, pour lui, d'une demi-bouteille de bourgogne rouge et, pour elle, d'un carafon de jus d'orange. Ils s'installèrent face à l'âtre.

Il lui demanda des détails sur la mort de Duraid. Elle raconta tout, sans rien omettre, jusqu'à ses propres blessures. Elle remonta sa manche pour lui montrer le pansement qu'elle portait au bras. Il écouta le récit de l'attentat du Caire avec une attention particulière.

– Avez-vous des soupçons ? demanda-t-il quand elle eut terminé. Vous ne voyez personne qui pourrait être le cerveau de cette affaire ?

Elle secoua la tête.

– Nous n'avons reçu aucun avertissement.

Ils finirent leur repas en silence, chacun perdu dans ses propres pensées. Il attendit le café pour suggérer :

– Bien, si nous parlions de notre contrat ?

Ils marchandèrent pendant près d'une heure.

– Difficile de se mettre d'accord sur votre part du butin tant que j'ignorerai exactement la valeur de votre contribution, protesta Nicholas en remplissant les tasses de café. Après tout, c'est moi qui financerai et conduirai l'opération.

– Vous êtes bien obligé de considérer ma contribution comme égale à la vôtre, sinon il n'y aura tout simplement pas de butin, comme vous dites. D'ailleurs, vous pensez bien que je ne dirai plus un mot avant que nous ne soyons parvenus à un accord.

– Vous n'êtes pas un peu dure en affaires ? fit-il devant son sourire malicieux.

– Si mes conditions ne vous plaisent pas, la liste de Duraid comporte trois autres noms.

– C'est d'accord, dit-il avec un soupir de martyr. J'accepte votre proposition, mais comment allons-nous partager nos trouvailles de manière équitable ?

– Je choisirai un objet la première, et vous le deuxième. Et ainsi de suite.

Il accueillit la proposition avec un haussement de sourcils.

– Et si je choisissais le premier ?

– Jouons à pile ou face, proposa-t-elle.

Il sortit une pièce de monnaie de sa poche et la jeta en l'air.

– Annoncez !

– Face ! cria-t-elle avant que la pièce ne retombe.

– Et merde ! s'exclama-t-il.

La pièce de monnaie disparut dans les profondeurs de sa poche.

– Donc le premier choix vous revient. Si jamais il y a un choix, ajouta-t-il en lui tendant la main au-dessus de la table. Vous en ferez ce que bon vous semblera. Vous pourrez même tout donner au musée du Caire, si vous souffrez toujours de cette aberrante maladie. Marché conclu ?

Elle lui serra la main.

– Marché conclu.

– Bien, maintenant, parlons un peu. Il ne doit subsister aucun secret entre nous.

– Passez-moi ce livre, fit-elle en désignant l'exemplaire du *Dieu Fleuve*.

Elle écarta les assiettes sales pendant qu'il allait le chercher.

– Première chose à faire, trouver les passages que Duraid a supervisés, dit-elle en feuilletant le livre. Tenez ! C'est ici que commencent les changements effectués par Duraid.

– Joli travail, sourit Nicholas.

– Vous connaissez toute l'histoire. Du moins jusqu'à ce point précis. Reine Lostris et son peuple sont chassés d'Égypte par les Hyksos et leurs chars. Ils voyagent vers le sud sur le Nil, jusqu'au confluent des Nil Bleu et Blanc. De nos jours, Khartoum. Tout cela est plutôt fidèle aux rouleaux.

– Je m'en souviens. Continuez.

– Dans les cales de leurs galères, ils transportent le corps momifié de l'époux de Reine Lostris, Pharaon Mamose VIII. Douze ans plus tôt, elle lui avait juré, alors qu'il agonisait d'une flèche hyksos tirée dans son poumon, de trouver un lieu sûr pour sa tombe. Elle avait aussi promis de l'y enterrer avec son immense trésor. Karthoum atteint, elle se dit que le moment est venu de tenir la promesse qu'elle lui a faite. Elle envoie son fils, le prince Memnon alors âgé de quatorze ans, à la tête d'un régiment de chars pour trouver le site de la tombe. Memnon est accompagné de son mentor, le narrateur de cette histoire, l'inlassable Taita.

– D'accord, je me souviens du passage. Memnon et Taita consultent les esclaves noirs shilluks qu'ils ont capturés et, sur leur avis, décident de suivre la branche gauche du fleuve. Celle que nous nommons le Nil Bleu.

Royan reprit son récit :

– Ils firent route vers l'est jusqu'à ce qu'ils aperçoivent les montagnes, à l'horizon, des montagnes si hautes qu'elles sont décrites comme un rempart bleu. Jusqu'ici, c'est à peu près ce que racontent les rouleaux. Mais maintenant, nous arrivons au leurre posé par Duraid. Sa description des contreforts...

– Je me souviens, intervint Nicholas, m'être dit en lisant ce passage que cette description ne correspondait pas du tout à la région où le Nil Bleu émerge des hauteurs éthiopiennes. Il ne s'y trouve aucun contrefort. Il n'y a que l'escarpement de la partie occidentale du massif montagneux. Le fleuve en sort comme un serpent de son trou. Celui qui a écrit ça ignorait tout du cours du Nil Bleu.

– Vous connaissez la région ? demanda Royan.

La question le fit rire et hocher la tête.

– Quand j'étais plus jeune et encore plus bête que maintenant, j'avais formé le plan grandiose de naviguer dans les gorges de l'Abbay, du lac Tana jusqu'au barrage de Roseires, au Soudan. Abbay est le nom éthiopien du Nil Bleu.

– Pourquoi vouliez-vous faire ça ?

– Parce que cela n'avait jamais été fait. Le consul britannique, le major Cheesman, s'y est risqué en 1932 et il a failli se noyer. Je pensais pouvoir faire un film et écrire un livre sur le voyage et me faire une fortune en droits d'auteur. J'ai persuadé mon père de financer l'expédition. C'était le genre de folle entreprise qui le séduisait. Il voulait même prendre part à l'expédition. J'ai étudié le cours complet du fleuve Abbay, et pas seulement sur des cartes. Je me suis acheté un vieux Cessna 180 et j'ai survolé la gorge : huit cents kilomètres du lac Tana au barrage. Comme je l'ai dit, j'avais vingt et un ans et j'étais cinglé.

– Qu'est-il arrivé ? demanda-t-elle, fascinée.

Duraid n'avait jamais mentionné cette histoire mais elle se doutait bien que c'était le type d'exploit auquel cet homme ne pouvait résister.

– J'ai enrôlé huit de mes amis de Sandhurst et nous avons consacré nos vacances de Noël au projet. Ce fut un fiasco. Nous ne tînmes que deux jours sur ce fleuve. A mon avis, cette gorge est le pire endroit du monde. Deux fois plus profonde et accidentée que le Grand Canyon du Colorado. Nos kayaks ont été réduits en miettes avant d'avoir parcouru les vingt premiers kilomètres. Nous avons dû abandonner notre équipement et escalader les parois de la gorge pour retrouver la civilisation.

Son visage s'assombrit brièvement.

– J'ai perdu deux membres de notre expédition. Bobby Palmer s'est noyé et Tim Marshall est tombé dans un ravin. Nous n'avons jamais retrouvé leurs corps. Ils sont encore là-bas, quelque part. J'ai dû l'annoncer à leurs parents...

La douleur du souvenir le fit s'interrompre.

– Personne n'a jamais réussi à naviguer dans les gorges du Nil Bleu ? demanda-t-elle pour le distraire de ses pensées.

– Si. J'y suis retourné quelques années plus tard. Cette fois, non pas comme chef mais en tant que membre d'une expédition des forces armées britanniques. Il a fallu l'armée, la marine et l'aviation pour vaincre ce fleuve.

Elle le regarda avec admiration. Il avait vogué sur l'Abbay. C'était comme si un étrange destin l'avait menée jusqu'à lui. Duraid avait raison. Aucun autre homme au monde ne conviendrait mieux pour son projet.

– Vous en savez autant que n'importe qui quant à la véritable nature des gorges. J'essaierai de vous apprendre tout ce que Taita avait mis dans le septième papyrus. Malheureusement, cette partie du rouleau a été endommagée et Duraid et moi avons été forcés d'extrapoler. Vous me direz si cela concorde avec ce que vous savez du terrain.

– Je vous écoute, dit-il.

– Taita décrit l'escarpement à peu près de la même manière que vous. Une muraille d'où émerge le fleuve. Ils furent obligés d'abandonner leurs chars, qui s'étaient révélés incapables de franchir le terrain accidenté du canyon, et obligés de continuer à pied, en emmenant leurs chevaux. Bientôt les gorges devinrent si abruptes, si dangereuses qu'ils perdirent une partie de leurs bêtes. Rien de tout ça ne les découragea. Ils continuaient à obéir aux ordres de Prince Memnon.

– Je suis du même avis que Taita. C'est un pays effrayant !

– Il évoque ensuite une série d'obstacles qu'il décrit comme des marches. Duraid et moi n'avons pas pu décider avec certitude de quoi il s'agissait mais nous avons pensé à des cataractes.

– Ce dont les gorges d'Abbay ne manquent pas, fit Nicholas.

– Mais voici la plus importante section de son témoignage. Taita raconte qu'après vingt jours de voyage dans les gorges ils rencontrèrent la « deuxième marche ». C'est à cet endroit que le prince reçut, sous la forme d'un rêve, un message de son père mort. Il choisissait cet endroit comme le site de sa propre tombe. Taita explique qu'ils ne voyagèrent pas plus avant. Si nous arrivons à déterminer ce qui les a arrêtés, nous pourrons savoir avec exactitude de combien ils avaient pénétré dans les gorges.

– Avant d'aller plus loin, fit Nicholas, nous aurons besoin de cartes, de photographies par satellite des montagnes, et je vais devoir relire mes notes sur l'expédition, ainsi que mon journal. J'essaie, autant que possible, de tenir à jour ma bibliothèque d'ouvrages de références, et nous devrions y trouver des cartes récentes et des photos satellite avec l'aide de Mrs. Street.

« Je sortirai également les notes de mon arrière-grand-père. Il a franchi le Nil Bleu à la fin du siècle dernier. Le vieux grigou a peut-être consigné quelques indications utiles.

Il l'accompagna jusqu'à la vieille Land Rover verte. Quand elle démarra, il se pencha par la vitre ouverte.

– Je suis toujours persuadé que vous devriez rester. Il doit y avoir une heure et demie de route jusqu'à Brandsbury. Ce qui vous fait trois heures de route dans la journée. Nous allons avoir énormément de travail à abattre avant même de penser à partir pour l'Afrique.

– Que diront les gens ? demanda-t-elle en libérant le frein à main.

– Je me suis toujours fichu des gens, cria-t-il alors qu'elle s'éloignait. A quelle heure, demain ?

– Je dois passer chez le médecin, à York. Il va m'enlever mes points de suture. Je ne pourrai être ici avant onze heures.

Elle avait passé la tête par la vitre ouverte pour pouvoir lui répondre. Le vent lui ramenait les cheveux dans la figure. Elle était brune et les goûts de Sir Nicholas l'avaient toujours poussé vers les brunes. Rosalind avait aussi quelque chose de ce mystérieux charme oriental. La comparaison le fit se sentir coupable mais l'image de Royan était difficile à effacer.

Elle était la première femme qui l'attirait depuis la mort de Rosalind. Le mélange de ses origines l'intriguait. Elle était suffisamment étrangère pour piquer son goût de l'Orient, mais assez anglaise pour parler son langage et comprendre son humour. Elle était cultivée et connaissait tout des choses qui l'intéressaient. Et il admirait sa force de caractère. Les femmes orientales apprenaient l'effacement et l'obéissance. Celle-ci était différente.

5

Georgina avait pris rendez-vous par téléphone avec son médecin de York afin que l'on retire à Royan les points de suture de son bras. La mère et la fille quittèrent le cottage de Brandsbury après le petit déjeuner. Georgina conduisait avec Magic assis près d'elle.

Au moment où elles s'engageaient dans la grand-rue du village, Royan aperçut un énorme camion, un MAN, garé près de la poste, mais elle n'y prêta aucune attention particulière.

Une fois en pleine campagne, elles furent confrontées à d'épaisses nappes de brouillard qui, par endroits, réduisaient la visibilité à quelques mètres. Mais Georgina n'était pas femme à se laisser impressionner par le temps et elle lança la Land Rover au maximum de sa vitesse, en restant toutefois, constata Royan avec soulagement, en deçà de cent kilomètres à l'heure.

Elle regarda machinalement derrière elle et s'aperçut que le MAN les suivait. De la mer de brume qui planait à mi-hauteur n'émergeait que sa cabine en forme de cône, identique à la tourelle d'un sous-marin. A peine l'eut-elle aperçu que les nappes de brume l'avalèrent. Elle se retourna pour écouter sa mère.

– Ce gouvernement n'est qu'un ramassis de cornichons incompétents.

La fumée de la cigarette qui pendait au coin de sa lèvre lui faisait cligner les paupières. Elle conduisait d'une main, caressant de l'autre les oreilles soyeuses de Magic.

– Les ministres peuvent se tripoter tant qu'ils

veulent, je m'en fiche ! Mais qu'ils traficotent avec ma retraite, ça me rend folle.

– Rassure-moi, maman, tu ne demandes pas un gouvernement travailliste, n'est-ce pas ?

Georgina avait toujours été d'un conservatisme forcené. Elle balaya la boutade d'un geste de la main.

– Je ne dirai qu'une chose : rendez-nous Maggie !

Le camion suivait toujours, fendant la brume et dispersant devant lui le ruban de fumée bleu que lâchait le pot d'échappement de la voiture de Georgina. Soudain, il accéléra.

– Je crois qu'il veut te dépasser, fit Royan.

L'avant massif du camion n'était qu'à une dizaine de mètres de leur pare-chocs. Le radiateur portait un logo chromé MAN et dominait tellement l'habitacle de la Land Rover qu'on ne voyait pas le visage du conducteur.

– Tout le monde veut me dépasser, se lamenta Georgina. C'est le drame de ma vie.

Elle roulait imperturbablement au milieu de la chaussée. Royan se retourna encore. Le camion s'était rapproché, sa masse occupait tout le pare-brise arrière. Le chauffeur débraya violemment et le moteur emballé gronda avec agressivité.

– Tu devrais laisser tomber. Je crois qu'il est pressé.

– Qu'il attende, grommela Georgina en mâchonnant le filtre de sa cigarette, la patience est une vertu. Et puis je ne peux plus le laisser passer. Je connais mieux cette route que le couloir qui va à ma salle de bains. Il y a un pont de pierre bientôt, ça se rétrécit terriblement.

Le chauffeur klaxonna brutalement. Magic bondit sur le siège arrière et aboya furieusement.

– L'imbécile ! jura Georgina. Où se croit-il ? Note son numéro, je vais en toucher deux mots à la gendarmerie.

– Sa plaque est pleine de boue. On ne voit pas grand-chose mais on dirait une plaque du continent. Allemande, je crois.

Comme s'il avait entendu les menaces de Georgina, le camionneur ralentit. Il laissa entre les deux voitures une bonne vingtaine de mètres. Royan s'était complètement tournée vers l'arrière pour mieux le voir.

– C'est bien, fit Georgina avec autorité. On apprend les bonnes manières. Tiens, ajouta-t-elle en tendant le cou vers l'avant qu'occultaient les nappes de brouillard, voilà le pont.

Royan voyait enfin le chauffeur du camion. Il portait un passe-montagne de laine bleue qui masquait ses traits, à l'exception de son nez et de ses yeux, et lui donnait un aspect inquiétant.

– Attention ! hurla-t-elle soudain. Il fonce droit sur nous !

Le moteur du camion se mit à mugir et le vacarme les enveloppa comme les vagues d'une mer démontée. Pendant un court instant, Royan ne vit plus que l'acier rutilant, puis l'avant du camion s'écrasa contre leur pare-chocs.

L'impact manqua la précipiter hors de son siège. Elle se redressa péniblement et s'aperçut que le camion les avait prises dans les barres d'acier qui protégeaient le radiateur comme un renard qui a refermé ses mâchoires sur un oiseau. Georgina s'escrimait sur son volant pour garder le contrôle de la voiture mais ses efforts étaient inutiles.

– Je ne peux rien faire. Le pont ! Saute...

Royan défit la boucle de sa ceinture de sécurité et se jeta sur la poignée de la portière. Les parapets du pont se rapprochaient à une vitesse effrayante. La Land Rover slalomait en travers de la route, totalement incontrôlable.

La portière céda d'un coup mais Royan eut à peine le temps de l'entrouvrir. La voiture heurta les piles de pierre qui gardaient les abords du pont avec violence. Les deux femmes hurlèrent, le véhicule se plia et elles furent précipitées en avant. Le pare-brise éclata au moment où la voiture passait au-dessus des colonnes de pierre, basculait par-dessus l'obstacle et glissait en direction de la rivière.

Royan se trouva éjectée par sa portière restée ouverte. Elle atterrit sur la pente de la berge qui amortit sa chute mais lui coupa le souffle. Elle rebondit, dérapa le long du talus et s'enfonça dans les eaux glacées qui coulaient sous le pont. Elle aperçut le ciel avant de disparaître et le pont au-dessus d'elle avec la masse gigantesque du camion qui filait. Il remorquait trois énormes containers, recouverts chacun d'une épaisse bâche de nylon verte fixée par des câbles. Elle eut une brève vision, quasi subliminale, d'un grand écusson publicitaire où était peint en rouge le nom d'une société. Avant d'avoir pu enregistrer l'information, elle s'enfonça sous la surface du cours d'eau. Le froid intense et la violence de sa chute lui vidèrent les poumons, elle se débattit pour remonter vers la surface, y réussit mais s'aperçut que le courant l'avait déjà entraînée. Empêtrée dans ses vêtements que l'eau alourdissait, elle battit les flots pour rejoindre la rive. Elle parvint à saisir une branche et se hissa hors de l'eau.

Elle s'agenouilla dans la boue pour recracher l'eau qu'elle avait ingurgitée. Elle essaya d'évaluer ses blessures mais le souci de son propre sort s'évanouit quand elle entendit monter de la carcasse renversée de la Land Rover les gémissements de sa mère.

Elle se releva et tituba dans l'herbe humide et gelée jusqu'à l'endroit où gisait la voiture. Elle était retournée sur le toit, au bord de l'eau. La carrosserie était froissée et déchiquetée, le métal blanc brillait aux endroits où la peinture vert sombre avait été arrachée. Le moteur avait calé, les roues avant tournaient encore.

– Maman ! Où es-tu ? cria-t-elle.

Les terribles gémissements ne s'arrêtaient pas. Elle s'accrocha à la carrosserie pour ne pas perdre l'équilibre et se traîna en direction du bruit, effrayée déjà par ce qu'elle allait découvrir.

Georgina était assise dans l'herbe humide, le dos contre la voiture. Ses jambes étaient étendues devant elle. La pointe de son pied gauche était tournée vers le sol selon un angle anormal. Elle avait la jambe cassée, au niveau du genou ou un peu plus bas, mais ce n'était pas cette blessure qui faisait geindre Georgina. Elle avait Magic sur les genoux.

La cage thoracique du cocker avait été broyée entre le métal de la carrosserie et le sol. Sa langue sortait au coin de sa gueule, comme pour un ultime sourire. Du sang tombait goutte à goutte de la pointe rose.

Royan se laissa tomber près de sa mère. Elle lui passa un bras autour des épaules. C'était la première fois qu'elle la voyait pleurer. Elle la serra contre elle avec force, comme si ce geste pourrait suffire à alléger son chagrin.

Elle n'aurait su dire combien de temps elles restèrent assises ainsi. Puis la vue de la jambe de sa mère et une panique soudaine à l'idée que le chauffeur du camion pouvait revenir sur ses pas pour achever sa besogne la secouèrent. Elle rampa hors du fossé et gagna le centre de la route pour arrêter une voiture.

Deux heures après l'heure de leur rendez-vous, Nicholas, inquiet, décida d'appeler la gendarmerie de York. Un réflexe heureux lui avait fait noter le numéro d'immatriculation de la Land Rover. C'était un numéro qu'il n'avait aucun mal à se rappeler : les initiales de sa mère combinées à un 13 néfaste.

Il attendit que l'officier, une jeune femme, ait consulté son ordinateur puis il eut de nouveau sa voix au bout du fil.

– Désolée, Sir, cette voiture a eu un accident, ce matin.

– Qu'est-il arrivé au chauffeur? demanda Nicholas.

– Le chauffeur et sa passagère sont à l'hôpital de York.

– Comment vont-elles?

– Je regrette, Sir. Je n'ai aucune information.

Il lui fallut quarante minutes pour se rendre à l'hôpital et à peu près autant de temps pour trouver Royan. Elle était dans le pavillon des urgences chirurgicales, assise au chevet de sa mère qui n'était pas encore sortie du profond sommeil de l'anesthésie.

Elle leva les yeux quand Nicholas s'approcha d'elle.

– Ça va? Que s'est-il passé?

– Ma mère, sa jambe est dans un état épouvantable. Il a fallu lui poser une broche. Son fémur...

– Et vous?

– Des bleus, des écorchures. Rien de sérieux.

– Comment est-ce arrivé?

– Un camion. Il nous a poussées hors de la route.

Il sentit quelque chose tressaillir en lui au souvenir d'un autre camion, sur une autre route, une autre nuit.

– Délibérément?

– Je crois. Le chauffeur était masqué. Un passe-montagne. Il nous a heurtées par l'arrière. Ce ne peut être que délibéré.

– En avez-vous parlé à la police?

Elle acquiesça.

– Le vol du camion a été déclaré ce matin de bonne heure, bien avant l'accident. Le chauffeur faisait une pause, dans un café du bord de route. Il est allemand. Il ne parle pas anglais.

– C'est la troisième fois qu'ils essaient de vous tuer, déclara Nicholas. Dorénavant, je m'occupe de tout.

Il alla téléphoner dans la salle d'attente. Le chef de la gendarmerie du comté était un de ses amis, tout comme le directeur de l'hôpital.

Quand il revint près d'elle, Georgina émergeait de l'anesthésie. Elle était un peu dans les nuages mais elle souriait alors qu'on l'emmenait vers la chambre particulière que lui avait obtenue Nicholas. Le chirurgien arriva quelques minutes plus tard.

– Nick, bonjour ! Que fiches-tu ici ?

Cet accueil surprit Royan. La quantité de gens qui le connaissaient était étonnante. Puis le médecin se pencha vers Georgina.

– Comment allez-vous, ma chère ? Vous nous faites une jolie fracture multiple. On dirait des confettis. On est arrivés à tout recoller mais vous allez rester avec nous au moins dix jours.

– Eh bien, fit Nicholas à Royan après qu'ils eurent quitté Georgina qui s'était assoupie, que vous faut-il de plus pour vous convaincre ? La gouvernante vous a préparé une chambre. Il est hors de question que je vous laisse seule plus longtemps. La prochaine fois, ils risquent d'avoir plus de chance.

Elle ne discuta pas, elle était de toute manière trop inquiète et bouleversée. Elle grimpa maladroitement sur le siège avant de la Range Rover et se laissa conduire jusqu'à Quenton Park. Quand ils arrivèrent, il l'expédia dans sa chambre.

– On vous montera votre dîner. Prenez bien les somnifères que vous a donnés le médecin. Demain matin, Mrs. Street ira chercher vos affaires à Brandsbury mais il faudra lui remettre les clés du cottage de votre mère. La gouvernante a fait porter des vêtements de nuit et un nécessaire de toilette dans votre chambre. Je ne veux plus entendre parler de vous avant demain matin.

La manière dont il prenait les choses en main la rassérénait. Pour la première fois depuis la terrible nuit dans l'oasis, elle se sentait en sécurité. Pourtant, elle eut un dernier geste d'indépendance : elle jeta le comprimé de Mogadon dans la cuvette des toilettes.

La chemise de nuit était déployée sur son oreiller. Elle était entièrement en soie et portait une exquise dentelle de Cambrai au col et aux manches. Elle n'avait jamais rien porté d'aussi luxueux et d'aussi sensuel. Elle supposa qu'elle avait appartenu à son épouse, et cela provoqua en elle un étrange mélange d'émotions. Elle se hissa sur le lit à baldaquin et sombra rapidement dans un profond sommeil.

Le matin, une jeune bonne vint la réveiller. Elle apportait un exemplaire du *Times* et une théière d'Earl Grey. Elle revint quelques minutes plus tard avec un sac qui lui appartenait.

– Mrs. Street espère avoir pris toutes les affaires dont vous aurez besoin. Sir Nicholas aimerait que vous partagiez son petit déjeuner. Dans la salle à manger, à huit heures et demie.

Sous la douche, elle inspecta son corps avec soin. En dehors de la cicatrice laissée par le coup de couteau, elle n'avait que quelques bleus, l'un sur la cuisse et les autres sur le côté gauche et la fesse. Son tibia était écorché. Elle enfila maladroitement un pantalon puis boitilla jusqu'à l'étage inférieur, à la recherche de la salle à manger.

– Faites comme chez vous, je vous en prie.

Nicholas replia son journal pour l'accueillir alors qu'elle hésitait sur le pas de la porte. Il tendit la main vers la desserte couverte des mets du petit déjeuner. Elle se servit des œufs brouillés tout en admirant le paysage peint par Constable sur le mur en face d'elle.

– Bien dormi ? J'ai des nouvelles de la police. Ils ont retrouvé le camion. Il était abandonné sur une aire de repos près de Harrogate. Ils sont en train de l'examiner mais ils n'espèrent pas trouver grand-chose. Il semblerait que nous ayons affaire à quelqu'un qui sait ce qu'il fait.

– Je dois appeler l'hôpital.

– C'est fait. Votre mère a passé une nuit tranquille. J'ai laissé un message disant que vous iriez la voir ce soir.

– Ce soir ? s'insurgea-t-elle. Pourquoi si tard ?

– J'ai du travail pour vous. Je compte bien rentabiliser l'argent que j'investis sur vous.

Il se leva en la voyant approcher de la table et tira sa chaise pour l'aider à s'installer. Elle n'apprécia pas trop cette démonstration de galanterie mais ne fit aucun commentaire.

– L'agression dont Duraid et vous avez été victimes ne nous permet pas de tirer de conclusion particulière. Sinon que les assassins savaient exactement ce qu'ils cherchaient.

Le changement de sujet était un peu abrupt et la déconcerta.

– Mais examinons les circonstances de la deuxième tentative, au Caire. Une grenade à main. Qui savait que vous seriez au ministère cet après-midi ? Le ministre excepté, bien entendu.

Elle réfléchit en attaquant ses œufs brouillés.

– Je ne suis sûre de rien. Je crois en avoir parlé au secrétaire de Duraid. Peut-être à un des assistants.

Il fronça les sourcils et secoua la tête.

– Donc la moitié du musée était au courant de votre rendez-vous.

– C'est à peu près ça. Je suis désolée.

Il réfléchit un instant.

– Très bien. Qui savait que vous quittiez Le Caire ? Qui savait que vous séjourniez chez votre mère ?

– Un des secrétaires de l'administration du musée m'a apporté des diapositives à l'aéroport.

– Lui avez-vous dit par quel vol vous partiez ?

– Non, certainement pas.

– L'avez-vous dit à quiconque ?

– Non. Enfin...

– Oui ?

– J'en ai parlé au ministre lors de notre entretien. J'ai demandé l'autorisation de quitter mon poste. Pas lui, quand même pas ? fit-elle avec une expression horrifiée.

Nicholas haussa les épaules.

– Allez savoir... Bien entendu, le ministre était au courant de vos travaux sur le septième papyrus ?

– Pas dans les détails mais il en connaissait les grandes lignes.

– Bien. Question suivante : thé ou café ? (Il lui versa une tasse de café et reprit :) Vous avez dit que Duraid avait dressé une liste d'éventuels commanditaires de l'expédition. Ce pourrait être le début d'une liste de suspects ?

– Le musée Paul-Getty.

Cette réponse le fit sourire.

– On raye. Ils ne sont pas du genre à jeter des grenades dans les rues du Caire. Suivant ?

– Gotthold Ernst von Schiller.

– Hambourg. Industrie lourde. Métallurgie, raffineries, alliages. Production de minerai de base. Suivant ?

– Peter Walsh. Le Texan.

– C'est lui-même. Il vit à Fort Worth. Franchise de restauration rapide.

Il y avait peu de collectionneurs privés aux reins assez solides pour disputer aux institutions des pièces importantes ou pour financer une expédition d'exploration archéologique. Nicholas les connaissait tous : le cercle des initiés ne comprenait qu'une vingtaine d'hommes. Des adversaires contre qui il avait déjà bataillé, dans les salles de vente de Sotheby et Christie et aussi dans des endroits moins officicls où l'on vendait des antiquités récentes. Récentes signifiant, dans leur jargon, récemment exhumées.

– Ces deux-là sont des brigands. Ils seraient capables de manger leurs propres enfants pour se caler un petit creux. Qui sait ce qu'ils feraient s'ils vous trouvaient entre eux et la tombe de Mamose ! Savez-vous si l'un d'eux a pris contact avec Duraid après la publication du livre ?

– Je ne sais pas. C'est possible.

– Je ne peux pas croire qu'un de ces deux angelots ait laissé passer un coup aussi facile. Nous devons supposer qu'ils n'ignoraient pas que Duraid avait quelque chose sur le feu. Nous allons mettre leurs noms sur notre liste de suspects.

Il inspecta son assiette.

– Vous ne mangez plus ? Encore un peu d'œufs. Non ? Bien, descendons au musée. Mrs. Street doit nous avoir préparé le terrain.

Une fois dans le bureau, elle s'aperçut avec étonnement qu'il avait abattu une impressionnante quantité de travail. Il avait dû veiller tard dans la nuit pour transformer la pièce en cette espèce de quartier général. Un grand chevalet supportant un tableau noir où étaient punaisées des photos prises par satellite trônait au centre. Elle s'en approcha pour les examiner puis elle regarda les autres documents épinglés à côté.

En plus de la carte à grande échelle qui représentait la même région du sud-ouest de l'Éthiopie que les photographies, il y avait une liste de noms et d'adresses, une liste de matériel et de provisions qui lui avait servi lors de précédentes expéditions en Afrique, des relevés de distances et ce qui devait être un budget prévisionnel. En haut du tableau, il y avait un pannonceau dont elle lut le titre : Éthiopie – Généralités.

Elle ne lut pas les cinq feuilles tapées en petits caractères mais fut très impressionnée par le sérieux de sa préparation.

Elle se promit d'étudier toutes ces informations à la première occasion et se dirigea vers une des chaises qu'il avait installées au bureau, face au tableau. Il se posta près du tableau avec dans la main une badine qu'il brandit comme un maître d'école.

– Silence dans la classe, fit-il en tapotant le dessus du tableau. Votre premier devoir sera de me convaincre que nous serons capables de retrouver la piste de Taita après qu'elle a refroidi pendant plusieurs milliers d'années. Examinons d'abord la topographie des gorges de l'Abbay.

Il désigna le cours du fleuve sur les photos satellite.

– Tout au long de cette zone, le fleuve a creusé son lit dans un plateau basaltique. Par endroits, les précipices sont très abrupts. Cent à cent cinquante mètres de profondeur de chaque côté. Le fleuve n'a pas creusé les zones de schiste, plus dures. Elles forment une série de marches géantes tout le long du cours du fleuve. Je crois que vous avez raison sur ce point : les « marches » de Taita sont des cataractes.

Il prit sur la table une photo.

– C'est un cliché que j'ai fait en 1976. J'étais avec l'armée. Regardez, cela vous donnera une assez juste idée de ce que sont ces cataractes.

Elle découvrit un paysage fluvial, en noir et blanc. Le site était encadré par de hautes falaises et fermé par une cascade qui semblait tomber du ciel. Sa taille gigantesque rapetissait à la dimension d'insecte les silhouettes humaines et les bateaux en contrebas.

– Je n'aurais jamais imaginé une chose pareille ! fit-elle, éberluée.

– Ça ne rend rien de la désolation magnifique du paysage. Il est impossible de trouver un angle de vue qui permette de tout photographier. Mais, au moins, on voit bien comment cette chute d'eau a arrêté les Égyptiens. Ils remontaient à pied, ou au mieux avec des chevaux lourdement chargés. En général, les chutes sont bordées d'une sorte de piste tracée par les éléphants et autres animaux sauvages. Néanmoins, il est impossible de franchir ces chutes ou de contourner ces falaises. Nous-mêmes, nous descendions le fleuve. Et pourtant nous dûmes descendre les bateaux et notre équipement à la corde, ce qui ne fut pas une mince affaire.

– Nous sommes donc du même avis, fit-elle. C'est bien une chute d'eau qui les a arrêtés. La deuxième en arrivant par l'ouest.

Il retourna au tableau. Sur l'image satellite, sa baguette suivit la courbe du fleuve, depuis la tache sombre du barrage de Roseires, au centre du Soudan.

– Les falaises se dressent sur le versant éthiopien de la frontière. Aucune route, aucune ville et deux uniques ponts, à l'extrémité, en amont. Rien pendant huit cents kilomètres hormis les remous du Nil et des roches basaltiques.

Il marqua une pause pour lui laisser apprécier l'information.

– C'est un des derniers endroits vraiment sauvages de la planète. Sa réputation est terrible. C'est un repaire de bêtes féroces, et on prétend que les hommes qui le peuplent vivent à l'état sauvage. J'ai signalé sur cette photo les principales chutes visibles dans le couloir des gorges.

La baguette désignait des cercles d'encre rouge sur l'agrandissement.

– Voici la deuxième chute d'eau, à environ cent quatre-vingts kilomètres en amont de la frontière soudanaise. Mais il y a des facteurs dont il faut tenir compte. Le moindre n'étant pas que le fleuve a pu changer de lit depuis la visite de notre ami Taita, il y a quatre mille ans.

– Il n'a quand même pas pu sortir d'un canyon aussi profond, protesta-t-elle. Mille deux cents mètres ! Le Nil lui-même resterait prisonnier.

– Certes. Mais il a pu modifier son lit d'origine. Il est difficile de décrire l'énormité des crues. Le fleuve monte de vingt mètres et il file à plus de dix nœuds.

– Et vous avez navigué dessus ? fit-elle, dubitative.

– Pas pendant les crues.

Ils contemplèrent la photographie en silence, en songeant aux terribles ravages que pouvait occasionner le puissant cours d'eau.

– Et la deuxième cataracte ? fit-elle.

– Là, à l'endroit où un affluent rejoint le cours de l'Abbay. C'est la Dandera, une rivière qui coule à trois mille six cents mètres d'altitude, au pied du pic du Sancai, dans le massif du Choke. C'est à cent cinquante kilomètres au nord des gorges.

– Avez-vous vu l'endroit où elle se jette dans le fleuve ? Comment est-ce ? Vous en souvenez-vous ?

– C'était il y a plus de vingt ans. Nous avons passé dans les gorges un mois cauchemardesque. D'interminables falaises couvertes d'une jungle dense, une chaleur qui nous assommait, des insectes, le rugissement permanent des remous et les mouvements des pagaies, répétitifs, incessants... Pourtant, j'ai deux raisons précises de me souvenir de l'endroit où la Dandera se jette dans l'Abbay.

– Lesquelles ? demanda-t-elle, avec impatience.

– Un mort. Nous avons perdu un homme, là-bas. Le seul accident de cette seconde expédition. Une corde a cassé, il a fait une chute de trente mètres. Il s'est écrasé sur un éperon rocheux.

– C'est affreux ! Et la seconde raison de vous souvenir de cet endroit ?

– Il y avait un monastère copte. Il est construit dans le rocher, à cent vingt mètres au-dessus du niveau de l'eau.

– Là-bas ! Dans la gorge ? Mais pourquoi avoir bâti un monastère là ?

– L'Éthiopie est un des plus vieux pays chrétiens du monde. On y compte plus de neuf mille églises et monastères et une grande partie se trouve dans les endroits montagneux les plus reculés et les moins accessibles. Celui de la Dandera est célèbre parce qu'il abrite le tombeau de saint Fromentius, le saint qui a introduit en Éthiopie le christianisme de l'Empire byzantin de Constantinople. C'était au début du IIIe siècle. On raconte qu'il a fait naufrage sur les bords de la mer Rouge et a été emmené à Axoum où il convertit l'empereur Ezana.

– Vous avez visité le monastère ?

Il s'esclaffa :

– Mon Dieu, non ! Nous étions bien trop occupés à survivre et bien trop pressés de sortir de cet enfer pour faire du tourisme. Nous avons descendu les chutes et continué notre route. Tout ce dont je me souviens de ce monastère, ce sont des excavations creusées dans le roc et les silhouettes des moines troglodytes. Ils portaient des robes blanches et ne bougeaient pas. Ils ne répondirent même pas à nos saluts.

– Comment se rendre là-bas sans monter toute une expédition ? se lamenta-t-elle en regardant le tableau couvert de photographies.

– Déjà découragée ? Attendez au moins de vous faire dévorer par les moustiques. En général, ils vous enlèvent et vont vous boulotter dans leur nid.

– Soyez sérieux. Comment va-t-on arriver là ?

– Les moines sont approvisionnés par les villageois qui vivent sur les terres qui surplombent les gorges. Il semblerait qu'il y ait un chemin tracé par les bêtes. On nous a dit qu'il faut trois jours pour descendre jusqu'au fond de la gorge.

– Vous sauriez le faire ?

– Non, j'ai des idées sur la question mais nous en parlerons plus tard. D'abord, essayons de découvrir ce qui nous attend là-bas, après quatre mille ans. (Il lui tendit sa baguette.) A vous. Persuadez-moi.

Il se laissa choir dans la chaise libre et la regarda, bras croisés.

– Pour commencer, revenons au livre.

Elle échangea la baguette contre l'exemplaire du *Dieu Fleuve* resté sur la table.

– Vous souvenez-vous du personnage de Tanus ? demanda-t-elle.

– Bien sûr ! Il commandait les armées de Reine Lostris. Il avait été fait Grand Lion d'Égypte, il était à la tête de l'exode des Égyptiens, quand ils furent chassés par les Hyksos.

– C'était l'amant de la reine et surtout, à en croire Taita, le père du prince Memnon, ajouta-t-elle.

– Tanus a été tué au cours d'une expédition punitive contre un chef éthiopien nommé Arkoun, ajouta Nicholas. Son corps embaumé fut ramené à la reine par Taita.

– C'est exactement là où je voulais en venir. Et à un indice que Duraid et moi avons déniché.

Il décroisa les bras et se redressa.

– Dans le septième papyrus ?

– Non, et sur aucun des autres rouleaux, non plus. Il y avait une inscription gravée sur la tombe de Lostris, dit-elle en tirant une photographie de son sac. C'est un agrandissement d'une partie des murs de la chambre funéraire. C'est l'endroit qui s'est effondré, révélant les vases d'albâtre. Duraid et moi étions persuadés que le fait même que Taita ait choisi de placer cette inscription à cet endroit, au-dessus des vases dissimulés dans leur cache, était significatif.

Elle lui tendit la photo, il s'en saisit ainsi que de la loupe laissée sur la table. Pendant qu'il se penchait sur les hiéroglyphes, elle reprit :

– Vous n'avez pas oublié que, d'après le livre, Taita adorait les rébus et les jeux de mots. Et qu'il se targuait assez souvent d'être le plus grand joueur de bao ?

– Je m'en souviens parfaitement. Je crois d'ailleurs que le bao est l'ancêtre du jeu d'échecs. Je dois avoir une douzaine de plateaux de jeu dans le musée. Certains viennent d'Égypte et même d'Afrique noire.

– Pour les échecs, je suis d'accord. Les deux jeux ont les mêmes règles et les mêmes objectifs, mais la forme du bao est plus rudimentaire. On y joue avec des pierres dont la couleur varie selon le rang. Quoi qu'il en soit, je crois que Taita n'a pas pu résister à la tentation de faire étalage de son habileté et de son agilité d'esprit. Je crois qu'il était si orgueilleux qu'il a délibérément laissé des indices qui localisent la tombe du pharaon, à la fois dans les rouleaux et parmi les fresques qu'il a, faut-il vous le rappeler, peintes de ses propres mains pour la tombe de la reine qu'il adorait.

– Et vous pensez, fit Nicholas en tapotant la photo avec la loupe, que cette chose est un de ces indices ?

– Lisez donc, enjoignit-elle. Ce sont des hiéroglyphes classiques. Un jeu d'enfant comparé aux codes de Taita !

– *Le père du prince qui n'est pas le père*, traduisit-il lentement, *celui qui a donné le bleu qui l'a tué, garde éternellement, main dans la main avec Hâpy, le testament de pierre du passage qui mène au père du prince qui n'est pas le père, celui qui a donné le sang et les cendres.*

Il leva la tête.

– C'est incompréhensible. J'ai dû mal traduire.

– Ne vous découragez pas. Vous venez de faire connaissance avec Taita, le champion de bao, l'incorrigible poseur d'énigmes. Duraid et moi nous y sommes cassé les dents pendant des semaines. Pour démêler celle-ci, il faut retourner au livre. Tanus n'était pas le père officiel du prince Memnon mais son père biologique. Sur son lit de mort, il a donné à Memnon l'épée bleue, celle qui lui a infligé une blessure mortelle lors du combat avec le chef éthiopien. La bataille est entièrement décrite dans le roman.

– Oui, quand j'ai lu ce passage la première fois, j'ai pensé que l'épée bleue était certainement une des premières armes de fer. Ce qui, à l'âge du bronze, aurait été une merveille aux yeux des armuriers. Un présent digne d'un prince. Donc, ajouta-t-il, le père du prince qui n'est pas le père serait Tanus ? Pour l'instant, soupira-t-il, j'accepte cette interprétation.

– Merci de votre confiance, fit-elle ironiquement. Mais pour en revenir à Taita, le pharaon Mamose n'était que le père officiel de Memnon. Là encore, le père n'était pas le père. Mamose a transmis au prince la double couronne d'Égypte. La couronne rouge et la couronne blanche, le royaume du Haut et celui du Bas, le sang et les cendres.

– Ça, je l'avale plus facilement. Et le reste de l'inscription ?

– L'expression « main dans la main » est ambiguë. Dans l'Égypte ancienne, cela pouvait signifier proche, ou en vue, de quelque chose.

– Continuez. Vous avez toute mon attention.

– Hâpy est la divinité hermaphrodite du Nil. Elle change de sexe selon les moments. Dans le texte des rouleaux, Taita utilise Hâpy comme un autre nom du fleuve.

– Et si nous rapprochons l'inscription du tombeau de la reine et le septième papyrus, qu'obtient-on ?

– Tout simplement ceci : Tanus est enterré tout près, ou en vue, du fleuve au niveau de la deuxième cataracte. Un monument de pierre, ou une inscription sur ou dans sa tombe, indique la direction de la tombe du pharaon.

Il siffla entre ses dents.

– Toutes ces déductions m'épuisent. Quels autres indices avez-vous dénichés ?

– C'est tout, fit-elle, et il la regarda avec incrédulité.

– C'est tout ? Rien d'autre ?

Elle secoua la tête.

– Supposons que vous avez raison jusqu'ici. Supposons que le fleuve n'a pas changé de lit et que sa configuration est la même qu'il y a quatre mille ans. Allons même plus loin dans nos suppositions : Taita nous indique vraiment la seconde cataracte de la Dandera. Qu'est-ce qu'on cherche une fois arrivés là-bas ? Une inscription sur un rocher. Intacte ou effacée par les intempéries ?

– Howard Carter avait une piste tout aussi mince pour retrouver la tombe de Toutânkhamon, rappela-t-elle. Un morceau de papyrus d'authenticité douteuse.

– Howard Carter n'avait que la vallée des Rois à explorer et ça lui a pris dix ans. Vous me donnez l'Éthiopie, un pays grand comme deux fois la France. Combien de temps nous faudra-t-il, à votre avis ?

Elle se leva brusquement.

– Excusez-moi, je dois aller voir ma mère à l'hôpital. Il est évident que je perds mon temps ici.

– Ce n'est pas encore l'heure des visites !

– Elle a une chambre particulière, répliqua Royan en gagnant la porte.

– Je vous y emmène.

– Ne vous donnez pas ce mal. Je vais demander à Mrs. Street de m'appeler un taxi, dit-elle d'un ton glacial.

– Un taxi prendra une heure pour arriver ici, coupa-t-il.

Elle ne ralentit que pour lui permettre de la précéder jusqu'à la Range Rover. Ils roulèrent un quart d'heure en silence, puis Nicholas déclara :

– Je ne suis pas très doué pour les excuses. Je manque de pratique, j'en ai peur. Mais je suis désolé. J'ai été grossier, je ne voulais pas l'être. Je me suis laissé emporter.

Elle ne dit pas un mot. Il attendit une minute et reprit :

– Vous serez bien obligée de me parler. A moins que nous ne communiquions par notes. Ça va faire très bizarre là-bas, dans les gorges de l'Abbay.

– J'ai eu la très nette impression que vous ne voyiez pas d'intérêt à y aller, fit-elle sans tourner la tête.

– Je suis une brute, concéda-t-il.

Elle lui jeta un regard. C'était plus fort qu'elle, son sourire était irrésistible, elle éclata de rire.

– J'imagine qu'il va me falloir faire avec. Vous êtes une brute.

– Toujours associés ? demanda-t-il.
– Vous êtes la seule brute dont je dispose pour le moment. Je suis forcée de vous subir, je suppose.
Il la déposa devant l'entrée principale de l'hôpital.
– Je viendrai vous chercher à trois heures, lui dit-il avant de partir vers le centre de York.
De ses années d'université, Nicholas avait gardé un petit appartement, dans une des ruelles derrière la cathédrale. L'immeuble tout entier était au nom de la compagnie des îles Caïman dont le numéro de téléphone, introuvable dans les annuaires, ne correspondait pas à l'adresse. Aucun titre de propriété ne permettait de remonter jusqu'à lui. Avant sa rencontre avec Rosalind, l'appartement avait joué un rôle essentiel dans sa vie privée mais, maintenant, Nicholas ne s'y rendait que pour régler des affaires clandestines et très confidentielles. L'expédition de Libye et celle d'Irak avaient été toutes deux organisées là.
L'appartement n'avait pas servi depuis des mois. Il était glacial, sentait l'humidité et n'était guère accueillant. Il se prépara du thé, appela une banque à Jersey et, tout de suite après, une autre banque dans les îles Caïman.
« Un renard rusé a toujours deux sorties à son terrier. »
C'était une maxime familiale, qui avait franchi les générations. Pour cette expédition, il allait avoir besoin de fonds, et ses avocats avaient déjà fait main basse sur tout ce qu'ils avaient pu trouver.
Il communiqua les mots de passe et les codes dont avaient besoin les employés et demanda à effectuer quelques transferts. La facilité avec laquelle les choses s'arrangeaient quand on avait de l'argent l'étonnait toujours.
Il regarda sa montre. Il était encore tôt en Floride mais Alison décrocha dès la deuxième sonnerie. C'était une blonde dynamique qui dirigeait la Global Safari, une compagnie qui organisait des chasses et des pêches dans les endroits du monde les plus reculés.
– Salut, Nick. Nous n'avons pas eu de tes nouvelles depuis un an. Nous pensions que tu ne nous aimais plus.
– Je me suis mis au vert un moment.
Comment dire que l'on a perdu sa femme et ses deux petites filles ?

– L'Éthiopie ? fit-elle sans paraître le moins du monde surprise. Quand veux-tu partir ?

– La semaine prochaine ?

– Tu veux rire ? Nous n'avons qu'un seul chasseur là-bas, Nassous Roussos, et il est pris pour deux ans.

– Il n'y a personne d'autre ? insista-t-il. Je dois m'y rendre avant les pluies de juillet et d'août.

– Après quels trophées cours-tu ? Une antilope des montagnes ? Un bubale cendré ?

– Je prépare un voyage au fleuve Abbay pour les collections du musée.

Elle le sonda encore un peu mais il n'avait pas l'intention d'en dire plus. Elle finit par dire, avec réticence :

– Nous ne pouvons pas te cautionner officiellement, tu le comprends bien. Un seul chasseur acceptera de t'accompagner dans de si brefs délais mais j'ignore même s'il a un campement sur les rives du Nil Bleu. C'est un Russe. Nous avons eu sur lui des rapports très mitigés. Ce serait un ancien agent du KGB et il aurait fait partie de la bande de Mengistu.

Mengistu était le « Staline noir » qui avait déposé puis assassiné l'empereur Hailé Sélassié. Seize années de marxisme despotique avaient mis l'Éthiopie à genoux. A la chute de son parrain, l'empire soviétique, Mengistu avait été renversé et il avait fui le pays.

– Je suis prêt à pactiser avec le diable, dit-il. Je te promets que je ne viendrai jamais me plaindre auprès de toi.

– D'accord.

Elle lui communiqua un nom et un numéro de téléphone à Addis-Abeba.

– Je t'aime, Alison chérie.

– Si seulement c'était vrai, fit-elle avant de raccrocher.

Il ne s'attendait pas à joindre facilement Addis-Abeba. Il finit par tomber sur une femme qui parlait avec l'accent doucement zézayant des Éthiopiens et qui s'exprima en anglais aussitôt qu'il eut demandé à parler à Boris Brusilov.

– Je regrette, il est parti accompagner un safari. Je suis Woizero Tessay, sa femme.

En Éthiopie, les femmes ne prenaient pas le nom de leur mari. Nicholas connaissait suffisamment d'éthiopien pour comprendre ce que signifiait le ravissant nom de Woizero Tessay : Dame Soleil.

– Mais s'il s'agit d'un safari, je peux vous aider, déclara Dame Soleil.

6

Nicholas attendait devant l'hôpital quand Royan en sortit.

– Comment va votre mère ?

– Sa jambe va mieux, mais elle est toujours très bouleversée par la mort de Magic, son chien.

– Il va falloir lui trouver un chiot. La chienne d'un de mes gardes-chasse a eu des cockers. Je peux m'en occuper.

Il marqua une pause puis demanda avec circonspection :

– Pourrez-vous laisser votre mère seule ? Je veux dire si nous partons en Afrique ?

– Je lui en ai parlé. Une femme de la chorale de l'église dont elle fait partie lui tiendra compagnie jusqu'à ce qu'elle puisse se débrouiller toute seule.

Elle se tourna brusquement vers lui et le regarda avec attention.

– Vous, vous avez mijoté quelque chose depuis la dernière fois que je vous ai vu. Ne protestez pas, je le vois sur votre visage.

Il fit aussitôt le signe arabe qui repoussait le mauvais œil.

– Allah me garde des sorcières !

Il arrivait si facilement à la faire rire ! Elle ignorait encore si c'était une bonne chose ou non.

– Allez, dites-moi ce que vous cachez dans votre manche !

– Il faudra attendre que nous soyons arrivés au musée.

Il se montra intraitable, aussi fut-elle bien obligée de brider son impatience.

Une fois au musée, il l'emmena directement dans la salle des mammifères africains. Il s'arrêta devant un groupe d'antilopes empaillées : impalas, gazelles Thompson et Grant, gérénuks et plusieurs autres de la même famille.

– *Madoqua harperii*, fit-il en désignant une minuscule créature. Un dik-dik de Harper ou, si vous préférez, un dik-dik rayé.

C'était un animal insignifiant, à peine plus gros qu'un lièvre, dont le pelage brun était, sur les épaules et sur le dos, rayé de chocolat. Son museau allongé était préhensile, comme ceux des proboscidiens.

– Il est un peu défraîchi, fit-elle avec prudence devant ce qui lui semblait une fierté excessive. A-t-il quelque chose de spécial ?

La question lui arracha un rugissement.

– Spécial ? Mon Dieu, cette femme demande s'il est spécial !

Il leva les yeux au ciel et elle se mit à rire.

– C'est le seul spécimen connu, voilà tout. C'est une des créatures les plus rares qu'il soit. Si rare que l'espèce doit être éteinte à l'heure qu'il est. Si rare que beaucoup de zoologistes pensent qu'il n'a jamais existé et que mon arrière-grand-père, un saint homme, l'a inventé. Il aurait pris une peau de mangouste rayée et l'aurait cousue sur un dik-dik commun. Auriez-vous pu imaginer une telle accusation ?

– Je suis absolument outrée par une telle injustice !

– Vous pouvez, car nous allons en Afrique chasser un *Madoqua harperii* pour venger l'honneur de la famille.

– Quoi ?

– Suivez-moi et vous comprendrez tout.

Il la mena jusqu'à son bureau. Il extirpa un carnet relié en maroquin rouge du désordre qui jonchait le dessus de la table. Le cuir en était passé et taché par l'eau et le soleil, les coins et le dos étaient effilochés et plutôt en lambeaux.

– Le carnet de chasse du bon vieux Sir Jonathan, expliqua-t-il.

Il l'ouvrit devant elle. Il y avait des fleurs séchées et des feuilles pâles pressées entre les pages. Le tout devait avoir près de cent ans. Le texte était accompagné de dessins à la plume, représentant des hommes et des animaux, des paysages sauvages d'un jaune délavé. Nicholas lut la date marquée en haut de la page.

2 février 1902. Campement de l'Abbay. Journée entière sur les traces de deux énormes éléphants. Impossible de les rattraper. Chaleur très forte. Mes hommes renoncent. Abandonnons la chasse et retournons au campement. En chemin, j'aperçois une petite antilope qui broute sur la berge du fleuve. Un coup de ma petite carabine, la Rigby, suffit. Examinée avec soin, elle se trouve appartenir à l'espèce Madoqua. *Mais je n'ai jamais vu ce genre auparavant. Plus grand que le dik-dik commun, avec un pelage rayé. Certainement un spécimen inconnu.*

Il referma le carnet.

– Le vieux Jonathan nous donne une excuse idéale pour descendre dans les gorges de l'Abbay. Comme vous l'avez souligné, mettre sur pied une expédition demanderait des mois. Sans parler des dépenses. Cela signifierait aussi demander l'approbation et la permission du gouvernement éthiopien. En Afrique, ces choses-là peuvent prendre des mois, voire des années.

– D'autant que le gouvernement éthiopien ne sera pas très coopératif s'il soupçonne nos véritables intentions.

– Mais il existe plusieurs compagnies qui organisent des safaris. Elles disposent de tous les permis nécessaires, ont des contacts au sein du gouvernement, des véhicules, des équipements de camping ainsi que toute la logistique qui permet de voyager et de séjourner dans les régions les plus reculées. Les autorités sont relativement habituées à voir ces compagnies convoyer des chasseurs étrangers. Alors que deux *ferengi* indiscrets attirent l'attention de l'armée qui se jettera dessus comme un troupeau de buffles enragés.

– Donc, nous voyagerons en tant que chasseurs de dik-dik ?

– Les réservations auprès d'un organisateur de safaris d'Addis-Abeba sont faites. Mon plan consiste en trois étapes distinctes. Première étape : la reconnaissance. Si nous trouvons la piste que nous cherchons, alors nous reviendrons avec nos propres hommes et notre équipement. Ce qui sera la deuxième étape. La troisième sera bien entendu de sortir le butin d'Éthiopie et je peux vous l'assurer pour l'avoir vécu : ce ne sera pas le plus facile.

– Comment allez-vous vous y prendre ?

Il leva les deux mains.

– Ne me le demandez pas. Au point où nous en sommes, je n'en ai pas la moindre idée. Une étape à la fois.

– Quand partons-nous ?

– Avant de vous répondre, laissez-moi poser une autre question. Cette interprétation de l'énigme de Taita, l'avez-vous notée sur les papiers qui vous ont été volés ?

– Oui. Tout était consigné sur ces notes et sur les microfilms. Je suis désolée.

– Alors les méchants en sont au même point que nous ?

– J'ai bien peur que oui.

– Bien, pour répondre à votre question précédente, la réponse est : tout de suite. Et le plus tôt sera le mieux ! Nous devons arriver aux gorges de l'Abbay avant que la concurrence ne nous coiffe au poteau. Ils sont en possession de vos conclusions et de vos hypothèses depuis bientôt deux semaines. D'après ce que nous savons d'eux, ils doivent être déjà en route.

– Quand ? répéta-t-elle avec ardeur.

– J'ai retenu deux places sur le vol de British Airways de demain pour Nairobi. C'est dans deux jours. Là, un avion d'Air Kenya nous emmènera à Addis lundi vers midi. Vous avez juste le temps de faire votre paquetage. Nous partons pour Londres, en voiture, ce soir. Nous irons chez moi. Vos vaccinations, fièvre jaune et hépatite, doivent être à jour ?

– Oui, mais je n'ai rien. Aucun équipement, à peine quelques vêtements. Je suis partie du Caire un peu vite, voyez-vous.

– Nous verrons tout ça à Londres. Le problème est que les montagnes d'Éthiopie sont assez glaciales pour émasculer un singe, alors que le fond des gorges est un sauna.

Il retourna au tableau et se pencha sur la liste qu'il y avait épinglée.

– Nous allons commencer tout de suite le traitement préventif de la malaria. Nous nous rendons dans une région où les moustiques sont résistants à la chloroquine. Je vous donnerai donc de la Mefloquine... Et bien sûr, vos papiers sont en règle, sinon vous ne seriez pas là. Nous aurons tous les deux besoin de visas pour entrer en Éthiopie mais je peux les avoir en vingt-quatre heures.

Il termina l'examen de la liste puis l'envoya dans sa chambre rassembler les quelques affaires qu'elle avait apportées du Caire. Quand ils quittèrent Quenton Hall, la nuit était tombée. Il attendit patiemment une heure à l'hôpital de York pour lui permettre de dire au revoir à sa mère. Il avait tué le temps au Lion Rouge, le pub qu'on voyait de l'autre côté de la route, et il sentait la Theakston's Old Peculia quand elle monta près de lui. C'était une agréable odeur de levure. Elle se trouvait si bien en sa compagnie qu'elle s'endormit immédiatement.

Il habitait Knightsbridge, un quartier distingué, mais son appartement était bien moins impressionnant que Quenton Hall. Elle y passa deux jours, avec la sensation d'être chez elle. Elle voyait peu Nicholas, qui courait la ville pour des mises au point de dernière minute. Il passait son temps à Whitehall dont il revenait avec des lettres d'introduction auprès de hauts fonctionnaires et de diverses ambassades et représentations britanniques dans toute l'Afrique orientale.

Elle mit à profit ces deux jours pour acheter le matériel dont ils avaient besoin. Même dans les rues de la capitale la plus sûre du monde, elle ne pouvait s'empêcher de jeter de fréquents coups d'œil par-dessus son épaule.

« Tu te conduis comme une gamine qui a perdu son papa », se morigénait-elle.

Néanmoins, elle éprouvait un soulagement disproportionné quand, dans l'appartement vide où elle attendait, elle entendait sa clé dans la serrure. Elle devait se faire violence pour ne pas se précipiter sur le palier pour l'accueillir.

Nicholas vérifiait encore les bagages quand, le samedi matin, un taxi les déposa devant la porte des départs, au terminal 4 de l'aéroport d'Heathrow. Elle n'emportait qu'un sac de toile, à peine plus grand que le sien, et son sac à main qu'elle avait passé en bandoulière. Son fusil de chasse se trouvait dans une housse de cuir fatiguée, gravée de ses initiales. Une centaine de cartouches étaient emballées à part dans un chargeur de cuivre. Il portait une valise de cuir qui avait l'air d'une antiquité victorienne.

– Voyager léger est une des plus grandes vertus, déclara-t-il. Dieu nous garde des femmes aux montagnes de bagages.

Il marchait à grands pas, et elle devait trottiner tous les quatre ou cinq pas pour rester à sa hauteur. Rien ne le ralentissait et surtout pas la foule qui s'ouvrait comme par miracle devant lui. Il inclina le bord de son panama sur un œil et décocha à la fille du comptoir un sourire qui la fit rougir comme une adolescente.

La scène se reproduisit à bord de l'avion. Les deux hôtesses pouffaient dès qu'il ouvrait la bouche, lui resservaient sans cesse du champagne et le couvraient d'attentions, ce qui ne manquait pas d'agacer les autres voyageurs, elle la première. Elle décida de l'ignorer et s'abandonna au luxe de la première classe et de son écran vidéo personnel. Elle s'efforça de regarder les images scintillantes mais elle rêva très vite à d'autres images, de canyons sauvages et de stèles millénaires.

Il lui donna soudain un léger coup de coude : il avait installé un petit échiquier sur l'accoudoir qui les séparent et levait vers elle un sourcil interrogateur.

Quand ils atterrirent à l'aéroport Jomo Kenyatta, la partie n'était toujours pas finie. Ils avaient remporté deux manches chacun, mais elle venait de lui prendre un fou et deux pions.

Il avait retenu deux bungalows à l'hôtel Norfolk. Elle ne s'était allongée sur son lit que depuis une dizaine de minutes lorsque le téléphone sonna.

– Nous dînons avec le haut commissaire de l'ambassade. C'est un vieux copain, on ne s'habille pas. Serez-vous prête à huit heures ?

Voyager avec un tel homme était une partie de plaisir, finalement, songea-t-elle.

Addis-Abeba n'était qu'à quelques heures de vol de Nairobi. Le paysage se déployait en somptueuses séquences qui la maintenaient le front collé à la vitre de son hublot. Aucun nuage ne voilait les cimes enneigées du mont Kenya. Puis les étendues brunes et arides du district de la frontière nord cédèrent la place aux collines vertes de l'oasis de Marsabit avec, au loin, les eaux éclatantes du lac Turkana. Ils approchaient enfin des sommets du grand plateau central de la très ancienne terre d'Éthiopie.

– Il n'y a que les Égyptiens dont la civilisation soit plus ancienne, fit remarquer Nicholas. Ce peuple était déjà raffiné quand nous, hommes du Nord, étions vêtus de peaux de bêtes mal tannées. Ils étaient chrétiens quand les Européens étaient encore des païens qui priaient Pan et Diane.

– Un peuple civilisé vivait là quand Taita est passé ici, il y a quatre mille ans, confirma-t-elle. Dans ses rouleaux, il prétend leur culture égale à la sienne. Ce qu'il ne concédait pas facilement. Il trouvait mille manières de traiter les autres nations comme des inférieures.

Vue d'avion, Addis ressemblait à n'importe quelle cité africaine. Un mélange de vieux et de neuf, d'architecture traditionnelle et de styles exotiques, des toits de chaume, de la tôle galvanisée, des tuiles. Les murs cylindriques des *tukuls* en boue et torchis contrastaient avec les formes rectangulaires des immeubles de brique, les quartiers résidentiels, les bâtiments administratifs et le quartier général pavoisé des bureaux de l'Organisation de l'unité africaine.

Contrairement à Nairobi, il régnait une fraîcheur délicieuse. Ils descendirent de l'avion et traversèrent le tarmac à pied jusqu'aux bâtiments de l'aéroport. A peine furent-ils entrés qu'une voix retentit.

– Sir Nicholas !

La femme qui l'avait interpellé était une grande Éthiopienne à la démarche gracieuse. Son visage noir aux traits délicats s'illuminait d'un sourire de bienvenue. Elle portait une longue jupe traditionnelle, qui mettait en valeur tous ses mouvements.

– Bienvenue en Éthiopie. Je suis Woizero Tessay, fit-elle en regardant Royan avec intérêt. Vous devez être Woizero Royan ?

Les deux femmes se serrèrent chaleureusement la main.

– Remettez-moi vos passeports, je me charge des formalités. Allez donc vous détendre dans le salon de réception. Une personne de l'ambassade britannique vous y attend, Sir Nicholas. J'ignore comment il a appris votre arrivée.

Un seul homme attendait dans le salon. Il portait un costume tropical bien coupé et la cravate rayée orange, jaune et bleu de l'école militaire de Sandhurst. Il se leva à l'approche de Nicholas.

– Nicky, comment vas-tu ? C'est bon de te revoir, tu sais ? Ça doit faire douze ans, c'est ça ?

– Salut, Geoffrey. J'ignorais qu'ils t'avaient fichu ici !

– Attaché militaire. Son Excellence m'a envoyé te chercher dès qu'il a appris que nous avions fait Sandhurst ensemble.

Son regard ne cessait de glisser en direction de Royan. Nicholas, résigné, fit les présentations.

– Geoffrey Tennant. Méfiez-vous de lui. Aucune femme n'est en sécurité à moins de huit cents mètres.

– Tiens-toi mieux que ça, Nicholas ! protesta Geoffrey avec un air ravi. Ne croyez pas un mot de ce qu'il raconte, docteur Al Simma. C'est un menteur notoire.

Geoffrey prit Nicholas à part et lui fit un résumé rapide de la situation politique du pays.

– L'ambassadeur est un peu inquiet. Il n'aime pas beaucoup l'idée de te savoir là-bas tout seul. Le Gojam est plutôt mal famé. Je lui ai dit que tu savais te débrouiller.

Woizero Tessay revint au bout d'un temps remarquablement court.

– Je me suis occupée de vos bagages, du fusil aussi et des munitions. Voici votre permis, vous devez l'avoir avec vous pendant tout le temps de votre séjour sur le territoire éthiopien. Voici vos passeports tamponnés, tout est en ordre. Notre avion pour le lac Tana part dans une heure, aussi avons-nous pas mal de temps devant nous.

– Le jour où vous cherchez un emploi, venez me voir, fit Nicholas, impressionné par tant d'efficacité.

Geoffrey Tennant les accompagna jusqu'aux guichets d'embarquement. Là, il leur serra la main avec effusion.

– Si tu as besoin de quoi que ce soit, n'hésite pas, Nicky.

– Nicky ? fit-elle alors qu'ils gagnaient l'avion. C'est mignon.

– J'ai toujours trouvé Nicholas plus adéquat.

– Certes, mais Nicky, c'est vraiment mignon.

Le petit bimoteur qui les emportait vers les pics, dans le nord, tanguait et louvoyait dans les rafales qui soufflaient des montagnes. Ils étaient à quinze mille pieds mais l'air était si pur qu'ils distinguaient parfaitement les villages et les champs autour. La terre avait été mise à mal par des siècles d'agriculture primitive et de pâtures anarchiques. La pierre pointait largement sous la fragile couche rouge qui habillait le sol. Soudain, droit devant eux, le plateau qu'ils survolaient découvrit la gigantesque faille qui l'éventrait. La terre semblait avoir reçu un monstrueux coup de sabre qui l'avait pénétrée jusqu'aux entrailles.

Tessay se pencha en avant pour tapoter l'épaule de Royan.

– Le fleuve Abbay, dit-elle.

Les bords du précipice étaient nets, puis s'incurvaient selon un angle de plus de trente degrés. Les maigres plaines du plateau s'interrompaient brusquement devant l'épaisse forêt qui s'accrochait aux pentes de la gorge. Ils aperçurent le lustre gigantesque d'un euphorbe qui dominait la jungle. Le roc s'était effondré par endroits, à d'autres il offrait un relief tout en aiguilles et en falaises, comme si une main monstrueuse avait sculpté des silhouettes fantastiques plus ou moins humaines.

Enfin, ils distinguèrent les méandres luisants du fleuve. Les murailles en forme d'entonnoir marquaient une seconde margelle au niveau d'une sous-gorge, à cent cinquante mètres du niveau de l'eau. Là-bas, entre les terribles falaises, le fleuve creusait le grès rouge de lacs sombres et de rivières sinueuses. Par endroits, la gorge avait plus de soixante kilomètres de large. A d'autres, elle n'en mesurait guère plus de quinze. Mais partout, c'était la même désolation, la même grandeur, infinie et éternelle, où la main de l'homme n'avait jamais imprimé sa marque.

– Bientôt, fit Tessay, vous serez là, en bas.

L'impression formidable que lui causait le paysage la faisait chuchoter. Ils restèrent muets un long moment devant une nature aussi sauvage et indomptée. Ils observèrent les murailles de la chaîne septentrionale avec une sorte de soulagement. Les hautes montagnes du Choke se découpaient sur le bleu intense du ciel africain, plus haut que leur fragile appareil.

L'avion amorça sa descente. Tessay leur désigna un point sur la gauche.

– Le lac Tana.

C'était une vaste étendue d'eau de plus de soixante-dix kilomètres de long, parsemée d'îles qui, toutes, abritaient une église ou un monastère. L'avion survola le lac et ils aperçurent les robes blanches des prêtres qui ramaient entre les îles dans les barques traditionnelles, faites de fagots de papyrus.

Ils atterrirent sur l'étroite piste poussiéreuse qui flanquait le lac et roulèrent un moment en soulevant un épais nuage rougeâtre. L'avion s'arrêta devant les bâtiments de torchis qui servaient d'aéroport.

La lumière était si vive que Nicholas sortit une paire de lunettes de soleil de la poche poitrine de sa veste, qu'il chaussa dès qu'il fut en haut de la passerelle de l'avion. Il remarqua les impacts de balles et de shrapnels qui piquaient les murs d'un blanc sale du terminal ainsi que la carcasse carbonisée d'un char d'assaut de fabrication russe, abandonnée à la limite de la piste. Le canon de la tourelle était braqué vers la terre et l'herbe avait déjà poussé entre les chenilles rouillées.

Les autres passagers s'impatientaient derrière lui. Ils le bousculèrent et le dépassèrent avec des cris de joie pour rejoindre les amis et les parents qui les attendaient, à l'ombre des eucalyptus plantés le long des bâtiments. Il n'y avait qu'un seul véhicule garé sur le terrain de l'aéroport, une Toyota Land Cruiser de couleur sable, dont la portière du conducteur était peinte d'une tête d'antilope aux longues cornes en spirale avec, dans un bandeau, l'intitulé : Wild Chase Safaris. Un homme blanc attendait derrière le volant.

Quand Nicholas descendit la passerelle derrière les deux femmes, l'homme sortit du véhicule et vint à leur rencontre. Entièrement vêtu de kaki délavé, il était grand et mince et marchait d'une démarche élastique.

« La quarantaine, décida Nicholas au vu de la courte barbe grisonnante de l'homme. Un dur. »

Ses cheveux roux étaient coupés court, ses yeux d'un bleu pâle et sévère. Une balafre barrait une de ses joues et déformait son nez.

Tessay lui présenta d'abord Royan. Il inclina brièvement le buste en lui serrant la main.

– Enchanté, lui dit-il en français avec un accent exécrable.

Il se tourna ensuite vers Nicholas et Tessay fit les présentations.

– Mon mari, Alto Boris. Boris, voici Alto Nicholas.

– Mon anglais est terrible, déclara Boris. Mais mon français est bien meilleur.

« C'est vous qui le dites », pensa Nicholas, mais il sourit avec chaleur et déclara :

– Nous parlerons en français, alors. Bonjour, monsieur Brusilov. Je suis enchanté de faire votre connaissance.

Il tendit la main. La poigne de Boris était forte. Trop forte. Il faisait de leur poignée de main une sorte de tournoi, mais Nicholas, qui connaissait ce genre de type, s'y attendait. Il avait glissé sa paume dans la main de Boris de manière à ce qu'il ne puisse lui écraser les doigts. Il soutint la pression de Boris sans sourciller, avec un sourire nonchalant. Boris céda le premier, avec juste une ombre de respect dans ses yeux pâles.

– Alors vous êtes là pour un dik-dik ? demanda-t-il avec un sourire narquois. La plupart de mes clients viennent pour des éléphants, ou au moins pour un nyala.

– C'est du trop gros gibier pour moi, déclara Nicholas. Le dik-dik est plus dans mes cordes.

– Êtes-vous déjà descendu dans la gorge ? demanda Boris avec son accent russe qui rendait son français incompréhensible.

– Sir Nicholas était un des chefs de l'expédition fluviale de 1976, intervint Royan avec suavité.

Elle avait deviné l'antagonisme qui l'opposait à Boris et était venue à son secours. Boris grommela indistinctement et se tourna vers sa femme.

– Tu as fait les courses ?

– Oui, Boris, répondit-elle avec douceur. Tout est dans l'avion.

« Elle a peur de lui, décida Nicholas. Elle doit avoir de bonnes raisons. »

– Allons-y, alors. Nous avons une longue route à faire.

Les deux hommes prirent place à l'avant de la Toyota et les femmes s'installèrent comme elles purent parmi les cartons qui encombraient l'arrière. Le parfait protocole africain, se dit Nicholas.

La route virait vers l'ouest, au pied des hautes montagnes. C'était le Gojam, pays de rudes montagnards. L'endroit était plutôt peuplé. Ils dépassèrent de nombreux hommes aux hautes et minces silhouettes qui marchaient avec nonchalance derrière des troupeaux de chèvres et de moutons, avec leurs longues gaffes en travers de l'épaule. Tous, les hommes comme les femmes, portaient le *shamma*, un châle de laine, des jodhpurs et des sandales.

C'était un peuple aux traits fiers et racés. Ils portaient leurs cheveux en épais buisson et leurs yeux avaient l'acuité de ceux des aigles. Certaines des jeunes femmes qu'ils apercevaient étaient de vraies beautés. La plupart des hommes étaient lourdement armés. Ils arboraient des épées à deux mains dans des fourreaux d'argent ciselé et des fusils d'assaut AK-47.

– Ça leur donne l'impression d'être de vrais hommes, ricana Boris. Très courageux, très machos.

Les huttes étaient des *tukuls* aux murs circulaires, entourées de plantations d'eucalyptus et de sisals à tête épineuse.

Des nuages orageux et violacés roulaient au-dessus des pics du Choke. La pluie se mit à tomber. Comme d'énormes pièces d'argent, les gouttes rebondissaient sur le pare-brise de la Toyota et transformaient la route en une véritable rivière de boue.

L'état de la route était stupéfiant. Par endroits, elle se changeait en une ravine défoncée que même la Toyota n'arrivait pas à négocier. Boris était obligé de se frayer un chemin sur le bas-côté rocheux. Ils roulaient au pas mais étaient malgré tout projetés de tous côtés tandis que les roues rebondissaient contre le terrain accidenté.

– Ces fichus nègres ne pensent même pas à entretenir les routes, grommela Boris. Ça leur plaît de vivre comme des bêtes.

Personne ne broncha mais, en jetant un regard dans le rétroviseur, Nicholas vit les visages des deux femmes. Ils étaient fermés et sans expression, dissimulant parfaitement les émotions qu'aurait pu provoquer la remarque.

La route, au départ mauvaise, devint exécrable. La surface boueuse et molle avait été retournée par le passage répété de nombreux véhicules.

– Des militaires ? demanda Nicholas en élevant la voix pour dominer les rugissements de la pluie qui tombait en rafales.

– En partie, grommela Boris. Ça grouille de *shufta*

par ici. Bandits, seigneurs de guerre, transfuges de l'armée. Cela dit, l'essentiel du trafic est celui d'une compagnie minière. Une grosse compagnie qui a des concessions dans le Gojam. D'ailleurs, ils doivent commencer les forages, maintenant.

– Nous n'avons rencontré aucun véhicule civil, remarqua Royan. Même pas d'autobus.

– Nous sortons tout juste d'une longue période de troubles, expliqua Tessay. Notre économie est essentiellement agraire. Il y a eu une époque où on nous appelait le grenier de l'Afrique mais, quand Mengistu a pris le pouvoir, nous sommes tombés au seuil de la misère absolue. La famine était devenue une arme politique. Nous souffrons encore beaucoup. Peu de gens ici peuvent s'offrir le luxe d'un véhicule à moteur. La plupart se demandent s'ils pourront trouver de quoi nourrir leurs enfants.

– Tessay a un diplôme d'économie de l'université d'Addis, fit Boris en ricanant. Elle est très intelligente. Elle sait tout. Demandez, elle répondra. Histoire, religion, économie. Il suffit de demander.

La remarque de son mari enferma Tessay dans un mutisme résigné.

La pluie s'arrêta vers le milieu de l'après-midi. Un soleil timide perça les couches de nuages et Boris arrêta la Toyota sur une langue de terre déserte.

– Pause pipi !

Les deux femmes sautèrent hors du camion et s'aventurèrent parmi les rochers. Quand elles revinrent au véhicule, elles s'étaient changées : toutes deux portaient le *shamma* et le jodhpur traditionnel.

– Tessay m'a offert le costume traditionnel tigréen, fit Royan en pirouettant devant Nicholas.

– C'est joli. C'est surtout plus confortable que votre robe.

Le soleil avait décliné quand la route aborda une autre vallée rocheuse au fond de laquelle roulait une rivière au lit encaissé. Au-dessus de la rivière était perchée une église, avec des murs cylindriques blancs et une croix copte qui s'élevait très haut au-dessus du toit de roseaux. Le village de *tukuls* était comme pelotonné autour de l'église.

– Debra Maryam, annonça Boris. La colline de la Vierge Marie. La rivière est la Dandera. J'ai envoyé mes hommes devant avec le gros camion. Ils ont préparé le campement et nous attendent. Nous passerons la nuit ici et, demain, nous suivrons la rivière jusqu'aux bords de la gorge.

Les hommes de Boris avaient installé les tentes dans une plantation d'eucalyptus, en contrebas direct du village.

– Cette tente-là est la vôtre, fit Boris.

– Parfaite pour Royan, dit Nicholas. Il me faudrait une tente à moi aussi.

Boris le dévisagea de son regard pâle et inexpressif.

– Des dik-dik et des tentes séparées. Quel homme. Vous m'impressionnez.

Il alla aboyer après ses hommes pour qu'ils dressent la tente de Nicholas près de la première. Les murs de toile se touchaient presque.

– Vous aurez peut-être plus de courage cette nuit ! jeta-t-il à Nicholas. Je ne voudrais pas que vous ayez trop à marcher.

La douche était un bidon accroché aux branches basses d'un gommier bleu, avec un écran de toile déplié devant. Royan se doucha la première. Elle en revint rafraîchie et épanouie, une serviette humide autour de ses cheveux.

– C'est à vous, Nicky ! cria-t-elle en passant devant sa tente. L'eau est délicieusement chaude.

Il faisait sombre quand Nicholas termina sa toilette et se fut changé. Il gagna la tente où étaient servis les repas et où toute l'équipe était déjà installée, sur des chaises de toile, autour du feu. Les deux femmes étaient assises un peu à part et bavardaient tranquillement. Boris avait les pieds posés sur une table basse, un verre à la main. Quand Nicholas approcha du cercle lumineux que dessinait le feu, Boris lui désigna la bouteille de vodka qui trônait sur la table.

– Servez-vous un verre. La glace est dans le seau.

– Je préfère une bière, dit Nicholas. La route donne soif.

Boris haussa les épaules et il beugla pour qu'un serviteur apporte une des bouteilles brunes qui rafraîchissaient dans le frigo portable.

– Laissez-moi vous dire un truc. Un petit secret, ajouta-t-il avec un sourire pour Nicholas en se servant un nouveau verre. De nos jours, il n'y a plus de bestioles comme le dik-dik rayé. S'il a jamais existé. Vous perdez votre temps et votre argent.

– Bien, fit Nicholas d'un air tranquille. C'est mon temps et mon argent.

– C'est pas parce qu'un vieux chnoque en a descendu un, il y a des siècles, que cela signifie que vous en trouverez un, aujourd'hui. Nous pourrions aller chasser les éléphants dans les plantations de thé ? J'ai vu trois mâles, par là-bas, il y a dix jours. Chacun avec des défenses d'au moins cent livres.

Le niveau de la bouteille de Boris baissait comme le Nil à la décrue. Quand Tessay leur annonça que le dîner était servi, il prit sa bouteille avec lui et gagna la table en titubant. Pendant le repas, ses seules interventions furent les remontrances hargneuses qu'il réservait à Tessay.

– C'est pas cuit ! Tu aurais pu surveiller le chef. Fichus singes, il faut toujours être derrière eux !

Tessay ne lui accorda pas un regard. Elle se pencha vers Nicholas.

– Si vous trouvez que votre agneau n'est pas suffisamment cuit, Alto Nicholas, je peux le faire cuire plus longtemps.

– C'est très bien, assura-t-il. J'aime la viande rose.

A la fin du dîner, la bouteille de vodka était vide et le visage de Boris enflé et rougeaud. Il quitta la table sans un mot et disparut dans les ténèbres en vacillant. Il s'éloignait vers sa tente avec, de temps en temps, un petit sursaut pour retrouver son équilibre.

– Je suis désolée, déclara Tessay. Cela n'arrive que le soir. La vodka est une tradition russe.

Elle leur décocha un sourire lumineux qui cachait mal la tristesse de son regard.

– La nuit est belle, il est trop tôt pour aller au lit. Que diriez-vous de monter jusqu'à l'église ? Elle est très ancienne et très célèbre. Je vais demander à un des hommes d'apporter une lampe. Vous pourrez admirer les fresques.

Le guide les précéda en éclairant le chemin. Un vieux prêtre attendait devant le portique du bâtiment circulaire. C'était un homme mince et si noir qu'on ne voyait que l'éclat de ses dents dans l'obscurité. Il brandissait une imposante croix copte, en argent incrusté de cornaline et d'autres pierres semi-précieuses.

Royan et Tessay s'agenouillèrent pour obtenir sa bénédiction. Il effleura leurs joues de sa croix et s'inclina en marmottant des bénédictions en amharique. Puis il les fit entrer.

Les murs étaient couverts de vastes fresques aux couleurs lumineuses. Elles rayonnaient dans la lumière de la lanterne comme des gemmes. L'influence de Byzance y était très nette : les saints avaient d'immenses yeux bridés et de grands halos dorés autour de la tête. Au-dessus des guirlandes et des accessoires de bronze de l'autel, une Vierge berçait son enfant devant les trois Mages et quelques anges agenouillés avec ferveur.

Nicholas sortit son Polaroïd de sa poche et ajusta le flash. Il se promena dans l'église en photographiant les murs tandis que Royan et Tessay s'agenouillaient devant l'autel, côte à côte.

Ses photographies terminées, Nicholas s'assit sur un des bancs en bois taillés à la main et attendit paisiblement les deux femmes en prières. Leurs visages avaient une expression intense, ils étaient entièrement baignés de l'or tombé de la lumière des bougies. Aux yeux de Nicholas, la beauté du moment avait quelque chose de poignant.

« J'aimerais, se dit-il comme il l'avait souvent fait, avoir la même foi. Ce doit être un immense secours. J'aimerais prier comme ça pour Rosalind et les filles. »

Il ne pouvait rester là plus longtemps. Il sortit d'un pas pressé et s'installa sous le portique de l'église pour regarder le ciel. A cette altitude, l'air pur laissait briller les étoiles avec un tel éclat qu'il était difficile de reconnaître les différentes constellations. La bouffée de tristesse qui l'avait envahi s'estompa et le plaisir d'être de retour en Afrique le submergea.

Lorsque les deux femmes émergèrent enfin des entrailles sombres du bâtiment, Nicholas alla à leur rencontre. Il remit au vieux prêtre un billet de cent birr et, surtout, la photo où il figurait et qui, visiblement, avait plus de valeur pour lui que n'importe quelle somme d'argent.

Puis ils redescendirent la colline, unis dans la même communion silencieuse.

– Nicky !

Royan le secouait pour le réveiller. Il se redressa,

s'assit et alluma sa torche. Elle avait jeté un châle sur son pyjama d'homme à rayures.

– Que se passe-t-il ?

Avant même qu'elle ait pu répondre, il entendit les accents rudes d'une voix que la colère étranglait. L'homme hurlait ses invectives dans la nuit. Puis retentit le bruit particulier des coups frappant la chair humaine.

– Il la bat ! fit Royan d'une voix angoissée. Il faut l'arrêter.

Chaque coup était suivi d'un cri et de sanglots de honte et de détresse. Nicholas hésita. Il fallait être idiot pour s'interposer entre un homme et sa femme et risquer de s'attirer les foudres communes du couple.

– Nicky, vous devez faire quelque chose, je vous en prie.

Il se leva avec réticence. Il portait un caleçon et ne prit pas la peine d'enfiler des chaussures. Elle aussi était pieds nus. Elle le suivit jusqu'à l'extrémité de la plantation, où avait été installée la tente de Boris.

Une lanterne y brûlait. Elle jetait des ombres agrandies contre l'écran de toile. Boris avait empoigné sa femme par les cheveux et la traînait par terre en jurant en russe.

– Boris !

Nicholas dut crier trois fois le nom de l'homme pour détourner son attention. Les ombres ondulèrent contre les murs de toile quand il jeta Tessay à terre et écarta les rabats de la tente. Il ne portait qu'un slip. Son torse était mince et musclé, avec une poitrine plate et dure, couverte de boucles cuivrées. Tessay gisait derrière lui, le visage dans les mains. Elle était entièrement nue et les formes souples de son corps évoquaient celles d'une panthère.

– Que se passe-t-il, bon dieu ! s'exclama Nicholas qui sentait grandir en lui la colère qu'avait éveillée la vue de la jeune femme humiliée.

– Je donne à cette putain nègre une leçon de bonnes manières, jubila Boris dont la face boursouflée par l'alcool luisait. C'est pas tes oignons, l'Anglais. A moins que tu ne veuilles payer pour déguster un peu de viande de porc, toi aussi.

– Tout va bien, Woizero Tessay ?

Nicholas regardait Boris droit dans les yeux pour

épargner à la jeune femme la honte supplémentaire d'être vue nue par un autre homme. Tessay s'assit et releva les genoux contre sa poitrine. Elle les entoura de ses deux bras pour couvrir son corps.

– Tout va bien, Alto Nicholas. Partez, je vous prie. Cela risque d'être pire.

Du sang coulait de son nez à sa bouche, teintant ses dents de rose.

– Tu as entendu ma femme, cochon d'Anglais ? Casse-toi ! Occupe-toi de tes affaires. Casse-toi avant que je t'apprenne à toi aussi les bonnes manières.

Boris tituba en avant et projeta la main en direction de la poitrine de Nicholas. Celui-ci fit un léger écart, souple et naturel, comme celui d'un torero évitant la charge sauvage d'un taureau. Le Russe perdit l'équilibre, trébucha quelques secondes devant la tente puis se prit les pieds dans une chaise et s'effondra comme un tas de linge sale.

– Emmenez Tessay à votre tente, Royan, ordonna Nicholas à voix basse.

Royan se précipita dans la tente et arracha un drap au lit le plus proche. Elle en drapa les épaules de Tessay et l'aida à se relever.

– Je vous en prie, supplia Tessay, ne faites pas ça. Vous ne le connaissez pas. Il va blesser quelqu'un.

Royan l'entraîna hors de la tente. Boris s'était relevé, il beuglait et s'acharnait sur la chaise qui l'avait fait tomber. D'un geste, il la ramassa et en arracha un pied qu'il brandit dans son poing fermé.

– Tu veux jouer, l'Anglais ? Très bien, on va jouer !

Il se jeta sur Nicholas en faisant tournoyer son pied de chaise. L'arme improvisée sifflait avec violence en visant le crâne de Nicholas. Au moment où celui-ci se penchait pour l'éviter, Boris changea la trajectoire de son coup. Le bâton aurait pu briser les côtes de Nicholas mais, cette fois encore, il feinta.

Ils se tournèrent autour avec circonspection puis Boris chargea encore. Sans l'effet de la vodka sur ses réflexes, Nicholas n'aurait eu aucune chance face à un adversaire d'un tel calibre. Mais Boris était dans un tel état qu'il réussit encore à plonger sous le moulinet du pied de chaise. Il se redressa d'un coup et projeta tout son poids dans son poing fermé. Il frappa Boris sous le sternum. Les poumons du Russe se vidèrent brutalement, le pied de chaise lui échappa, il se plia en deux et s'effondra. Les deux mains crispées sur son estomac, soufflant et râlant, Boris gisait dans la poussière. Nicholas approcha et lui dit, en anglais :

– Votre attitude est intolérable, mon vieux. On ne frappe pas les femmes. Ce serait bien que cela ne se reproduise pas.

Il se tourna vers Royan.

– Emmenez-la à votre tente et restez avec elle, fit-il en se lissant les cheveux. Et si vous n'y voyez pas d'inconvénient, nous pourrions peut-être dormir un peu ?

Il plut de nouveau le matin. De grosses gouttes tambourinaient contre la toile des tentes et des éclairs illuminaient l'intérieur de leurs éclats fantomatiques. Quand Nicholas regagna la tente où était servi le petit déjeuner, les nuages s'étaient éloignés et le soleil brillait avec constance. L'air doux de la montagne sentait la terre humide et les champignons.

Boris l'accueillit avec chaleur.

– Salut, l'Anglais. On s'est bien marrés, hein, l'autre nuit. Ça me fait encore rigoler ! Bonnes blagues. On reprendra de la vodka, bientôt, vous et moi. On en refera des blagues comme celles-là !

Il mugit en direction de la tente qui servait à la cuisine.

– Hé, Dame Soleil, apporte de quoi manger à ton nouveau petit copain. Il a faim après l'exercice de cette nuit !

Tessay arriva, calme et effacée. Elle supervisa le service du petit déjeuner sans sourciller. Un de ses yeux était si gonflé qu'elle ne pouvait l'ouvrir et sa lèvre était fendue. Pendant tout le repas, son regard n'effleura même pas Nicholas.

– On partira les premiers, expliqua Boris d'un ton jovial. Les boys lèveront le camp et ils nous suivront avec le gros camion. Avec de la chance, nous camperons ce soir au bord de la gorge, et demain on commence la descente.

Alors qu'ils grimpaient dans le camion, Tessay s'approcha de Nicholas et murmura rapidement.

– Merci, Alto Nicholas. Mais c'était une folie. Vous ne le connaissez pas. Il faut être très prudent, désormais. Il n'oublie pas. Il ne pardonne jamais, non plus.

Après le village de Debra Maryam, Boris prit un embranchement qui suivait la Dandera et filait droit vers le sud. La route qu'ils avaient suivie depuis le lac Tana figurait sur la carte comme une importante autoroute. Elle s'était révélée terrible. Cette fois, la carte mentionnait une route secondaire, « impraticable par tous temps ». On aurait pu croire que le trafic qui avait saccagé la route principale s'était tout entier rué sur celle-ci. Ils ralentirent devant une portion de route éventrée. Un gros véhicule avait dû s'embourber dans la terre saturée d'eau et ses efforts pour s'arracher à la boue avaient labouré la terre et laissé une excavation semblable au cratère d'une bombe. Le tout faisait furieusement penser aux photographies aériennes des champs de bataille de Flandre.

La Toyota s'enlisa deux fois. Chaque fois, le camion les avait rejoints et tous les boys avaient jailli de l'arrière pour pousser la camionnette. Nicholas s'y était mis lui aussi. Le torse nu jusqu'à la taille, il avait poussé pour arracher les roues à l'étreinte de la boue.

– Vous auriez dû m'écouter, grommelait Boris. On n'en serait pas là. Il n'y a rien à chasser dans le trou où vous allez. Et il n'y a pas de routes dignes de ce nom, non plus.

Ils s'arrêtèrent au bord de la rivière pour déjeuner. Nicholas descendit vers un fossé plein d'eau stagnante en contrebas de la route, pour se débarrasser de la boue et de la poussière ramassées dans la matinée. Royan l'accompagna. Elle descendit avec lui jusqu'au pied du talus et alla se percher sur un rocher qui surplombait la mare. Elle le regarda se déshabiller et s'accroupir au bord de l'eau pour s'éclabousser d'eau glacée. La rivière au-delà était jaune et bourbeuse, toute gonflée par les orages de la veille.

– Boris ne croit pas un mot de votre histoire de dik-dik, fit-elle. Tessay m'a dit qu'il se demande sans cesse ce que nous trafiquons.

Elle regardait avec beaucoup d'intérêt Nicholas qui maintenant se frottait le torse et les bras avec les mains. Il avait la peau très pâle aux endroits que le soleil n'atteignait pas, ses poils étaient très épais et très noirs. Finalement, se dit-elle, il a un corps plutôt agréable à regarder.

– C'est le type d'homme à fouiller nos bagages à la

première occasion, fit-il. Vous n'avez rien emporté qui puisse être un indice, j'espère ? Pas de papier, pas de notes ?

– Juste une photo satellite de la région. Mes notes sont toutes en code. Il n'y comprendra rien.

– Ne parlez pas trop à Tessay.

– J'aime beaucoup Tessay ! protesta-t-elle. Il n'y a rien à lui rcprocher.

– Elle est peut-être très bien mais elle est mariée à Boris. Elle lui obéira avant quiconque. Quels que soient vos sentiments pour elle, ne lui faites pas plus confiance qu'à l'autre.

Il s'essuya avec sa chemise, l'enfila et la boutonna.

– Allons-y, j'ai faim.

Boris, resté dans l'ombre du camion, débouchait une bouteille de vin blanc d'Afrique du Sud. Il en versa un gobelet à Nicholas. Glacé par la rivière, il était frais et fruité. Tessay apporta du poulet rôti et les minces galettes de farine broyée à la meule appelées *injera.* Plus tard, ils allèrent s'allonger dans l'herbe. Royan s'affala près de Nicholas. Les efforts et la tension de la journée s'estompèrent bien vite. Ils regardaient un vautour barbu qui planait dans le ciel limpide. L'oiseau les avait remarqués et il dérivait au-dessus d'eux, intrigué. Il tournait la tête pour les suivre du regard. Ses yeux étaient masqués de noir, comme ceux d'un brigand, et les longues plumes de sa queue jouaient dans l'air comme les doigts d'un pianiste sur l'ivoire des touches.

Quand il fallut partir, Nicholas tendit la main à Royan pour l'aider à se lever. C'était un des rares contacts physiques qui se produisaient entre eux et elle retint sa main entre ses doigts une seconde de trop.

A l'approche des bords de la gorge, l'état de la route ne s'améliorait pas et ils avançaient en cahotant, secoués en tous sens.

La camionnette serpenta jusqu'au sommet d'une butte et dévala la pente. A mi-chemin, Boris se mit à jurer en russe. A la sortie du virage, ils découvrirent la silhouette massive d'un gigantesque camion diesel arrêté en travers de la route. C'était la première fois qu'ils voyaient un des engins du convoi derrière lequel ils roulaient depuis la veille. Celui-là prit Boris par surprise. Le Russe enfonça la pédale de frein si brutalement que ses passagers furent catapultés vers l'avant. Mais avec la boue qui couvrait la pente, les freins n'eurent guère d'effet sur la camionnette. Boris batailla avec le levier de vitesse, rétrograda et réussit à glisser la Toyota dans l'espace entre la berge et le camion.

Depuis la banquette arrière, Royan regarda la haute silhouette du diesel. Le nom de la compagnie et son logo étaient peints en rouge sur la bâche verte. Elle se sentit étreinte par un violent sentiment de déjà-vu. Elle connaissait cette image, elle avait vu ce signe récemment. Mais sa mémoire se dérobait, elle n'arrivait à se souvenir de rien. Elle resta immobile, sûre d'une chose : il était vital qu'elle se souvienne du lieu et du moment où elle avait vu ce dessin. La Toyota passa dans un crissement de tôle, Boris se pencha à la fenêtre et brandit un poing menaçant à l'adresse du chauffeur. L'homme, un Noir probablement embauché à Addis par la compagnie, sourit aux gesticulations de Boris. Il se pencha par la fenêtre de son propre véhicule et lui rendit son salut. En y ajoutant l'attention charmante d'un doigt levé.

– Bouffeur de merde ! rugit Boris, outré. C'est même pas la peine de leur parler. Ils se prennent pour quoi ? Macaques noirs !

Royan se tut tout le reste du voyage. Profondément troublée, elle restait convaincue d'avoir vu, auparavant, la marque du cheval ailé et le nom de la compagnie flottant au-dessus : EXPLORATION PÉGASE.

A la fin de la journée, ils arrivèrent à un panneau planté sur le bord de la route. Les pieds de la pancarte étaient fixés dans un plot de béton, l'exécution du lettrage et du dessin était impeccable. Ce devait être l'œuvre d'un professionnel. Au sommet de la pancarte, une flèche indiquait la route fraîchement ouverte au bulldozer. La pancarte annonçait :

EXPLORATION PÉGASE
CAMPEMENT PRINCIPAL, 1 KILOMÈTRE
ROUTE PRIVÉE
PASSAGE RÉSERVÉ

Le cheval écarlate au centre du panneau ouvrait de vastes ailes, comme sur le point de s'envoler.

Elle se sentit suffoquer alors que le souvenir revenait avec une stupéfiante clarté. Elle savait où elle avait vu ce cheval. En un instant, elle fut transportée dans les eaux glacées de la rivière anglaise où elle était tombée, éjectée de la carcasse de la Land Rover. L'imposant camion rugissait sur le pont, au-dessus d'elle, et pendant un laps de temps subliminal le cheval rouge traversa son champ de vision.

« C'est le même ! » se retint-elle de hurler.

L'angoisse du cauchemar qu'elle avait vécu revenait avec violence. Elle se rendit compte qu'elle haletait, le cœur battant comme après une longue course.

« Ce ne peut être une coïncidence, se dit-elle. Et je ne me trompe pas. C'est la même compagnie. Exploration Pégase. »

Elle garda le silence pendant les derniers kilomètres. La route qu'ils suivaient se terminait brutalement à la limite de l'escarpement. Boris arrêta la voiture sur le talus herbeux et coupa le contact.

– Nous ne pouvons aller plus loin avec la voiture. Nous camperons ici, cette nuit. Le gros camion n'est pas loin. Ils dresseront le camp dès qu'ils arriveront. Demain nous descendrons dans la gorge. A pied.

En descendant de voiture, Royan retint Nicholas par le bras.

– Il faut que je vous parle, chuchota-t-elle.

Il la précéda vers les berges de la rivière. Là, il trouva un endroit où ils pouvaient s'asseoir côte à côte, jambes pendantes. En contrebas, la rivière jaune et épaissie par les crues semblait anticiper ce qui l'attendait plus loin. Les eaux glacées de la montagne se précipitaient en tourbillonnant autour des rochers, se rassemblant pour un saut vertigineux dans le vide. La falaise au-dessous d'eux offrait une paroi rocheuse haute de trois cents mètres et, dans la lumière déclinante du soir, les abysses où s'abîmaient les eaux disparaissaient dans l'ombre et les embruns. Regardant en bas, Royan fut prise d'un vertige violent. Elle se cramponna instinctivement à l'épaule de Nicholas pour surmonter son trouble.

Le contact de leurs corps lui fit prendre conscience de ce qu'elle faisait. Elle se raidit et s'éloigna de lui.

Les eaux boueuses de la Dandera bondissaient par-dessus le roc et se transformaient comme par enchantement en rideaux de dentelle éthérée. Telles les jupes d'une mariée qui valse, elles tourbillonnaient et scintillaient, ceintes d'arcs-en-ciel palpitants et changeants. En tombant, les colonnades d'écume blanche se tordaient et prenaient des formes extraordinaires qui s'évanouissaient instantanément. Elles s'écrasaient contre les plateaux de roche noire et luisante, explosaient en nuages blancs qui recouvraient les profondeurs noires du précipice d'un voile opalescent.

Royan s'arracha à sa contemplation et revint à la réalité :

– Nicky, vous vous souvenez du camion qui nous a poussées ma mère et moi par-dessus le pont ?

– Bien entendu, fit-il en la regardant avec attention. Vous semblez bouleversée. Que se passe-t-il, Royan ?

– Ce camion avait un emblème sur les remorques qu'il traînait.

– Oui, vous me l'avez dit. Rouge et vert. Vous m'avez aussi dit ne pas avoir pu lire ce qui était écrit.

– C'était le même logo que celui du camion que nous avons dépassé, cet après-midi. Ça m'est revenu. Le Pégase rouge, le cheval ailé.

Il scruta son visage un moment.

– Vous en êtes absolument certaine ?

– Absolument !

Nicholas regarda le magnifique panorama que la gorge déployait au-dessous d'eux. La rive opposée était à près de soixante-dix kilomètres mais, à travers l'air limpide et lavé par les pluies, elle semblait à portée de main.

– Une coïncidence, fit-il enfin.

– Ah, vraiment ? Une coïncidence très étrange et bien extraordinaire, alors. Pégase à la fois dans le Yorkshire et dans le Gojam ? Vous arrivez à l'accepter ?

– C'est ridicule, le camion qui vous a embouties était volé.

– En êtes-vous sûr ?

– Admettons qu'il ne l'ait pas été. Expliquez votre théorie.

– Si vous projetiez un assassinat, iriez-vous voler un camion laissé complaisamment à votre disposition ?

Il hocha la tête :

– Continuez.

– Supposons que vous vous débrouilliez pour que ce soit votre propre camion qui attende votre bon vouloir et pour que votre chauffeur en déclare le vol après que vous avez une bonne tête d'avance sur la police.

– C'est possible, convint-il sans enthousiasme.

– Celui qui a tué Duraid et qui a essayé par deux fois de m'avoir dispose visiblement de moyens considérables. Il peut agir à la fois en Égypte et en Angleterre. Et surtout, il détient le septième papyrus. Il a nos notes, tous nos travaux et nos traductions qui indiquent clairement le fleuve Abbay. Imaginez qu'il contrôle une société telle que Pégase. Reste-t-il une raison pour qu'il ne soit pas ici, en Éthiopie, comme nous en ce moment ?

Nicholas se tut un instant. Il ramassa un caillou et le jeta dans le précipice. Ils le regardèrent tomber, rapetisser jusqu'à ce qu'il disparaisse dans les voiles d'écume qui se gonflaient à leurs pieds.

Puis il se leva d'un bond et lui tendit la main pour l'aider à se relever.

– Suivez-moi, fit-il.

– Qu'allons-nous faire ?

– Nous allons au campement de Pégase. Nous allons avoir un petit entretien avec le contremaître.

Boris protesta furieusement et il se précipita pour s'interposer quand Nicholas grimpa dans la Toyota et fit ronfler le moteur.

– Hé, où croyez-vous aller comme ça ?

– Faire du tourisme, lâcha Nicholas en débrayant. On revient dans une heure.

– Hé, l'Anglais, mon camion !

Il courait pour rester à leur hauteur mais Nicholas accéléra.

– Facturez-moi la balade, fit-il à Boris en souriant.

Ils roulèrent jusqu'à la pancarte et suivirent la piste qui s'enfonçait dans les terres. Nicholas freina au sommet d'une butte et observa le camp en silence.

Une zone d'environ quarante kilomètres carrés avait été déboisée et nivelée. Elle était fermée par des barbelés et un seul portail. Trois énormes diesel vert et rouge étaient garés à la file dans l'enceinte. Il y avait aussi d'autres véhicules, plus petits, et une tour de forage mobile. Le reste de l'espace était occupé par du matériel de prospection et des hangars.

On voyait aussi un petit hameau d'une douzaine de bâtiments en tôle ondulée.

– Une sacrée organisation, commenta Nicholas. Allons voir qui s'en occupe.

Le portail était gardé par deux hommes en tenue de camouflage de l'armée éthiopienne. L'arrivée d'un véhicule étranger les surprit visiblement beaucoup. Le coup de klaxon de Nicholas en fit avancer un, le canon de son AK-47 prêt à cracher.

– Je veux parler au directeur, fit Nicholas avec assez d'autorité et de morgue pour faire hésiter la sentinelle.

Le soldat retourna consulter son collègue puis il s'empara de sa radio et articula quelques phrases excitées. Cinq minutes plus tard la porte du bâtiment le plus proche s'ouvrit et un Blanc en sortit.

Il portait une combinaison kaki et un chapeau de toile. Ses yeux étaient dissimulés derrière des verres réfléchissants, son visage tanné avait l'aspect du cuir, il était trapu et musclé, ses manches de chemise étaient remontées haut sur des bras velus et musclés par les travaux. Il échangea quelques mots avec les gardes puis s'approcha de la Toyota.

– Ouais? Qu'est-ce que vous voulez? demanda-t-il avec un terrible accent texan tout en mâchonnant un cigare éteint.

– Mon nom est Quenton-Harper, fit Nicholas en lui tendant la main. Nicholas Quenton-Harper.

L'Américain hésita puis il serra la main tendue comme s'il s'agissait d'une anguille électrique.

– Helm, fit-il, Jake Helm, d'Abilene, Texas. Je suis le contremaître.

Sa main était celle d'un travailleur, des paumes calleuses, des jointures couturées de cicatrices, des ongles noirs.

– Je suis affreusement désolé de vous déranger mais j'ai des ennuis avec mon moteur. Je me demandais si un de vos mécaniciens pourrait y jeter un œil.

Nicholas souriait d'une manière engageante mais il ne réussit pas à dérider son interlocuteur.

– Je ne suis pas un garage.

– Je peux payer tout ce que...

– Écoute, mon pote. Quand c'est non, c'est non.

Jake retira son mégot et l'examina avec soin.

– Votre compagnie, Pégase, pouvez-vous me dire où se trouve son siège social? Qui en est le directeur?

– Je suis très occupé et vous me faites perdre mon temps.

Helm ficha son cigare à la commissure de ses lèvres et fit le geste de se détourner.

– Je vais chasser dans le secteur pendant les semaines

qui viennent. Je ne voudrais pas mettre vos employés en danger. Pouvez-vous me dire dans quelle région vous travaillez ?

– Je dirige des forages, monsieur, je ne donne pas de bulletins d'information sur mes déplacements. Cassez-vous !

Il fit demi-tour, franchit le portail, donna quelques instructions aux gardes avant de retourner à son bureau.

– Il y a une antenne parabolique sur le toit, remarqua Nicholas. Je me demande à qui notre ami Jake parle en ce moment.

– A quelqu'un au Texas ? hasarda Royan.

– Pas forcément. Pégase est une multinationale. Ce n'est pas parce que Jake est texan que son patron l'est. J'ai peur que notre conversation n'ait pas été très instructive.

Il effectua un demi-tour.

– Mais si quelqu'un de Pégase est le méchant qui trempe là-dedans, alors il reconnaîtra mon nom. Nous nous sommes annoncés, attendons de voir ce qui sortira du bois.

7

Quand ils retournèrent aux chutes de la Dandera, le camion de Boris était arrivé. Les tentes avaient été dressées et le cuistot leur avait préparé du thé. Boris fut quant à lui moins accueillant. Il garda un silence buté pendant que Nicholas essayait de l'amadouer. Ce n'est qu'après sa première vodka qu'il s'adoucit assez pour parler.

– Les mules étaient censées nous attendre ici. Le temps n'a aucune signification pour ces gens. Nous ne pouvons commencer la descente sans elles.

– Bien, si on doit attendre, j'aurai une chance de jeter un coup d'œil à ma carabine. En Afrique, ça ne sert à rien d'être trop pressé. C'est très éprouvant pour les nerfs.

Le lendemain, après un petit déjeuner tranquille, comme les mules ne donnaient aucun signe de vie, Nicholas alla chercher sa carabine à l'arrière de la Toyota. Quand il sortit l'arme de son fourreau, Boris s'en empara et l'examina attentivement.

– Une carabine ancienne ?

– 1926, répondit Nicholas. Mon grand-père l'a fait fabriquer pour lui.

– Ils savaient s'y prendre, à l'époque. C'est pas comme ces merdes assemblées à la chaîne qu'ils nous refilent aujourd'hui. Un Mauser Obendorf, superbe ! Mais le canon a été changé, non ?

– Le canon d'origine était foutu. Je l'ai fait remplacer par un Shilen. Il couperait les ailes d'un moustique à cent pas.

– Calibre 7.57 ? demanda Boris.

– 275 Rigby, en fait.

– C'est exactement la même chose, grogna Boris. Seulement il faut bien que vous, fichus Anglais, l'appeliez différemment ! Ça envoie une balle de 7,20 mm à huit cent cinquante mètres par seconde. C'est une bonne carabine. Une des meilleures.

– Tu ne peux pas savoir l'importance que ton avis a pour moi, murmura Nicholas en anglais.

Boris lui rendit son arme en ricanant.

– L'humour anglais ! J'adore l'humour anglais.

Quand Nicholas quitta le campement en emportant la petite carabine dans son étui, Royan lui emboîta le pas. Ils descendirent jusqu'à la rivière où elle l'aida à remplir de sable deux sacs de toile. Il les installa sur un rocher pour en faire un support souple mais ferme au canon de la carabine.

Il alla ensuite appuyer contre le flanc de la colline, à deux cents mètres, un carton sur lequel il avait fixé une cible du type Bisley puis il revint à l'endroit où attendait Royan. Ils s'installèrent derrière le rocher sur lequel reposait la carabine.

Royan ne s'attendait pas à ce que l'arme, délicate, presque féminine, émette une telle détonation. Elle sursauta violemment.

– Quelle sale petite chose vicieuse ! s'exclama-t-elle. Comment pouvez-vous vous résoudre à tuer de si jolis animaux avec un fusil aussi puissant ?

– C'est une carabine, corrigea-t-il en examinant l'impact avec ses jumelles. Vous sentiriez-vous mieux si j'utilisais une carabine moins puissante ? Ou si je les battais à mort avec un bâton ?

Le coup avait manqué le centre de la cible de six centimètres sur la droite et quatre en bas. Il ajusta la lunette télescopique en essayant de lui expliquer son point de vue.

– L'éthique du chasseur veut qu'il fasse de son mieux pour tuer aussi rapidement et aussi proprement que possible. Ce qui signifie approcher la proie du mieux qu'on peut, utiliser une arme d'une puissance appropriée et viser le plus précisément et le plus soigneusement.

Le coup suivant fut parfaitement en ligne, mais deux centimètres seulement au-dessus du centre de la cible. Il se remit au réglage de la lunette.

– Fusil ou carabine, je ne vois pas pourquoi il faudrait tuer délibérément une créature de Dieu !

– Voilà une chose que je ne pourrai jamais vous expliquer.

Il visa délibérément et tira. Même avec le faible rapprochement de la lunette, il voyait que la balle avait frappé six centimètres trop haut.

– C'est une sorte de besoin atavique que peu d'hommes, quel que soit leur degré de culture et de civilisation, peuvent renier complètement, fit-il avant de tirer un second coup. Certains l'assouvissent dans une salle de conférences, d'autres sur un terrain de golf ou un court de tennis et d'autres encore dans un torrent à saumons, au fond d'un océan ou à la chasse.

Il tira une troisième fois, simplement pour confirmer l'impact des deux coups précédents.

– Quant aux créatures de Dieu, reprit-il, il nous les a données. C'est vous la croyante, alors citez-moi les Actes, chapitre 10, versets 12 et 13.

– Je regrette, fit-elle en hochant la tête. Vous allez être obligé de me le dire.

– *... tous les quadrupèdes et les reptiles de la terre et les oiseaux du ciel*, fit-il avec obligeance. *Et une voix lui dit : Lève-toi, Pierre, tue et mange.*

– Vous auriez dû être avocat, fit-elle, moqueuse.

– Ou prêtre ? suggéra-t-il.

Il alla chercher la cible. Ses trois derniers tirs avaient fait une minuscule rosette à six centimètres au-dessus du centre. Les trois trous se touchaient l'un l'autre. Il flatta le canon de la carabine.

– Bien, ma beauté, ma chère Lucrèce Borgia.

Il avait donné ce nom à l'arme pour sa beauté et son efficacité meurtrière. Il la rangea dans son étui de cuir et ils repartirent tous les deux. Ils étaient en vue du camp quand Nicholas s'immobilisa.

– Des visiteurs, fit-il en ajustant ses jumelles. Ah, nous avons déniché quelque chose. Il y a un camion de Pégase et, à moins que je ne me trompe, un de nos visiteurs est ce charmant petit gars d'Abilene. Allons voir ce qui se passe, voulez-vous ?

En approchant du campement, ils comptèrent une douzaine, peut-être plus, de soldats en uniforme autour du camion rouge et vert de Pégase, tous lourdement armés. Jake Helm et un officier de l'armée éthiopienne étaient installés sous la tente réservée aux repas : ils avaient une conversation animée et apparemment sérieuse avec Boris.

Aussitôt entré sous la tente, Nicholas fut présenté par Boris à l'officier éthiopien.

– Colonel Tuma Nogo, commandant de l'armée du Gojam sud.

– Enchanté, fit Nicholas.

L'homme, qui portait des lunettes, ignora son sarcasme.

– Je veux voir votre passeport et votre permis de port d'arme, ordonna-t-il avec arrogance.

– Bien sûr, fit Nicholas.

Ils le suivirent jusqu'à sa propre tente, Jake Helm et son nauséabond cigare en tête. Nicholas prit son attaché-case et l'ouvrit tout en souriant à l'officier.

– Je suis certain que vous voudrez voir la lettre d'introduction que m'a remise le secrétaire du Foreign Office, à Londres. Celle-ci est de l'ambassadeur britannique d'Addis-Abeba, cette autre est de l'ambassadeur d'Éthiopie en Grande-Bretagne. Ah ! et voici un firman de votre ministre de la Défense, le général Siye Abraha.

Le colonel examina avec consternation la pléthore de cachets officiels et de sceaux aux rubans écarlates.

– Sir ! salua-t-il. Vous êtes un ami du général Abraha. Je ne savais pas. Je n'étais pas informé. Je vous prie d'excuser cette intrusion.

Il salua encore, gêné.

– Je venais simplement vous prévenir que la compagnie Pégase conduit des travaux de forage. Ils utilisent de la dynamite. Il peut y avoir du danger. Je vous prie d'être vigilant. Autre chose, il y a des brigands dans cette région. Des hors-la-loi, des *shufta*.

Le colonel Nogo s'énervait et son discours devenait incohérent. Il se tut et respira profondément pour se calmer.

– Voyez-vous, j'ai été mandaté pour escorter les employés de la compagnie. Si vous-même avez le moindre ennui, ou si vous avez besoin de mon aide pour quelque raison que ce soit, n'hésitez pas à venir me voir, Sir.

– C'est très aimable à vous, colonel.

– Je ne vous retiendrai pas plus longtemps, Sir.

Il salua une troisième fois et détala en direction du

camion, entraînant le contremaître avec lui. Jake Helm, qui n'avait pas proféré un son depuis leur arrivée, s'en alla sans dire au revoir.

Le colonel Nogo salua Nicholas une quatrième fois par la vitre du camion qui s'éloignait.

– Un partout ! fit Nicholas à l'adresse de Royan. Maintenant, nous pouvons être sûrs que M. Pégase ne veut pas de nous dans son secteur. Je crois que nous devons nous attendre à ce qu'il remette la balle en jeu très bientôt.

Ils retournèrent à la tente où était resté Boris. Nicholas lui dit :

– Maintenant, nous n'attendons plus que les mules.

– J'ai envoyé trois de mes hommes au village pour les récupérer. Ils auraient dû être là hier.

Les mules arrivèrent à l'aube le matin suivant. C'était six solides bêtes, chacune accompagnée d'un muletier vêtu des inévitables jodhpurs et du châle. En milieu de matinée, tout était chargé et la descente vers les gorges pouvait commencer.

Boris marqua une pause aux abords de la piste et regarda la vallée. Pour la première fois, il paraissait sidéré par les dimensions de la descente et par la splendeur rocailleuse de la gorge. Le gigantisme du paysage le rendit curieusement philosophe.

– Vous allez passer dans une autre terre et dans un autre âge. On raconte que cette piste a deux mille ans et remonte au Christ. Le vieux prêtre noir de l'église de Debra Maryam vous dira que la Vierge Marie est passée par là, alors qu'elle fuyait Israël, après la crucifixion. (Il hocha la tête avec dédain.) Ces gens-là croiraient n'importe quoi.

Et il avança sur le chemin.

Il était accroché à la falaise et plongeait selon un angle vertigineux. Chaque pas malmenait les muscles de leurs jambes. Ils étaient souvent obligés de se servir de leurs mains pour passer les endroits les plus raides.

Il semblait impossible que les mules, avec leur lourd chargement, puissent les suivre. Courageuses, les bêtes descendaient les degrés rocheux, atterrissaient lourdement sur leurs pattes avant puis se préparaient au saut suivant. Le chemin était si étroit que les épais paquetages frottaient contre la muraille rocheuse d'un côté et, de l'autre, oscillaient dangereusement dans le vide.

Quand le chemin bifurquait, les mules étaient contraintes de reculer avant de s'engager plus avant, les flancs couverts de sueur, les yeux révulsés montrant le blanc. Les muletiers poussaient des cris sauvages et faisaient tournoyer leur fouet.

Par endroits le chemin pénétrait dans la montagne. Il passait derrière des buttes et des pics rocheux que le temps et l'érosion avaient séparés de la façade. Ces failles étaient si étroites qu'il fallait décharger les mules et passer les paquets à dos d'homme, jusqu'à un endroit où les mules pouvaient être de nouveau sollicitées.

– Regardez! cria Royan, en pointant un doigt avec stupéfaction.

Un vautour noir montait des profondeurs, ses ailes déployées. Il passa en flottant près d'eux à portée de main. Il fit pivoter son effroyable tête nue gainée d'une peau rose pour les scruter de ses yeux noirs et énigmatiques. Puis il s'éloigna.

– Il utilise les courants d'air chaud qui montent de la vallée, expliqua Nicholas.

Il désigna la paroi d'où saillait un éperon rocheux.

– Voilà un de leurs nids, dit-il en montrant un assemblage hirsute de branchages sur une corniche inaccessible.

Les excréments des oiseaux avaient laissé sur la paroi du précipice de longues traînées blanches et brillantes et, malgré la distance, des effluves de viscères pourrissants et de chair avariée leur parvenaient.

Ils passèrent toute la journée à descendre le long de la terrible muraille. L'après-midi touchait à sa fin et ils n'étaient qu'à la moitié de la descente quand le sentier fit encore un coude. Ils entendirent monter le grondement des chutes d'eau. Le bruit grandit jusqu'à devenir un rugissement tonitruant à mesure de leur avancée au-delà d'un promontoire rocheux. Ils en contournèrent un second et les chutes apparurent dans toute leur splendeur.

Les courants d'air provoqués par les cataractes les obligèrent à se cramponner à la paroi. Les embruns tourbillonnaient autour d'eux, mais leur guide éthiopien les força à avancer au risque d'être emportés par les remous qui se tordaient à des centaines de mètres en contrebas. Puis, comme par miracle, l'eau s'écarta et ils se retrouvèrent derrière un immense rideau translucide, dans une profonde anfractuosité tapissée de mousse et luisante d'humidité, creusée dans la muraille par l'érosion et les siècles. La seule lumière qui pénétrait cet endroit mélancolique arrivait filtrée par la chute d'eau, verte et mystérieuse comme dans une caverne sous-marine.

– Nous dormirons ici cette nuit, annonça Boris qui goûtait visiblement leur étonnement.

Il désigna des fagots empilés au fond de la caverne et, au-dessus du foyer, le roc noirci par la fumée.

– Les muletiers qui approvisionnent les prêtres du monastère utilisent cet endroit depuis des siècles.

Plus ils s'enfonçaient dans la caverne, et plus le rugissement des eaux s'estompait et se changeait en un vague marmonnement. Une fois que les boys eurent allumé le feu, la caverne devint un habitat chaud, confortable, presque romantique. Avec son œil de soldat, Nicholas repéra l'endroit le plus confortable et il y déroula son sac de couchage. Spontanément, Royan installa le sien à côté. Ils étaient tous les deux épuisés par la descente et, après le dîner, ils s'affalèrent dans leur sac. Ils observèrent la danse des flammes contre les parois dans un silence complice.

– Vous vous rendez compte, chuchota Royan. Demain, nous marcherons sur les traces du vieux Taita.

– Sans parler de celles de la Vierge Marie, fit Nicholas.

– Vous êtes un affreux cynique, soupira Royan. Et puis je suis sûre que vous ronflez.

– Vous serez bientôt fixée, répliqua-t-il.

Mais elle s'endormit avant lui. Elle respirait doucement et régulièrement, un bruit léger qui lui parvenait par-dessus le chuchotement des eaux. Il y avait longtemps qu'il n'avait pas eu de jolie femme allongée près de lui. Quand il fut certain qu'elle dormait profondément, il allongea le bras et lui caressa la joue.

– Fais de beaux rêves, ma petite, murmura-t-il tendrement. Tu as eu une rude journée.

C'était avec ces mots qu'il aidait autrefois sa plus jeune fille à trouver le sommeil.

Les muletiers s'éveillèrent bien avant l'aube et tout le monde se mit en route quand la lumière fut assez forte pour leur permettre de voir où ils posaient les pieds.

Quand le soleil du matin frappa la paroi du précipice, ils étaient encore assez haut au-dessus de la vallée pour bénéficier d'une vue panoramique. Nicholas retint Royan par le bras et ils laissèrent le reste de la caravane prendre de l'avance.

Il trouva un endroit où s'asseoir et déroula devant eux la photographie satellite. Ils s'orientèrent en se repérant aux accidents les plus visibles du terrain. Peu à peu, ils commencèrent à se situer dans le paysage cataclysmique qui s'étendait en contrebas.

– On ne peut pas voir la rivière d'ici, fit remarquer Nicholas. Elle est encore très loin dans la gorge inférieure. Nous l'apercevrons certainement quand nous serons directement au-dessus.

– Si nous avons correctement établi notre position, alors la rivière devrait faire deux méandres autour de ce promontoire, là...

– Et la rencontre de la Dandera et de l'Abbay est ici, sous cette falaise.

Il mesura la distance avec son pouce.

– A, disons, vingt kilomètres d'ici.

– On dirait que la Dandera a changé de cours plusieurs fois durant les siècles. Je peux voir au moins deux ravins qui pourraient être d'anciens lits. Regardez, là et là. La jungle a tout envahi à présent.

Elle le regarda, consternée.

– Oh, Nicholas, cette région est si vaste et si déroutante. Comment allons-nous trouver l'entrée d'une tombe là-dedans ?

– Une tombe ? De quelle tombe parlez-vous ?

Boris était revenu sur ses pas. Ils ne l'avaient pas entendu. Maintenant il était là, les dominant de sa taille.

– De celle de saint Fromentius, évidemment, répondit Nicholas sans se démonter.

– Le monastère n'est-il pas dédié au saint ? demanda Royan en roulant la photographie.

– *Da,* fit Boris avec l'air déçu de celui qui s'attendait à quelque chose de plus intéressant. Oui, saint Fromentius. Mais ils ne vous laisseront pas visiter sa tombe. Vous ne pourrez jamais pénétrer à l'intérieur du monastère. Seuls les prêtres en ont le droit.

Il retira sa casquette et gratta ses cheveux drus et courts qui lui couvraient le crâne.

– Cette semaine a lieu la cérémonie de Timkat, la

bénédiction du Tabot. Ils vont être dans tous leurs états, là-bas. Ça va vous plaire mais vous ne pénétrerez pas dans le saint des saints, pas plus que vous ne verrez la tombe. Je n'ai jamais rencontré de Blanc qui l'ait vue.

Il plissa les yeux contre le soleil.

– Nous devons repartir. On pourrait croire que c'est tout près mais il nous faudra bien deux jours pour atteindre l'Abbay. Et ce terrain n'est pas de la rigolade. C'est une longue marche, même pour un célèbre chasseur de dik-dik.

Il éclata de rire à sa propre blague et repartit le long du chemin.

A l'approche du fond du précipice, la descente était moins rude. La marche devint plus aisée et ils avancèrent plus vite. Mais l'air avait changé, ce n'était plus l'air froid et vivifiant des montagnes mais celui languide et énervant de l'équateur, alourdi des odeurs puissantes de la jungle toute proche.

– Quelle chaleur ! fit Royan en se débarrassant de son châle.

– Dix degrés de plus, au moins. (Il ôta le vieux pull de l'armée qu'il portait.) Et ça sera pire en bas. Nous avons encore un bon kilomètre de dénivelé.

Le chemin longeait la Dandera. Parfois ils la surplombaient et l'instant d'après ils pataugeaient jusqu'à la taille dans un torrent, accrochés aux bâts des mules pour résister aux flots. Puis la gorge devint si escarpée et si haute, avec des murailles descendant à pic dans les eaux noires, qu'ils s'éloignèrent du cours d'eau et suivirent le chemin qui serpentait entre des collines érodées et d'immenses promontoires de pierre rouge.

A deux ou trois kilomètres en aval, ils retrouvèrent la rivière qui bondissait désormais à travers une végétation dense. Des lianes en frôlaient la surface et les mousses qui pendaient des arbres, broussailleuses, comme la barbe du prêtre de Debra Maryam, effleuraient leur tête au passage. Des singes verts les insultaient depuis les sommets des arbres. Ils pointaient des têtes aux yeux scandalisés par cette intrusion dans leur monde secret. Une fois, ils entendirent un gros animal écraser les branchages du sous-bois. Nicholas chercha le regard de Boris qui secoua la tête en riant.

– Non, l'Anglais, pas dik-dik. Koudou, c'est tout.

Le koudou s'arrêta à flanc de colline pour les regarder passer. C'était un gros mâle aux cornes entièrement vrillées, une magnifique bête au fanon couvert d'une crinière abondante et aux oreilles ouvertes comme le pavillon d'une trompette. Il les fixait de ses yeux immenses et intrigués. Boris émit un sifflement admiratif.

– Ces cornes mesurent plus d'un mètre. Elles méritent la première place dans le *Rowland Ward*.

Il faisait allusion au livre qui enregistrait les plus gros gibiers et qui était la bible des passionnés de chasse.

Il courut à la mule la plus proche et tira la Rigby de son étui. Puis il revint au trot l'offrir à Nicholas.

– Vous ne le voulez pas, l'Anglais ?

– Laissons-le partir. Je ne chasse que le dik-dik.

Le mâle disparut dans un éclair de queue blanche, Boris secoua la tête et cracha de dégoût dans la rivière.

– Pourquoi voulait-il tant que vous l'abattiez? demanda Royan, un peu plus tard.

– Une photo d'une paire de cornes comme celle-là aurait fait très bien sur sa brochure publicitaire. Ça attire les clients.

Ils suivirent la piste sinueuse pendant la journée entière. A la fin de l'après-midi, ils campèrent dans une clairière qui surplombait la rivière, et où, visiblement, d'autres caravanes avaient campé avant eux. La route se révélait partagée en étapes régulières. Les voyageurs avaient besoin de trois jours entiers pour aller du sommet des chutes au monastère et tous campaient aux mêmes endroits.

– Désolé, pas de douches ici, fit Boris à ses clients. Si vous voulez vous laver, il y a une cuvette assez sûre après le premier coude, en amont.

Royan regarda Nicholas.

– J'ai si chaud, je suis si sale. Voudriez-vous monter la garde pas trop loin ?

C'est ainsi qu'il se retrouva allongé sur la rive moussue, hors de vue mais assez proche pour l'entendre s'ébattre et protester contre l'étreinte glacée de l'eau. Quand il tourna la tête, il s'aperçut que le courant l'avait fait dériver. Entre les arbres, il vit son dos nu, la courbe de ses reins et une fesse voluptueuse et luisante. Il détourna les yeux, gêné mais surpris par l'intensité de l'excitation qu'avait provoquée le bref éclair de peau dans son halo de lumière vespérale.

Elle revint en suivant la rive, en chantonnant doucement. Elle séchait ses cheveux dans une serviette.

– C'est à vous. Voulez-vous que je monte la garde ?

– Je suis un grand garçon, maintenant.

Il surprit un éclat déluré dans son regard et se demanda soudain si elle avait volontairement nagé si loin, si elle savait ce qu'il avait vu. Cette pensée l'amusa. Il alla seul jusqu'à la cuvette. Une fois nu, il se regarda. Elle l'avait tellement ému qu'il se sentait vaguement coupable. Depuis Rosalind, aucune femme ne lui avait fait cet effet.

– Un bon petit bain froid te fera le plus grand bien, mon vieux.

Il jeta son jean dans les buissons et plongea.

Ils digéraient leur dîner à la lueur du feu quand Nicholas se redressa, l'oreille tendue.

– J'entends des voix ? demanda-t-il.

– Non, fit Tessay en riant. Vous entendez vraiment chanter. Ce sont les prêtres du monastère qui viennent à notre rencontre.

Ils aperçurent alors les torches. Elles serpentaient le long de la colline, l'une derrière l'autre, flamboyant entre les arbres, chaque fois plus près du campement. Les muletiers et les boys se précipitèrent, chantant et battant des mains en rythme pour accueillir les envoyés du monastère. Les voix profondes des hommes s'élevaient puis se changeaient en chuchotement, et remontaient encore, en un déchant obsédant et merveilleux : le son de l'Afrique la nuit. Nicholas en éprouva des frissons glacés.

Les robes blanches des prêtres palpitaient dans la lumière des torches comme des ailes de phalènes. Les boys tombèrent à genoux dès que les premiers prêtres pénétrèrent dans le périmètre du campement. Ils étaient jeunes, barbus et ils avaient les pieds nus. Ils étaient accompagnés de moines qui portaient de longues tuniques et des turbans. La procession s'écarta pour laisser passer la phalange de diacres et de prêtres en robes brodées chatoyantes. Chacun portait au bout d'une longue perche une lourde croix copte en argent aux formes simples. Ces derniers s'écartèrent à leur tour pour permettre au palanquin que portaient quatre jeunes curés d'avancer jusqu'au centre du campement.

Ses rideaux de soie jaune et cramoisie luisaient dans la lumière des lanternes et des torches.

– Nous devons aller accueillir le père, maintenant, souffla Boris à Nicholas. Son nom est Jali Hora.

Ils s'approchèrent du palanquin. Les rideaux de soie s'écartèrent avec cérémonie sur une haute silhouette qui mit pied à terre.

Tessay et Royan tombèrent à genoux avec respect, Nicholas et Boris restèrent debout.

Jali Hora était d'une minceur squelettique. Ses jambes, que l'on entrevoyait dans l'ouverture de ses jupes, ressemblaient à des plants de tabac sombres et tordus, avec des tendons desséchés et des muscles filandreux. Sa robe était vert et or, brodée de fil d'or qui accrochait la lumière du feu. Il portait un haut chapeau plat, brodé de croix et d'étoiles. Son visage était d'un noir charbonneux, avec une peau ridée et ravinée, comme gravée par les années. Il n'y avait plus que quelques dents derrière ses lèvres plissées et elles étaient jaunies et de travers. Sa barbe était d'un blanc éclatant et masquait le bas de son visage comme l'écume d'une vague. Un de ses yeux était de ce bleu opaque dû à l'ophtalmie tropicale mais l'autre avait l'éclat de celui d'un léopard à l'affût.

Il entama un discours d'une voix haut perchée et chevrotante.

– Il nous donne sa bénédiction, souffla Boris.

Ils inclinèrent la tête avec respect. Les prêtres chantaient à chaque fois que le vieil homme marquait une pause. Quand il eut délivré sa bénédiction, Jali Hora bénit les quatre points cardinaux d'un signe de croix en pivotant lentement pendant que deux enfants de chœur balançaient vigoureusement des encensoirs qui imprégnaient la nuit d'âcres nuages d'encens.

Les deux jeunes femmes allèrent s'agenouiller devant Jali Hora. Il se pencha et leur effleura chaque joue de sa croix en chantant des bénédictions d'une voix de fausset.

– Il paraît que le vieux a plus de cent ans, fit Boris.

Deux *debtera* en robe blanche apportèrent un tabouret en bois d'ébène si joliment sculpté que Nicholas le détailla avec convoitise. Il devait avoir plusieurs siècles et aurait enrichi les collections du musée.

Les deux *debtera* prirent Jali Hora par les coudes et

l'installèrent précautionneusement sur le tabouret. Toute la congrégation s'assit alors par terre autour de lui, leurs visages noirs tournés vers lui avec attention.

Tessay était aux pieds du prêtre et traduisit en amharique ce que disait son mari.

– C'est un grand plaisir et un honneur pour moi de vous rencontrer de nouveau, vénéré père.

Le vieil homme opina et Boris reprit :

– J'ai mené avec moi un noble anglais qui voudrait visiter le monastère de Saint-Fromentius. Il est de lignée royale.

– Oh, n'exagèrez pas, mon vieux, protesta Nicholas.

Toute la congrégation avait les yeux fixés sur lui, on y lisait une expectative pleine d'intérêt.

– Et je fais quoi, maintenant ? demanda-t-il à Boris.

– Pourquoi croyez-vous qu'il soit venu jusqu'ici ? fit celui-ci avec un sourire malicieux. Il veut un cadeau. De l'argent.

– Des dollars de Marie-Thérèse ? fit-il, en référence à l'ancienne monnaie traditionnelle d'Éthiopie.

– Les temps ont changé depuis votre grand-père. Jali Hora acceptera volontiers des dollars américains.

– Combien ?

– Vous êtes un noble de sang royal. Vous allez chasser dans sa vallée : au moins cinq cents dollars.

Nicholas écarquilla les yeux, puis alla chercher son sac et revint s'incliner devant le saint homme qui tendit une paume rose. Nicholas y déposa la liasse de billets, le vieux exhiba ses chicots jaunis et dit quelques mots.

– Bienvenue au monastère de Saint-Fromentius et à la saison de Timkat, traduisit Tessay. Il vous souhaite une chasse fructueuse sur les bords de l'Abbay.

L'attitude solennelle de la dévote compagnie se modifia d'un coup. Ils se détendirent et se mirent à sourire. Jali Hora regardait Boris avec l'air d'attendre.

– Il dit que le voyage a donné soif.

– Le vieux coquin ne crache pas sur le cognac, expliqua Boris.

Il donna un ordre à un serviteur qui apporta la table du campement et y déposa cérémonieusement une bouteille de cognac, flanquée de la bouteille de vodka de Boris. Ils burent à la santé l'un de l'autre. Jali Hora fut pris d'une quinte de toux qui remplit son œil valide de larmes puis, d'une voix faible, il posa une question à Royan.

– Il vous demande d'où vous venez, Woizero Royan, et comment se fait-il que vous suiviez le chemin tracé par le Christ, Notre Sauveur.

– Je suis égyptienne, de confession copte.

Le prêtre hocha la tête.

– Nous sommes tous frères et sœurs en Jésus-Christ, Égyptiens comme Éthiopiens. Le mot copte lui-même signifie égyptien en grec. Pendant mille six cents ans, l'Abuna, l'évêque d'Éthiopie, a été nommé par le patriarche du Caire. L'empereur Hailé Sélassié a changé cette coutume en 1959 mais nous suivons toujours la vraie voie du Christ. Sois la bienvenue, ma fille.

Son *debtera* versa un autre verre de cognac qui fut avalé d'une traite. Boris lui-même fut impressionné.

– Où cette vieille tortue décharnée le met-elle ? s'étonna-t-il à voix haute.

Tessay ne traduisit pas mais elle baissa les yeux. L'indignation se lisait sur son visage de madone.

Jali Hora se tourna vers Nicholas.

– Il veut savoir quel animal vous êtes venu chasser dans la vallée, expliqua Tessay.

Nicholas se raidit et répondit avec prudence. Il y eut un long silence incrédule puis le prêtre éclata d'un rire amusé, aussitôt imité par toute l'assemblée.

– Un dik-dik ? Vous êtes venus jusqu'ici pour chasser un dik-dik ? Mais il n'y a rien à manger sur cet animal !

Nicholas attendit qu'ils se soient remis du choc et leur apporta une photo du *Madoqua harperii.* Il posa la photo sur la table, face à Jali Hora.

– Il ne s'agit pas d'un dik-dik ordinaire. C'est un dik-dik sacré, dit-il avec pompe. Laissez-moi vous raconter sa légende.

La perspective d'une bonne histoire imposa le silence dans les rangs des prêtres. Jali Hora lui-même arrêta son verre à mi-chemin de ses lèvres et le replaça sur la table. Son œil unique naviguait de la photographie au visage de Nicholas.

– Saint Jean Baptiste mourait de faim dans le désert, commença Nicholas. (Quelques prêtres se signèrent en entendant le nom du saint.) Il avait passé trente jours et trente nuits sans qu'une miette n'ait franchi le seuil de ses lèvres. Notre-Seigneur finit par s'émouvoir de la détresse de son serviteur et déposa dans un buisson d'acacia une petite antilope dont il emmêla les cornes dans les épines. « Je t'ai préparé un repas pour que tu ne meures pas, dit-il au saint. Prends sa chair et mange. »

« Aux endroits où Jean Baptiste toucha la petite créature, ses pouces et ses doigts laissèrent des traces indélébiles qui se transmirent à chaque nouvelle génération.

Ils se taisaient, fascinés.

– Regardez les empreintes des doigts du saint.

Le vieil homme étudia la photo avec avidité. Il la tint longtemps devant son œil unique puis s'exclama :

– C'est vrai. La marque des doigts du saint est très claire et très visible !

Il passa la photo aux diacres. Encouragés par la déclaration de leur supérieur, ils s'exclamèrent et s'émerveillèrent de l'image de l'insignifiante créature à la fourrure rayée.

– Un de vos fils aurait-il un jour aperçu un de ces animaux ? demanda Nicholas.

L'un après l'autre, les prêtres secouèrent la tête. La photo passa alors de main en main.

Soudain l'un d'eux bondit sur ses pieds en bafouillant avec émotion.

– Je l'ai vue ! J'ai vu cette sainte créature. Je l'ai vue de mes yeux !

C'était un jeune garçon à peine sorti de la puberté. Il y eut des cris de dérision et d'incrédulité. Un des frères lui arracha la photo des mains pour l'agiter hors de sa portée, en le narguant.

– Ce garçon est un peu simple, expliqua Jali Hora d'un ton désolé. Il lui arrive d'être possédé et d'entrer en transe. Ne faites pas trop attention à lui. Pauvre Tamre !

Le gosse courait maintenant après la photo qui passait de main en main. Les prêtres riaient de bon cœur des efforts du garçon aux yeux fous qu'ils faisaient trotter entre leurs rangs. Nicholas se leva pour mettre fin à la plaisanterie qui devenait pénible mais le jeune garçon s'effondra comme s'il avait été assommé d'un coup de gourdin. Son dos se cambra violemment, ses yeux se révulsèrent, ne laissant apparaître que le blanc. Une mousse blanche se forma à ses lèvres qu'étirait un rictus grimaçant.

Avant que Nicholas ait pu bouger, quatre de ses pairs le prirent à bras-le-corps et l'emportèrent, leurs rires s'estompant dans la nuit. Jali Hora fit signe à son *debtera* de lui verser un autre verre.

Il était tard quand Jali Hora prit congé. Ses diacres le hissèrent sur son palanquin. Le vieil homme tenait la bouteille de cognac dans une main et, de l'autre, distribuait des bénédictions.

– Vous avez fait bonne impression, Milord. Il a adoré votre histoire de Jean Baptiste. Mais il a encore plus aimé votre argent.

8

Le lendemain, le chemin longeait la rivière. Moins de deux kilomètres plus loin, le courant prit de la vitesse et les eaux se jetèrent dans l'étroit goulot creusé dans les falaises rougeoyantes.

Nicholas quitta le chemin et descendit jusqu'au bord des chutes. Soixante mètres plus bas, la rivière en furie s'engouffrait par une faille juste assez large pour laisser passer ses eaux bouillonnantes. Il n'y avait ni chemin ni passage possible, aussi il remonta rejoindre les autres qui s'enfonçaient dans une vallée boisée.

– C'était probablement le lit de la Dandera avant qu'elle ne creuse l'actuel, spécula Royan en lui indiquant les éboulis érodés par l'eau qui jonchaient la route.

– Vous devez avoir raison, fit Nicholas. Ces falaises sont sûrement dues à l'effet du calcaire sur le basalte et le grès. La région tout entière a été criblée par l'action de la rivière qui se déplace sans cesse.

Le chemin descendait rapidement vers le Nil Bleu. En quelques kilomètres, son altitude décrut de quatre cents mètres. Les parois de la vallée étaient couvertes d'une épaisse verdure et, à de nombreux endroits, des sources jaillissaient du calcaire et tombaient en pluie dans l'ancien lit de la rivière.

La chaleur augmentait régulièrement, à mesure de leur descente. La chemise de Royan était maculée de taches sombres entre les omoplates. A un des nombreux détours du sentier, un filet d'eau claire jaillissait d'un épais fourré accroché au sommet de la paroi et allait grossir le cours du torrent qui, gonflé en une petite rivière, descendait la vallée pour rejoindre la Dandera. On pouvait voir comment elle avait émergé, plus haut dans la gorge, par une voûte étroite à flanc de montagne. Le roc où se creusait la voûte était d'un rose tendre, d'aspect ciré et plissé.

La couleur en était si étrange, l'effet si saisissant qu'ils s'arrêtèrent pour la contempler avec fascination. Le fracas de sabots des mules et les éclats de voix des muletiers réveillaient d'étranges échos entre les parois de l'univers confiné où ils étaient descendus.

– On dirait une monstrueuse gargouille qui crache, murmura Royan, les yeux levés vers l'étrange formation rocheuse. Vous savez, j'imagine aisément quelle impression a pu produire une telle scène sur les anciens Égyptiens. Ils ont dû y voir un phénomène divin.

Nicholas la regardait sans mot dire. Elle était fascinée, le noir de ses iris semblait plus intense, son visage était grave. Elle lui rappelait un des portraits de la collection de Quenton Park. C'était un fragment de fresque de la Vallée des Rois représentant une princesse ramesside.

« Quoi d'étonnant à cela ? se dit-il. Le même sang coule dans ses veines. »

Elle se tourna vers lui.

– Redonnez-moi espoir, Nicky. Dites-moi que ce n'est pas un rêve. Dites-moi que nous allons trouver ce que nous cherchons et venger Duraid.

Elle levait vers lui un visage ardent que la force de sa conviction illuminait. Il eut une envie violente de la prendre dans ses bras et de l'embrasser. Il fit brutalement demi-tour et s'éloigna sur le chemin qui descendait. Il ne voulait pas se retourner avant d'avoir repris le contrôle de lui-même. Puis il entendit le bruit léger de son pas sur le rocher. Ils repartirent ensemble, sans un mot.

Il était si troublé que la vue qui se déploya soudain devant eux le frappa de plein fouet. Ils étaient au sommet de la gorge inférieure du Nil. Le précipice était un gigantesque chaudron de pierre rouge d'une profondeur de cent cinquante mètres. Le fleuve légendaire s'enfonçait dans de sombres abysses. De l'endroit où ils se trouvaient, la Dandera empruntait le même chemin. Blanche comme une plume d'aigrette, elle tournoyait dans des courants d'air artificiels.

Les eaux se mêlaient dans les profondeurs, brassant leurs remous dans un fracas d'écume, tournoyaient sur elles-mêmes comme une roue titanesque, puissantes, visqueuses comme de l'huile, cherchant la sortie de la gorge où elles s'engouffraient avec une force irrésistible.

– Et vous avez canoté là-dedans ? demanda Royan.

– Nous étions jeunes et fous.

– On comprend que Taita et son prince aient été arrêtés, fit-elle en regardant autour d'elle. Ils n'ont certainement pas pu remonter la gorge inférieure. Ils ont dû longer la crête des falaises jusqu'ici.

Sa voix était toute vibrante d'excitation. Nicholas ne put résister à la tentation de la taquiner.

– A moins qu'ils ne soient passés sur l'autre rive, suggéra-t-il.

Elle se rembrunit.

– Je n'y avais pas pensé. Oui, c'est possible. Comment allons-nous traverser si nous ne trouvons rien de ce côté ?

– On envisagera la question plus tard. Nous avons largement de quoi faire, ici.

Ils se turent encore, l'un comme l'autre écrasés par l'immensité de la tâche qu'ils s'étaient fixée. Puis Royan s'arracha à ses réflexions.

– Où est le monastère ?

– Il est dans la paroi, juste sous vos pieds.

– Allons-nous y camper ?

– J'en doute. Rattrapons Boris, il nous dira ce qu'il a l'intention de faire.

Ils longèrent le bord du précipice. La caravane s'était arrêtée à une croisée de chemins. Un des sentiers s'éloignait du fleuve pour s'enfoncer dans une dépression boisée, l'autre continuait à flanc de rocaille. Boris leur indiqua le premier.

– Il y a un bon endroit pour camper là-haut. J'y ai séjourné la dernière fois que je suis venu chasser ici.

Plusieurs grands figuiers jetaient leur ombre sur une clairière, un ruisseau chantonnait. Pour réduire le poids du chargement, Boris avait décidé qu'ils se passeraient des tentes. Aussitôt les mules délestées, il ordonna à ses hommes de construire trois petites huttes et de creuser un trou de latrines loin du ruisseau.

Nicholas fit signe à Tessay et Royan ; et tous trois s'en allèrent explorer le monastère. Tessay leur fit prendre le chemin qui bordait l'à-pic et se transformait en un large escalier de roc qui descendait la paroi rocheuse.

Un groupe de moines en robe blanche montait à leur rencontre. Ils s'arrêtèrent, Tessay bavarda avec eux et, quand ils repartirent, elle leur expliqua qu'aujourd'hui était Katera, la veille de la fête de Timkat.

– Ils sont très impatients. C'est une des fêtes les plus importantes de l'année.

– Que célèbre cette fête ? demanda Royan. Elle n'existe pas dans notre calendrier religieux.

– C'est l'Épiphanie éthiopienne. On commémore le baptême du Christ. Il y aura une cérémonie où l'on descendra le *tabot* jusqu'au fleuve pour le consacrer. Les servants recevront le baptême, comme l'a reçu Jésus des mains du Baptiste.

Ils reprirent leur descente. Les marches étaient usées par des siècles de passage de pieds nus. Le grand chaudron du Nil bouillonnait et crachait de la vapeur à des dizaines de mètres en contrebas.

Ils atteignirent enfin une vaste plate-forme, taillée par l'homme à même le roc. Le rocher rouge qui le surplombait avançait jusqu'à son extrême limite en un immense toit soutenu par des arches et des colonnes de pierre. La paroi intérieure était percée de nombreuses ouvertures, et les catacombes étendaient leur sombre réseau loin au cœur de la pierre. Des passerelles de pierre, des cellules, des vestibules, des chapelles et des oratoires, avaient été creusés au cours des siècles pour abriter la communauté de moines qui y vivaient.

Des prêtres étaient assis en petits groupes, certains autour d'un diacre qui lisait à voix haute un exemplaire enluminé des Écritures.

– La plupart sont illettrés, expliqua Tessay. La Bible doit leur être lue et expliquée.

Ils passèrent devant des groupes qui, sous la férule d'un chantre, psalmodiaient les versets et les hymnes amhariques. Des prières sourdes montaient des cellules et des caves. L'air était lourd. Il régnait une odeur d'encens, de nourriture avariée et d'excréments, de sueur et de piété, de douleur, de maladie. Des groupes de pèlerins venus implorer le saint s'étaient mêlés aux moines. Certains étaient venus seuls, d'autres transportés par des parents. Il y avait des enfants aveugles pleurant dans les bras de leur mère, des lépreux aux chairs rongées, des êtres plongés dans le coma, d'autres atteints de quelque terrible maladie tropicale. Les gémissements et les râles de souffrance se mêlaient aux chants des moines et à la clameur lointaine du Nil.

Ils arrivèrent à l'entrée de la caverne-cathédrale de Saint-Fromentius. L'ouverture circulaire béait comme la bouche d'un poisson. L'encadrement du portail de pierre était orné de croix, d'étoiles peintes et de visages de saints aux traits d'ocre d'une étonnante simplicité. Leurs yeux étaient immenses, soulignés d'un trait de charbon qui leur donnait une expression sereine et calme. L'entrée était gardée par un diacre vêtu d'une robe de velours d'un vert douteux, mais quand Tessay lui eut dit quelques mots, il s'effaça en souriant et leur fit signe d'entrer.

Le linteau était si bas que Nicholas dut baisser la tête pour franchir le seuil. Quand il la releva, il resta ébahi par ce qu'il découvrit. Le plafond de la caverne était si élevé qu'il disparaissait dans l'obscurité. Les parois rocheuses étaient entièrement recouvertes de fresques, une ronde céleste d'anges et d'archanges qui s'ébattaient dans la lumière des cierges et des lampes à huile. Ils étaient dissimulés en partie par de longues bannières brodées accrochées un peu partout. Les tentures de toile étaient noircies par la suie noire de l'encens, leurs bords frangés en lambeaux. Saint Michel chevauchait un cheval qui caracolait, Marie priait au pied d'une croix où Jésus agonisait, le flanc percé d'une lance romaine.

C'était la première nef. La salle suivante était gardée par deux massives portes de bois laissées entrouvertes. Ils se frayèrent un passage parmi des pénitents en haillons, agenouillés et extatiques. Dans la lumière faible et la fumée bleuâtre de l'encens, ils ressemblaient à des âmes perdues, languissant pour l'éternité dans les ténèbres du Purgatoire.

Ils gravirent les trois marches de pierre qui montaient aux portes de la salle mais deux diacres apparurent sur le seuil et s'interposèrent. L'un d'eux dit quelques mots définitifs à Tessay qui traduisit :

– Ils ne veulent même pas nous laisser entrer dans le *qiddist*, la seconde nef, fit-elle, déçue. Après, il y a le *maqdas*, le saint des saints.

Un regard par-dessus les épaules des cerbères leur révéla la nuit du *qiddist* et, plus loin, la porte qui gardait le sanctuaire intérieur.

– Seuls les prêtres ordonnés ont le droit de pénétrer dans le *maqdas* où se trouve le *tabot* et l'entrée du tombeau du saint.

Ils repartirent, frustrés.

Ils dînèrent sous un ciel plein d'étoiles. L'air était toujours suffocant et des nuées de moustiques vrombissaient à distance raisonnable de leurs corps enduits de baume insectifuge.

– Bien, l'Anglais, fit Boris à qui la vodka avait rendu son tempérament hargneux, je vous ai amené là où vous vouliez. Comment allez-vous vous y prendre pour chasser cette bestiole qui vous fait venir de si loin ?

– Je voudrais qu'à la première heure vous envoyiez vos pisteurs explorer les environs du fleuve, en aval. Le dik-dik se manifeste surtout le matin. Ou en fin d'après-midi.

– Dites donc, ce n'est pas à un vieux singe qu'on apprend à faire des grimaces ! Je connais mon boulot, grommela Boris en se versant un verre de vodka.

– Demandez-leur de chercher des traces, continua Nicholas sans se démonter. J'imagine que celles de l'espèce rayée ne sont pas très différentes de celles du dik-dik commun. S'ils trouvent quelque chose, qu'ils s'installent discrètement derrière les buissons les plus proches et qu'ils guettent l'animal. Les dik-dik sont très attachés à leur territoire. Ils ne s'éloignent jamais beaucoup.

– *Da ! Da !* Je leur dirai ! Et vous ? Qu'allez-vous faire ? Vous allez pas passer votre temps au campement, avec les dames, hein, l'Anglais ? Avec un peu de chance, il n'y aura plus besoin de huttes séparées ?

Il s'esclaffa bruyamment et Tessay se leva, visiblement gênée. Elle s'excusa en prétextant qu'elle devait aller surveiller le chef, à la cuisine.

Nicholas ignora volontairement la plaisanterie vulgaire et reprit :

– Royan et moi inspecterons les taillis des bords de la Dandera. Ça a tout d'un endroit de prédilection pour le dik-dik. Prévenez vos hommes de ne pas approcher de là, je ne veux pas qu'ils effraient le gibier.

Ils quittèrent le campement à l'aube. Nicholas emporta sa carabine et un léger paquetage. Il guida Royan le long des rives de la Dandera. Ils avançaient lentement, s'arrêtant fréquemment pour tendre l'oreille et scruter les taillis.

Les buissons bruissaient des déplacements de petits mammifères et d'oiseaux.

– Les Éthiopiens ne chassent pas. J'imagine que les moines laissent aux animaux de la gorge une paix absolue.

Il désigna les traces laissées par une petite antilope dans la terre humide de la rive.

– Un bubale, fit-il. Une espèce rarissime. Il est unique au monde.

– Vous espérez vraiment trouver le dik-dik de votre arrière-grand-père ? Vous aviez l'air très sûr de vous quand vous en parliez à Boris.

– Bien sûr que non, répondit-il avec un sourire. A mon avis, le vieux grigou l'a fabriqué lui-même. On aurait dû l'appeler la chimère de Harper. Il a probablement utilisé la peau d'une mangouste. Nous, les Harper, ne réussissons pas sans faire quelques entorses à la réalité.

Ils s'arrêtèrent un instant pour regarder un nectariniidé butiner des calices jaunes. Le plumage du minuscule oiseau chatoyait comme les émeraudes d'une tiare.

– Néanmoins, ça nous donne une parfaite excuse pour fouiner dans les buissons.

Il jeta un regard en arrière pour s'assurer qu'ils étaient bien hors de vue du campement et lui fit signe de s'asseoir avec lui sur un tronc d'arbre tombé.

– Récapitulons. Que venons-nous chercher ici ?

– Nous cherchons les ruines d'un temple funéraire, ou les restes de la nécropole où vivaient les esclaves qui creusaient la tombe de Pharaon Mamose.

– N'importe quel ouvrage de maçonnerie ou de pierre. Surtout une colonne ou un monument.

– Le testament de pierre de Taita. Il doit être gravé ou ciselé de hiéroglyphes. Certainement très abîmé, usé par les intempéries, renversé, couvert de lianes, je ne sais pas. Tout est possible. Une aiguille dans une botte de foin.

– Bien, que faisons-nous assis ici, alors ? Cherchons-la, cette aiguille !

Dans le milieu de la matinée, Nicholas trouva les traces d'un dik-dik sur la berge. Ils s'adossèrent au tronc d'un des grands arbres et restèrent assis à l'ombre jusqu'à ce qu'apparaisse une des petites créatures. Elle passa à quelques mètres d'eux en tortillant son nez préhensile et en trottinant prestement sur des sabots de farfadet. Elle arracha une feuille à une branche basse et la mâchonna consciencieusement. Sa fourrure était d'un gris pâle, dénuée de toute rayure.

Quand elle eut disparu dans le sous-bois, Nicholas se leva.

– Pas de bol. C'est un dik-dik commun. Allons plus loin.

Peu après midi, ils atteignirent l'endroit où la rivière surgissait à travers le roc aux tonalités de chair. Ils explorèrent les rives et finirent par se retrouver devant la falaise. Ils ne pouvaient aller plus loin.

Ils rebroussèrent chemin et gagnèrent l'autre rive à l'aide d'un pont suspendu fait de lianes et de cordages filandreux, certainement construit et accroché là par les moines du monastère. Ils essayèrent une nouvelle fois de pénétrer dans le gouffre. Nicholas tenta même de gagner le premier éperon rocheux en marchant dans l'eau mais le courant était si fort qu'il menaçait de l'emporter. Contraint de renoncer, il rejoignit la rive.

– Si nous n'arrivons pas à entrer là-dedans, il n'est guère probable que Taita et ses ouvriers aient pu y arriver.

Ils firent demi-tour une fois de plus. Parvenus au pont, ils découvrirent une clairière ombragée. Ils s'y installèrent pour manger le repas qu'avait préparé Tessay. La chaleur, au milieu de la journée, était sidérante. Royan était allée tremper son foulard dans l'eau de la rivière et s'en tamponnait le front, allongée dans l'herbe près de Nicholas. Couché sur le dos, celui-ci examinait chaque pouce du rocher à la jumelle à la recherche d'une faille, d'une ouverture dans la surface lisse et polie.

– D'après *Le dieu Fleuve*, fit-il soudain, il semblerait que Taita se soit fait aider pour échanger le corps de Tanus, le Grand Lion d'Égypte, et celui de Pharaon.

Il posa la paire de jumelles et regarda Royan.

– Je trouve ça incroyable. A cette époque, avec leurs croyances, ce geste aurait été un véritable scandale. Est-ce vraiment ce que disent les rouleaux ? Taita a-t-il réellement interverti les deux corps ?

Elle éclata de rire et se tourna vers lui :

– Votre Wilbur Smith a une imagination débordante. Le seul fondement possible à cette histoire tient en une ligne des rouleaux : « Pour moi, il était plus roi que Pharaon ne l'avait jamais été. »

Elle se remit sur le dos et reprit en se tapotant le front.

– Voilà un parfait exemple des raisons qui font que je désapprouve ce livre. Il mélange les faits et l'imagination en un inextricable brouet. D'après ce que je sais et que je crois, les restes de Tanus sont dans sa tombe et ceux de Pharaon dans la sienne.

– Dommage ! C'était une petite touche romanesque qui me plaisait bien.

Il jeta un regard à sa montre et se leva.

– Venez, je voudrais faire un peu de reconnaissance au pied de l'autre éperon de la vallée. J'ai repéré un terrain intéressant quand nous arrivions, hier.

Ils retournèrent au campement en fin d'après-midi. Tessay sortit de la tente de cuisine pour courir à leur rencontre.

– Je vous attendais. Jali Hora nous a invités à quelque chose qui s'annonce passionnant. Un banquet au monastère pour célébrer Katera, la veille du Timkat. Les boys vous ont installé une douche et l'eau est chaude. Vous avez à peine le temps de vous changer, dépêchez-vous !

Le prêtre avait envoyé des jeunes novices pour les escorter jusqu'à la salle où avait lieu le banquet. Ils arrivèrent au crépuscule, avec des torches pour s'éclairer en chemin. Royan reconnu Tamre, le jeune épileptique. Elle lui fit son plus charmant sourire et fut extrêmement surprise de le voir s'avancer timidement pour lui remettre un bouquet de fleurs qu'il avait dû cueillir près de la rivière. Instinctivement, elle le remercia en arabe.

– *Shukran.*

– *Taffadali*, répondit aussi automatiquement le jeune garçon.

La réponse était parfaite. Il avait employé le genre correct et son accent impeccable indiquait qu'il parlait cette langue couramment.

– Comment se fait-il que tu parles si bien arabe ? demanda-t-elle, intriguée.

Le jeune garçon baissa la tête avec embarras et murmura :

– Ma mère est de Massawa, sur la mer Rouge. C'est la langue que je parlais quand j'étais enfant.

Quand ils partirent pour le monastère, le gamin la suivit comme un chiot.

Ils descendirent une fois de plus le grand escalier de pierre à flanc de falaise, jusqu'à la plate-forme éclairée de torches. Les petits cloîtres étaient bondés et ils durent se frayer un chemin dans une foule compacte, précédés des novices qui écartaient la foule. On leur adressait des vœux en amharique et des mains se tendaient pour les toucher.

Ils franchirent en se baissant le seuil de la nef extérieure de la cathédrale. La salle était éclairée par des lampes à huile et des torches ; les fresques semblaient danser dans cette lumière incertaine. Le sol de pierre était recouvert d'un tapis de roseaux et de joncs fraîchement coupés. Leur doux parfum d'herbage rafraîchissait l'air épaissi par les fumées. La confrérie de moines au grand complet était assise en tailleur sur ce tapis spongieux. Ils accueillirent la petite troupe de *ferengi* avec des cris de bienvenue et des formules de bénédiction. Chaque silhouette était flanquée de la gourde de *tej*, l'hydromel fabriqué par les paysans. Les sourires rayonnants sur les visages en sueur laissaient deviner que les gourdes avaient déjà rempli un premier office.

On les conduisit à l'endroit qui leur avait été réservé, juste en face des portes de bois qui donnaient sur le *qiddist*. Leur escorte les invita à s'asseoir et à s'installer confortablement. Puis une autre congrégation de novices arriva de la terrasse avec des gourdes de *tej*. Ils s'agenouillèrent pour déposer devant chacun un flacon de terre cuite.

Tessay se pencha pour leur chuchoter un avertissement :

– Laissez-moi goûter ce *tej*. La force, la couleur et le goût sont très variables. Parfois, il peut être féroce.

Elle porta la gourde à ses lèvres et but directement au col allongé du flacon. Quand elle reposa la gourde, elle souriait :

– Délicieux ! Si vous restez prudents, tout ira bien.

Les moines assis autour d'eux les incitèrent à boire. Nicholas empoigna sa gourde. Les moines applaudirent en riant quand il goûta la liqueur. Elle était légère et agréable, avec un puissant arôme de miel sauvage.

– Pas mal ! s'exclama-t-il.
– Tout à l'heure, expliqua Tessay, ils nous offriront certainement du *katikala*. Méfiez-vous-en ! C'est de l'alcool de grains fermentés et ça peut vous arracher la tête des épaules.
Les attentions des moines étaient concentrées sur Royan maintenant. Le fait qu'elle soit copte et pratiquante les impressionnait beaucoup. Il était aussi évident que sa beauté n'était pas passée inaperçue dans cette congrégation de saints hommes voués au célibat.
Nicholas lui murmura à l'oreille :
– Vous allez devoir faire semblant. Gardez le goulot contre vos lèvres et faites comme si vous avaliez sinon ils ne vous laisseront jamais tranquille.
Quand elle souleva le flacon, les moines gloussèrent avec satisfaction et saluèrent avec leur propre gourde levée. Elle reposa la sienne et chuchota à l'adresse de Nicholas.
– C'est délicieux ! On dirait du miel.
– Vous avez rompu votre vœu d'abstinence ! fit-il en riant. Vous avez vraiment bu ?
– Une goutte, admit-elle. De toute manière, je n'ai fait aucun vœu.
Les novices revinrent s'agenouiller devant chaque invité avec un bol d'eau chaude dans lequel ils lavèrent leur main droite en prévision du festin.
Soudain la musique retentit et un groupe de musiciens entra par les portes du *qiddist*. Ils prirent place le long des murs de la nef, autour de l'assemblée qui tendait le cou pour voir à l'intérieur de la pièce sombre. Enfin, Jali Hora apparut au sommet des marches. Il portait une longue robe de satin cramoisi aux épaules brodées d'or et une couronne massive qui scintillait comme de l'or. Nicholas savait qu'il ne s'agissait que de cuivre doré et que les pierres dont elle était parée étaient du verre et du strass.
Jali Hora leva la crosse surmontée d'une croix d'argent qu'il tenait à la main et un lourd silence s'abattit sur l'assemblée.
– L'action de grâces, fit Tessay avant d'incliner la tête.
Le discours de Jali Hora fut long et plein de ferveur, ponctué par les réponses des moines. Quand il eut enfin terminé, des *debtera* vêtus de splendides chasubles

l'aidèrent à descendre les marches de l'escalier et l'installèrent sur son tabouret sculpté, au centre du cercle des diacres et des prêtres. L'humeur mystique des moines se transforma en une bonhomie festive quand une colonne de novices arriva de la terrasse. Chacun portait sur la tête un panier plat fait de roseau et aussi grand qu'une roue de carrosse. Ils en déposèrent un au centre de chaque cercle.

Sur un signe de Jali Hora, ils soulevèrent tous ensemble les couvercles des paniers. Un murmure d'approbation monta à l'unisson, car chaque panier contenait un bol de cuivre peu profond rempli à ras bord de galettes plates d'*injera*, le pain gris et non levé.

Deux novices arrivaient de la terrasse en titubant sous le poids d'une énorme marmite de cuivre, pleine de *wat*, un ragoût de mouton gras et très relevé. Ils inclinèrent la marmite fumante au-dessus de chaque bol d'*injera*, versant de larges portions d'une mixture rouge-brun dont la surface luisait de graisse brûlante.

La congrégation se jeta sur la nourriture avec voracité. Ils rompaient les morceaux d'*injera*, puisaient une quantité de *wat* et se fourraient le tout dans la bouche, qu'ils gardaient ouverte pendant tout le temps de la mastication. Ils l'arrosaient avec de longues gorgées de *tej*, puis se resservaient copieusement.

Ils furent bientôt tous couverts de graisse jusqu'au coude, avec le menton entièrement maculé. Ils mastiquaient et buvaient et criaient avec enthousiasme. Les novices vinrent empiler d'épaisses galettes d'une autre sorte d'*injera* devant chaque invité. Celles-ci étaient plus dures, et friables.

Nicholas et Royan essayaient de manger de bon appétit sans se retrouver couverts de graisse et de nourriture. En dépit de son aspect peu engageant, le *wat* était délicieux et le pain sec et jaune aidait à en éponger la graisse. Les bols de cuivre se vidèrent en un temps étonnamment court. Il ne restait dans le fond qu'un pâté de pain et de graisse agglomérés. Les novices revinrent à petits pas avec une autre série de marmites, remplies cette fois à déborder de *wat* de poulet au curry. On le versa directement sur les fonds de mouton et les moines se lancèrent une nouvelle fois à l'attaque. Pendant qu'ils engloutissaient le poulet, les gourdes de *tej* étaient remplies de nouveau, rendant les moines de plus en plus débridés.

– Je crois que je n'en peux plus, fit Royan à Nicholas, écœurée.

– Fermez les yeux et pensez à l'Angleterre, conseilla-t-il. Vous êtes la reine de la soirée et je ne crois pas qu'ils vous laisseront vous échapper.

Les novices revinrent avec de nouvelles marmites, cette fois débordant de *wat* au bœuf qu'ils déversèrent sur les restes mêlés de mouton et de poulet. Le moine qui faisait face à Royan de l'autre côté du cercle vida sa gourde et, quand un novice voulut la remplir, renvoya le jeune garçon en beuglant :

– *Katikala !*

Le cri fut aussitôt repris par les autres moines.

– *Katikala ! Katikala !*

Les novices détalèrent et revinrent avec une douzaine de bouteilles d'une liqueur incolore et des bols de cuivre de la taille d'une tasse à thé.

– Voilà la chose dont vous devez vous méfier, leur dit Tessay.

Nicholas et Royan arrivèrent à verser discrètement le contenu de leur bol dans le tapis de roseaux sur lequel ils étaient assis tandis que les moines engloutissaient goulûment le leur.

– Boris ne se laisse pas abattre, fit remarquer Nicholas à Royan.

La face du Russe qui lapait une nouvelle bolée était écarlate, suante, grimaçante comme celle d'un idiot. Émoustillés par le *katikala*, les moines décidèrent de jouer. L'un d'eux devait confectionner un paquet d'*injera* et de *wat* de bœuf puis, le morceau de nourriture dégoulinant de graisse à la main, il se tournait vers son voisin. La victime ouvrait la bouche du mieux qu'elle pouvait. Le morceau lui était alors fourré dans la bouche par son voisin attentionné. Pour l'avaler, la victime risquait la mort par asphyxie.

Les règles du jeu semblaient interdire l'usage des mains. Il ne devait pas non plus salir le devant de sa robe, ni cracher sur ses voisins. Ses contorsions, ses essais pour déglutir, ses efforts pour happer l'air et ne pas suffoquer déclenchaient l'hilarité générale. Quand il réussissait enfin à tout avaler, un bol de cuivre rempli de *katikala* était porté à ses lèvres en guise de récompense. Il était supposé faire suivre au breuvage le même chemin qu'au morceau d'*injera*.

Jali Hora, que le *tej* et le *katikala* faisaient tituber, se leva avec un morceau fumant d'*injera* dans la main droite. Quand, avec sa couronne de guingois, il entreprit de traverser la pièce de sa démarche incertaine, personne ne se doutait de ses intentions. L'assemblée entière le regardait avec des yeux pétillants d'intérêt. Royan se raidit.

– Non ! s'exclama-t-elle, horrifiée. Par pitié, non. Nicky, sauvez-moi. Ne le laissez pas faire.

– C'est le prix à payer pour être la reine de la soirée, répliqua-t-il.

Jali Hora s'avançait vers elle d'un pas chancelant. La graisse dégoulinait du morceau de pain sur son avant-bras. Les musiciens entamèrent un air entraînant. Quand le saint homme s'arrêta devant Royan en oscillant dangereusement, les violons, les fifres et les tambours explosèrent dans un vacarme enjoué.

Jali Hora présenta son cadeau. Après un regard désespéré vers Nicholas, Royan fit face à l'inévitable. Elle ferma les yeux et ouvrit la bouche. Sous les rugissements des prêtres et les exhortations des fifres, elle mâcha du mieux qu'elle put. Son visage s'empourpra, ses yeux se remplirent de larmes, Nicholas crut qu'elle allait abandonner et tout recracher sur le sol couvert de roseaux mais, lentement et courageusement, elle avala le tout petit à petit et s'effondra, épuisée.

Les fidèles étaient en délire, ils hululaient et tapaient dans leurs mains. Jali Hora s'agenouilla péniblement devant elle pour lui baiser le front, puis se fit une place à côté d'elle.

– Vous accumulez les conquêtes, fit Nicholas un peu sèchement. A mon avis, il vous grimpera sur les genoux si vous ne vous sauvez pas en courant.

Royan réagit vivement. Elle se pencha, empoigna une bouteille de *katikala* et un bol qu'elle remplit à ras bord.

– Santé, Pops ! fit-elle au vieillard en lui collant le bol contre les lèvres.

Jali Hora accepta le défi et commença à boire. C'est alors que Royan sursauta si brusquement qu'elle répandit le contenu du bol sur la robe du vieil homme. Elle était pâle comme une morte, tremblait comme sous l'effet de la fièvre, les yeux fixés sur la couronne de Jali Hora qui lui avait glissé sur les yeux.

– Que vous arrive-t-il ? demanda Nicholas sans perdre son calme.

Il posa sur son bras une main qui se voulait apaisante. Personne d'autre dans la pièce n'avait remarqué le comportement de Royan qui fixait toujours la couronne. Elle laissa tomber le bol et lui prit le poignet. Sa force le surprit et il se rendit compte qu'elle enfonçait si fort ses ongles dans sa chair qu'elle lui avait entaillé la peau.

– Regardez sa couronne ! Le bijou ! Le bijou bleu !

Il le vit alors, serti parmi les pétillantes étoiles de strass, les éclats de verre et de rubis semi-précieux. Il avait la taille d'un dollar d'argent, c'était un sceau de céramique bleue, parfaitement rond, d'une finition stupéfiante. Le centre de la pièce était gravé d'un char de guerre égyptien et, au-dessus, trônait la silhouette unique et reconnaissable entre toutes du faucon à l'aile brisée. Le contour était gravé de hiéroglyphes qu'il déchiffra aisément :

JE COMMANDE AUX DIX MILLE CHARIOTS
JE SUIS TAITA,
MAÎTRE DES ÉCURIES ROYALES

Royan ne désirait qu'une chose : fuir la pesante atmosphère de la caverne. Le morceau de *wat* que Jali Hora l'avait forcée à avaler s'agglomérait en une masse dure avec les quelques gorgées de *tej* qu'elle avait bues. A cela s'ajoutaient l'odeur qui montait des bols tapissés d'une épaisse couche de graisse et les vapeurs de *katikala*. Certains prêtres étaient déjà malades et l'odeur du vomi se mêlait aux miasmes écœurants de l'encens. Mais Royan était toujours le centre d'intérêt et Jali Hora lui caressait le bras en débitant des versets des Écritures amhariques que Tessay avait depuis longtemps renoncé à traduire. Elle jeta un regard suppliant à Nicholas qui était perdu dans ses pensées. Silencieux et renfermé, il semblait indifférent à tout ce qui l'entourait. Il devait penser au sceau de céramique fiché dans la couronne de l'abbé car son regard ne cessait d'y revenir.

Elle voulait se retrouver seule avec lui pour parler de cette découverte extraordinaire. Son impatience lui faisait oublier jusqu'aux crampes de son estomac surchargé. Elle avait le visage brûlant et, chaque fois qu'elle se tournait vers le vieil homme, son regard cherchait le sceau, son cœur battait la chamade et elle devait se faire violence pour ne pas se jeter sur la couronne, en arracher le sceau bleu et l'examiner de plus près. Elle avait peur d'attirer l'attention sur le bijou mais un regard à Boris la rassura : il ne pouvait rien voir d'autre que le bol rempli de *katikala* qu'il tenait dans la main.

Ce fut finalement Boris qui lui donna l'excuse qu'elle cherchait. Il essaya de se lever, ses jambes se dérobèrent sous lui et il s'effondra, le visage dans un bol plein de graisse figée. Il resta là, en ronflant bruyamment. Tessay se tourna vers Nicholas :

– Que dois-je faire, Alto Nicholas ?

Nicholas considéra un instant le spectacle peu ragoûtant du chasseur prostré. Des morceaux de pain et de ragoût de bœuf parsemaient ses cheveux roux comme des confettis.

– Le Prince Charmant en a eu assez pour cette nuit, fit-il.

Il se leva, se pencha sur Boris, le prit par le poignet et, d'un geste sec, le mit en position assise. Puis il le redressa et le porta sur ses épaules.

– Bonne nuit tout le monde ! jeta-t-il aux moines eux aussi passablement effondrés.

Il attaqua les marches de l'escalier de pierre à grands pas, et les deux femmes durent courir pour rester à sa hauteur.

– Je ne savais pas Alto Nicholas si fort, haleta Tessay en gravissant les hautes marches.

– Moi non plus, admit Royan.

Elle éprouvait un sentiment de fierté possessive des plus ridicules.

« Idiote, se gourmanda-t-elle. Tu fais la roue comme s'il t'appartenait. »

Nicholas jeta son fardeau sur le lit de Boris et recula en soufflant lourdement, des rigoles de sueur lui dévalant les joues.

– C'est le meilleur moyen de faire une crise cardiaque !

Boris grogna et roula sur lui-même. Puis il vomit copieusement sur ses oreillers et son drap.

– Sur cette note délicieuse, je vous souhaite une bonne nuit et de jolis rêves, fit-il à Tessay.

Il sortit de la hutte et s'enfonça dans la chaude nuit africaine. Il huma avec soulagement les parfums qui venaient de la forêt et du fleuve. Royan surgit à côté de lui et lui prit le bras.

– Vous avez vu..., éclata-t-elle, mais il lui ferma la bouche de ses doigts et, lui indiquant la hutte de Boris, il l'entraîna vers sa propre hutte.

– Vous avez vu ? demanda-t-elle en trépignant. Vous avez lu ce qu'il y avait dessus ?

– *Je commande aux dix mille chariots*, récita-t-il.

– *Je suis Taita, maître des écuries royales*, acheva-t-elle. Oh, Nicky ! Il était là. Taita était là. C'est la preuve que nous cherchions. Maintenant, nous sommes sûrs de ne pas perdre notre temps.

Elle se laissa tomber sur son lit et se prit les épaules.

– Croyez-vous que l'abbé nous laissera examiner le sceau ? demanda-t-elle avec enthousiasme.

– J'en doute. La couronne est un des trésors du monastère. J'ai peur que même à vous, sa favorite, ce privilège soit refusé. Et puis ce serait maladroit de montrer une trop grande attention à ce bijou. Jali Hora n'a aucune idée de sa signification et, d'autre part, il ne faut pas alerter Boris.

– Vous devez avoir raison.

Elle s'écarta vers l'extrémité du lit et tapota le matelas.

– Asseyez-vous.

Quand il l'eut fait, elle demanda :

– D'où croyez-vous que vienne ce sceau ? Qui l'a trouvé ? Où, et quand ?

– Calmez-vous, ma chère. Quatre questions en une et je n'ai de réponse pour aucune.

– Devinez ! Imaginez ! Ayez des idées, que diable !

– Bien, soupira-t-il. Le sceau a été fabriqué à Hong-Kong. Il y a là-bas une petite usine qui les fabrique à la chaîne. Jali Hora a acheté le sien dix roupies dans une boutique de souvenirs à Louxor lors d'une visite en Égypte, il y a un mois.

Elle lui pinça le bras.

– Soyez sérieux ! ordonna-t-elle.

– Voyons voir si vous pouvez mieux faire, rétorqua-t-il en se massant le bras.

– D'accord. Taita a laissé tomber le sceau dans la gorge alors qu'il travaillait à la tombe de Pharaon. Trois mille ans après, un vieux moine, un des premiers à vivre dans le monastère, le ramasse. Il est bien sûr incapable de lire les hiéroglyphes. Il le porte à l'abbé qui le déclare relique de saint Fromentius et qui l'intègre à la couronne.

– Et ils vécurent longtemps et eurent beaucoup d'enfants. Pas mal trouvé, j'avoue.

– Rien à redire ? Bien, vous êtes donc d'accord que cela prouve que Taita était là et que nos théories sont correctes.

– Prouver est un mot un peu fort. Disons que c'est une piste.

Elle se tourna vers lui.

– Oh, Nicky, je ne tiens plus en place ! Je suis sûre que je n'arriverai pas à fermer l'œil de la nuit. Je ne pourrai pas attendre demain pour repartir et recommencer les recherches.

Ses pupilles étincelaient et ses joues étaient roses d'excitation. Par ses lèvres entrouvertes, il distinguait la pointe rose de sa langue. Cette fois-ci, il ne résista pas. Il se pencha doucement vers elle pour lui laisser le temps de s'éloigner si elle le désirait. Elle ne bougea pas mais son expression radieuse se transforma en une légère appréhension. Elle sondait son regard, comme pour y trouver de l'assurance. Nicholas s'arrêta à quelques centimètres de sa bouche pour qu'elle fasse le dernier geste. Elle le fit, leurs lèvres se joignirent, d'abord dans un baiser presque chaste, à peine un échange de souffles, puis leur étreinte se fit plus violente.

Ils s'embrassèrent sauvagement pendant un long moment qui les laissa hors d'haleine. La bouche de Royan était douce et tendre comme un fruit.

Elle se raidit soudain et réussit à s'arracher à son étreinte. Ils se regardèrent, bouleversés.

– Non, chuchota-t-elle. Pas maintenant, Nicky. Je ne suis pas prête.

Il lui prit la main et la retourna dans les siennes. Il embrassa doucement la pointe de ses doigts, savourant l'odeur et le goût de sa peau.

– A demain matin, fit-il. Très tôt. Soyez prête !

Il reposa sa main sur son genou, se leva d'un bond et disparut dans la nuit.

9

Il était en train de s'habiller, le lendemain, quand il l'entendit s'agiter dans sa propre hutte. Il alla siffler devant sa porte, et elle sortit, tout habillée et pressée de partir.

– Boris dort encore, leur dit Tessay en leur servant leur petit déjeuner.

– Ça ne me surprend pas beaucoup, fit Nicholas.

Il parlait sans lever le nez de son assiette. Royan et lui étaient encore un peu gênés par ce qui s'était produit la veille. Mais quand Nicholas se passa le fusil sur l'épaule et qu'ils prirent la route de la vallée, leur embarras se transforma en impatience.

Ils marchaient depuis une heure quand Nicholas s'approcha d'elle en murmurant :

– Nous sommes suivis.

Il la prit par le poignet et l'attira derrière un éboulis de grès. Il s'aplatit contre le rocher et lui fit signe de l'imiter. Il bondit d'un seul coup sur la silhouette en *shamma* blanc qui se faufilait sur leurs traces. L'homme poussa un cri et s'effondra en tremblant de terreur. Nicholas le hissa sur ses pieds.

– Tamre ! Pourquoi nous suis-tu ? Qui t'envoie ?

Le gamin roula des yeux blancs en direction de Royan.

– Pitié, *effendi*. Ne me bats pas. Je ne suis pas méchant.

– Laissez-le, Nicky ! Vous allez provoquer une nouvelle crise.

Tamre se précipita derrière elle et s'accrocha à sa

main. Il regardait Nicholas par-dessus l'épaule de la jeune femme comme si sa vie était en danger.

– Ça va, Tamre, fit Nicholas. Je ne te ferai aucun mal si tu ne mens pas. Sinon, je te fouetterai à t'arracher la peau du dos. Qui t'a chargé de nous suivre ?

– Personne. Je l'ai décidé tout seul, balbutia le gamin. Je voulais vous montrer l'endroit où j'ai vu l'animal sacré, celui qui porte sur lui les traces des doigts du Baptiste.

Nicholas le dévisagea puis se mit à rire.

– Que je sois damné si ce garçon n'est pas convaincu d'avoir vu le dik-dik de mon arrière-grand-père. N'oublie pas, rugit-il avec férocité, ce qui va t'arriver si tu mens.

– C'est vrai, *effendi*, sanglota Tamre.

– Arrêtez de le harceler, intervint Royan. Il est inoffensif.

– Bien, Tamre. Je vais te donner une chance. Conduis-nous à l'endroit où tu as vu l'animal sacré.

Tamre refusa de lâcher la main de Royan. Il s'y cramponnait tout en trottant à ses côtés. Cent mètres suffirent pour lui faire oublier sa terreur et il la guida désormais en lui souriant timidement.

Il marcha pendant une heure, dans la direction opposée à la Dandera, à travers les hauteurs qui dominaient la vallée, dans une zone de buissons denses et de calcaire raviné par les intempéries. Les branches épineuses étaient si étroitement enchevêtrées qu'elles semblaient impénétrables. Tamre les mena pourtant par un étroit sentier, juste assez large pour éviter les crochets rouges des épines.

Il s'immobilisa soudain et fit s'arrêter Royan près de lui. Il désignait le sol, quasiment entre ses orteils.

– Le fleuve ! déclara-t-il d'un air important.

Nicholas émit un sifflement admiratif. Tamre leur avait fait décrire un long arc de cercle qui les avait ramenés à la Dandera, à l'endroit où elle empruntait encore son lit au fond du ravin.

Ils se trouvaient à présent au bord de la faille. Le haut du ravin était large d'environ trois cents mètres, mais Nicholas se rendit compte qu'il s'enfonçait en s'élargissant. Il se renflait en un ventre qui donnait au précipice la forme d'une gourde de *tej*.

– J'ai vu l'animal sacré par là.

Tamre leur désigna le bord opposé du gouffre, là où un petit affluent serpentait entre les épineux. Des banderoles de mousse d'un vert éclatant pendaient le long de la paroi concave de la faille. De grosses gouttes argentées en suintaient aux extrémités.

– Si tu l'as vu là-bas, pourquoi nous as-tu amenés de ce côté-ci de la rivière ? demanda Nicholas.

Tamre se décomposa comme s'il allait fondre en larmes.

– On marche mieux de ce côté, fit-il. Il n'y a pas de chemin de l'autre côté. Les épines auraient blessé Woizero Royan.

– Ne jouez pas au tyran, Nick, fit Royan en passant le bras autour de l'épaule du gamin.

– On dirait que vous vous entendez de mieux en mieux, tous les deux, fit Nicholas d'un ton plat. Bien, puisque nous sommes là, autant s'installer un moment. On apercevra peut-être le dik-dik de l'aïeul.

Il choisit un carré d'ombre au pied d'un des arbres rabougris qui poussaient au bord du gouffre, dispersa avec son chapeau le tapis d'épines pour faire de la place pour eux trois et s'installa le dos au tronc, sa Rigby posée contre la cuisse.

Il était plus de midi et la chaleur écrasait tout. Nicholas, quand il tendit la gourde à Royan, profita de ce qu'elle buvait pour lui demander, en anglais :

– C'est le moment idéal pour savoir si le gamin sait quelque chose à propos de la céramique de Taita. Vous l'avez complètement subjugué, il vous racontera tout ce que vous voudrez. Interrogez-le.

Elle commença en douceur, en bavardant à mi-voix avec le jeune garçon. Elle lui caressait la tête et le flattait comme un jeune chiot. Elle lui parla du banquet de la nuit précédente et de la magie de la cathédrale souterraine, de l'âge des fresques et des tapisseries et puis, finalement, mentionna la couronne.

– Oui. Oui. C'est la pierre du saint, admit-il avec enthousiasme. La pierre bleue de Fromentius.

– D'où vient-elle ? Tu le sais ?

– Je ne sais pas, fit le gamin un peu gêné. Elle est très ancienne, peut-être autant que Jésus le Sauveur. C'est ce que disent les prêtres.

– Sais-tu où elle a été trouvée ?

Il secoua la tête mais, pour lui plaire, suggéra quand même :

– Elle est peut-être tombée du ciel ?
– Peut-être.
Elle regarda Nicholas, qui leva les yeux au ciel puis fit basculer son chapeau sur son visage.
– Peut-être que c'est Fromentius qui l'a donnée au premier abbé, déclara Tamre que le sujet inspirait. Ou peut-être était-elle dans son cercueil, avec lui, quand on l'a mis dans sa tombe.
– Tout est possible, Tamre. As-tu déjà vu la tombe de Fromentius ?
Il regarda ailleurs, d'un air coupable.
– Seuls les prêtres qui ont reçu l'ordination ont le droit de pénétrer dans le *maqdas*, le saint des saints.
Elle lui caressa le haut du crâne, amusée par le manège du gamin.
– Tu l'as vu, Tamre ! Tu peux me le dire, je n'en parlerai pas aux prêtres.
– Une fois seulement ! Les autres garçons m'ont envoyé toucher la pierre du *tabot*. Ils m'auraient battu si je ne l'avais pas fait. C'est obligatoire, tous les novices doivent le faire. J'étais seul. J'avais très peur. C'était après minuit, quand les prêtres dormaient. Il faisait noir. Le *maqdas* est hanté par l'esprit du saint. Ils m'ont dit que si j'étais indigne, le saint me frapperait avec un éclair.
Nicholas releva son chapeau et se redressa lentement.
– Le gamin dit la vérité, déclara-t-il. Il est allé dans le saint des saints. Continuez à l'interroger. Il nous donnera peut-être des indices. Comment est la tombe de saint Fromentius ?
– As-tu vu le tombeau du saint ? lui demanda Royan.
Le gamin acquiesça vigoureusement.
– Tu y es entré ?
– Non, fit-il tout aussi vigoureusement. Il y a des barreaux. Seuls les prêtres ont le droit d'aller dans le tombeau. A l'anniversaire du saint.
– Tu as regardé par les barreaux ?
– Oui, mais c'est très sombre. J'ai vu le cercueil du saint. Il est en bois et, dessus, son visage est peint.
– C'est un homme noir ?
– Non, un Blanc avec une barbe rouge. Le cercueil est très vieux. La peinture s'en va, le bois est pourri, il tombe en miettes.
– Il est posé sur le sol du tombeau ?

Tamre fronça les sourcils et, après une longue réflexion, secoua la tête.

– Non, il est posé sur un banc de pierre taillé dans le mur.

– De quoi d'autre te souviens-tu à propos de la tombe du saint ?

Il hocha la tête.

– C'était très sombre, fit-il en guise d'excuse, les barreaux sont très rapprochés.

– Ce n'est pas important, tu sais. Le tombeau se trouve-t-il dans le mur du fond du *maqdas* ?

– Oui, il est derrière l'autel et la pierre du *tabot*.

– De quoi est fait l'autel ? En pierre ?

– Non, c'est du bois. Du bois de cèdre. Il y a des bougies, et une grande croix et toutes les couronnes de l'abbé, le calice et le reste.

– Est-il peint ?

– Non, sculpté. Mais les images sont différentes de celles qui sont dans le tombeau du saint.

– Qu'y a-t-il de différent ? Dis-moi, Tamre.

– Je ne sais pas, fit-il, surpris. Les visages sont drôles. Ils ne sont pas habillés pareil, ils ont des chevaux. Ils sont différents.

Royan essaya d'en obtenir une meilleure description mais le garçon se troublait et finissait par se contredire quand elle insistait trop. Elle décida de changer de tactique.

– Parle-moi du *tabot*, commença-t-elle, mais Nicholas la coupa.

– Non, c'est vous qui allez me parler du *tabot*. Est-ce la même chose que le tabernacle juif ?

– Oui, du moins dans l'Église égyptienne. Il est en général placé dans un coffret et enveloppé dans un drap brodé d'or. La seule différence est que le tabernacle est gravé des dix commandements tandis que, dans notre Église, il porte les mots de la consécration de l'église qui l'abrite. C'est l'âme de l'église.

– Qu'est-ce qu'une pierre de *tabot* ?

– Je ne sais pas. Notre Église n'en a pas.

– Demandez-lui !

– Comment est la pierre du *tabot*, Tamre ?

– Elle est haute comme ça et large comme ça.

Il indiquait à peu près la hauteur de ses épaules et la largeur de ses deux mains. Royan devina le reste.

– Et le *tabot* est posé dessus, c'est ça ?
Tamre acquiesça.
– Pourquoi t'ont-ils envoyé toucher la pierre et pas le *tabot* lui-même ? demanda Nicholas.
Royan le fit taire.
– Laissez-moi faire. Vous êtes trop brutal avec lui. Pourquoi, répéta-t-elle pour Tamre, la pierre plutôt que l'arche du *tabot* posé dessus ?
– Je ne sais pas. Ils le voulaient, c'est tout.
– A quoi ressemble la pierre ? Est-elle peinte, elle aussi ?
– Je ne sais pas, fit-il, désespéré de ne pas pouvoir la satisfaire. Je ne sais pas. La pierre est enveloppée dans un tissu.
Nicholas et Royan échangèrent un regard surpris. Royan se tourna vers le gamin.
– Enveloppée ? La pierre est recouverte ?
– Ils disent que seul l'abbé peut la découvrir lors de l'anniversaire de saint Fromentius.
Nicholas et Royan se regardèrent encore une fois puis Nicholas sourit.
– J'aimerais bien jeter un œil au tombeau du saint. Et à la pierre du *tabot.* Découverte.
– Il va falloir attendre l'anniversaire du saint, fit Royan. Et il faudra aussi vous faire ordonner prêtre, car seuls les prêtres...
Elle s'interrompit et le dévisagea.
– Vous ne pensez quand même pas... Non, vous n'allez pas faire ça, n'est-ce pas ?
– Qui, moi ? Je n'y songe même pas.
– S'ils vous surprennent dans le *maqdas*, ils vous réduiront en bouillie.
– Donc, je ne dois pas me laisser prendre.
– Et si vous y allez, j'y vais aussi. Comment faire ?
– Pas si vite, petite fille ! L'idée m'est venue il y a à peine dix secondes. Les jours fastes, il me faut au moins dix minutes pour sortir un plan génial.
Ils contemplèrent le gouffre un moment, en silence. Quand Royan parla, sa voix n'était qu'un souffle :
– La pierre recouverte. La pierre de Taita ?
– Plus un mot ! dit-il en faisant le signe contre le mauvais œil. Le Diable nous écoute.
Ils se turent encore. Tous les deux réfléchissaient.
– Nick, et si... commença Royan. Non, ça ne marchera pas.

Elle retomba dans un silence pensif.

Tamre sursauta soudain, avec un glapissement d'excitation qui les fit, à leur tour, sursauter.

– Là ! Là, regardez !

– Que se passe-t-il ? demanda Royan.

Il lui prit le bras et se mit à le secouer, tremblant d'émotion. De sa main libre, il désignait la rive opposée de la rivière.

– Il est là. Je vous l'avais dit ! Il est là, au bord des épineux. Vous le voyez, maintenant ?

– De quoi s'agit-il ? Qu'est-ce que tu as vu ?

– L'animal du Baptiste ! La bête aux marques sacrées.

Dans l'axe de son bras tendu, Royan saisit le mouvement d'une chose brune et vague, au pied des buissons d'épines.

– Je ne saurais dire. C'est trop loin...

Nicholas fouilla dans son sac avec précipitation, en tira les jumelles, les porta à ses yeux, régla les molettes et éclata d'un rire joyeux.

– Alléluia ! La réputation de mon aïeul est sauve.

Il passa les jumelles à Royan qui les ajusta à son tour. Elle découvrit la minuscule créature qui vagabondait dans les buissons. La puissance des jumelles permettait d'en voir chaque détail avec précision. L'animal était un peu plus gros que le dik-dik commun qu'ils avaient vu le jour précédent mais, au lieu d'être gris pâle, sa fourrure était d'un brun-rouge soutenu. Le plus remarquable néanmoins était les rayures couleur chocolat disposées en travers de son dos et de ses épaules. Cinq marques régulières qui, c'est vrai, évoquaient des traînées de doigts.

– *Madoqua harperii*, murmura Nicholas. Désolé d'avoir douté de toi, l'ancêtre.

Immobile à la lisière de l'ombre et de la lumière, le dik-dik humait l'air en tortillant son nez. La tête dressée, il était aux aguets. Une brise légère soufflait entre eux et l'animal, mais même le plus faible des souffles pouvait apporter à l'autre rive l'odeur alarmante de l'homme.

Royan entendit des déclics quand Nicholas arma sa carabine. Elle baissa les jumelles et le regarda :

– Vous n'allez pas lui tirer dessus ?

– Non, pas à cette distance. Plus de trois cents

mètres, une si petite cible : je vais attendre qu'il approche.

– Comment pouvez-vous faire une chose pareille ?

– Pourquoi ne pourrais-je pas ? C'est pour ça que je suis venu jusqu'ici. Entre autres choses.

– Mais il est si beau !

– Dois-je comprendre qu'il serait tout à fait normal de le descendre s'il était moche ?

Elle ne répondit pas mais regarda encore à travers les jumelles. Le vent avait dû changer car le dik-dik avait baissé le nez pour brouter une touffe d'herbe brune. Il leva encore la tête et s'éloigna des buissons de sa démarche précieuse, s'arrêtant ici et là pour arracher des brins d'herbe.

– Recule !

Elle avait beau hurler, la bête avançait toujours, vers le bord de la faille. Nicholas s'allongea sur le ventre derrière une des racines de l'arbre. Il roula son chapeau pour en faire un support pour la carabine.

– Deux cents mètres, marmonna-t-il pour lui-même. C'est honnête.

Il approcha l'œil de la lunette de la carabine et attendit que l'animal s'approche encore, mais le dik-dik leva la tête d'un coup et s'immobilisa, frémissant.

– Quelque chose l'a troublé. Bon sang, le vent doit avoir changé.

La petite antilope détala d'un coup. Elle fila comme un éclair vers les buissons et disparut. Royan était aux anges :

– Sauve-toi, petit dik-dik, sauve-toi !

Nicholas se remit sur son séant et grommela, écœuré :

– Je me demande ce qui l'a effrayé.

Puis son expression changea et il tendit l'oreille. L'air vibrait d'un son inhabituel qui allait en s'amplifiant. Un vrombissement sourd accompagné d'un sifflement aigu. Il reconnut le bruit instantanément.

– Un hélicoptère ! Que signifie...

Il prit les jumelles des mains de Royan et les braqua vers le ciel, balayant l'étendue bleue au-dessus des sommets crénelés de l'escarpement.

– Le voilà. Un Bell Jet Ranger. Il vient par ici, apparemment. Inutile de se faire remarquer. Mettons-nous à couvert.

Il poussa Royan et le garçon sous les branches de l'arbre.

– Ne bougez pas. Il n'a aucune chance de nous repérer, là-dessous.

Il observa l'hélicoptère qui approchait.

– L'armée de l'air éthiopienne, probablement. Une patrouille anti-*shufta*, sûrement. Boris et le colonel Nogo nous ont avertis qu'un certain nombre de rebelles et de bandits opéraient dans les gorges... Oh, attendez ! Non, ce n'est pas un militaire. Fuselage vert et rouge, l'emblème du cheval ailé. Pas de doute, ce sont vos vieux amis d'Exploration Pégase.

Le bruit des rotors allait croissant. Royan distinguait maintenant le cheval rouge sur le fuselage de l'hélicoptère qui volait devant eux, à huit cents mètres, et piquait vers le Nil. Ni l'un ni l'autre ne prêtaient attention à Tamre qui, blotti à côté de Royan, essayait de se dissimuler derrière son corps. Ses dents claquaient de terreur.

– On dirait que notre ami Jake Helm s'est trouvé un moyen de transport de luxe. Si Pégase est impliquée dans le meurtre de Duraid et dans les agressions contre vous, nous pouvons nous attendre à les avoir constamment sur le dos. Avec cet engin, ils peuvent nous surveiller à leur guise.

– Avoir son ennemi dans l'air au-dessus de soi n'a rien de rassurant, fit Royan en se rapprochant instinctivement de Nicholas.

La machine vert et rouge glissa au-dessus du sommet de la gorge et disparut en direction du monastère.

– A moins qu'il ne soit en promenade, il doit probablement chercher notre campement, avança Nicholas. Pour le compte de celui qui nous a à l'œil.

– Il n'aura aucun mal à le repérer. Boris n'a rien fait pour dissimuler les huttes, fit Royan, troublée. Partons, ajouta-t-elle en se relevant.

– Bonne idée.

Il allait se lever à son tour quand il lui prit soudain la main et l'attira au sol.

– Attendez. Il revient par ici.

Le vacarme des moteurs retentit, ils aperçurent l'hélicoptère à travers le dais de feuilles et de branches épineuses au-dessus d'eux.

– On dirait qu'il cherche toujours.

– Nous ? fit Royan avec nervosité.

– C'est bien possible.

L'engin était tout proche maintenant, le sifflement de ses moteurs était assourdissant. Les nerfs de Tamre cédèrent d'un coup. Il laissa échapper un cri de terreur.

– C'est le Diable ! Il vient me chercher. Sauve-moi, Jésus. Sauve-moi !

Nicholas allongea le bras pour le retenir mais il était trop tard. Tamre dévala le chemin en hurlant sa crainte des flammes de l'enfer, les pans de son *shamma* volant autour de ses jambes maigres. Il courait, se retournant sans cesse pour surveiller la machine qui approchait.

Le pilote le repéra tout de suite. Le nez de l'appareil bascula dans leur direction. Il fonça droit sur eux, et ne ralentit qu'au bord du gouffre. Ils distinguaient la tête des deux occupants de la cabine, derrière le pare-brise. L'engin resta suspendu au-dessus du fleuve, pivotant sous le disque vrombissant de son rotor. Ils se tapirent dans les broussailles pour ne pas se faire repérer.

– C'est l'Américain du camp de prospection, fit Royan qui avait reconnu Jake Helm malgré ses lunettes noires et les gros écouteurs qu'il portait aux oreilles.

Le pilote et lui tendaient le cou pour examiner les rives du fleuve.

– Ils ne nous ont pas vus.

Jake Helm parut alors les voir. Son expression ne changea pas mais il tapota l'épaule du pilote et les lui désigna. Le pilote laissa son engin descendre jusqu'à l'ouverture du gouffre. Il était juste à leur niveau, à moins de trente mètres. Puisqu'il était inutile de continuer à se cacher, Nicholas s'adossa au tronc d'arbre, bascula son panama sur un œil et fit un geste de la main en direction de Jake. Le contremaître ne répondit pas au salut. Il fixa Nicholas d'un air neutre puis gratta une allumette et appliqua la flamme au bout de son cigare à moitié consumé. Il jeta l'allumette noircie et souffla un panache de fumée vers Nicholas. Sans modifier son expression, il proféra quelques mots à l'intention du pilote.

L'hélicoptère s'éleva et décrocha en direction du nord, filant droit vers la muraille rocheuse et le camp situé à son sommet.

– Mission accomplie ! s'exclama Royan en s'asseyant. Il a trouvé ce qu'il cherchait : nous !

– Et il a certainement repéré le campement. Il sait où nous retrouver.

Royan réprima un frisson.

– Ce type me donne la chair de poule. On dirait un crapaud.

– Qu'avez-vous contre les crapauds? demanda Nicholas en se levant. Bien, je ne crois pas que nous reverrons aujourd'hui le dik-dik de mon aïeul. Il a dû être sérieusement effrayé par l'hélico. Je reviendrai demain.

– Nous devrions chercher Tamre. Il a dû avoir une autre crise, le pauvre petit.

Elle se trompait. Le gamin était sur le bas-côté du chemin, il tremblait et gémissait mais n'avait pas perdu connaissance. Il se calma très vite en présence de Royan et leur emboîta le pas en direction du campement. Dès que la clairière fut en vue, il courut vers le monastère.

Le soir même, avant la tombée de la nuit, Nicholas emmena Royan au monastère.

– Pour une opération comme celle-là, les vrais professionnels parlent de repérer les lieux, fit-il remarquer alors qu'ils arrivaient à l'entrée de la cathédrale.

Ils fendirent la foule des pèlerins qui encombraient la nef.

– D'après Tamre, déclara Royan, les novices attendent que les prêtres qui s'endorment toujours à leur poste soient de garde pour aller toucher la pierre.

– Mais nous ignorons lesquels faillent à leur devoir, fit remarquer Nicholas. Il semble pourtant n'y avoir besoin d'aucune formalité. Pas de mot de passe, pas de rituel particulier.

– Oui, mais ils saluent le garde de la porte par son nom. C'est une petite communauté, ils doivent se connaître assez intimement.

– Je ne crois pas que je puisse m'habiller en moine et y aller au culot, convint Nicolas. Je me demande ce qu'ils font aux intrus qui pénètrent dans l'espace sacré.

– Ils les jettent aux crocodiles du haut de la plateforme? suggéra-t-elle avec malice. De toute manière, vous n'entrerez pas là-dedans sans moi.

Il préféra ne pas argumenter. Mieux valait essayer de voir le plus de choses possible par les portes entrouvertes du *qiddist*. La salle du milieu paraissait plus petite que la nef où ils se trouvaient. Il pouvait tout juste distinguer les fresques qui recouvraient de larges pans de murs. Dans le fond, il y avait une autre porte. D'après la description de Tamre, ce devait être l'entrée du *maqdas*. Le seuil en était défendu par une lourde porte en bois à claire-voie. De chaque côté de l'entrée étaient suspendues de longues tapisseries brodées qui décrivaient la vie de saint Fromentius. Sur l'une, il prêchait devant une assemblée agenouillée, la Bible à la main, et sur l'autre il baptisait un empereur. Ce dernier portait une haute couronne dorée qui ressemblait à celle de Jali Hora ; la tête du saint était nimbée d'une auréole. Son visage était blanc, celui de l'empereur, noir.

« Politiquement correct ? » se demanda Nicholas en souriant.

– Qu'est-ce qui vous amuse ? Vous avez trouvé un moyen d'entrer là-dedans ?

– Non, je pensais à notre dîner. Allons-y !

Boris ne semblait souffrir d'aucune séquelle de sa débauche de la nuit précédente. Il était allé à la chasse dans la journée et avait rapporté quelques pigeons verts que Tessay avait fait mariner avant de les faire griller sur des braises.

– Alors, l'Anglais, comment s'est passée la chasse, aujourd'hui ? Vous ne vous êtes pas fait courser par le méchant dik-dik rayé, hein ? Hein ? répétait-il en beuglant de rire.

– Vos pisteurs ont-ils eu plus de chance ? demanda Nicholas.

– *Da ! Da !* Ils ont trouvé des koudous, et des buffles. Ils ont même trouvé des dik-dik mais sans rayures. Désolé.

Royan se pencha pour intervenir mais Nicholas l'arrêta d'un signe de tête. Elle baissa les yeux et se mit à découper un blanc de pigeon.

– Nous n'avons pas vraiment besoin de compagnie, expliqua Nicholas en arabe. S'il savait ce que nous avons vu, il insisterait pour nous accompagner.

– Votre mère ne vous a jamais appris les bonnes manières, l'Anglais ? C'est très mal élevé de parler une langue que les autres ne comprennent pas. Tenez, prenez une vodka.

– Je vous laisse ma part, répondit Nicholas. Je sais m'avouer battu.

Tessay, pendant le dîner, resta triste et abattue. A Royan qui essayait de l'entraîner dans la conversation, elle ne répondait que par monosyllabes. Elle ne regarda pas une seule fois son mari, même quand celui-ci se montrait difficilement supportable.

Le repas terminé, elle resta avec Boris près du feu. Il avait fait apporter une nouvelle bouteille de vodka.

– A la manière dont il s'imbibe, remarqua Nicholas alors qu'ils rejoignaient leurs huttes, je peux m'attendre à une autre mission de sauvetage nocturne.

– Tessay est restée au campement avec lui toute la journée. Il s'est encore passé des choses entre eux. Elle m'a dit qu'aussitôt revenue à Addis elle le quittera. Elle ne peut plus le supporter.

– Ce qui m'étonne le plus dans tout ça, c'est qu'elle se soit mise avec un animal comme Boris. C'est une belle femme, elle peut choisir qui elle veut.

– Certaines femmes aiment les animaux, déclara Royan. Ce doit être le frisson du danger. De toute manière, Tessay m'a demandé si elle pouvait venir avec nous, demain. Elle ne veut pas passer une autre journée seule avec Boris. Je crois qu'elle en a vraiment peur. Elle dit ne jamais l'avoir vu boire autant auparavant.

– Qu'elle vienne, fit Nicholas avec résignation. Plus on est de fous, plus on rit. Si nous sommes assez nombreux, nous arriverons peut-être à faire mourir de peur le dik-dik. J'économiserai des munitions.

Il faisait encore nuit quand ils quittèrent le campement, le lendemain matin. Boris n'était en vue nulle part et quand Nicholas demanda de ses nouvelles, Tessay répondit :

– Après votre départ, hier soir, il a vidé sa bouteille. Il n'émergera pas avant midi. Je ne lui manquerai pas.

Nicholas en tête, ils gravirent les collines de calcaire aux formes érodées, repassant par le chemin que Tamre leur avait fait prendre la veille. Les deux jeunes femmes bavardaient. Royan expliqua à Tessay qu'ils avaient vu le dik-dik rayé et ce qu'ils avaient décidé de faire.

Le soleil était haut dans le ciel quand ils atteignirent l'arbre épineux qui poussait au bord du gouffre. Ils s'embusquèrent comme la veille.

– Comment allez-vous récupérer le corps si jamais vous arrivez à tuer la pauvre petite créature ? demanda Royan.

– J'ai pris mes dispositions au campement, figurez-vous. Je me suis entendu avec le chef pisteur. S'il entend un coup de feu, il viendra avec des cordes et m'aidera à passer de l'autre côté.

Tessay tendit le cou vers le ravin.

– Je n'aimerais pas faire un tel voyage.

– On vous apprend quand même des choses utiles à l'armée, répliqua Nicholas en s'installant, dos à l'arbre, la carabine sur les genoux.

Les deux femmes étaient allongées près de lui et bavardaient à voix basse. Nicholas ne s'en souciait guère : il n'était en effet guère probable que leurs murmures s'entendent de l'autre côté du ravin.

Il avait cru que le dik-dik allait, s'il revenait, se montrer de bonne heure mais il s'était trompé : à midi, l'animal n'avait toujours pas donné le moindre signe de sa présence. La vallée étouffait sous le soleil à son zénith. La muraille de pierre semblait de verre bleu et les reflets qui dansaient sur les promontoires rocheux évoquaient les eaux frémissantes d'un lac argenté. Les deux femmes avaient renoncé à parler depuis un moment et somnolaient. L'univers tout entier se taisait, hébété par la chaleur. Parfois, la plainte d'une colombe sauvage venait comme amplifier le silence. Les paupières de Nicholas s'alourdissaient, sa tête basculait malgré lui. Il la relevait par à-coups nerveux et la laissait retomber ensuite, mollement. C'est dans cet état intermédiaire qu'il perçut un bruit tout proche dans les buissons d'épineux derrière lui. C'était un bruit discret mais qu'il ne connaissait que trop. Son sang ne fit qu'un tour et il émergea de son hébétude avec dans la bouche un goût métallique : celui de la peur.

C'était le bruit que faisait le cran de sûreté du fusil d'assaut AK-47 lorsqu'on l'armait. D'un mouvement fluide, il souleva la carabine et roula sur lui-même pour couvrir les deux femmes endormies. Une fois à plat ventre, il braqua le canon de la Rigby vers le buisson d'où était venu le bruit.

– Baissez-vous ! siffla-t-il aux jeunes femmes. Ne relevez pas la tête !

Le doigt sur la détente, il était prêt à riposter, même avec une arme bien faible pour soutenir la puissance de feu d'un Kalashnikov. Il repéra sa cible immédiatement et la mit en joue.

L'homme était accroupi à vingt pas, son fusil braqué sur le visage de Nicholas. C'était un Noir vêtu d'une tenue de camouflage usée et délavée. Il portait une casquette et l'attirail complet du soldat de guérilla : des grenades, une gourde, un poignard.

« Un *shufta* ! pensa Nicholas. Un vrai pro. Je n'ai aucune chance. »

Il comprit au même instant que si l'autre était venu pour tuer, il l'aurait fait depuis longtemps. Il dirigea néanmoins le canon de la Rigby trois centimètres au-dessus de la bouche du fusil d'assaut, sur l'œil droit du *shufta*. Quand l'autre comprit l'impasse de leur situation, il plissa les paupières et lança un ordre en arabe.

– Salim, occupe-toi des femmes. S'il bouge, tu tires.

Nicholas perçut un mouvement sur son flanc. Il tourna lentement le regard, de manière à garder le *shufta* dans sa ligne de mire.

Un autre soldat sortit des buissons. Il était vêtu de la même manière que l'autre mais portait contre la hanche une petite mitraillette soviétique RPD dont le canon avait été scié pour rendre l'arme plus maniable. Une ceinture de munitions passée autour du cou, il avançait avec circonspection en visant à bout portant les deux femmes allongées. Une simple pression sur la détente les hacherait menu toutes les deux.

Dans les buissons autour d'eux, les brindilles craquaient. Les deux hommes n'étaient pas venus seuls. Il y avait tout un commando. Nicholas tirerait peut-être, mais la Rigby n'aboierait qu'une fois. Les femmes alors seraient mortes. Et lui ne tarderait pas à les suivre.

Lentement, avec des gestes mesurés, il baissa le canon de la carabine jusqu'à ce qu'il soit pointé vers le sol, puis il posa l'arme et leva les mains.

– Levez les mains, dit-il aux deux femmes. Faites exactement ce qu'ils vous diront.

Le chef du commando se redressa lentement. Il s'adressa brièvement à ses hommes en arabe :

– Prenez l'arme et le sac.

– Nous sommes des citoyens britanniques, fit Nicholas à voix haute. De simples touristes. Nous ne sommes pas des militaires. Nous ne travaillons pas pour le gouvernement.

Le soldat parut surpris de l'entendre s'exprimer en arabe mais cette surprise ne l'empêcha pas de répondre :

– Tais-toi ! Ferme-la !

Les autres soldats sortaient un à un des buissons. Il y en avait cinq mais Nicholas se doutait que d'autres devaient attendre un peu plus loin. Il comprit, à la manière dont ils s'étaient disposés pour les encercler, qu'il s'agissait de professionnels : ils bloquaient toutes les possibilités de fuite sans jamais se trouver dans le champ de tir les uns des autres. Ils les fouillèrent rapidement puis les entourèrent et les poussèrent sur le chemin.

– Où nous emmenez-vous ? demanda Nicholas.

– Pas de question !

Le canon de l'AK-47 le frappa entre les omoplates, manquant le déséquilibrer.

– Du calme, les amis, murmura-t-il en anglais. Ce n'était pas vraiment nécessaire.

Ils les forcèrent à marcher sans arrêt malgré la chaleur intense de l'après-midi. Nicholas essayait de se repérer à la position du soleil et à l'escarpement qui apparaissait par instants. Ils marchaient vers l'ouest et longeaient le Nil vers la frontière soudanaise. Vers la fin de l'après-midi, ils entrèrent dans la vallée par une vaste pente abondamment boisée. Nicholas estimait qu'ils avaient parcouru une quinzaine de kilomètres. Ils se retrouvèrent dans le campement des soldats sans s'en rendre compte tout de suite. Camouflé avec habileté, il consistait en de simples appentis de planches et un rail où était accroché l'armement. Les sentinelles étaient judicieusement placées et il y avait un homme derrière chaque mitraillette.

On les conduisit dans une des cahutes situées au centre du campement. Trois hommes étaient accroupis autour d'une carte posée sur une table pliante. Il s'agissait visiblement d'officiers et on devinait sans peine lequel des trois était le chef. L'homme qui dirigeait la patrouille alla droit sur lui et se figea dans un salut parfait. Puis il lui dit quelques mots très brefs en désignant les prisonniers.

Le chef des rebelles se redressa lentement et sortit de la cahute. Il était de taille moyenne mais il émanait de lui une autorité qui le faisait paraître plus grand. Ses épaules étaient larges, son corps massif et musclé, avec un début de bedaine qui lui ennoblissait la taille. Il portait une courte barbe bouclée qui commençait à grisonner. Il avait un beau visage, les traits fins, la peau cuivrée ; l'intelligence brûlait dans ses yeux noirs, son regard était vif et attentif.

– Mes hommes disent que tu parles arabe ?

– Mieux que toi, Mek Nimmur, répliqua Nicholas. Te voilà devenu chef de bandits et de kidnappeurs ? Je t'ai toujours dit que tu n'irais jamais au paradis, vieille canaille.

Mek Nimmur le dévisagea avec étonnement puis il sourit.

– Nicholas ! Je ne te reconnaissais pas. Mais tu as vieilli ! Regarde tout ce gris sur ta tête !

Il ouvrit les bras et serra Nicholas dans une étreinte d'ours.

– Nicholas ! Nicholas !

Il l'embrassa sur les deux joues puis il le tint à bout de bras en s'adressant aux deux femmes ébahies.

– Il m'a sauvé la vie, expliqua-t-il.

– Tu me fais rougir, Mek.

Mek l'embrassa encore.

– Il m'a sauvé deux fois la vie.

– Une fois, précisa Nicholas. La deuxième était une erreur. J'aurais dû les laisser te tuer.

Mek rit avec un plaisir non dissimulé.

– Il y a combien de temps, Nicholas ?

– Il vaut mieux ne pas y penser.

– Au moins quinze ans. Es-tu toujours dans l'armée britannique ? Quel grade ? Tu dois être au moins général, maintenant !

– De réserve, seulement. Il y a longtemps que je suis du côté des civils.

– Nicholas m'a appris presque tout ce que je sais du métier de soldat, dit-il aux deux femmes.

Ses yeux allaient de Royan à Tessay et soudain il s'arrêta sur le visage de l'Éthiopienne.

– Je te connais, fit-il. Je t'ai vue à Addis, il y a des années. Tu étais une jeune fille, à l'époque. Ton père était Alto Zemen, un homme grand et bon. Il a été assassiné par le tyran Mengistu.

– Je te connais aussi, Alto Mek. Tu es un des héros de la révolution. Beaucoup parmi nous pensent que tu devrais être président de notre pays. Au lieu de l'autre.

Elle esquissa une gracieuse révérence en inclinant le front en signe de respect. Il lui prit la main et la releva.

– Je suis désolé de la manière dont mes hommes vous ont reçus. Quand j'ai appris qu'il y avait des *ferengi* dans la vallée, j'ai demandé à ce qu'on me les amène pour que je les interroge. Mais il suffit, vous êtes ici chez vos amis. Je vous souhaite la bienvenue.

Mek Nimmur les fit entrer dans sa cahute. Un de ses hommes apporta une bouilloire noircie et leur servit un café noir et visqueux dans des gobelets. Nicholas et Mek se mirent à évoquer le passé, quand ils avaient combattu côte à côte, Nicholas comme conseiller militaire, Mek comme jeune combattant s'apprêtant à affronter la tyrannie de Mengistu.

– Mais la guerre est terminée, Mek. La bataille a été gagnée. Pourquoi restes-tu dans la brousse avec tes hommes ? Pourquoi n'es-tu pas à Addis avec les autres, à t'enrichir et engraisser ?

– Le gouvernement provisoire d'Addis grouille d'ennemis comme Mengistu. Quand nous nous en serons débarrassés, alors je quitterai la forêt.

Ils se lancèrent dans un débat passionné sur la politique africaine, mais Royan ne connaissait quasiment aucun des hommes dont ils parlaient et ne pouvait pas plus suivre les nuances et les subtilités des factions religieuses ou tribales qui sévissaient depuis près de mille ans. Mais elle fut profondément impressionnée par la connaissance et la compréhension que Nicholas semblait avoir de la situation. D'autant que Mek lui demandait son opinion et écoutait ses conseils.

– Ainsi donc, demanda Nicholas, tu as porté la guerre au-delà des frontières de l'Éthiopie ? Tu opères aussi au Soudan ?

– La guerre fait rage au Soudan depuis plus de vingt ans, confirma Mek. Les chrétiens du Sud luttent contre les persécutions des musulmans du Nord...

– Je suis au courant, Mek. Mais le Soudan n'est pas l'Éthiopie. Ce n'est pas ta guerre.

– Ils sont chrétiens, et ils subissent une situation injuste. Je suis soldat, je suis chrétien. Bien entendu, c'est ma guerre !

Tessay, qui buvait les paroles de Mek, hocha la tête en signe d'assentiment. L'admiration qu'elle éprouvait pour son héros lui donnait un regard sombre et grave.

– Alto Mek est un croisé du Christ et des droits des gens ordinaires, déclara-t-elle avec respect.

– Et il n'aime rien tant qu'une bonne bagarre ! s'exclama Nicholas, amusé.
– Et toi-même, Nicholas ? demanda Mek. Que fais-tu si tu n'es plus soldat ? Il y avait un temps où tu ne refusais pas non plus une bonne bataille.
– J'ai changé mes habitudes. Fini les batailles. Je suis ici pour chasser le dik-dik.
– Le dik-dik ?
La stupeur de Mek se transforma en rugissements homériques.
– Le dik-dik ? Je ne le crois pas. Pas toi. Pas le dik-dik. Tu mijotes un truc.
– C'est la vérité, Mek.
– Tu mens, Nicholas. Tu n'as jamais réussi à me mentir. Je te connais trop bien. Tu mijotes quelque chose. Tu me diras tout quand tu auras besoin de mon aide.
– Et me la donneras-tu ?
– Évidemment. Tu m'as sauvé deux fois la vie.
– Une, Mek.
– Une suffit, répondit Mek Nimmur.

Quand ils sortirent, le soleil avait glissé vers l'horizon.
– Cette nuit, vous êtes mes invités, leur dit Mek Nimmur d'un ton formel. Demain matin, je vous escorterai à votre campement du monastère de Saint-Fromentius. C'est aussi ma destination. Mes hommes et moi allons au monastère pour la fête de Timkat. Jali Hora est un ami et un allié.
– Et le monastère est probablement une de tes bases. Tu dois utiliser les moines pour le ravitaillement et l'espionnage. Ai-je raison ?
– Tu me connais trop bien, Nicholas ! Mais, après tout, tu m'as appris ce que je sais. Comment ne devinerais-tu pas ma stratégie ? Le monastère est une base parfaite pour les opérations de guérilla. Il est proche de la frontière... Mais tu sais tout ça !
Mek fit construire un abri pour Nicholas et Royan et confectionner un matelas d'herbe pour le confort de leur sommeil. Ils s'allongèrent l'un près de l'autre sous le toit mince de la cabane. La nuit était étouffante et les couvertures ne leur manquèrent pas. Nicholas avait dans son sac un tube du produit qui éloignait les insectes. Allongés ainsi, ils bavardaient tranquillement à mi-voix. En tournant la tête, Nicholas pouvait voir les silhouettes de Mek et de Tessay, assis près du feu.

– Les femmes éthiopiennes sont très différentes des arabes, fit Royan qui regardait le couple elle aussi. Et des autres femmes africaines, ajouta-t-elle. Elles sont indépendantes et sûres d'elles. Jamais une femme arabe n'oserait rester seule avec un homme comme celui-là. Surtout si elle est mariée.

– On peut dire ce qu'on veut, mais ils font un couple formidable. Bonne chance à eux. Tessay n'en a pas eu beaucoup ces temps-ci. Elle doit se rattraper.

Il tourna la tête et la regarda dans les yeux.

– Et vous, Royan, qui êtes-vous ? Une Arabe décorative et soumise ou une Occidentale indépendante et sûre d'elle ?

– C'est à la fois trop tôt et bien trop tard pour des questions aussi intimes, fit-elle.

Et elle se retourna.

– Oh, je vois. On fait des façons, ce soir. Bonne nuit, Woizero Royan.

– Bonne nuit, Alto Nicholas, répondit-elle en souriant à son insu.

Les soldats levèrent le camp avant l'aube. Ils marchaient en ordre de bataille, avec des éclaireurs à l'avant et des sentinelles de part et d'autre du chemin.

– L'armée ne descend pas souvent dans cette vallée mais nous sommes toujours prêts à leur faire bon accueil, expliqua Mek Nimmur.

Tessay regardait Mek qu'elle n'avait pas vraiment quitté des yeux de toute la matinée.

– C'est vraiment un grand homme, murmura-t-elle à Royan. Un homme qui pourrait réunir notre peuple, peut-être pour la première fois depuis un millénaire. Je me sens si humble avec lui. Et aussi comme une jeune fille, pleine de joie et d'espoir.

La marche jusqu'au monastère prit la matinée entière. Quand ils arrivèrent en vue de la Dandera, Mek Nimmur fit mettre ses hommes à couvert dans les épineux et envoya un éclaireur en avant. Une heure après, une congrégation de novices arrivait, chacun avec un ballot en équilibre sur la tête. Ils saluèrent Mek avec révérence, donnèrent leurs ballots aux hommes et repartirent vers les gorges de l'Abbay.

Les ballots contenaient des *shamma* sacerdotaux, des foulards et des sandales. Les hommes de Mek échangèrent leur tenue de camouflage contre ces vêtements, qui, pour l'authenticité, étaient tous sales et usés. Ils ne conservèrent sous les robes que leurs armes blanches. Les autres armes et leur équipement furent dissimulés dans une des anfractuosités de la falaise de calcaire sous la garde d'un détachement.

Ce fut donc des moines qui franchirent les derniers kilomètres qui menaient au monastère où la communauté tout entière les accueillit avec exubérance. Nicholas et les deux jeunes femmes quittèrent Mek et gagnèrent la clairière des figuiers sauvages qui abritait le campement. Boris les attendait. Il arpentait le camp, furieux, prêt à exploser. Ce qu'il fit, dès qu'il vit Tessay.

– Où étais-tu, bordel ! Tu as fait la pute toute la nuit, c'est ça ?

Nicholas intervint en lui servant l'histoire que Mek et lui avaient mise au point pour garantir la sécurité des soldats :

– Nous nous sommes perdus, hier soir. Heureusement, nous avons rencontré des moines du monastère, ce matin. Ils nous ont ramenés.

– Et vous jouez au grand chasseur ? fit Boris avec un sourire sarcastique. Comme ça, vous n'avez pas besoin de moi pour vous servir de guide ? Et vous vous paumez ? Je comprends pourquoi vous ne voulez chasser que le dik-dik, l'Anglais.

Il partit d'un immense éclat de rire sinistre puis braqua son regard délavé sur Tessay.

– On en parlera plus tard, femme. File à la cuisine.

En dépit de la chaleur, Nicholas et Royan étaient affamés. En quelques minutes, Tessay leur confectionna un repas froid qu'elle leur servit à l'ombre des figuiers. Nicholas refusa le verre de vin que lui tendit Boris.

– Je compte retourner chasser, cet après-midi. J'ai presque perdu une journée.

– Vous voulez que je vous tienne la main cette fois-ci, l'Anglais ? S'agirait pas que vous vous perdiez.

– Merci, mon vieux, mais je crois pouvoir me débrouiller sans vous.

Ils mangeaient quand Nicholas donna un discret coup de coude à Royan.

– Votre admirateur est là.

Il lui désigna du menton la silhouette gauche et dégingandée de Tamre qui s'était glissé discrètement jusqu'à la porte de la cuisine et qui maintenant s'asseyait dans la poussière. Quand le regard de Royan se posa sur lui, le visage du jeune garçon se fendit d'un sourire niais.

– Je ne viendrai pas avec vous, cet après-midi, déclara Royan de manière à ne pas être entendue par Boris. Il va certainement se jeter sur Tessay. Je veux rester avec elle. Prenez Tamre avec vous.

– Dieu, quelle idée charmante ! J'ai attendu ce moment toute ma vie.

Il rassembla néanmoins son paquetage, prit sa carabine et demanda au gamin de le suivre. Tamre chercha avidement Royan du regard mais elle était dans sa hutte. Aussi ce fut en traînant des pieds qu'il suivit Nicholas vers la vallée.

– Conduis-moi sur l'autre rive du fleuve, demanda-t-il au gamin. Montre-moi comment arriver là où vit la créature sacrée.

La proposition ragaillardit Tamre. C'est en trottant qu'il mena Nicholas jusqu'au pont suspendu, au pied des falaises roses. Ils suivirent le chemin pendant une heure environ, puis celui-ci se fondit graduellement dans les collines rongées par l'érosion pour finir en un terrain accidenté. Tamre, qui ne se laissait pas abattre, plongea dans le sous-bois épineux et, pendant deux autres heures, ils escaladèrent des promontoires rocheux et traversèrent des fossés remplis d'épineux.

– Je comprends pourquoi tu as voulu éviter ça à Royan, grommela Nicholas dont les bras nus étaient griffés par les épines et les jambes de pantalon lacérées en divers endroits.

Il gravait néanmoins soigneusement la route dans sa mémoire : il était certain de pouvoir revenir sur ses pas sans difficulté.

Ils passèrent enfin un dernier obstacle au sommet duquel Tamre s'arrêta. En contrebas, Nicholas reconnut la faille et la petite clairière à ciel ouvert où était apparu le dik-dik. Il pouvait même distinguer, de l'autre côté de la Dandera, l'arbre sous lequel ils s'étaient assis avant d'être surpris par les hommes de Mek.

Il prit quelques minutes de repos, but un peu d'eau à sa gourde et la passa à Tamre. Il vérifia sa carabine avant d'entamer la descente, épousseta les lentilles, visa quelques rochers de la taille d'un dik-dik et régla la lunette à son grossissement le plus faible. Il était prêt pour un tir rapide et rapproché. Il glissa une cartouche dans la Rigby, enclencha le cran de sécurité et se leva.

– Tu restes derrière moi, dit-il au gamin, et tu fais ce que je fais.

Il glissa le long de la pente, s'arrêtant régulièrement pour examiner le buisson d'épines et ses alentours. Au bord du ruisseau, le sol était humide et mou. Un grand nombre d'animaux et d'oiseaux venaient y boire. Il reconnut les traces de koudous et de bushbucks et, parmi elles, les petites marques en forme de cœur des sabots de sa proie.

Il avança tranquillement et trouva, en lisière du buisson, un petit tas de crottes de la taille d'un plomb où la petite antilope venait régulièrement déféquer.

Il continua d'avancer pas à pas, inspectant soigneusement le terrain avant de poser le pied, évitant les feuilles sèches et les bruyantes brindilles d'épineux. Ses yeux se déplaçaient bien plus vivement que ses pieds, notant chaque mouvement, chaque touche de couleur de la barrière épineuse.

C'est un frémissement de l'oreille qui trahit la créature. Elle était tapie à moitié dans l'ombre, son manteau rougeâtre confondu dans le décor de branches sèches, immobile comme une sculpture d'acajou. Elle était si proche que Nicholas pouvait voir la lumière jouer dans sa prunelle d'onyx poli. Soudain, le nez allongé se tortilla. La bestiole avait flairé un danger sans savoir de quel côté il allait fondre sur lui.

Nicholas épaula très lentement. La lunette lui révéla chaque poil dressé entre les oreilles aux aguets et les petites cornes noires. Il fit glisser le réticule sur la jonction entre le cou et la tête. Il voulait abîmer le moins possible la fourrure afin de faciliter le travail du taxidermiste.

– C'est la créature sacrée ! Loués soient Dieu et saint Jean Baptiste !

Après avoir hurlé ça, Tamre se jeta à genoux, les mains jointes devant les yeux. Le dik-dik sembla se dissoudre dans la nature comme un nuage de fumée. On n'entendit plus qu'un frottement discret qui s'éloignait dans les fourrés. Nicholas baissa lentement son arme et regarda le gamin. Toujours à genoux, il bafouillait ses prières et ses actions de grâce.

– Beau travail. Woizero Royan doit t'avoir payé, fit-il en anglais avant de se pencher pour remettre le gosse sur ses pieds. Tu restes ici, dit-il en arabe. Tu ne bouges pas. Tu ne parles pas. Tu peux respirer mais sans bruit. Je vais revenir te chercher mais si tu ne fais que murmurer la moindre prière, je vais personnellement t'envoyer rencontrer saint Pierre aux portes du Paradis. Tu as compris ?

Il s'aventura seul dans les buissons mais la petite antilope était sérieusement sur ses gardes désormais. Il ne put apercevoir que les éclairs fugaces de sa fourrure rougeoyante à travers les écrans d'épineux. Il ruminait mille imprécations à l'endroit du moinillon en tendant l'oreille pour saisir les froissements des petits sabots dans la terre sèche. La bestiole s'enfonçait plus profond dans le sous-bois, et il dut abandonner la chasse.

Ils revinrent au campement à la nuit tombée. Dès qu'il apparut dans la lumière du feu, Royan se précipita à sa rencontre.

– Alors ? Avez-vous trouvé le dik-dik ?

– Posez la question à votre complice. Il l'a tellement épouvanté qu'il doit courir encore.

– Tamre, tu es un jeune homme parfait et je suis très fière de toi.

Le gamin frétillait comme un jeune chiot. Il détala en direction du monastère en gloussant, ravi d'avoir gagné l'approbation de la jeune femme. Quant à elle, Royan était si enchantée par l'issue de la chasse qu'elle apporta un whisky à Nicholas, lequel s'était laissé tomber près du feu. Il goûta le breuvage et frissonna.

– Dieu ! Ne laissez jamais un buveur d'eau vous servir. Avec une main aussi lourde, vous devriez vous mettre au lancer du poids.

Il prit néanmoins une autre rasade du liquide ambré. Elle s'était assise tout près et il la sentait vibrer d'impatience et d'excitation rentrée.

– Qu'avez-vous ?

Elle coula un regard prudent vers Boris assis de l'autre côté du rideau de flammes. Elle se pencha vers Nicholas et lui dit tout bas en arabe :

– Tessay et moi, nous sommes descendues au monastère cet après-midi pour voir Mek Nimmur. Tessay m'a demandé de l'accompagner au cas où Boris... Vous voyez ce que je veux dire ?

– Vaguement. Vous faites le chaperon, c'est ça ?

Il prit une gorgée de whisky qui le fit suffoquer. D'une voix rauque, il l'invita à continuer.

– Nous avons bavardé, avant que je ne les laisse seuls. Nous avons parlé de la fête de Timkat. Le cinquième jour, l'abbé porte le *tabot* au Nil. Mek m'a dit qu'il y avait un chemin dans la falaise qui menait au fleuve.

– On le sait déjà, et alors ?

– Il y a un détail très intéressant que vous ne connaissez pas. Tout le monde participe à la procession. Tout le monde. Jali Hora, tous les prêtres, les novices, les fidèles, même Mek et ses hommes. Ils descendent tous jusqu'au fleuve et y passent la nuit. Pendant une journée et une nuit, le monastère est désert. Vide. Personne.

Il la contempla à travers son verre puis il le baissa en souriant largement.

– Je dois avouer que c'est vraiment un détail intéressant.

– N'oubliez pas, je viens avec vous, fit-elle avec gravité. N'imaginez pas une seule seconde que vous pourrez vous débarrasser de moi.

Après dîner, Nicholas l'accompagna à sa hutte. C'était le seul endroit du campement où ils pouvaient être sûrs d'être tranquilles. Cette fois-là, il ne commit pas l'erreur de s'asseoir sur son lit. Elle s'installa à l'extrémité de celui-ci, et lui s'assit sur le tabouret qui était en face.

– Avant de commencer à établir un plan, laissez-moi vous poser une question. Avez-vous pensé aux conséquences ?

– Vous voulez parler du sort que nous feront subir les moines si nous sommes pris ? demanda-t-elle.

– Au mieux, ils nous chasseront de la vallée, et au pire ils nous tomberont dessus. C'est un des sites sacrés les plus vénérés de la communauté chrétienne, ne vous y trompez pas. Les risques sont nombreux. Cela peut aller aussi loin qu'un coup de couteau entre les côtes, ou une surprise dans votre nourriture.

– On se mettra Tessay à dos. Elle est profondément croyante.

– Et nous nous attirerons les foudres de Mek Nimmur. Je ne sais pas ce qu'il ferait mais je crois pas que notre amitié survive à l'épreuve.

Ils se turent un instant, considérant le prix qu'ils allaient devoir payer pour satisfaire leur curiosité. Nicholas parla le premier.

– Et vous-même ? Après tout, c'est votre propre Église que vous allez profaner. Vous êtes chrétienne. Cela ne vous pose pas de problème ?

– J'y ai songé, admit-elle. Je ne suis pas particulièrement emballée mais je me dis que ce n'est pas exactement mon Église. C'est une branche différente de celle des coptes.

– Vous coupez les cheveux en quatre, là.

– Pas le moins du monde ! L'Église d'Égypte ne refuse à personne l'accès aux lieux les plus sacrés de ses églises et ses cathédrales. Je ne me sens pas contrainte par les exigences de Jali Hora. En tant que chrétienne, j'estime avoir le droit de pénétrer dans n'importe quelle partie de la cathédrale.

– Et c'est vous qui disiez que je devrais être avocat ?

– Je vous en prie, Nicky, ne plaisantez pas ! Tout ce dont je suis certaine, c'est qu'il faut que j'entre là-dedans. Même si cela offense Tessay et Mek. Et tous les prêtres de la création. Je dois le faire.

– Je pourrais le faire pour vous, proposa-t-il. Je suis un vieux pécheur. Je ne risque pas mes chances de rédemption, je n'en ai aucune.

– C'est hors de question, fit-elle avec fermeté. S'il y a des inscriptions ou je ne sais quoi d'autre, je dois les voir. Vous lisez les hiéroglyphes mais pas aussi bien que moi. Et vous ne connaissez pas l'écriture hiératique. Je suis un expert, vous n'êtes qu'un amateur doué. Vous avez besoin de moi, j'irai là-dedans avec vous !

– Bien, bien. C'est dit. Commençons à mettre notre plan sur pied. Il faut établir une liste de ce dont nous aurons besoin. Lampe de poche, couteau, Polaroïd et pellicules.

– Papier à dessin et crayons gras pour relever les empreintes de chaque inscription.

– Zut, fit-il en claquant des doigts. Je n'en ai pas apporté !

– Tenez, qu'est-ce que je vous disais ? Un amateur.

Leur conversation se poursuivit jusqu'au milieu de la nuit. Nicholas regarda sa montre et se leva.

– Plus de minuit ! Je suis programmé pour me transformer en citrouille d'une seconde à l'autre. Bonne nuit.

– Le *tabot* ne sera descendu au fleuve que dans deux jours. On ne peut rien faire d'ici là. Qu'avez-vous prévu ?

– Demain, je retourne aux trousses de ce fichu petit Bambi. Il m'a déjà berné par deux fois.

– Je viens avec vous ! dit-elle avec fermeté, et cette simple déclaration lui fit éprouver une joie disproportionnée.

– Tant que vous laissez Tamre ici, déclara-t-il en passant le seuil de sa hutte.

10

La minuscule antilope émergea de l'ombre épaisse des buissons épineux. La lumière de l'aube faisait luire le pelage soyeux de la bête qui se mit à traverser pas à pas l'étroite clairière.

Nicholas, qui la suivait dans la lunette télescopique de la Rigby, sentit son souffle se précipiter. Il trouvait absurde de se sentir aussi impliqué dans la traque d'un si petit animal mais, se disait-il, ses échecs précédents avaient dû aiguiser son impatience. A cela s'ajoutait la passion particulière du vrai collectionneur. A la mort de Rosalind et des filles, il avait voué toute son énergie à l'élargissement des collections de Quenton Park. Le fait d'y ajouter ce spécimen revêtait une importance suprême.

Son index reposait légèrement sur la détente. Il ne tirerait que quand le dik-dik s'immobiliserait. Même le pas régulier avec lequel il traversait la clairière rendait le tir incertain. Pour tuer rapidement, sans pour autant abîmer la peau comme il le voulait, il devait placer la balle avec justesse.

C'est dans ce but qu'il avait chargé la Rigby avec des balles blindées. Elles n'explosaient pas au moment de l'impact. Elles traversaient les chairs sans les déchirer et ressortaient sans brûler la peau, laissant un trou de la taille d'un stylo que le taxidermiste du musée dissimulerait aisément.

Il sentit ses nerfs se tendre quand il comprit que le dik-dik ne s'arrêterait pas. Le petit animal continuait à marcher de son pas régulier en direction des buissons qui fermaient la clairière. Cette occasion était peut-être la dernière. Il refoula la tentation de tirer sur la cible qui se déplaçait. Oter l'index de la détente lui demanda un intense effort de volonté.

L'antilope avait atteint le mur épineux des buissons et, avant de s'y enfoncer, s'arrêta et glissa sa petite tête dans les branches d'un taillis bas. Placée de trois quarts par rapport à Nicholas, elle broutait les plumets vert pâle des bourgeons. On ne lui voyait pas la tête, mais son épaule était en pleine lumière. Sous la soyeuse robe rouge-brun, il distinguait parfaitement la ligne de l'omoplate. Le dik-dik était légèrement en biais, dans la position idéale pour une balle en plein cœur, à quelques centimètres sous l'épaule.

Il plaça calmement le réticule sur l'endroit choisi et pressa la détente.

Le coup fit l'effet d'un coup de fouet dans l'air surchauffé. L'antilope virevolta puis retomba sur ses pattes. La balle avait frappé comme une rapière plus que comme un couteau, et le choc n'avait pas été assez violent pour renverser la bête. Le dik-dik détala tête basse, emporté par la réaction caractéristique d'une balle en plein cœur. Il était mort et ne courait plus qu'avec les dernières bouffées d'oxygène que lui dispensait sa circulation sanguine.

– Oh non ! Pas par là, s'écria Nicholas en se relevant.

La petite créature courait droit vers le bord du précipice. Elle bondit aveuglément dans le vide, se cabra et disparut dans le gouffre de la Dandera.

– Pour une déveine, c'en est une !

Nicholas sauta par-dessus le buisson qui leur avait servi d'abri et courut jusqu'au bord du gouffre. Royan le rejoignit et scruta avec lui le vide immense qui s'ouvrait dans les falaises.

– Là ! montra-t-elle.

La carcasse du dik-dik gisait au milieu du cours d'eau, sur un îlot rocheux.

– Oui, je le vois.

– Allons, qu'allez-vous faire ?

– Je descends le chercher.

Il se redressa et s'éloigna du gouffre à grands pas.

– C'est une chance : il est assez tôt. Nous avons tout le temps de le récupérer avant la tombée de la nuit. Je retourne au campement pour chercher une corde et de l'aide.

Ils ne revinrent que dans l'après-midi, accompagnés de Boris, des pisteurs et de deux peaussiers. Ils apportaient quatre rouleaux de corde de nylon.

Nicholas s'allongea au bord du gouffre. Il poussa un grognement soulagé.

– Au moins, il est toujours là. J'ai vraiment cru que le courant allait l'emporter.

Il donna des directives aux pisteurs qui déroulaient les cordes et les étendaient sur le sol de la clairière.

– Il faudra bien deux longueurs pour arriver au fond, estima-t-il.

Il se joignit à eux pour nouer les deux filins et vérifier avec soin la sûreté de l'attache. Puis il lesta l'extrémité du cordage et le fit descendre dans l'abîme, jusqu'à ce qu'il touche la surface de la rivière. Ensuite de quoi il le remonta et mesura la longueur avec ses bras étendus.

– Trente brasses. Cinquante-quatre mètres. Je ne pourrai pas remonter une telle hauteur, fit-il à Boris. Vos hommes et vous allez devoir me hisser.

Il fixa la corde au tronc d'un des épineux avec un nœud de chaise dont il s'assura méticuleusement de la solidité en demandant aux quatre hommes de Boris, pisteurs et peaussiers, d'y exercer leurs forces conjuguées.

– Ça devrait aller comme ça !

Il enleva sa veste et ses boots. Une fois au bord du gouffre, il se retourna, passa la corde derrière ses épaules, le bout libre pendant entre ses jambes, selon la technique classique de la descente en rappel. Et il sauta dans le vide.

Il contrôlait sa descente en laissant défiler la corde sur ses épaules et en la freinant avec la boucle passée autour de sa cuisse. Il oscillait comme un pendule et repoussait la paroi rocheuse des deux pieds. Il descendit très vite, jusqu'à ce que ses pieds touchent l'eau. Le courant le fit tournoyer au bout de la corde. Il était à quelques mètres du rocher sur lequel gisait le dik-dik mort : il fut obligé de se laisser descendre dans le courant. Il nagea la courte distance en serrant l'extrémité du filin entre les dents, avec un crawl assez énergique pour vaincre le courant qui tentait de l'emporter.

Il se hissa sur la petite île et attendit quelques instants, le temps de retrouver une respiration normale. Ce n'est qu'après qu'il examina la ravissante petite créature qu'il avait tuée. La tristesse et le sentiment de culpabilité qu'il ressentait toujours à ces moments-là l'envahirent pendant qu'il caressait le pelage soyeux et qu'il contemplait la tête parfaite et son extraordinaire proboscis. Mais ce n'était ni le moment des regrets, ni celui d'en appeler à la conscience du chasseur.

Il attacha solidement les quatre pattes du dik-dik entre elles, puis il se redressa et leva les yeux. Il pouvait apercevoir la face de Boris qui le regardait depuis le bord de la falaise.

– Tirez ! cria-t-il, et il donna à la corde les trois secousses qui étaient le signal convenu.

Les pisteurs étaient invisibles mais le filin se tendit et le dik-dik s'éleva le long de la muraille. Nicholas observait la scène avec anxiété. Le filin dut se coincer alors que la carcasse n'était qu'aux deux tiers du sommet mais il se libéra et l'animal reprit sa lente ascension.

Le dik-dik finit par disparaître. Un long délai s'écoula avant que la corde ne se déroule depuis le haut de la falaise. Boris avait eu l'idée de la lester avec une pierre grosse comme la tête d'un homme et il se penchait au-dessus du vide pour surveiller la descente et la bonne trajectoire.

La corde lestée toucha la surface de l'eau hors de portée de Nicholas. Depuis le sommet, Boris communiqua au cordage un mouvement de balancier jusqu'à ce que Nicholas puisse l'attraper. Il fit une boucle qu'il ferma avec un nœud de chaise, l'enfila sous ses aisselles et leva les yeux en direction de Boris.

– C'est parti ! hurla-t-il en donnant les trois secousses réglementaires.

Le filin se tendit et il fut arraché au rocher. Il montait par à-coups successifs qui le faisaient tournoyer. Le ventre de la muraille fut bientôt à son niveau et il se protégea en repoussant la falaise de ses pieds nus, parvenant à arrêter le mouvement giratoire. Il était à quinze mètres du bord quand il s'arrêta brusquement. Il pendait, impuissant, contre le rocher.

– Que se passe-t-il ? cria-t-il à Boris.

– Cette foutue corde est coincée, répondit Boris. Vous voyez où ?

Nicholas se tordit le cou vers le haut et vit que le filin s'était pris dans une faille verticale, certainement la même qui avait freiné l'ascension du dik-dik. Mais cette fois-ci son poids, cinq fois plus lourd que celui de la bête, avait engagé le filin plus profond. Il était suspendu dans les airs, au-dessus d'un vide de plus de trente mètres.

– Essayez de vous libérer en vous balançant ! hurla Boris.

Docile, Nicholas repoussa la façade rocheuse avec ses pieds et tordit la corde pour la sortir de la faille. Il s'échina jusqu'à ce que la sueur lui coule dans les yeux et que le nylon lui mette les aisselles à vif.

– Impossible ! cria-t-il encore à Boris. Essayez de me dégager de force !

Il ne se passa rien pendant un moment puis la corde se tendit et devint raide comme une barre de métal sous la traction conjuguée des cinq hommes. Il entendait les voix des pisteurs qui rythmaient leurs efforts en chantant. Il ne bougeait pourtant pas d'un centimètre. La corde était bel et bien coincée et il comprit que leurs efforts n'arriveraient pas à la dégager. Il regarda en bas. La surface de l'eau semblait bien plus éloignée que les trente mètres effectifs. Il se souvint qu'un corps qui chutait arrivait à la vitesse maximale de deux cent quarante kilomètres par heure. La surface de l'eau serait comme du béton. Mais il se rassura en pensant qu'il tomberait moins vite.

Il regarda encore en haut. Les hommes tiraient toujours de toutes leurs forces et de tout leur poids. Soudain, un des fils de la corde céda contre le bord aiguisé du rocher et se déroula comme un long ver.

– Arrêtez de tirer ! hurla-t-il.

Mais Boris n'était plus au bord du gouffre. Il devait aider ses hommes, tirant lui aussi comme une brute. Un deuxième fil se rompit et se défit. Il ne restait plus qu'un fil. « Il va casser d'un moment à l'autre », se dit-il.

– Boris, espèce d'empoté, cessez de tirer !

Sa voix ne parvint jamais au Russe. Dans un bruit de bouchon de champagne, le troisième fil de nylon céda et il tomba comme une pierre, avec l'extrémité libre de la corde qui flottait au-dessus de sa tête. Il leva les bras de chaque côté de la tête pour stabiliser sa chute et tendit les jambes, raidissant son corps pour tomber les pieds les premiers.

Il pensa au rocher en dessous. Passerait-il à côté de ses aspérités rougeâtres, ou allait-il s'écraser dessus et s'y briser tous les os ? Il n'osait pas regarder en bas, de peur de basculer. S'il heurtait la surface à plat, ses côtes et sa colonne vertébrale n'y résisteraient pas.

La vitesse de la chute lui remontait les viscères dans la gorge. Il prit une dernière inspiration au moment où ses pieds touchaient la surface de l'eau. La violence du choc l'étourdit. L'onde remonta le long de son épine dorsale jusqu'à son crâne. Ses dents claquèrent sèchement et des soleils de lumière lui obscurcirent la vision. La rivière l'engloutit. Il continua à s'enfoncer dans ses profondeurs à une telle vitesse que, quand il heurta le fond du lit rocailleux, ses jambes furent ébranlées jusqu'aux hanches. Ses genoux plièrent sous le choc et il crut avoir les deux jambes brisées.

L'impact lui vida les poumons et ce n'est qu'en poussant sur ses pieds pour remonter vers l'air libre qu'il s'aperçut que ses jambes étaient intactes. Il perça la surface tumultueuse en crachant et en ahanant. Il n'était tombé qu'à deux mètres du rocher, mais déjà le courant l'emportait vivement.

Il regarda autour de lui en agitant les jambes pour se maintenir à la surface de l'eau. La muraille du précipice défilait devant lui. Il devait dévaler la rivière à environ dix nœuds, assez vite pour se briser les os contre un éventuel rocher. Au moment même où il y pensait, un îlot passa d'un trait, assez près pour qu'il ait pu le toucher de la main. Il se mit sur le dos avec les deux jambes allongées devant lui, prêt à contourner le prochain rocher qui lui arriverait dessus.

« Tu y es pour de bon, se dit-il. Une seule chose à faire, se laisser porter jusqu'au bout. »

Il essaya de calculer à quelle distance il se trouvait de l'endroit où la rivière jaillissait de la faille dans la voûte de pierre rose et jusqu'où il allait devoir nager.

« Au moins cinq à six kilomètres et la rivière fait un plongeon de près de trois cents mètres. Il doit y avoir des rapides, probablement des chutes. Tu es dans un sale pétrin. Trois contre un que tu ne t'en sors pas sans laisser un peu de ta peau aux rochers. »

Il leva les yeux. Les murailles se penchaient de part et d'autre du cours d'eau. Elles semblaient, par endroits, se refermer au-dessus de lui. Au bout des ténèbres sinistres et humides, il ne voyait qu'une étroite bande de ciel bleu. La rivière, dans sa course folle au cours des âges, avait profondément creusé le roc.

« Heureusement que nous sommes en saison sèche ! A quoi cela doit-il ressembler pendant les pluies ? » se demanda-t-il.

Le niveau des hautes eaux marquait la pierre à cinq ou six mètres au-dessus de lui. Il frissonna et se concentra de nouveau sur sa trajectoire. Il respirait régulièrement maintenant. Il se palpa et se rendit compte avec soulagement qu'il était intact, hormis des écorchures et ce qu'il pensait être un étirement d'un ligament au genou. Tous ses membres lui obéissaient. Quand il dut nager quelques brasses pour éviter un rocher qui arrivait sur lui, même son genou blessé fonctionna assez bien pour le tirer d'affaire.

Peu à peu, il perçut un bruit nouveau qui résonnait dans la gorge. C'était un rugissement sourd qui allait en s'amplifiant. Les parois du gouffre convergeaient l'une vers l'autre, le boyau dans le roc se rétrécissait et le flot de la rivière, comprimé et écrasé, semblait prendre de la vitesse. Le vacarme se changea bientôt en un tonnerre qui se réverbérait dans le canyon tout entier.

Il obliqua et nagea de toutes ses forces en travers du courant pour atteindre la paroi rocheuse la plus proche. Il essaya de trouver une prise, mais la pierre avait été complètement lissée par la rivière. Elle glissait sous les tentatives désespérées de ses doigts. Semblable à un étalon qui aplatit les oreilles avant de sauter, la rivière se préparait au plongeon qui l'attendait.

Il s'écarta de la paroi pour retrouver une plus grande liberté de mouvement et s'allongea de nouveau les pieds vers l'avant. Soudain, il se retrouva projeté en l'air, dans un tourbillon d'écume blanche. Il fut emporté comme une feuille. La chute semblait durer éternellement. Il heurta la surface pour la deuxième fois et s'enfonça profondément.

Il donna de furieux coups de pied, revint à l'air libre avec le souffle qui lui déchirait la gorge. Il vit qu'il était prisonnier du bassin qui bouillonnait au pied des chutes. Les eaux tourbillonnaient, comme lancées dans un menuet infernal.

En se retournant, il vit tout d'abord l'immense drap blanc de la chute d'eau qu'il venait de franchir, puis le goulot étroit par lequel la rivière reprenait sa course échevelée. Il était pour le moment en sécurité dans les remous concentriques du bassin. Le courant l'emportait toutefois vers les bords. En allongeant le bras, il se trouva une prise en s'agrippant à une touffe de mousse qui poussait dans une faille.

Il put enfin se reposer et réfléchir à sa situation. Il se rendit vite compte que le seul moyen de sortir du gouffre était de suivre le cours de la rivière, en dépit de ce qui devait l'attendre plus loin. Il devait y avoir des rapides, peut-être une série de chutes identiques à celle qui rugissait à côté de lui.

Si seulement il y avait un moyen d'escalader la paroi ! Il leva la tête mais tous ses espoirs s'évanouirent devant le surplomb qui se fermait au-dessus de lui comme la voûte d'une cathédrale. Pourtant quelque chose arrêta son regard. Quelque chose de bien trop régulier pour être naturel. Une double rangée de marques sombres courait verticalement le long de la paroi, depuis la surface des remous jusqu'au bord du gouffre, à près de soixante mètres au-dessus de lui. Il relâcha sa prise et nagea en chien jusqu'à l'endroit où les marques atteignaient l'eau. En s'approchant, il s'aperçut qu'il s'agissait de niches carrées d'une dizaine de centimètres de côté. Deux rangées, distantes de deux fois la largeur de ses bras ouverts, étaient disposées à l'exacte horizontale l'une de l'autre.

En y enfonçant la main, il vit qu'elles étaient assez profondes pour y entrer le bras jusqu'au coude. L'ouverture de la niche qu'il explorait se trouvait sous le niveau qu'atteignait l'eau pendant les crues, ses bords étaient usés et arrondis mais, en regardant les autres plus haut dans la paroi, il distingua nettement des arêtes nettes et intactes.

« Seigneur, quel âge doivent-elles avoir pour être aussi usées ? Et comment des hommes ont-ils pu se débrouiller pour descendre ici et les tailler ? »

Accroché à la niche, il contempla le motif que dessinait la double rangée le long de la paroi du gouffre.

« Pourquoi s'être donné tant de mal ? Pourquoi une telle entreprise ? Que cherchaient-ils en bas ? »

Le mystère était des plus intrigants. Une autre chose attira alors son regard. C'était un renfoncement circulaire, pratiqué dans le roc exactement entre les deux rangées de niches, mais au-delà du niveau des crues.

Il pataugea un peu pour trouver une position d'où il pourrait en avoir un meilleur aperçu. Cela ressemblait à une gravure. Il songea aussitôt aux marques creusées dans les rochers noirs qui flanquaient le Nil en contrebas de la première cataracte d'Assouan et qui avaient été placées là pour mesurer les crues du fleuve. Hélas, la lumière était trop faible et l'angle de vue trop étroit pour reconnaître ou lire les éventuelles lettres qui auraient pu être ajoutées au dessin.

Dans un effort surhumain, il utilisa les cavités comme prises pour les pieds et les mains et réussit à se hisser hors de l'eau. Mais la distance entre les ouvertures était telle qu'il retomba en arrière et but la tasse.

« Ne t'énerve pas, mon vieux. Tu dois encore nager jusqu'à la sortie. Ça ne sert à rien de s'épuiser. Tu reviendras un autre jour pour voir ça de près. »

Il était en fait au bord de l'épuisement. Cette eau qui coulait depuis les montagnes du Choke était aussi froide que les neiges dont elle était née. Il se mit à frissonner et à claquer des dents.

« L'hypothermie. Tu dois sortir d'ici, pendant que tu en as la force. »

Il se força à s'éloigner de la muraille et nagea jusqu'au goulot où s'engouffrait la Dandera avant de reprendre son cours furieux jusqu'au Nil. Il cessa de nager pour se laisser porter par le courant.

« Les montagnes russes du Diable, se dit-il. Toujours plus bas et personne ne sait quand elles s'arrêteront. »

Les premiers rapides furent terribles. Ils semblaient devoir durer infiniment mais il se retrouva à terme dans un courant d'eau moins rapide. Il se laissa flotter sur le dos pour mettre ce répit à profit. Les parois ne laissaient entrevoir qu'une maigre bande de ciel. Il n'eut guère le temps d'examiner plus longtemps les environs : déjà, la rivière se remettait à rugir. Il s'arma mentalement contre l'assaut des eaux turbulentes et fut entraîné dans le rapide suivant.

Il finit par perdre conscience de la distance qu'il avait parcourue, comme il cessa de compter le nombre de rapides auxquels il avait survécu. Il était maintenant entièrement dans la bataille qu'il livrait contre le froid, les poumons endoloris, imbibés, les muscles épuisés et les tendons surmenés.

La lumière changea brutalement. Après l'obscurité du fond des gorges, ce fut comme recevoir l'éclat d'une lampe torche en pleine figure. Il sentit la puissance et la vitesse du courant diminuer. Il plissa les yeux contre le soleil qui l'aveuglait : il avait passé l'arche de pierre rose et se trouvait maintenant dans la section de la rivière qu'il avait explorée en compagnie de Royan. Devant lui se profilaient les cordages du pont suspendu. Il lui restait juste assez de force pour patauger mollement vers la petite plage de sable blanc qui s'étendait en contrebas.

Un cordage usé pendait du pont. Il réussit à s'y accrocher et à s'en servir pour rejoindre la plage. Il tenta de ramper hors de l'eau mais il s'effondra face contre le sable et vomit toute l'eau qu'il avait ingurgitée. C'était si bon de pouvoir enfin rester comme ça, sans effort, de se reposer ! Le bas de son corps était toujours dans l'eau mais il n'avait ni l'envie ni la force de se hisser plus au sec.

– Je suis vivant.

Il eut à peine le temps de s'en émerveiller : il sombra dans un état entre sommeil et inconscience.

Il ne savait pas combien de temps il avait dormi mais, quand il sentit une main le secouer par l'épaule et une voix appeler doucement, il eut envie d'envoyer paître l'importun.

– *Effendi,* réveille-toi ! Ils te cherchent, la belle Woizero te cherche.

Il se réveilla péniblement et se mit en position assise. A genoux devant lui, Tamre dodelinait de la tête en souriant.

– S'il te plaît, *effendi,* viens avec moi. La Woizero te cherche sur l'autre rive. Elle pleure, elle t'appelle.

Tamre était bien la seule personne que Nicholas ait jamais rencontrée qui fût capable de sourire en ayant à la fois l'air paniqué. Il regarda au loin et vit le soleil. Rouge et énorme, il disparaissait déjà derrière la crête des falaises.

Nicholas resta un instant assis sur le sable pour s'inspecter et faire l'inventaire de ses blessures. Chaque muscle le faisait souffrir, ses jambes et ses bras étaient griffés et couverts d'hématomes mais il ne se sentait aucun os brisé. Il lui poussait une bosse molle sur le côté de la tête, là où il avait heurté un rocher, mais il avait l'esprit clair.

– Aide-moi à me lever ! ordonna-t-il à Tamre.

Le gamin mit l'épaule dans le creux de son aisselle, à

l'endroit où la corde avait frotté, et le hissa sur ses pieds. Ils titubèrent jusqu'à la rive, puis ils suivirent le chemin et traversèrent le pont en oscillant entre les cordes qui se balançaient.

Il n'avait pas atteint l'autre rive qu'un cri retentit, tout proche. Royan dévala le sentier en courant et le prit dans ses bras.

– Nicky ! Dieu soit loué ! Vous êtes vivant. J'étais comme folle. J'ai pensé que...

Elle s'interrompit, s'écarta de lui et le tint à bout de bras pour le regarder.

– Vous allez bien ? Seigneur, je m'attendais à trouver votre corps...

– Oh, vous me connaissez, fit-il en souriant. Trois mètres de haut et à l'épreuve des balles. On ne se débarrasse pas de moi comme ça. J'ai fait ça pour que vous me preniez dans vos bras.

Elle le lâcha précipitamment.

– N'y voyez rien d'extraordinaire. Je fais la même chose avec les chiens battus et les autres bêtes.

Son sourire démentait ses paroles. D'ailleurs elle ajouta :

– Mais c'est quand même bon de vous récupérer entier, Nicky.

– Où est Boris ? demanda-t-il.

– Les pisteurs et lui fouillent les rives en aval de la rivière. Je crois qu'il est assez pressé de trouver votre cadavre.

– Qu'est-ce qu'il a fait de mon dik-dik ?

– Si vous vous inquiétez pour ça, alors il n'y a aucune raison de s'inquiéter de votre santé ! Les peaussiers l'ont emporté au campement.

– Bon Dieu ! Je dois m'occuper moi-même de la peau et de la préparation du trophée. Ils vont tout foutre en l'air !

Il passa le bras autour de l'épaule de Tamre.

– Allez, hop, mon garçon ! Voyons si je peux trotter un peu.

Avec la chaleur, le cadavre de la petite antilope allait se décomposer rapidement si on ne s'en occupait pas immédiatement. Il fallait l'écorcher au plus vite. On avait déjà perdu trop de temps, or la peau d'un animal destiné à être empaillé demande des soins minutieux et précis.

Ils arrivèrent au campement à la nuit tombée. Nicholas appela aussitôt les peaussiers en arabe.

– Ya, Kif ! Ya, Salin ! Avez-vous commencé ?

– Pas encore, *effendi.* Nous voulions d'abord dîner.

– Pour une fois, la gourmandise n'est pas un défaut. Ne touchez pas cette bête avant que j'arrive. En attendant, apportez une lampe à gaz !

Il clopina vers sa hutte aussi vite que le lui permettaient ses blessures. Il se déshabilla, passa toutes ses plaies et ses écorchures au mercurochrome, revêtit des vêtements propres, retourna son sac pour trouver la toile qui contenait ses couteaux et repartit au trot vers la hutte d'équarrissage où brillait la lumière blafarde de la lampe à gaz.

Il avait juste terminé les incisions de la face interne des pattes arrière et du ventre du dik-dik quand Boris poussa la porte de la hutte.

– Le bain était bon, l'Anglais ?

– Tonifiant, merci, fit-il en souriant. Je ne dois pas m'attendre à ce que vous changiez d'idée à propos de mon dik-dik, n'est-ce pas ? Ça n'existe pas, un animal pareil ! C'est bien ce que vous disiez, non ?

– On dirait un rat. Un vrai chasseur ne s'occuperait pas d'une saleté pareille, répliqua Boris. Bon, maintenant que vous avez votre rat, on peut peut-être retourner à Addis, l'Anglais ?

– Je vous ai payé pour trois semaines. C'est mon safari. On partira quand je le déciderai.

Boris émit un grognement et quitta la hutte.

Nicholas travaillait rapidement. Ses couteaux avaient été spécialement conçus pour faciliter le travail de précision. Il les aiguisa à intervalles réguliers contre un fusil de céramique.

Il devait écorcher les pattes entièrement tout en y laissant attachés les sabots. Il n'avait pas terminé cette étape quand une autre silhouette pénétra dans la hutte. Elle était vêtue d'un *shamma* de prêtre et d'un turban. Ce n'est que quand il entendit sa voix que Nicholas reconnut Mek Nimmur.

– Il paraît que tu t'es encore mis dans de beaux draps, Nicholas. Je viens m'assurer que tu es toujours vivant. Une rumeur court dans le monastère, selon laquelle tu te serais noyé. Mais je savais bien que c'était impossible : tu ne mourras pas si facilement.

– J'espère que tu as raison, Mek.

Mek vint s'accroupir en face de lui.

– Donne-moi un de tes couteaux, je finirai les sabots. Ça ira plus vite à deux.

Nicholas lui passa un couteau sans faire de commentaire. Il connaissait les talents de Mek. Il écorcherait parfaitement les minuscules sabots : c'est lui qui, des années auparavant, lui avait enseigné son art. Et il était vrai qu'en travaillant à deux l'opération irait plus vite. Plus tôt la peau serait séparée de la chair, moins elle se détériorerait.

Il attaqua la tête avec un surcroît d'attention. C'était la partie la plus délicate à exécuter. La peau devait être retournée comme un gant pour pouvoir travailler les paupières, les lèvres et les narines de l'intérieur. Les oreilles étaient probablement les plus difficiles : il fallait les séparer des nerfs d'un seul tenant. Ils travaillèrent dans un silence amical, que Mek brisa le premier.

– Tu connais bien ton Russe, Boris Brusilov ? demanda-t-il.

– J'ai fait sa connaissance en descendant de l'avion. Il m'a été recommandé par un ami.

– Pas un très bon ami.

Il regardait Nicholas avec une expression lugubre.

– Je suis venu te mettre en garde contre lui.

– Je t'écoute, Mek, fit tranquillement Nicholas.

– J'ai été capturé en 85 par les sbires de Mengistu. J'étais détenu à la prison Karl-Marx. C'est un camp, près d'Addis. Boris s'occupait des interrogatoires. Il faisait partie du KGB, à cette époque. Son truc favori était de mettre le tube d'un compresseur dans l'anus de la personne qu'il interrogeait. Il tournait le robinet, l'homme ou la femme gonflait comme un ballon jusqu'à ce que ses intestins éclatent.

Il se tut et se déplaça pour travailler sur un autre sabot.

– Je me suis échappé avant qu'il ne s'occupe de moi. Il a changé d'activité après la fuite de Mengistu, il chasse depuis. Je ne sais pas comment il a persuadé Woizero Tessay de l'épouser mais, connaissant le type, je me dis qu'elle ne devait pas vraiment avoir le choix.

– Je dois avouer que le bonhomme ne m'inspire pas confiance, admit Nicholas.

Ils se turent encore puis Mek annonça à voix basse :

– Je suis venu te dire que j'aurai peut-être à le tuer.
Ils ne dirent plus un mot jusqu'à ce que Mek ait écorché les quatre sabots. Cela fait, il se redressa.
– La vie est hasardeuse, aujourd'hui, Nicholas. Je peux devoir m'en aller très vite, sans dire au revoir. Si cela se produit et que tu as besoin de moi, il y a à Addis une personne qui saura comment me contacter. Il s'appelle Maryam Kidane, il est colonel et travaille au ministère de la Défense. C'est un ami. Mon nom de code est Swallow [1]. Il saura de qui tu parles.
Ils s'embrassèrent brièvement.
– Que Dieu soit avec toi ! fit Mek et il quitta la hutte sans un bruit.
La nuit avala sa silhouette et Nicholas resta un long moment sur le pas de la porte avant de retourner terminer son travail.
Il était tard quand il eut traité chaque centimètre de la peau avec un mélange de sel gemme et de parasiticide pour la protéger des insectes et des bactéries. Il finit en l'étendant sur le sol de la hutte, la partie humide en l'air, et en y disposant une couche de sel.
Les parois de la hutte avaient été renforcées par un grillage pour tenir les hyènes à l'écart. Si un de ces charognards s'introduisait ici, il goberait la peau en quelques secondes. Il s'assura que la porte était bien fermée avant de s'en aller, la lanterne à la main, vers la tente des repas. Les autres avaient dîné, ils étaient même couchés mais Tessay lui avait laissé de quoi manger sous la surveillance du chef. Il ne s'aperçut à quel point il avait faim qu'au moment où le vieil Éthiopien souleva le couvercle de la casserole.

Le matin suivant, Nicholas était si ankylosé qu'il clopina jusqu'à la hutte d'équarrissage comme un vieillard. Avant toute chose, il examina la peau. Il lui ajouta une nouvelle couche de sel puis il demanda à Kif et Salin d'enterrer le crâne du dik-dik dans une fourmilière afin que les insectes enlèvent ce qui restait de chair et qu'ils vident la boîte crânienne de ses matières. Il préférait cette méthode à l'autre, qui consistait à faire bouillir le crâne.
Satisfait de savoir son trophée en bon état, il se rendit à la hutte des repas où il fut accueilli par un Boris jovial.

1. Hirondelle. *(N.d.T.)*

– Alors, l'Anglais, on retourne à Addis maintenant, *da*? Il n'y a plus rien à faire ici.

– Nous restons pour photographier la cérémonie de Timkat au monastère. Et après, il se pourrait que je veuille chasser le bushbuck de Menelik. Qui sait? Je vous l'ai déjà dit: on partira quand je l'aurai décidé.

Boris fit la grimace:

– Vous êtes fou, l'Anglais. Pourquoi voulez-vous rester ici à crever de chaud en regardant ces gens et leurs salamalecs?

– Aujourd'hui, je vais à la pêche et demain, nous assisterons au Timkat.

– Vous n'avez même pas de canne à pêche, protesta Boris, mais Nicholas ouvrit le petit ballot de toile pas plus grand qu'un sac à main de dame et lui montra la Hardy Smuggler en quatre parties qui y était logée. Il regarda Royan assise au bout de la table.

– Vous m'accompagnez?

Ils remontèrent la rivière jusqu'au pont suspendu. Nicholas monta sa canne et attacha une mouche à sa ligne.

– Coche Royal, fit-il la main levée pour qu'elle puisse apprécier la mouche. Les poissons du monde entier l'adorent, de la Patagonie à l'Alaska. On va vérifier si elle est aussi populaire en Éthiopie.

Depuis la rive, elle le regarda jeter sa ligne. Il la fit s'enrouler sur elle-même en vol, envoya la mouche au milieu du courant et, là, la déposa doucement à la surface pour qu'elle flotte entre les rides de l'eau. Au second lancer, un remous vint faire danser la mouche. L'extrémité de la canne se recourba violemment en faisant miauler le moulinet. Nicholas laissa échapper un cri de joie:

– A moi, ma beauté!

Royan le regardait avec indulgence. Il était aussi excité qu'un jeune garçon. Elle souriait, aussi, parce qu'elle voyait que ses blessures s'étaient comme par miracle cicatrisées, qu'il ne boitait plus: il courait le long de la rivière pour fatiguer le poisson. Dix minutes après il le sortait de l'eau, luisant comme de l'or fraîchement fondu. Il était aussi long que son bras et faisait des bonds sur la plage.

– Un poisson d'or, lui dit-il triomphalement. Succulent. Le petit déjeuner de demain matin.

Il grimpa sur la rive et se laissa tomber dans l'herbe à côté d'elle.

– La pêche était une excuse pour fuir Boris. Je vous ai amenée ici pour vous raconter ce que j'ai découvert hier.

Il lui désigna l'arche de pierre rose, au-delà du pont. Elle se redressa sur son coude et le regarda avec attention.

– Je n'ai bien sûr aucun moyen de dire si ça a un lien avec notre enquête mais c'est certain, quelqu'un a travaillé là.

Il décrivit les niches qu'il avait trouvées creusées dans la paroi du défilé.

– Elles s'échelonnent entre le bord du gouffre et la surface de l'eau. Celles qui se trouvent sous la ligne des hautes eaux sont très érodées par le courant. Je n'ai pas pu atteindre celles du haut mais, d'après ce que j'ai vu, elles ont été protégées du vent et de la pluie par la forme même du rocher qui fait une sorte de toit au-dessus d'elles et elles m'ont paru en excellent état de conservation. Très différentes de celles du bas.

– Que doit-on déduire de cela ? demanda-t-elle.

– Qu'elles sont très anciennes. Le basalte est une pierre très dure, il a fallu du temps, beaucoup de temps à l'eau pour les user comme elle l'a fait.

– Avez-vous une idée d'à quoi servaient ces trous ?

– Je n'en suis pas sûr, admit-il.

– Auraient-ils servi à fixer des échafaudages ?

La justesse de la supposition l'impressionna.

– Bien pensé. C'est possible.

– A quoi d'autre pensez-vous ?

– Des marques rituelles, suggéra-t-il. Un motif religieux... Bon, d'accord, ce n'est pas très convaincant.

– Considérons l'hypothèse des échafaudages.

Elle se laissa tomber sur le dos et cueillit un brin d'herbe qu'elle mâchonna en réfléchissant.

– Pourquoi irait-on mettre un échafaudage dans un endroit pareil ?

– Pour fixer une échelle ou un portique afin d'atteindre le fond du gouffre ?

– Une autre raison ?

– Je n'en trouve pas.

Elle secoua la tête après quelques minutes de réflexion.

– Moi non plus.
Elle cracha le brin d'herbe.
– Si cette raison est la bonne, alors ces niches sont fortement liées à notre affaire. D'après votre description, ce devait être une structure importante, conçue pour accueillir plusieurs hommes. Ou quelque chose de lourd.
– En Amérique du Nord, les Indiens construisent des plates-formes au-dessus des chutes d'eau pour pêcher le saumon.
– Y a-t-il eu des grands bancs de poissons dans ces eaux-là ? demanda-t-elle.
Il haussa les épaules.
– Personne ne peut répondre à cette question. Peut-être que oui. Il y a si longtemps. Qui sait ?
– C'est tout ce qu'il y avait ?
– Très haut dans la paroi, aligné avec une précision mathématique entre les deux séries de niches, il y avait quelque chose qui ressemblait à un bas-relief gravé.
Elle se redressa d'un bond et le regarda avec avidité.
– Avez-vous pu le voir correctement ? Était-ce une inscription ou un dessin ? De quel style était la gravure ?
– Je n'ai pas eu cette chance ! Elle est placée très haut et la lumière est très faible, en bas. Je ne suis même pas certain qu'il ne s'agisse pas d'un accident naturel de la pierre.
Sa déception était si forte qu'elle en était palpable. Elle se tut encore puis demanda :
– Y avait-il autre chose ?
– Oui, fit-il en souriant. Des tas et des tas d'eau qui allait très très vite.
– Que va-t-on faire de votre éventuel bas-relief ? demanda-t-elle.
– L'idée ne m'enchante pas mais il va falloir que j'y retourne pour mieux le regarder.
– Quand ?
– Demain, c'est Timkat. Notre seule chance de pénétrer dans le *maqdas* de la cathédrale. Après cela, nous établirons un plan pour explorer la gorge.
– Il nous faudrait plus de temps, Nicky, maintenant que les choses deviennent intéressantes !
– Je ne vous le fais pas dire ! murmura-t-il.
Elle sentit son souffle sur ses lèvres, leurs visages étaient aussi proches que ceux de conspirateurs. Ou

d'amants. Elle saisit alors l'ambiguïté de sa remarque. Elle se mit vivement debout et ôta le sable et les brindilles de son jodhpur.

– Vous n'avez qu'un seul poisson pour nourrir tout le monde. De deux choses l'une, ou vous avez une très haute opinion de vous-même, ou vous feriez mieux de retourner pêcher.

Les deux *debtera* envoyés par l'abbé pour leur servir d'escorte essayèrent de leur forcer un chemin à travers la foule. Ils n'avaient pas atteint la dernière marche de l'escalier que l'escorte elle-même était avalée par la foule. Nicholas et Royan se retrouvèrent séparés de l'autre couple.

– Restez près de moi, fit Nicholas à Royan.

Il la tenait par le bras d'une main ferme en se frayant un passage dans la foule avec son épaule. Il avait délibérément perdu Boris et Tessay dans la bousculade : tout se passait exactement comme il l'avait voulu.

Ils atteignirent un endroit où Nicholas put s'adosser contre une des colonnes de pierre qui soutenaient la terrasse et se mettre à l'abri des mouvements de la foule. De là, il avait une vue parfaite sur l'entrée de la cathédrale. Royan, trop petite, était incapable de voir au-delà des pèlerins amassés, aussi Nicholas la percha sur la balustrade de l'escalier et l'aida à s'installer contre la colonne. Elle se tenait à son épaule d'une main, au bord du vide.

Les fidèles murmuraient à voix basse un chant monotone, tandis qu'une douzaine d'orchestres jouaient du tambour et du sistre. Chaque orchestre était disposé en cercle autour de son chef, un homme vêtu d'une robe magnifique qui s'abritait sous un immense parapluie multicolore.

L'excitation et l'impatience étaient aussi fortes que la chaleur et la puanteur et grandissaient régulièrement au fur et à mesure que les chants croissaient en ampleur, de plus en plus aigus. La foule se mit à se balancer et à onduler comme un seul organisme, une grotesque amibe qui palpitait. Soudain un carillon de cloches en cuivre parvint depuis l'enceinte de la cathédrale. Une centaine de trompettes et de cors répondirent et, du haut de l'escalier, retentirent les salves des gardes du corps des chefs qui vidaient leurs armes en l'air.

Certains avaient des fusils automatiques et le fracas des AK-47 se mêlait au tonnerre des vieux tromblons à poudre noire. Des nuages de fumée flottaient au-dessus des fidèles, les balles ricochaient contre la falaise et disparaissaient en sifflant dans la gorge. Des femmes poussaient des cris aigus, un son inquiétant qui glaçait le sang. Les visages des hommes étaient illuminés de ferveur religieuse, ils tombaient à genoux et levaient les mains en signe d'adoration, chantant et pleurant à la fois pour obtenir la bénédiction divine. Les femmes brandissaient leurs enfants à bout de bras et des larmes de frénésie religieuse zébraient leurs joues noires.

Une procession de moines et de prêtres émergea du porche de l'église. Les *debtera* en longue robe blanche ouvraient la marche, suivis des novices qui allaient être baptisés. Royan reconnut Tamre à sa longue silhouette dégingandée. Il dépassait d'une tête les jeunes garçons qui l'entouraient. Elle lui fit un signe de la main par-dessus la foule. Il la vit et sourit timidement avant de suivre les *debtera* le long du chemin qui descendait au fleuve.

La nuit commençait à tomber. Les profondeurs de la gorge étaient noyées d'ombres et le ciel au-dessus était un vaste dais piqué des premières étoiles. Un brasier brûlait à l'entrée du chemin. Chaque prêtre en passant plongeait sa torche éteinte dans les flammes et, dès qu'elle était allumée, la brandissait à bout de bras.

Semblable à un torrent de lave, la procession de torches enflammées commença à se dérouler le long de la paroi du gouffre, les prêtres chantant d'un ton plaintif et les tambours faisant rouler leurs échos d'un bord à l'autre du fleuve.

Succédant aux candidats au baptême, des prêtres ordonnés passèrent le porche de pierre. Ils avaient revêtu leurs robes clinquantes et portaient les croix de cérémonie en argent et cuivre martelé, ainsi que des bannières de soie brodée où les saints se consumaient dans les douleurs du martyre et les extases de l'adoration. Ils faisaient tinter leurs cloches et soufflaient dans leurs fifres, suaient et roulaient des yeux blancs.

Après eux, porté par deux prêtres vêtus des robes les plus somptueuses et coiffés de turbans incrustés de joyaux, venait le *tabot*. L'Arche du Tabernacle était recouverte d'un tissu écarlate qui descendait jusqu'au sol car elle était trop sacrée pour être laissée aux regards des profanes.

Les fidèles, au paroxysme de l'adoration, se jetèrent à terre. Les chefs eux-mêmes se prosternaient sur le sol couvert de détritus de la terrasse, certains en pleurant de ferveur.

Jali Hora fermait la procession. Il ne portait pas sa couronne à la pierre bleue mais une autre parure tout aussi splendide : la couronne de l'Épiphanie, masse de métal brillant et d'éclatants joyaux factices, bien trop lourde pour sa tête que supportait un vieux cou décharné. Deux *debtera* le tenaient par les coudes et guidaient ses pas incertains le long de l'escalier qui descendait au Nil.

Dès que la fin de la procession eut entamé la descente, les fidèles qui se tenaient près de l'escalier se relevèrent, allumèrent leurs torches au brasier et emboîtèrent le pas à Jali Hora. Il s'ensuivit un mouvement général et la terrasse commença à se vider. Nicholas fit alors descendre Royan de son perchoir.

– Nous devons pénétrer dans l'église pendant qu'il y a encore assez de monde pour nous couvrir, chuchota-t-il.

Il lui prit la main et se joignit au mouvement. Il se laissait emporter mais, dans le même temps, il coupait le courant humain en direction de l'église. Il aperçut Tessay et Boris dans la presse mais eux ne l'avaient pas vu. Il se courba le plus possible pour rester caché à leur vue.

Quand ils eurent atteint le porche de la première nef de l'église, il manœuvra pour les dégager de la foule et ils passèrent l'entrée basse qui donnait sur l'intérieur mal éclairé. Il s'assura d'un regard rapide qu'ils étaient seuls, que les gardes n'étaient plus en faction devant les portes du sanctuaire intérieur, puis il s'éloigna rapidement le long du mur vers une des tapisseries noires de suie qui pendaient depuis le plafond jusqu'au sol. Il écarta les lourds pans de laine tissée et attira Royan derrière, les laissant ensuite retomber pour les dissimuler tous les deux.

Ils avaient agi juste à temps. A peine se furent-ils aplatis contre le mur et eurent-ils laissé retomber la tapisserie qu'ils entendirent des bruits de pas venant du *qiddist*. Nicholas vit quatre prêtres en robe blanche traverser la nef, quitter l'église et refermer les portes derrière eux. Un choc sourd retentit au moment où ils laissèrent retomber la poutre qui fermait les battants, et un silence profond recouvrit la caverne.

– Je ne m'attendais pas à ça, chuchota Nicholas. Nous sommes enfermés pour la nuit.

– Ce qui signifie que personne ne nous dérangera, fit-elle avec à-propos. Nous pouvons commencer à travailler tout de suite.

Ils sortirent prudemment de leur cachette et traversèrent la nef jusqu'à l'entrée du *qiddist*. Nicholas s'immobilisa alors et la retint en posant la main sur son bras.

– Au-delà, nous entrons dans la zone interdite. Il vaudrait mieux que j'y aille le premier, en éclaireur.

Elle secoua la tête avec fermeté.

– Il est hors de question que vous me laissiez ici. Je vous accompagne partout.

Il céda et s'engagea le premier à l'intérieur de la salle du milieu.

Elle était plus petite et plus basse que la nef dont ils venaient. Les tapisseries étaient plus belles et bien mieux conservées. Le sol était nu, à l'exception d'un cadre pyramidal en bois travaillé à la main sur lequel étaient posées des rangées de lampes de cuivre, chacune avec sa mèche flottant dans un cercle d'huile. La maigre lumière qu'elles délivraient était le seul éclairage, laissant le plafond et les recoins de la pièce dans l'ombre. Nicholas sortit deux torches électriques du sac qui contenait son appareil photo.

– Les piles sont neuves mais ne les gaspillez pas, dit-il. Nous sommes peut-être ici pour la nuit.

Ils marquèrent une pause devant les portes du saint des saints. Nicholas les examina rapidement. Il y avait des gravures de saint Fromentius sur chaque panneau. Il avait la tête ceinte d'une auréole céleste et levait la main droite en signe de bénédiction.

– Un verrou primitif, marmonna-t-il. Il doit avoir plusieurs centaines d'années. On pourrait glisser un chapeau entre le pêne et le moraillon.

Il glissa la main dans son sac et en tira un outil de cordonnier.

– C'est un truc formidable, expliqua-t-il. Avec, on peut tout faire. De l'extraction des cailloux des sabots d'un cheval à l'ouverture d'une ceinture de chasteté.

Il s'agenouilla devant l'énorme verrou de fer et déplia une des multiples lames de l'outil. Elle le regarda s'activer avec anxiété puis laissa échapper un petit cri de satisfaction quand le pêne de la serrure bascula.

– Tiens, tiens ! fit-elle. Le cambriolage est-il un de vos talents ?

– Vous ne supporteriez pas la vérité.

Il se redressa pour pousser un des vantaux de la porte avec l'épaule. Il céda dans un grincement de gonds rouillés. Nicholas l'entrouvrit juste ce qu'il fallait pour qu'ils puissent tous les deux se faufiler à l'intérieur et le referma aussitôt derrière eux.

Le saint des saints était une toute petite pièce, plus petite que ce à quoi ils s'attendaient. Nicholas aurait pu la traverser en une douzaine d'enjambées. Le toit voûté était si bas qu'il n'aurait eu qu'à tendre les doigts pour le toucher.

Les murs étaient recouverts du sol jusqu'au plafond d'étagères qui abritaient les offrandes et les dons des croyants, icônes de la Trinité et de la Vierge reproduites dans le style byzantin et encadrées d'argent travaillé. Il y avait des rangées de statuettes de saints et d'empereurs, des médaillons et des couronnes de métal poli, des pots, des bols et des boîtes incrustées de pierreries, des candélabres à plusieurs branches, chacune portant une chandelle votive qui jetait une lumière hésitante. C'était une extraordinaire juxtaposition de trésors et de camelote, d'objets du culte et du plus trivial bric-à-brac, offerts pieusement par les empereurs et les chefs éthiopiens des siècles passés.

L'autel occupait le centre de la pièce. Il était en bois de cèdre et comportait des panneaux gravés de scènes visionnaires de la révélation et de la création, de la tentation et de la chute, et du Jugement dernier. Le drap de l'autel était en soie crochetée et la croix et le calice en argent travaillé. La couronne de Jali Hora luisait dans la lumière des bougies. On voyait le sceau en céramique bleue de Taita au centre de son front.

Royan alla s'agenouiller devant l'autel. Elle inclina la tête et se mit à prier. Nicholas attendit sur le seuil qu'elle se fût relevée avant de la rejoindre.

– La pierre du *tabot* !

Il y avait, derrière l'autel, un objet couvert d'une lourde toile damasquinée, brodée de fils d'argent et d'or. Il était de la taille d'un homme, d'élégantes et agréables proportions, mince, et plat à son sommet.

Ils tournèrent autour de la forme voilée avec une curiosité avide, sans oser la toucher ou la découvrir, de crainte de voir leurs espoirs emportés comme les eaux turbulentes de la Dandera dans le chaudron du Nil. Nicholas sortit de sa contemplation et se tourna vers la grille fixée dans le mur, au fond du sanctuaire.

– Le tombeau de saint Fromentius ! murmura-t-il en s'en approchant.

Ils regardèrent à travers les ouvertures carrées de la grille noircie par les siècles. L'intérieur était plongé dans l'obscurité. Nicholas introduisit sa torche par une des ouvertures et pressa le bouton.

La tombe s'alluma de couleurs si vives et si inattendues qu'il leur fallut quelques secondes pour vraiment voir ce que révélait le faisceau de la torche.

– Oh, mon Dieu ! gémit Royan.

Elle fut parcourue de frissons, comme prise d'une fièvre violente. Son visage pâlit et son corps parut se vider de son sang.

Le cercueil était placé dans une niche de pierre creusée dans le mur du fond du tombeau. Sur le couvercle était peinte l'image de l'homme qui s'y trouvait enfermé. Elle était délavée, la peinture manquait à plusieurs endroits mais la face pâle et la barbe rouge du mort étaient bien visibles.

Le cercueil n'était pas la seule raison de l'étonnement de Royan. Elle regardait les fresques peintes au-dessus du cercueil et de part et d'autre de la niche. C'était une explosion de couleurs. Chaque centimètre du mur de pierre portait les dessins les plus complexes et les plus élaborés qui aient jamais survécu.

Dans un silence frappé de stupeur, Nicholas promena le faisceau de la lampe sur le mur. Royan s'accrochait à son bras comme pour ne pas tomber. Elle lui enfonçait ses ongles dans la chair mais il n'y prêtait pas attention.

Il y avait des scènes de batailles, de galères de combat prises dans de terribles affrontements sur l'éternelle eau bleue du fleuve. Il y avait des scènes de chasse, la poursuite du cheval-fleuve et de grands éléphants aux longues défenses d'ivoire luisant. Il y avait des soldats en armure qui se livraient un combat sanglant. Des escadrons de chars déferlaient et chargeaient entre les murs étroits qu'obscurcissait la poussière de leur course folle.

Le premier plan de chaque fresque était dominé par une grande silhouette héroïque, toujours la même. Dans une des scènes, le héros bandait un arc, dans une autre il brandissait l'épée de bronze. Ses ennemis se terraient devant lui, il les piétinait ou tenait dans son poing l'ensemble de leurs têtes coupées, comme un bouquet de fleurs.

Nicholas fit courir le pinceau de lumière de sa torche sur la magnifique œuvre d'art. Il l'arrêta sur le panneau central. Celui-ci occupait tout le mur qui surplombait la niche où pourrissait le cercueil. Là, la toute-puissante silhouette était debout sur la plate-forme de son char. L'homme tenait son arc d'une main et de l'autre un faisceau de javelots. Il allait tête nue, sans casque pour la protéger, et sa chevelure flottait derrière lui, se tordant en une épaisse tresse dorée, telle la queue d'un lion. Le visage du héros était noble et fier, son regard direct et indomptable.

Il allait ainsi, au-dessus d'une légende gravée en hiéroglyphes classiques. Royan traduisit d'une voix qui n'était plus qu'un murmure sépulcral :

Grand Lion d'Égypte,
Meilleur parmi les Cent Mille
Détenteur de l'Or de la Bravoure
Unique Ami de Pharaon
Guerrier de tous les Dieux
Puisses-tu vivre toujours !

Sa main trembla, sa voix s'étrangla puis se tut, tarie par l'émotion. Elle étouffa un sanglot et se raidit pour reprendre le contrôle de ses émotions.

– Je connais cet artiste, souffla-t-elle. J'ai étudié son travail pendant cinq ans. Je le reconnaîtrais n'importe où ! Je peux affirmer avec une certitude absolue qu'il y a quatre mille ans Taita décorait ces murs et construisait cette tombe.

Elle désigna du doigt le nom du mort qui avait été gravé dans la pierre au-dessus de la cavité où reposait le cercueil.

– Ce n'est pas la tombe d'un saint chrétien ! Un prêtre a dû tomber dessus il y a des siècles, et, dans son ignorance, l'a confisqué pour sa propre religion. Tenez, regardez ! Ceci est le sceau de Tanus, Seigneur Harreb, le Commandant de toutes les armées d'Égypte, l'amant de Reine Lostris et le père naturel de Prince Memnon, qui devint le pharaon Tamose.

Ils restèrent un moment silencieux, émerveillés par leur propre découverte. Nicholas finit par briser ce silence fasciné :

– Tout est donc vrai ! Les secrets du septième papyrus sont ici, devant nous. Il faudrait simplement en trouver la clé.

– Oui, murmura-t-elle. La clé. Le testament de Taita. La pierre.

Elle se détourna et regarda la pierre du *tabot*. Elle fit quelques pas vers elle, lentement, avec une sorte de crainte.

– Je ne peux pas, Nicky. L'idée que cela puisse ne pas être ce que nous espérons me terrifie. Faites-le, vous !

Il alla droit à la colonne et, d'un geste large, fit voler la draperie damasquinée. Ils regardèrent fixement le pilier de granite moucheté de rose qui leur était apparu. Il mesurait près d'un mètre quatre-vingts de hauteur, avec une base carrée d'une trentaine de centimètres de côté qui allait en se rétrécissant jusqu'au sommet. Le granite avait été poli avant d'être gravé.

Royan fit un pas en avant. Elle posa la main contre la pierre froide, effleurant les hiéroglyphes comme un aveugle déchiffrant le braille.

– Le message de Taita, murmura-t-elle en caressant le faucon à l'aile brisée qu'elle avait retrouvé parmi la masse dense des dessins gravés.

Elle en suivit les contours d'un doigt qui tremblait encore.

– Un message qui a été écrit il y a quatre mille ans. Il a attendu tout ce temps avant que nous le déchiffrions et que nous le lisions. Regardez sa signature.

Elle fit lentement le tour de la colonne, examinant chaque face, l'une après l'autre. Elle souriait en hochant la tête, fronçant parfois les sourcils, secouait la tête, puis retrouvait son sourire comme devant une lettre d'amour.

– Lisez-la-moi, demanda Nicholas. C'est trop compliqué pour moi. Je déchiffre les caractères mais je ne comprends rien au sens de tout ce texte. Expliquez-moi !

– C'est du pur Taita, fit-elle en riant. Comme d'habitude, il est obscur et fantaisiste.

L'admiration et la stupeur qui l'avaient comme paralysée cédaient la place à l'empressement. Elle en parlait comme d'un ami très cher mais néanmoins agaçant.

– C'est en vers et probablement dans un code obscur de son invention, fit-elle en suivant une ligne du doigt pour la traduire à voix haute : *Le vautour déploie ses ailes puissantes pour accueillir le soleil. Le chacal hurle et court après sa queue. Le fleuve coule vers la terre. Gare, vous les pilleurs de lieux sacrés. Craignez la colère des dieux qui tombera sur vous !*

– C'est un jargon insensé ! Ça ne veut rien dire du tout, protesta-t-il.

– Oh, si ! Ça a un sens. Ce que dit Taita a toujours un sens. Il faut suivre sa tortueuse manière de penser.

Elle se tourna vers lui.

– Oh ! Nicky, ne faites pas cette tête ! Vous ne vous attendiez quand même pas à lire Taita comme vous lisez l'éditorial du *Times* ! Il nous a fabriqué une énigme dont l'éclaircissement demandera peut-être des semaines et des mois de travail.

– En tout cas, une chose est certaine : nous n'allons pas rester dans le *maqdas* pendant des semaines et des mois pour jouer aux devinettes. Au boulot !

– Les photos d'abord, fit-elle, soudain pragmatique. Puis nous relèverons les gravures de la pierre.

Il posa son sac à terre et s'accroupit devant.

– Je vais d'abord faire deux films couleur puis j'emploierai le Polaroïd. Ainsi, nous aurons du matériel sur lequel travailler en attendant le développement des pellicules couleur.

Elle s'éloigna pour le laisser tourner autour du pilier de pierre. Il s'était agenouillé de manière à garder un angle de prise de vue qui limitait les déformations. Il fit une série de clichés de chacune des faces, en variant la vitesse et l'exposition.

– N'usez pas toute la pellicule, demanda-t-elle. Il nous faut aussi des photos des murs du tombeau.

Docilement, il alla jusqu'à la grille pour en étudier le système de fermeture.

– C'est un peu plus compliqué que la porte. Si j'essaie d'entrer, je risque d'abîmer la serrure.

– Bon, dit-elle. Photographiez alors à travers la grille.

Il obéit et s'efforça de faire de son mieux. Il tenait l'appareil à bout de bras et visait à travers la grille, en faisant le point au jugé.

– Ça y est, dit-il enfin. Maintenant, le Polaroïd.

Il changea d'appareil et opéra de la même manière. Cette fois-ci, Royan tenait une petite cellule contre les grilles pour mesurer l'ouverture nécessaire. Il lui tendait les plaques exposées au fur et à mesure pour qu'elle en vérifie le développement. Une fois ou deux, elle lui demanda de refaire le cliché.

Deux heures de travail leur permirent d'obtenir une série complète de polaroïds. Nicholas rangea ses appareils et sortit le rouleau de papier à dessin. Ensemble, ils le déroulèrent sur une des faces de la colonne et l'y fixèrent à l'aide de papier collant. Puis ils se mirent au travail, lui à partir du haut et elle, agenouillée devant la base. Avec un crayon à dessin, ils noircirent le papier vierge des formes délicates des gravures.

– J'ai appris l'importance de ceci à force de travailler avec Taita. A défaut d'un original, il faut travailler sur la meilleure copie possible. Parfois, le détail le plus infime peut modifier le sens d'un texte. Il rend tout plus compliqué en y ajoutant un double, voire un triple sens. Vous avez lu comment il se présente dans *le Dieu Fleuve* ? Forgeur d'énigmes et fabricant de calembours par excellence. Et aussi le meilleur joueur de bao qui ait jamais existé. Sur ce point, le livre est fidèle. Où qu'il soit aujourd'hui, il sait que la partie a commencé et il savoure le moindre de nos mouvements. Je l'imagine très bien en train de rire et de se frotter les mains en jubilant.

– Ça me paraît un peu fantaisiste, ma chère, mais je vois ce que vous voulez dire.

Le transfert des dessins sur la feuille de papier était une tâche monotone et minutieuse. Les heures passèrent. Ils travaillaient à genoux, à quatre pattes, accroupis devant le pilier de granite. Enfin, Nicholas put se redresser.

– Et voilà, fit-il en se massant les reins. C'est fini.

Elle se redressa à son tour.

– Quelle heure est-il ?

– Quatre heures du matin. Nous ferions mieux de tout ranger. Nous devons être sûrs de ne laisser aucune trace de notre visite.

– Une chose, encore.

Royan déchira un morceau de papier et s'approcha de l'autel où trônait la couronne de l'abbé. Elle appliqua la feuille contre le sceau de céramique bleue puis reproduisit en crayonnant vivement le motif du faucon à l'aile brisée.

– Au cas où, expliqua-t-elle.

Ils plièrent les longues feuilles de papier, les glissèrent dans le sac, puis rassemblèrent les morceaux de papier collant et les emballages de pellicules qu'il avait jetés sur le dallage.

Avant de recouvrir la stèle de granite de son drap damassé, Royan caressa la pierre comme si elle la quittait pour toujours. Puis elle fit un signe de tête à Nicholas qui déplia le drap sur la colonne. Ils en ajustèrent les plis de manière à ce qu'ils pendent comme ils les avaient trouvés. Sur le seuil de la porte renforcée de cuivre, ils se retournèrent une dernière fois vers le *maqdas* puis Nicholas entrouvrit la porte.

– Allons-y !

Quelques minutes lui suffirent pour remettre le pêne à sa place.

– Comment va-t-on sortir ?

– Je ne crois pas qu'il faille passer par la porte principale. Les prêtres doivent avoir un passage qui relie leurs quartiers au *qiddist*. Nous ne les avons pas souvent vus utiliser la porte principale.

Il s'arrêta au milieu de la nef et regarda attentivement autour de lui.

– Si le passage mène directement aux quartiers des moines, alors il doit être par là. Ah, s'exclama-t-il avec satisfaction, regardez !

Il désignait une zone où la pierre était usée, le long du mur.

– Et là ! Il y a des traces de doigts sur cette tapisserie.

Il alla à grands pas vers la tenture et l'écarta.

– Banco ! fit-il en découvrant le petit passage dissimulé derrière le panneau. Suivez-moi.

Ils se retrouvèrent dans un couloir obscur creusé dans la falaise. Nicholas alluma sa torche en masquant l'éclat de la lampe avec ses doigts.

– Par ici.

Le passage tournait à angles droits. Soudain, ils distinguèrent une lueur droit devant. Nicholas éteignit sa lampe et lui prit la main. Bientôt leur parvinrent des odeurs de sueur et de nourriture avariée. Ils passèrent devant l'entrée sans porte d'une cellule de moine. Nicholas alluma sa torche : la cellule était vide et nue. Il y avait une croix de bois accrochée au mur, au-dessus d'un lit gigogne.

Nicholas s'arrêta au coude suivant. Il avait senti un léger courant d'air contre sa joue. Il huma aussitôt un parfum d'air frais.

– Par là, chuchota-t-il.

Ils pressèrent le pas jusqu'à ce que, soudain, Royan le retînt par l'épaule.

– Que...

Elle lui pressa l'épaule pour le faire taire. Il perçut alors le son d'une voix humaine. Son écho se répercutait étrangement dans le labyrinthe de pierre. Puis éclata un cri inquiétant, celui d'une âme torturée qui pleurait et se lamentait. Ils firent quelques pas mais les bruits allaient en s'amplifiant.

– Ça vient de devant ! avertit Nicholas. Il va falloir passer sans se faire voir.

Ils virent alors le halo jaune pâle d'une lampe qui palpitait à l'intérieur d'une cellule. Un autre cri poignant retentit, les figeant sur place.

– C'est une femme ! Que se passe-t-il ?

Ils devaient passer devant la cellule illuminée. Nicholas avança, le dos aplati contre le mur opposé. Royan le suivait de près, la main crispée autour de son bras.

La femme cria encore au moment où ils passaient devant la porte ouverte mais, cette fois, sa voix était mêlée à celle d'un homme. C'était un duo sans paroles, écartelé par la douleur d'une passion trop violente pour rester silencieuse.

Le couple gisait entièrement nu sur la couchette. La femme avait les jambes grandes ouvertes, ses genoux pliés retenaient l'homme par les hanches. Ses bras s'accrochaient au dos luisant de sueur où chaque muscle était vigoureusement sculpté. Il entrait en elle sauvagement, ses fesses frappant régulièrement avec la force d'un grand bélier noir.

Elle secouait la tête violemment. Un autre cri incohérent jaillit de sa gorge tendue. L'homme qui la dominait céda. Il recula comme un cobra qui va frapper mais son ventre restait collé au sien. Il se cambra comme un arc de combat. Les spasmes déferlèrent dans son corps, les tendons de ses cuisses se tendirent et la musculature de son dos tressauta comme animée d'une vie propre.

La femme ouvrit les yeux et regarda droit vers eux. Ils étaient figés sur le seuil mais elle était aveuglée par la force de sa passion et ses yeux ne voyaient plus rien : elle n'était que le cri que lui arrachait l'homme au-dessus d'elle.

Nicholas tira Royan par le bras, ils se faufilèrent dans le passage et émergèrent sur la terrasse déserte. Ils marquèrent une pause au pied de l'escalier pour respirer l'air frais de la nuit que parfumaient les eaux du Nil.

– Tessay l'a rejoint, murmura Royan.

– Pour ce soir, en tout cas.

– Non. Vous avez vu son visage, Nicky. Désormais, elle appartient à Mek Nimmur.

11

Quand ils arrivèrent au campement, l'aube colorait les sommets crénelés de teintes violettes et roses. Ils se séparèrent devant la hutte de Royan.

– Je suis épuisée, dit-elle à Nicholas. L'émotion a été trop forte. Vous ne me reverrez pas avant midi.

– Bonne idée ! Dormez tant que vous voulez, je vous veux brillante et attentive quand nous allons étudier le matériel que nous avons rassemblé cette nuit.

On était encore bien loin de midi, pourtant, quand Nicholas fut tiré d'un sommeil profond par les beuglements d'un Boris entré en tornade dans sa hutte.

– L'Anglais ! Réveillez-vous ! Je dois vous parler. Réveillez-vous, bon dieu !

Nicholas se retourna et sortit un bras de sa moustiquaire pour tâtonner à la recherche de sa montre.

– Allez au diable, Brusilov ! Qu'est-ce que vous voulez ?

– Ma femme ! Avez-vous vu ma femme ?

– Qu'est-ce que j'ai à voir avec votre femme ?

– Elle est partie ! Elle a disparu depuis la nuit dernière.

– Vu la manière dont vous la traitez, ce n'est pas une très grande surprise. Maintenant, allez-vous-en, laissez-moi dormir.

– Cette pute s'est tirée avec ce salaud de nègre, Mek Nimmur. Je sais tout. N'essayez pas de la protéger, l'Anglais. Je suis au courant. Vous essayez de la protéger, avouez !

– Fichez le camp, Boris. Ne cherchez pas à me mêler à votre vie privée.

– Je vous ai vu parler avec ce salaud, l'autre nuit, dans la hutte d'équarrissage. N'essayez pas de nier, l'Anglais. Vous êtes leur complice.

Nicholas écarta violemment le filet de la moustiquaire et jaillit hors de son lit.

– Je vous prie de modérer votre langage quand vous vous adressez à moi !

Boris recula jusqu'à la porte.

– Je sais qu'elle est partie avec lui. J'ai inspecté les rives toute la nuit pour les retrouver. Ils sont partis, et presque tous ses hommes sont partis avec eux.

– C'est très bien pour Tessay. Elle montre enfin qu'elle sait choisir un homme.

– Vous croyez que je vais laisser cette pute s'en tirer comme ça ? Vous vous fourrez le doigt dans l'œil jusqu'au coude. Je vais les suivre et je vais les tuer tous les deux. Je sais quelle direction ils ont prise. Vous me prenez pour un con. Je sais tout de Mek Nimmur. J'étais le chef du service...

Il s'interrompit en s'apercevant de ce qu'il venait de dire.

– Je vais lui tirer une balle dans le ventre et je forcerai Tessay à le regarder crever.

– Si vous cherchez à retrouver Mek Nimmur, vous ne reviendrez pas.

– Vous me connaissez mal, l'Anglais. Vous m'avez flanqué une raclée parce que j'avais une bouteille de vodka dans le ventre et vous croyez qu'on peut m'avoir comme ça ? Mek Nimmur saura qu'on ne peut pas m'avoir comme ça.

Il se rua hors de la hutte. Nicholas enfila une chemise et le suivit. Boris s'était précipité dans sa propre hutte et avait jeté quelques affaires dans un sac. Maintenant, il glissait des cartouches dans le magasin de son fusil de chasse.

– Laissez tomber, Boris, fit Nicholas. Mek est un dur. On ne fait pas mieux. Et il a cinquante hommes avec lui. Vous êtes assez grand pour savoir qu'on ne retient pas une femme de force. Laissez-la partir !

– Je ne veux pas la retenir, je veux la tuer. Le safari est terminé, l'Anglais.

Il jeta un trousseau de clés aux pieds de Nicholas.

– Ce sont celles de la Toyota. Vous arriverez à retourner à Addis. Je vous laisse mes quatre meilleurs hommes pour vous tenir la main. Je prends le gros camion. Quand vous serez à Addis, donnez les clés de la Toyota à Aly. Je saurai où le retrouver. Je vous enverrai ce que je vous dois pour avoir tout annulé. Ne vous inquiétez pas, j'ai des principes.

– Comment pourrais-je en douter ? Salut, vieux. Et bonne chance, vous en aurez besoin si vous allez vous frotter à Mek Nimmur.

Boris avait plusieurs heures de retard sur sa proie. Dès qu'il eut franchi les limites du campement, il se mit à courir pour rejoindre la route principale qui s'enfonçait vers l'ouest, vers la frontière soudanaise. Il avait une foulée d'éclaireur, avec de longues enjambées souples.

« Il est quand même très en forme malgré la vodka, remarqua Nicholas, impressionné. Je me demande combien de temps il va garder cette allure. »

Il retournait à sa hutte pour un reliquat de sommeil quand Royan passa la tête hors de la sienne.

– Que signifient tous ces cris ? Je croyais que Boris et vous régliez une autre divergence d'opinion.

– Tessay a mis les voiles. Boris a compris que c'était avec Mek et il s'est jeté à leurs trousses.

– Oh, Nicky ! Ne peut-on pas les prévenir ?

– Aucune chance. A moins que Mek n'ait vraiment perdu la tête, il doit s'attendre à ce que Boris parte à sa recherche. D'ailleurs, quand j'y pense, il doit probablement n'attendre que ça. Non, je ne crois pas que Mek ait besoin de notre aide. Retournez vous coucher.

– Comment voulez-vous que je dorme ! J'ai regardé les polaroïds que nous avons pris l'autre nuit. Taita nous a laissé une coupe pleine à déborder. Venez voir ça.

– Juste une petite heure de sommeil en plus ? implora-t-il, ironiquement.

– Immédiatement ! répondit-elle en riant.

Elle avait disposé les polaroïds côte à côte sur la table de campement et elle le pria de s'asseoir près d'elle.

– J'ai fait des progrès pendant que vous ronfliez.

Elle mit quatre clichés l'un près de l'autre et déposa dessus sa grande loupe de géomètre. C'était un modèle de professionnel, avec quatre pieds pliables. Le verre révélait le moindre détail des photographies.

– Taita a donné à chaque face de la stèle le nom d'une saison. Printemps, été, automne, hiver. Que pensez-vous qu'il voulait faire ?

– Une forme de pagination ?

– C'est exactement ce que j'ai pensé. Les Égyptiens considéraient le printemps comme le commencement de toute nouvelle vie. Taita nous indique dans quel ordre lire les panneaux. Voici le printemps, ajouta-t-elle en sélectionnant une photo. Il commence par une citation du *Livre des Morts : Je suis le premier souffle au-dessus de l'océan noir de l'éternité. Je suis la première aube. La première lumière. Une plume blanche dans le vent de l'aurore. Je suis Râ. Je suis le commencement de toute chose. Je suis éternel. Je ne périrai jamais.*

Elle leva les yeux pour le regarder, sans pour autant lâcher la loupe.

– D'après ce que je sais, ce n'est pas très différent de l'original. J'aurais envie de le mettre de côté pour l'instant. Nous pourrons toujours y revenir.

– Suivons donc votre instinct, suggéra-t-il. Lisez la suite.

Elle ajusta la loupe au-dessus du cliché.

– Je ne vous regarderai pas en lisant. Taita pouvait être aussi truculent que Rabelais quand il le voulait. Bon, on y va : *La fille de la déesse ne songe qu'à sa mère. Elle rugit comme une lionne en courant à sa rencontre. Elle bondit des montagnes, ses crocs sont blancs. C'est la grande prostituée. Son vagin pisse d'immenses torrents. Son vagin a englouti des armées entières. Son sexe a dévoré les maçons et les tailleurs de pierre. Son vagin est une pieuvre qui a avalé un dieu.*

– Houlà ! s'exclama Nicholas. C'est très salé, non ? Il se pencha pour voir son visage mais elle le gardait obstinément baissé.

– Dites-moi, m'dame, vos jolies joues sont toutes roses. Vous n'êtes pas en train de rougir, n'est-ce pas ?

– Quand vous aurez terminé de faire de l'esprit à mes dépens, peut-être me direz-vous ce que vous pensez de ce que je viens de lire ?

– En dehors de ce qui saute aux yeux, je n'en ai aucune idée.

– Je vais vous montrer quelque chose.

Elle se leva et remit les photos et le rouleau de papier à dessin dans son sac à dos.

– Allez mettre vos boots, je vous emmène faire un petit tour.

Une heure plus tard, ils étaient au milieu du pont suspendu qui se balançait en douceur au-dessus de la Dandera.

– Hâpy est la déesse du Nil. Cette rivière n'est-elle pas sa fille qui court à sa rencontre, bondissant depuis le sommet de la montagne, rugissant comme une lionne, avec ses crocs blancs d'écume ? demanda-t-elle.

Ils regardèrent l'arche de pierre rose d'où jaillissait la rivière. Nicholas sourit avec un air entendu.

– Je sais ce que vous allez dire. C'est exactement ce qui m'est venu à l'esprit quand j'ai vu cette falaise. Vous avez parlé de bouche de gargouille mais j'ai vu autre chose.

– Tout ce que je peux ajouter, c'est que vous devez avoir des amies extraordinairement pourvues... Oh ! se reprit-elle avec la main sur la bouche, je ne voulais pas dire ça. Je deviens aussi dégoûtante que vous ou Taita.

– Les ouvriers qui ont été avalés ! fit-il d'une voix tendue. Les maçons et les tailleurs de pierre !

– Le pharaon Mamose était un dieu. La rivière a avalé un dieu. Par son arche de pierre, fit-elle, gagnée elle aussi par l'enthousiasme. Je dois admettre que je n'aurais pas fait le rapprochement si vous n'aviez pas exploré l'intérieur de la caverne et trouvé ces niches dans le rocher.

Elle le prit par le bras avec ardeur.

– Nicky, nous devons entrer là-dedans. Nous devons voir clairement le bas-relief que vous avez trouvé.

– Il va falloir de sérieux préparatifs, fit-il, dubitatif. Il va falloir épisser les cordes entre elles et fabriquer une sorte de système de poulie. Je vais expliquer deux ou trois choses à Aly et les autres afin que le fiasco de la dernière fois ne se reproduise pas. Nous ne pourrons rien faire avant demain matin, au plus tôt.

– Vous vous en occuperez. J'ai largement de quoi faire avec la traduction de la stèle.

Elle s'interrompit et regarda le ciel.

– Écoutez !

Il tendit l'oreille. Malgré le bruit de la rivière, il entendit le froissement haletant des rotors.

– Merde ! Je croyais qu'on était débarrassés de Pégase. Venez !

Il lui prit la main et l'entraîna. Ils coururent se réfugier sous le pont. Tranquillement installés sur le sable blanc, ils écoutèrent l'approche rapide du Jet Ranger.

L'engin décrivit des cercles au-dessus des collines, au-delà des falaises roses. Cette fois, le pilote ne les avait pas repérés car il changea de direction pour patrouiller le long du gouffre. Soudain, le bruit du moteur se modifia.

– On dirait qu'il va se poser quelque part dans les collines, fit Nicholas en rampant hors de sa cachette. Je me sentirais mille fois mieux sans ces fouineurs.

– Je ne crois pas que nous ayons trop à nous en soucier. Même s'ils ont à voir avec le meurtre de Duraid, nous avons plusieurs longueurs d'avance sur eux. Visiblement, ils n'ont aucune idée de l'importance du monastère.

– Pourvu que vous ayez raison ! Retournons au campement. Nous ne devons pas les laisser nous surprendre près du gouffre. La coïncidence serait trop grande s'ils nous trouvaient ici chaque fois qu'ils y viennent.

Pendant que Royan, dans sa hutte, se penchait sur le mystère des photos et des gravures, Nicholas travaillait avec les pisteurs et les peaussiers. Il épissa ensemble les extrémités de deux cordages pour obtenir une seule corde de cent cinquante mètres de long. Puis il réquisitionna l'auvent de toile de la cuisine, le découpa pour en faire une sorte de siège-harnais et enfin tressa les bouts de la corde en un baudrier qu'il fixa à chaque coin de son harnais.

Il n'avait pas de palan, aussi rassembla-t-il quelques perches qui, posées au-dessus du gouffre, tiendraient la corde loin du roc. La corde coulisserait dans la rainure qu'il avait creusée à l'extrémité de la perche centrale avec un fer rougi au feu et qu'il avait enduite de saindoux.

Il acheva tous ces préparatifs vers le milieu de l'après-midi. Puis il emmena ses hommes, munis de la corde et des perches, jusqu'à l'endroit où il était descendu dans le ravin pour récupérer la carcasse du dik-dik. De là ils se frayèrent un passage en aval, en suivant le bord du gouffre. Ils avançaient difficilement dans les épineux qui poussaient jusqu'à la lisière du précipice et, à plusieurs endroits, ils durent employer les machettes pour se tailler un chemin.

Le bruit de la chute d'eau lui servait de repère. Il allait en s'amplifiant, jusqu'à ce que le sol sous leurs pieds tremble du rugissement des eaux. C'est en se penchant au-dessus du bord et en scrutant les profondeurs que Nicholas put distinguer l'éclair d'écume.

– C'est là !

Il expliqua à Aly ce qu'il comptait faire.

Afin de déterminer l'endroit exact où fixer son palan improvisé, Nicholas se fit descendre de quelques mètres le long de la paroi, installé dans le siège qu'il avait fabriqué. Il arriva au niveau du surplomb. Jusque-là, la corde ne frottait pas contre le rocher et il pouvait voir au-delà de la protubérance de la falaise.

Suspendu au-dessus des chutes et du bassin rocheux de la rivière, il distinguait les deux rangées de niches creusées dans le roc. Le bas-relief était invisible à cause du renflement de la falaise.

– Nous devons fixer le palan un peu plus bas, dit-il à Aly lorsque celui-ci l'eut remonté.

Ils taillèrent encore dans les épineux qui se pressaient autour du gouffre. Soudain, Nicholas s'exclama :

– Nom de Dieu ! Il y a d'autres excavations ici.

Il s'agenouilla pour examiner le rocher que les épineux dissimulaient. Exposées aux éléments, les marques avaient été sérieusement érodées. Ce n'était plus que de vagues traces sur le bord du gouffre mais il était convaincu que ces empreintes étaient les points de fixation de la partie supérieure de l'échafaudage. Ils fixèrent leur palan au même endroit et placèrent la longue perche au-dessus du vide.

Quand ils eurent terminé, Nicholas se risqua à l'extrémité pour vérifier la solidité de la structure et pour faire passer la corde dans la rainure qu'il avait creusée à cet effet. La structure tout entière semblait solide mais il n'en regagna pas moins la terre ferme avec soulagement.

Debout au bord du vide, il regarda, au-dessus de la cime des épineux, le soleil qui descendait, rouge et menaçant, vers l'horizon.

– Ça suffit pour aujourd'hui, décida-t-il. La suite peut attendre demain.

Il faisait encore nuit quand ils se levèrent. Ils prirent leur café autour du feu. A quelques mètres, Aly et ses hommes étaient accroupis autour de leur propre feu. Ils bavardaient à voix basse et fumaient en toussant la première cigarette de la journée. Le projet de Nicholas les avait emballés. Ils n'avaient aucune idée de la raison qui le poussait à redescendre dans le gouffre, mais l'enthousiasme des deux *ferengi* était contagieux.

Dès qu'il fit assez clair pour voir le sentier, ils se mirent en route pour les collines, Nicholas en tête. Les hommes bavardaient avec animation en amharique. Ils arrivèrent à destination au moment où le soleil apparaissait au-dessus des falaises qui fermaient l'orient de la vallée. La veille, Nicholas avait entraîné les hommes. Puis Royan et lui avaient révisé leur plan jusqu'au milieu de la nuit. Ils perdirent donc très peu de temps à se préparer pour la descente.

Nicholas était en short et en chaussures de tennis, mais il avait pris cette fois la précaution de se munir d'un polo de jersey. Il l'ôta dès qu'il arriva et montra à Royan la plate-forme creusée dans le roc. Elle l'examina attentivement.

– Difficile d'en être sûre mais je crois que vous avez raison. C'est certainement taillé par l'homme.

– Vous aurez moins de doutes quand vous serez descendue. L'érosion sous le promontoire est très minime et les niches sont parfaitement préservées. Jusqu'au niveau de l'eau, en tout cas.

Il prit place dans le siège qu'il avait improvisé et se laissa pendre au-dessus du vide. Au signal convenu, Aly et ses hommes le firent descendre lentement dans la gorge. La corde passait sans à-coups dans sa gouttière enduite de graisse.

Il se rendit compte tout de suite qu'il ne s'était pas trompé : il descendait parallèlement à la double rangée de niches. Il arriva au niveau du cercle mystérieux mais il était à plus de quinze mètres. Des lichens traçaient de larges coulures décolorées qui en cachaient les détails. Il pouvait encore s'agir d'une marque naturelle.

Il continua à descendre. Quand il toucha la surface de l'eau, il glissa hors du harnais et se laissa tomber. L'eau était glacée. Il battit les flots en suffoquant jusqu'à ce que son corps se soit acclimaté puis il tira trois fois sur la corde. Pendant que le siège de toile remontait, il nagea jusqu'au bord du bassin et s'accrocha à une des niches. Il avait oublié comme le fond du gouffre pouvait être froid et sinistre. Après un temps qui lui parut infini, il distingua Royan. Il la regarda s'éloigner du rebord et tournoyer lentement au bout de la corde de nylon. Quand elle le vit, elle lui fit des signes enjoués.

« Vingt sur vingt, cette fille ! se dit-il en souriant. Il n'y a pas grand-chose qui puisse lui faire peur. »

Il aurait voulu lui crier un encouragement mais c'était inutile : le grondement de la chute recouvrait tout. Il se contenta de lui retourner son salut.

Soudain, il la vit tirer frénétiquement sur la corde. Aly, qui avait été prévenu, l'arrêta aussitôt. Elle se pencha sur le côté et, accrochée uniquement avec la main gauche, elle saisit les jumelles de Nicholas qu'elle avait passées autour de son cou. Tordue selon un angle étrange, elle porta les jumelles à ses yeux et tourna la molette qui les réglait d'une main maladroite. Elle avait d'énormes difficultés à garder la marque ronde dans le champ des jumelles à cause du balancement du harnais et du mouvement de rotation qu'il entamait lentement.

Elle s'échina au bout de la corde pendant ce qui parut à Nicholas un temps infini mais qui n'avait pas dû excéder quelques minutes et, soudain, elle laissa retomber les jumelles contre sa poitrine. Elle rejeta la tête en arrière et poussa un cri qui, malgré les rugissements de la chute d'eau, porta jusqu'à Nicholas. Elle semblait folle de joie, elle balançait les jambes avec allégresse et faisait des signes à Nicholas, alors qu'Aly laissait lentement filer la corde. Criant toujours de façon incohérente, elle le regardait avec un sourire qui semblait illuminer toute la sombre cathédrale de la gorge.

– Je ne vous entends pas ! cria-t-il.

Mais les chutes et leur vacarme empêchaient tout moyen de communication. Royan gigotait sur son siège, criant et gesticulant follement. Elle était à six mètres de l'eau quand elle perdit l'équilibre. Le siège se renversa, elle bascula en arrière et manqua tomber.

– Attention ! cria-t-il. Ces jumelles sont des Zeiss. Deux mille livres à l'aéroport de Zurich !

Cette fois-là, sa voix dut lui parvenir car elle lui tira la langue comme l'aurait fait une collégienne. Mais ses mouvements devinrent plus retenus. Quand ses pieds furent assez proches de l'eau, elle transmit à la corde le signal d'arrêt et resta là, à se balancer, à une quinzaine de mètres de lui.

– Qu'avez-vous trouvé ? cria-t-il.

– Vous aviez raison, vous êtes un homme merveilleux !

– Est-ce dû à la main de l'homme ? Y a-t-il une inscription ? Avez-vous pu la lire ?

– Oui, oui et oui aux trois questions ! fit-elle avec un sourire triomphant et narquois.

– Ne faites pas la peste. Dites-moi.

– Encore une fois, l'ego de Taita a été le plus fort. Il n'a pas pu résister : il a signé son œuvre. Il nous a laissé son autographe. Le faucon à l'aile brisée.

– Merveilleux !

– Ça prouve que Taita était ici, Nicky. Pour graver ce cartouche, il devait être installé sur un échafaudage. Nous avions deviné juste. Cette niche où vous vous accrochez accueillait l'échelle qui lui a servi à arriver là.

– Oui, mais pourquoi ? Pourquoi Taita est-il descendu ici ? Il n'y a trace d'aucune excavation ni de construction.

Ils regardèrent l'espace de la caverne. Hormis les deux rangs de niches, les parois étaient intactes, lisses et impénétrables.

– Et sous les chutes ? Y a-t-il un passage dans le rocher ? Pouvez-vous aller voir ?

Il s'écarta de la paroi et nagea vers la chute qui s'écoulait avec fracas. A mi-chemin, le courant était si puissant qu'il dut employer toutes ses forces pour continuer à avancer. En battant l'eau à grands coups de bras, avec d'énergiques mouvements de jambes, il réussit à atteindre un éperon rocheux à l'extrémité de la chute.

L'eau s'écrasait sur son crâne avec force mais il continua à progresser le long du rebord rocheux, jusqu'au centre de la cascade. L'eau le submergea d'un coup. Elle l'arracha à son support improvisé et le précipita dans le bassin en contrebas, dans des tourbillons qui le secouèrent en tout sens. Il émergea au milieu du bassin et, une fois encore, il dut lutter de toutes ses forces contre le courant pour arriver à l'endroit où l'eau était tranquille, au pied de la falaise. Il s'accrocha à sa niche de pierre en râlant comme un soufflet de forge.

– Il n'y a rien ? demanda-t-elle.

Il secoua la tête, incapable de répondre. Il finit par récupérer assez de souffle pour crier :

– Rien. C'est du roc garanti pur, derrière les chutes. (Il prit une profonde inspiration avant d'ajouter, sarcastique :) Alors, une autre brillante idée, madame ?

– Nicky, jusqu'où descendent ces niches ?

– Vous voyez bien, répondit-il. Jusqu'à celle où je m'accroche.

– Et sous la surface ?

– Ne soyez pas stupide, dit-il, de plus en plus glacé et de plus en plus irritable. Comment voulez-vous qu'il y ait des niches, là-dessous ?

– Vérifiez ! cria-t-elle d'un ton où pointait l'agacement.

Il secoua la tête avec commisération. Il se remplit les poumons puis plongea la tête sous la surface noire de la rivière.

Il surgit soudain en crachant et en haletant. Il avait un air stupéfait.

– Par Dieu ! hurla-t-il. Vous avez raison ! Il y a une autre niche là-dessous !

– Qu'est-ce que je disais ? fit-elle, et même avec la distance, il vit l'expression satisfaite qu'elle arborait.

– Vous êtes quoi ? Une sorcière ?

Et il s'interrompit pour adresser au ciel un regard désespéré.

– Je sais ce que vous allez me demander de faire !

– Jusqu'où vont ces niches ? fit-elle d'une voix enjôleuse. Plongeriez-vous pour moi, cher Nicky ?

– Voilà, je le savais. Je vais tout dire à mon délégué syndical. C'est de l'esclavage. D'ailleurs, je suis en grève et à partir de tout de suite.

– S'il vous plaît, Nicky !

Il remplit et vida plusieurs fois ses poumons. La poitrine gonflée à son maximum, il plongea. Il avait la tête en bas et le poids de ses jambes dressées à l'air libre le poussait vers le fond. Il glissa le long de la paroi, allongea le bras et tâtonna pour trouver la première cavité creusée sous la surface de l'eau. Quand il l'eut atteinte, il s'en servit comme d'un appui pour accélérer sa descente.

Il passa une deuxième cavité, puis une troisième, et une autre encore. Quatre rangs de niches séparés de deux mètres : il était à huit mètres de la surface. Ses tympans sifflaient sous la pression. Il continua à descendre et atteignit la cinquième niche. Dans ses poumons, l'air était compressé de moitié environ. Sa flottabilité diminuait, il pouvait descendre plus vite et plus facilement. Il ouvrit grand les yeux mais l'eau sombre et trouble ne lui permit que de voir la paroi rocheuse qui défilait devant lui. Il vit la sixième niche, s'y accrocha puis hésita.

« Douze mètres de profondeur et aucun signe d'un fond quelconque », pensa-t-il.

A l'époque où il disputait des compétitions de pêche sous-marine – il était alors à l'armée –, il pouvait plonger à vingt mètres et rester une bonne minute à cette profondeur. Mais il était alors plus jeune et en bien meilleure condition physique.

« Rien qu'une niche, se promit-il, et après on remonte. »

Une douleur fulgurante lui traversa la poitrine mais il tira un bon coup sur sa prise et descendit encore. Il aperçut la forme vague de la septième niche à travers l'eau glauque.

« Elles vont jusqu'au fond ! comprit-il avec stupéfaction. Comment Taita s'y est-il pris ? Ils n'avaient pas d'équipement de plongée. »

Il s'accrocha au bord de la niche et s'y laissa flotter un moment, en se demandant s'il devait prendre le risque d'aller plus loin. Il était à la limite de ce qu'il pouvait demander à son corps. Son organisme commençait à lutter pour un peu d'oxygène, sa poitrine se convulsait involontairement.

« Allez, et si on s'en faisait une de plus ? »

Il avait la tête légère maintenant, et il se sentait gagné par une curieuse euphorie. C'était un signe qu'il reconnaissait parfaitement. Il baissa alors les yeux pour regarder son corps : sa peau était ridée et plissée par la pression. Il y avait plus de deux atmosphères qui pesaient sur son corps et lui comprimaient la poitrine. Son cerveau commençait à manquer d'oxygène, il se sentait insouciant et invulnérable.

« Le dernier pour la route, camarades ! »

Il descendit encore et sentit la huitième cavité sous ses doigts.

« Numéro huit, le docteur est là de suite. Numéro huit, il dit que ce n'est qu'une fuite. »

Il commençait à délirer sérieusement. Il pivota pour remonter et ses pieds touchèrent le fond.

« Quinze mètres de profondeur. Je suis resté trop longtemps. Je dois remonter. Faut respirer. »

Il rassembla ses forces pour se repousser vers la surface quand quelque chose le saisit par la jambe et le tira violemment contre le rocher. Il se souvint de la phrase gravée sur la stèle de Taita.

« Son vagin est une pieuvre qui a avalé un dieu. »

Il essaya de se dégager mais ses jambes étaient comme ligotées par les bras d'un monstre marin : une étreinte froide et insidieuse le gardait captif.

« La pieuvre de Taita. Seigneur Dieu, c'était vraiment ce qu'il voulait dire. Elle me tient ! »

Il était plaqué contre le mur, écrasé, impuissant. La terreur l'envahit, l'adrénaline qui se ruait dans son sang dispersa les hallucinations produites par son cerveau en manque d'oxygène. Il comprit ce qui lui était vraiment arrivé.

« Pas de pieuvre. C'est la pression de l'eau. »

Il avait déjà vécu un phénomène identique. Pendant un exercice d'entraînement, à l'armée. Ils plongeaient à proximité des valves des générateurs du Loch Arran. Celui qui plongeait avec lui avait été aspiré. Son corps, plaqué contre la grille de la prise d'admission, avait été broyé par la pression. Les éclats de ses côtes brisées avaient traversé sa poitrine et jailli à travers sa combinaison de néoprène comme des poignards.

Lui-même avait échappé de peu au même sort. Il avait simplement eu la chance de se trouver à quelques centimètres à l'écart du courant d'eau qui se ruait dans les turbines. Il avait quand même eu la jambe brisée et il avait fallu les forces conjuguées de deux plongeurs pour l'arracher à l'attraction du courant.

Mais cette fois-ci, il était à court d'oxygène et il n'y avait pas d'autre plongeur pour le secourir. Il était aspiré par une étroite ouverture pratiquée dans le rocher. La sortie d'un tunnel subaquatique, une sorte de cheminée percée dans le roc.

Il avait tout le haut du corps libre mais ses jambes étaient inexorablement attirées par le courant. Il remarqua que le bord de l'ouverture était marqué avec précision, aussi net et régulier qu'un linteau taillé par un maçon. Il était écrasé contre ce linteau, il tentait de résister avec ses bras écartés mais ses doigts crispés glissaient contre la surface polie.

« Voilà, c'est la grande claque ! C'est la claque que tu ne peux pas esquiver. »

Il crispa les doigts plus fort, sentit ses ongles grincer et se casser contre la pierre et, soudain, ils se prirent dans la dernière niche, creusée dans la paroi au-dessus du trou qui l'aspirait. Là, au moins, il avait un endroit où s'accrocher. Il se cramponna à la niche des deux mains et tira désespérément pour s'arracher à la puissante attraction de l'eau. Il finit par sentir les muscles de ses deux bras se durcir, les tendons de son cou saillir comme des cordes et, dans sa tête, s'accumuler une pression qui menaçait de la faire exploser. Mais il avait réussi à arrêter l'aspiration insidieuse de son corps par l'espèce de trou de vidange.

« Encore une fois, pensa-t-il. Un dernier essai. »

Sa tête lui tournait et des formes noires obscurcissaient sa vision. Il alla puiser tout au fond de lui-même les dernières réserves d'énergie et fit un tel effort que la nuit qui emplissait son crâne explosa en lambeaux de couleurs éclatantes, en étoiles et en feux de Bengale colorés qui décuplèrent son vertige. Il sentit faiblir la succion de l'eau et ses jambes sortir du trou et se retrouva soudain libre. Il montait vers la surface mais il était trop tard. La nuit lui emplissait le crâne et ses tympans vibraient d'un rugissement identique aux hurlements de la chute d'eau précipitée dans l'abîme. Il se noyait. Il était au-delà de la limite de ses forces. Il ignorait où il était, à quelle profondeur, à quelle distance se trouvait l'air libre. Il n'était plus certain que d'une chose : il n'y arriverait pas, il était déjà mort.

Il creva la surface tumultueuse de la rivière sans s'en apercevoir. Il n'avait même plus la force suffisante pour sortir le visage de l'eau et respirer. Il flottait comme une carcasse imbibée d'eau, la face dans l'eau, agonisant lentement. Il sentit alors les doigts de Royan se glisser dans ses cheveux, il sentit aussi la caresse glacée de l'air sur ses joues quand elle lui souleva la tête.

– Nicky ! hurlait-elle. Respirez, Nicky, respirez !

Il ouvrit la bouche et vomit une gorgée d'eau, de salive et d'air vicié. Puis il toussa et suffoqua convulsivement.

– Vous êtes vivant ! Oh, Dieu merci. Vous êtes resté là-dessous si longtemps. J'ai cru que vous vous étiez noyé !

Ses sens lui revinrent par saccades, au rythme de la toux et des frénétiques inspirations qui secouaient ses poumons. Il comprit qu'elle avait dû abandonner le harnais pour plonger à son secours.

– Vous avez disparu si longtemps. Je n'arrivais pas à y croire.

Accrochée à une des niches creusées dans la paroi, elle lui maintenait la tête hors de l'eau de sa main libre.

– Tout ira bien maintenant. Je vous tiens. Reposez-vous. Tout ira bien.

Sa voix lui communiquait une énergie étonnante. L'air qu'il respirait avait un goût délicieux, et ses forces lui revenaient lentement.

– On va vous remonter. Encore quelques minutes pour que vous repreniez des forces et puis je vous aiderai à monter sur le siège.

Elle progressa lentement vers le harnais, en le traînant derrière elle. Elle donna le signal aux hommes d'Aly pour qu'ils laissent descendre le siège dans l'eau puis elle maintint écartés les plis de la toile pour qu'il puisse y glisser ses jambes.

– Ça va, Nicky ? demanda-t-elle avec inquiétude. Accrochez-vous jusqu'à ce que vous soyez arrivé en haut, ajouta-t-elle en lui refermant les doigts autour de la corde. Tenez bon !

– Je ne peux pas vous laisser toute seule, en bas, marmonna-t-il à moitié inconscient.

– Ça ira, assura-t-elle. Demandez à Aly de me renvoyer le siège.

A mi-chemin, il regarda en bas. Sa tête flottait sur les eaux noires, elle avait l'air minuscule et abandonnée, son visage levé était pâle et pathétique.

– Du cran !

Sa voix était si rauque et si faible qu'il ne la reconnut pas.

– Vous avez vraiment du cran !

Mais il était déjà trop haut et son cri d'admiration ne parvint pas jusqu'à elle.

Une fois qu'ils eurent remonté Royan, Nicholas donna à Aly l'ordre de démonter le palan et d'en dissimuler les pièces dans les buissons. Il aurait été très visible depuis l'hélicoptère et il ne voulait surtout pas attirer l'attention de Jake Helm.

Trop épuisé pour aider les hommes, il s'était allongé à l'ombre d'un des épineux, avec Royan à son chevet. Une migraine violente, causée par la privation d'oxygène, l'aveuglait. Sa poitrine était douloureuse et chaque inspiration l'élançait : il avait dû, en se débattant, se froisser ou se déchirer un muscle.

Royan faisait preuve d'une patience impressionnante. Elle n'avait posé aucune question sur ce qu'il avait découvert. Elle semblait en fait plus inquiète de son état que des progrès de leur exploration.

Elle l'aida à se remettre sur ses pieds et le soutint pour rejoindre le campement. Il marchait comme un vieillard, raide et ankylosé. Chaque muscle, chaque tendon de son corps le faisait souffrir. L'acide lactique et l'azote dont ses tissus étaient imbibés mettraient longtemps à se résorber.

Arrivés au campement, Royan le guida jusqu'à sa hutte et, avec mille précautions, l'installa sous sa moustiquaire. Il commençait à se sentir mieux mais il préférait ne rien dire. C'était si agréable de se laisser dorloter par une femme. Elle lui apporta deux comprimés d'aspirine et une tasse de thé fumant. Le liquide était très sucré, il en demanda faiblement une seconde tasse. Assise sur le bord du lit, elle le regardait boire avec sollicitude.

– Ça va mieux ? demanda-t-elle quand il eut terminé.

– Les chances de survie sont de deux contre une.

– Je vois que vous allez mieux, dit-elle en souriant. Votre aplomb est de retour. Vous m'avez vraiment fait une peur atroce !

– N'importe quoi pour attirer votre attention.

– Bien, puisque vous avez décidé de survivre, dites-moi ce qui s'est passé. Quel accident s'est-il produit, là-dessous ?

– En fait, vous voulez savoir ce que j'ai découvert, je me trompe ?

– Ça aussi, admit-elle.

Il lui expliqua alors ce qu'il avait vu, et la manière dont l'ouverture pratiquée à la base de la paroi l'avait aspiré. Elle écouta sans l'interrompre et, quand il eut terminé, elle resta silencieuse, le front plissé par ses propres réflexions. Puis elle leva les yeux et le regarda.

– Vous dites donc que Taita a réussi à creuser ces niches jusqu'au fond du bassin, à quinze mètres de la surface ?

Il acquiesça.

– Comment a-t-il accompli une chose pareille ? Comment croyez-vous qu'il s'y est pris ?

– Le niveau de la rivière était peut-être plus bas il y a quatre mille ans, proposa-t-il. Une période de sécheresse qui aurait vidé son lit et l'aurait rendu accessible à Taita. Alors, qu'en dites-vous ?

– Mais alors, pourquoi s'être donné tout ce mal pour construire un échafaudage ? Pourquoi ne pas avoir simplement utilisé le lit à sec ? C'est la rivière qui intéressait Taita. Celle-ci à sec, l'endroit ne devait pas avoir plus d'intérêt que le reste de la gorge. Non, j'ai le sentiment que c'est le fait d'être aussi inaccessible qui a amené Taita à s'arrêter à cet endroit.

– Je crois que vous avez raison.

– Donc si la rivière coulait, même à son plus bas niveau comme elle le fait actuellement, comment est-il arrivé à creuser ces niches sous l'eau ? Et pourquoi installer un échafaudage sous l'eau ?

– Ça me dépasse. Je n'en ai aucune idée.

– Bon, laissons tomber pour le moment. Parlons plutôt de cette sorte de bonde d'aspiration qui a manqué vous avaler. Pouvez-vous estimer la dimension du trou ?

Il secoua la tête.

– C'est pratiquement la nuit complète, là-bas. Je n'y voyais pas à un mètre.

– L'ouverture était-elle située exactement entre les rangs de niches ?

– Non, pas vraiment. Elle est légèrement décalée sur le côté. J'ai touché le fond du bassin, j'allais me repousser pour remonter quand j'ai été pris.

– Elle doit vraiment être tout au fond du bassin, dans ce cas. Et un peu en aval de l'échafaudage. Et vous disiez qu'elle avait un chaperon carré ?

– Ce n'est qu'une supposition, fit-il avec réticence. Ce pourrait tout à fait être un défaut dans la pierre par où s'engouffre la rivière.

Elle se leva en faisant mine de s'éloigner.

– Où allez-vous ? demanda-t-il.

– Je n'en ai pas pour longtemps. Je vais chercher mes notes. Et le matériel prélevé à la stèle. Je reviens dans une minute.

Quand elle revint, elle s'installa par terre, près du lit, les jambes repliées sous elle. Elle étala ses papiers autour d'elle et il souleva un coin de la moustiquaire pour voir ce qu'elle préparait.

– Hier, pendant que vous vous occupiez du palan, j'ai

traduit une bonne partie de la face « printemps » de la stèle.

Elle fit pivoter son carnet de manière qu'il puisse lire les pages qu'elle avait ouvertes.

– Ce sont des notes préliminaires. Vous remarquerez que j'ai inséré des points d'interrogation, ici et là, par exemple. C'est pour signifier que j'ai des doutes quant à la traduction ou que Taita a utilisé un symbole nouveau ou étrange. J'aurais besoin d'y accorder un peu plus de temps.

– Je vous suis, dit-il.

– Ces parties soulignées en vert sont des citations de la version la plus classique du *Livre des Morts*. Celle-ci par exemple : *L'univers est fait de cercles, le disque du soleil-roi, Râ. La vie de l'homme est un cercle qui part des limbes et finit à la tombe. Le cercle de la roue du chariot annonce la mort du serpent qu'elle écrase avec sa jante.*

– Oui, je connais cet extrait.

– Ce qui est souligné en jaune est de Taita lui-même. Ce ne sont du moins ni des extraits du *Livre des Morts*, ni des citations d'ouvrages que je connais. C'est sur ce paragraphe-ci que je voudrais attirer votre attention.

Elle encercla vivement le pavé de texte du bout de l'index et se mit à lire :

– *La fille de la déesse est enceinte. Elle a été fécondée par celui qui n'a pas de semence. Elle a engendré sa propre sœur jumelle. Le fœtus vit éternellement enroulé dans son sein. Sa jumelle ne naîtra jamais. Elle ne verra jamais la lumière de Râ. Elle vivra dans les ténèbres éternelles. Dans le sein de sa sœur, son fiancé la demande en mariage pour l'éternité. La jumelle non née devient la fiancée du dieu, qui était un homme. Leurs destinées sont entremêlées. Ils vivront éternellement. Ils ne périront pas.*

Elle leva les yeux.

– La première fois que je l'ai lu, j'ai compris que la fille de la déesse était la Dandera, comme nous l'avions déjà pensé. J'étais aussi convaincue que le dieu qui était un homme était Pharaon. Mamose n'a été déifié qu'à son accession au trône d'Égypte. Avant, il était un homme.

– L'homme sans semence doit être Taita lui-même, fit Nicholas. Il fait souvent référence au fait qu'il était eunuque. Mais si vous avez des idées quant à l'identité de la mystérieuse sœur jumelle, je suis tout ouïe.

– La jumelle d'une rivière pourrait être un bras ou un embranchement du cours d'eau, d'accord ?

– Ah, je vois où vous voulez en venir. Vous suggérez que l'espèce de bonde est la jumelle. Là-bas, au fond de la gorge, elle ne verra jamais la lumière de Râ. Taita, celui qui n'a pas de semence, en réclame la paternité parce qu'il en est l'architecte.

– Exactement. Et il a marié la jumelle de la rivière au pharaon Mamose pour l'éternité. Si on met tout ceci bout à bout, on en vient à la conclusion que nous ne trouverons jamais l'endroit où est enterré le pharaon Mamose si nous n'explorons pas le trou.

– Et comment allons-nous nous y prendre ?

Elle haussa les épaules.

– Ce n'est pas moi l'ingénieur, Nicky. Chacun son domaine. Tout ce que je sais, c'est que Taita a inventé un système pour y parvenir. Et y mener à bien des travaux. Si l'interprétation que nous faisons de la stèle est correcte, il a donc entrepris de creuser le fond du bassin. S'il y est arrivé, je ne vois pas pourquoi vous ne pourriez pas le faire.

– Ah ! fit-il avec modestie, Taita était un génie. Il ne cesse de le répéter. Je ne suis qu'un petit besogneux.

– J'ai tout misé sur vous, Nicky. Vous n'allez pas me laisser tomber, n'est-ce pas ?

Il n'y avait pas besoin d'aller battre les buissons pour suivre sa piste : sa proie n'avait guère pris de précautions pour dissimuler ses traces. Ils suivaient ostensiblement la piste qui longeait les gorges de l'Abbay, en direction de la frontière soudanaise, vers l'ouest. Mek Nimmur retournait à sa forteresse.

Boris estimait son escorte à quinze ou vingt hommes. Il pouvait difficilement en être certain car, sur le chemin, les empreintes se chevauchaient l'une l'autre. Et il devait en plus avoir des éclaireurs devant lui et sur ses flancs. Il devait aussi y avoir une sentinelle pour surveiller ses arrières.

Ils se déplaçaient plutôt vite mais un groupe de cette importance ne pouvait distancer un homme seul. Il était certain de les rattraper. Il était parti quatre heures après eux, mais la fraîcheur des empreintes lui indiquait qu'il n'avait plus que deux heures de retard.

Sans ralentir sa foulée, il se pencha pour ramasser

quelque chose. Il l'examina tout en courant. C'était une brindille, l'extrémité souple d'un kusagga-sagga, une plante qui abondait sur les bords du chemin. Quelqu'un de la troupe qu'il poursuivait devait l'avoir accrochée en passant et arrachée à sa branche. Il donnait à Boris une idée assez juste de la distance qui le séparait de sa proie. En dépit de la chaleur qui pesait sur la gorge, la pousse tendre n'avait pas commencé à faner. Il était plus proche qu'il ne l'avait estimé.

Il ralentit et réfléchit à la marche à suivre. Il connaissait parfaitement cette partie de la vallée. L'année précédente, il avait beaucoup arpenté ce terrain avec le client américain qu'il avait emmené chasser le bouquetin. Pendant un mois, ils avaient passé ces fourrés et ces ravins au peigne fin avant de dénicher un énorme vieux mâle, noirci par l'âge et arborant une paire de cornes spiralées qui devait figurer parmi les dix plus grands trophées enregistrés par le *Rowland Ward*.

A trois ou quatre kilomètres en aval, le Nil décrivait une autre courbe vers le sud qui le ramenait presque sur lui-même. La route principale longeait la rive car une série de crevasses et de précipices défendaient le plateau du centre de la boucle. Mais c'était toutefois possible de le traverser. Boris l'avait fait auparavant, quand il suivait le bouquetin blessé.

Le client américain n'avait pas tué proprement. Sa balle avait frappé la bête trop en arrière, elle avait manqué le cœur et perforé les intestins. L'animal blessé avait foncé vers le plateau, en suivant une de ces pistes secrètes qui courent sur les rochers. Boris et l'Américain l'avaient suivi. C'était un chemin dangereux et difficile mais, quand ils redescendirent l'autre versant, Boris s'était aperçu qu'ils avaient gagné près de seize kilomètres.

S'il arrivait à retrouver ce chemin de chèvre, il avait alors toutes les chances de devancer Mek Nimmur. Il n'aurait plus qu'à attendre. Ce qui lui donnerait un immense avantage. Le chef de guerre ne s'attendait pas à une embuscade. Il devait couvrir ses arrières et douter que Boris puisse le dépasser sans alerter la sentinelle qui le couvrait. D'autre part, une fois devant eux, il contrôlerait la situation. Il pourrait choisir lui-même l'endroit où il les abattrait.

Quand la piste et le Nil commencèrent à bifurquer

vers le sud, il scruta les hauteurs, à la recherche d'un point de repère dans le paysage. Il n'avait pas franchi huit cents mètres quand il le vit. C'était une faille dans la ligne des falaises, une fissure fortement boisée qui s'enfonçait dans la paroi de basalte.

Il s'arrêta pour éponger la sueur qui lui ruisselait sur le cou et le visage.

– Trop de vodka, grommela-t-il. Tu deviens mou.

Sa chemise était trempée. Il changea son fusil d'épaule, ajusta ses jumelles et explora les pentes de la faille. Elles avaient l'air très raides, quasiment impossibles à escalader. Puis il repéra la silhouette chétive d'un arbuste qui avait pris racine dans une étroite craquelure de la falaise. Il avait l'air d'un bonsaï, avec un tronc tordu et des branches souffreteuses.

Le bouquetin s'était arrêté au bord de la corniche, sous cet arbre, quand l'Américain avait tiré. Boris revoyait encore le bouc se cabrer sous l'impact de la balle. Il avait fait volte-face et filé à flanc de falaise.

Il déplaça lentement ses jumelles vers le haut pour se faire une idée de l'inclinaison de l'étroite corniche.

« *Da, da.* C'est bien ça. »

Il pensait dans sa langue maternelle, ce qui était un repos après tous ces jours à s'empêtrer entre le français et l'anglais.

Il quitta la piste et dévala les éboulis qui descendaient vers le fleuve. Il s'agenouilla au bord du Nil et s'aspergea avec ses deux mains réunies en coupe. Il inonda son crâne aux cheveux tondus, vida et remplit sa bouteille d'eau, puis but jusqu'à avoir le ventre douloureux. Il rinça une nouvelle fois sa gourde et la remplit encore. Il n'y avait pas d'eau dans la montagne. Il termina en plongeant son chapeau dans l'eau et le coiffa tout trempé, ruisselant sur son visage et son cou.

Il remonta sur la piste et la suivit pendant une centaine de pas, en marchant lentement pour examiner le sol. Il arriva à un énorme éboulis qui bloquait pratiquement toute la route. Les hommes qu'il suivait avaient été obligés de contourner l'obstacle en passant sur une zone où la poussière était aussi fine que du talc. Ils avaient laissé de très nettes empreintes de leurs pas, faciles à déchiffrer.

La plupart d'entre eux portaient des bottes de parachutistes israéliens avec la semelle à motif en zigzag.

Ceux qui fermaient la marche avaient piétiné les empreintes des premiers. Il dut s'agenouiller pour examiner les marques avec minutie et trouver la petite empreinte délicate d'un pied de femme. Plus légère, elle était en partie brouillée par les larges traces des pas des hommes mais le dessin de la pointe du pied était net. C'était la trace de la semelle souple d'une chaussure de tennis Bata : il l'aurait reconnue entre mille.

La confirmation de la présence de Tessay parmi le groupe le rassura. Elle et son amant n'avaient pas emprunté un autre chemin. Mek Nimmur était rusé, astucieux même. Une fois déjà, il avait échappé aux griffes de Boris. Mais pas cette fois-ci. Le Russe secoua la tête avec véhémence : pas cette fois-ci.

Il scruta l'empreinte de la femme. Le simple fait de la regarder fouettait son organisme de giclées d'adrénaline. Sa colère était intacte. L'amour et le désir n'avaient rien à voir avec la situation. Cette femme était son bien et on la lui avait volée. Pour lui, seule cette insulte avait une signification. Elle l'avait rejeté et humilié et, pour cette raison, elle mourrait.

A la seule pensée de tuer, il sentit un frisson familier lui parcourir les veines. Tuer avait toujours été son métier, sa vocation même. Et peu importait la fréquence avec laquelle il exerçait ses talents : le frisson était toujours aussi aigu, le plaisir toujours violent. C'était la seule véritable sensation de plaisir qu'il lui restait. Elle était pure et intacte, et même la vodka n'arrivait pas à l'édulcorer comme elle avait amoindri chez lui le plaisir de la copulation. Il jouirait de la tuer bien plus qu'il n'avait, auparavant, joui de lui faire l'amour.

Toutes ces années-là, il n'avait chassé que des animaux inférieurs. Il n'avait pas oublié ce que pouvait être la chasse à l'homme. Il voulait Mek Nimmur, mais il voulait la femme encore plus ardemment.

Quand Mengistu était encore là, quand il dirigeait le contre-espionnage, ses hommes, qui connaissaient ses goûts, lui réservaient les plus belles proies. Son seul regret aujourd'hui était d'avoir à agir vite. Il ne saurait être question de faire traîner les choses pour mieux savourer le plaisir. Ce ne serait pas comme toutes ces fois où cela avait pris des heures, voire des jours.

– Salope ! cracha-t-il en piétinant l'empreinte délicate comme il avait envie de la piétiner, elle. Salope, espèce de putain noire !

Il repartit, empli d'une énergie nouvelle. Il abandonna la piste et grimpa vers l'arbre déformé, vers le chemin du bouc.

Il retrouva le début de la piste à l'endroit exact où il s'y attendait. Il avait souvent besoin de se hisser à deux mains pour progresser.

La première fois, il avait suivi la trace sanglante du bouquetin blessé. Maintenant, il n'avait pas ces gouttelettes rouges pour le guider et, par deux fois, il quitta le sentier et se retrouva dans un cul-de-sac, face au roc. Il dut alors faire demi-tour avec le sentiment de perdre du temps.

Il effaroucha un petit troupeau de chèvres sauvages qui prenaient le soleil sur une corniche à mi-hauteur, contre la falaise. Elles s'égaillèrent en bonds fous, plus proches des oiseaux que des animaux supposés obéir aux lois de la gravité. Elles suivaient un grand mâle à la barbe flottante et aux longues cornes lobées. En fuyant, la bête montra à Boris le chemin qui menait au sommet de la falaise.

Il s'arracha la peau des doigts en se hissant sur le dernier promontoire mais il était enfin arrivé. Il rampa comme un ver, tête basse, pour ne pas se détacher contre le ciel bleu. Une silhouette humaine serait repérée à des kilomètres. Il se déplaça le long de la crête jusqu'à ce qu'il rencontre un petit bosquet de sansevières qui lui servit d'abri. Caché derrière le feuillage aux formes lancéolées, il examina à la jumelle la vallée qui se déployait à quelque trois cents mètres en contrebas.

De là, le Nil offrait le spectacle d'un grand serpent scintillant qui se déroulait dans la vaste anse de son cours, sa surface agitée par les remous et les récifs. Le plateau des deux rives présentait des vagues verticales de basalte, bousculées et brisées comme une mer d'orage pendant un typhon tropical. Tout le paysage dansait et tremblait dans la chaleur.

Boris repéra la piste qui suivait le fleuve. Il l'examina à travers ses jumelles jusqu'à l'endroit où elle était cachée par la courbe. Il n'y avait aucun signe de présence humaine. Il était certain que sa proie était là. Il ne pouvait dire à quel niveau de la piste elle était parvenue, il savait simplement qu'il devait se dépêcher s'il voulait leur couper la route.

Pour la première fois depuis qu'il avait quitté le fleuve, il but à sa gourde. L'effort et la chaleur l'avaient déshydraté. Dans des conditions pareilles, un homme sans eau serait mort en quelques heures. Il n'y avait rien d'étonnant à ce qu'il y ait si peu d'habitations humaines dans cette gorge.

Il quitta le sommet de la crête complètement revigoré. Il allait attaquer maintenant le col de la montagne. Il se trouvait à tout juste un kilomètre et, sans s'y attendre vraiment, Boris se retrouva au sommet de la falaise du versant opposé. Un pas de plus, une imprudence, et il aurait été précipité dans le vide. Une fois encore, il rampa le long de la crête jusqu'à trouver un point de vue caché d'où il pourrait espionner la vallée.

Le fleuve était toujours le même, une étendue vaste et confuse de rapides aux mèches blanches qui semblait accourir vers lui. La piste suivait la rive la plus proche, sauf à l'endroit où elle était contrainte à un détour par des précipices et des aiguilles rocheuses qui émergeaient des eaux du Nil.

Au milieu du grand désert de la gorge, il ne voyait aucun mouvement sinon la course sauvage de l'eau et les danses incessantes des mirages de chaleur. Il était sûr que Mek Nimmur n'avait pas pu le devancer. Donc, il n'allait pas tarder à apparaître.

Il but encore une gorgée et se reposa une bonne demi-heure pendant laquelle il récupéra complètement ses forces. Il se lança dans un débat intérieur pour savoir s'il valait mieux descendre tout de suite et se mettre en embuscade près de la piste. Il finit par décider de rester sur les hauteurs jusqu'à ce qu'il ait aperçu sa proie.

Il vérifia soigneusement son fusil, s'assurant que l'alignement de la lunette n'avait pas été faussé pendant son escalade. Puis il vida le magasin et examina les cinq cartouches. Le blindage de l'une d'entre elles était bosselé et décoloré. Il l'écarta et la remplaça par une cartouche qu'il prit à sa ceinture.

Il posa son arme à côté de lui et changea ses chaussettes qui étaient humides de sueur. Puis il laça soigneusement ses chaussures. Cela fait, il but une dernière fois et passa à son épaule la bandoulière de son 30-06. Maintenant, il était prêt à accueillir tout ce que la déesse de la chasse voudrait bien lui envoyer. Il se mit en marche pour intercepter la troupe de guerre qu'il chassait.

A chaque point de vue, il fouillait la vallée avec ses jumelles. Sa proie était toujours invisible. L'après-midi passa rapidement. Il commençait à s'inquiéter. Mek Nimmur s'était arrangé pour le dépasser sans qu'il s'en aperçoive. Il avait traversé le fleuve à un endroit connu de lui seul, à moins qu'il n'ait pris un autre chemin.

Soudain, un cri plaintif vibra dans l'air surchauffé. Il leva les yeux. Un couple de milans volaient en cercle au-dessus d'un buisson d'épineux, sur la rive du fleuve.

Le milan à bec jaune est le charognard le plus répandu en Afrique. Il vit en symbiose avec l'homme, se nourrissant de ses ordures. On l'aperçoit qui survole ses villages, ses campements plus ou moins temporaires. L'oiseau attend patiemment que l'homme se soit accroupi dans les fourrés pour se laisser plonger et remplir son office d'employé de voirie.

Boris suivait les évolutions du couple à travers ses jumelles. Ils voguaient paresseusement dans l'air surchauffé, encerclant sans cesse la même zone de buissons. Ils bougeaient leur longue queue échancrée de leur manière si particulière, la tordant de droite et de gauche pour jouer avec la brise. Leur bec jaune vif apparaissait nettement alors qu'ils tournaient la tête pour regarder les buissons, au sol.

« *Da !* Nimmur a choisi de camper tôt, se dit-il avec un sourire froid. Leur rythme et la chaleur sont trop pénibles pour sa nouvelle femme. A moins qu'il ne se soit arrêté pour jouer avec elle. »

Il fouilla les buissons avec ses jumelles, sans parvenir à détecter le moindre signe de présence humaine. Au bout de deux heures, il commença à douter de la validité de son assertion. La seule chose qui retenait son attention était le couple de milans, perchés maintenant sur un arbre qui dominait la zone de buissons épineux. Il devait leur faire confiance : c'étaient des hommes cachés dans les buissons qu'ils surveillaient avec autant de patience.

Il regarda le soleil avec anxiété. Il descendait vers l'horizon et perdait de sa furieuse chaleur. Dans la vallée, juste en dessous des buissons, un creux de la rive formait une sorte de lagon. Il devait être noyé en période de crues mais là, il était cerné par une petite bordure de graviers. Un épais éboulis avait dévalé de la falaise. Des rochers gisaient sur la plage, d'autres avaient roulé jusqu'au fleuve d'où ils émergeaient à moitié. Le plus gros, une grande masse de roc noir, avait les dimensions d'un cottage.

Il le regardait quand un homme surgit des buissons. Le cœur battant, Boris le regarda descendre l'éboulis en sautant de rocher en rocher jusqu'à la petite plage de graviers. Il s'accroupit au bord de l'eau et remplit un seau de toile. Puis il repartit, grimpa et disparut.

« Ah ! Même pour eux, la chaleur est trop forte. Ils sont obligés de boire, c'est ça qui les a trahis. Sans les oiseaux, je n'aurais jamais su qu'ils étaient là. »

Il ricana doucement.

« Mek Nimmur est un homme prudent. Pas étonnant qu'il ait si bien survécu. Il fait attention à tout. Cependant, même un homme comme lui est obligé de boire. Il a perdu du temps en s'abritant de la chaleur. Il repartira dès qu'il fera plus frais. Il marchera de nuit, fit-il en regardant le soleil. Plus que trois heures avant la nuit. Je dois y aller. La nuit venue, les cibles sont plus difficiles à atteindre. »

Il s'éloigna en rampant de la crête découverte avant de se redresser. Il rebroussa chemin, à flanc de montagne, jusqu'à ce qu'un pic escarpé le dissimule aux sentinelles de Mek Nimmur. Puis il commença à descendre. Il n'y avait aucun sentier, il était obligé de se débrouiller seul pour avancer. Après s'être fourvoyé plusieurs fois, il découvrit une pente rocheuse qui offrait un chemin relativement facile. Une fois au fond de la gorge, il enregistra soigneusement les points de repère qui lui permettraient de retrouver cet accès en cas d'urgence. C'était un chemin de repli idéal et il n'ignorait pas que, bientôt, il serait poursuivi et obligé de fuir.

La descente avait duré une bonne heure : il devait se dépêcher. Il gagna la piste qui suivait le fleuve et se dirigea vers le campement de Mek Nimmur. Il était pressé mais prenait quand même garde à observer quelques règles pour semer un éventuel poursuivant. Il marchait sur le bord de la piste, uniquement sur les cailloux et les rochers, attentif à ne laisser aucun signe de son passage.

Malgré sa prudence, il manqua leur tomber dessus.

Il n'avait pas couvert deux cents mètres quand son

subconscient enregistra le pépiement plaintif d'un étourneau. Il l'ignora jusqu'à ce que son esprit fasse retentir ses sonnettes d'alarme. Il y avait un évident problème d'horaire : l'étourneau ne sifflait de cette manière qu'à l'aube, quand il se préparait à quitter son nid du haut des falaises. Celui-là sifflait en fin d'après-midi et depuis le fond de la gorge. Il comprit qu'il s'agissait du signal de l'éclaireur qui arrivait devant lui. La troupe de Mek Nimmur levait le camp.

Il réagit instantanément. Il quitta la piste et repartit en courant jusqu'à l'endroit par lequel il était descendu dans la vallée. Il remonta assez haut pour pouvoir dominer la piste. Ce faisant, il s'aperçut qu'il avait perdu le bénéfice du raccourci qui l'avait fait passer par la montagne. Pour une embuscade, cette position n'était pas la meilleure. De plus, sa route de repli était exposée au feu de l'ennemi. Il aurait beaucoup de chance s'il arrivait là-haut vivant. Pourtant l'idée de renoncer à sa vengeance ne l'effleura pas. Dès qu'il verrait ses cibles, il tirerait.

Il était forcé de reconnaître que Mek Nimmur l'avait surpris. Boris n'avait pas envisagé que l'autre lève le camp avant le coucher du soleil. Il avait pensé pouvoir s'embusquer quelque part au-dessus du campement et, ainsi, tirer deux fois en visant tranquillement avant d'être obligé de partir en courant.

Il avait aussi estimé qu'une fois Mek Nimmur abattu ses hommes ne se précipiteraient pas après lui avec une folle ardeur. Il comptait battre en retraite au pas de course mais il profiterait de chaque endroit abrité pour canarder ses poursuivants et en abattre deux ou trois. Il les obligerait à avancer avec prudence, ils finiraient bien par perdre le goût du jeu et abandonner la poursuite.

Mais, de toute manière, les données avaient changé. Il allait devoir saisir la première occasion. La cible serait certainement en mouvement et lui, sur ce chemin à flanc de falaise, serait dangereusement exposé. Son seul atout était son fusil, un fusil de chasse d'une précision absolue. Mek Nimmur et ses hommes étaient équipés d'AK-47, des fusils d'assaut qui tiraient vite mais terriblement imprécis à cette distance. Surtout entre les mains de ces *shufta*.

Il s'aplatit sur la corniche. Le roc avait été tellement chauffé par le soleil qu'il le brûlait cruellement, même à travers ses vêtements. Il installa son sac à dos devant lui pour en faire un support pour le canon de son fusil. Il regarda par la lunette en se tortillant pour trouver une position confortable. Puis il visa un petit rocher sur le côté de la route et fit ensuite pivoter son canon pour s'assurer de son champ de tir.

Satisfait de son installation – c'était la meilleure position qu'il avait pu trouver en si peu de temps –, il posa son fusil et prit une poignée de poussière qu'il se passa soigneusement sur le visage. Mêlée à la sueur, elle se transforma en boue qui recouvrit sa peau pâle, cachant les reflets qu'un éclaireur n'aurait eu aucune peine à repérer. Son dernier souci fut de vérifier que le soleil ne se reflétait ni dans la lunette, ni contre aucune pièce métallique de son fusil. Il allongea le bras et attira à lui une branche d'épineux de manière que son ombre recouvre le fusil.

Enfin, il nicha la crosse contre son épaule. Il se mit à respirer lentement et profondément, de façon à ralentir son pouls et calmer ses mains. Il n'attendit pas longtemps. L'oiseau siffla une nouvelle fois, tout près. La réponse arriva sans attendre, depuis l'autre côté de la piste, plus bas vers la rive du fleuve. Il grimaça sans joie, une grimace de tête de mort.

« Les sentinelles de ses flancs auront du mal sur ce terrain. Elles seront les unes sur les autres ou alors très dispersées. »

Le premier homme apparut au sortir du virage, à cinq cents mètres, droit devant. Boris le saisit dans la lunette. C'était le guérillero africain type, un *shufta* à la fois en civil et en tenue de camouflage. Il était équipé de la gourde, du sac, des munitions et des grenades et portait haut son AK. Il marqua une pause puis alla s'accroupir derrière un éboulis, sur le côté de la piste.

Il surveilla les alentours pendant une longue minute. Sa tête allait lentement d'un côté à l'autre. Parfois, il donnait à Boris l'impression de le regarder droit dans les yeux. Le Russe alors cessait de respirer et restait aussi immobile que le roc qui le soutenait. Enfin, le *shufta* se redressa et fit un signe de la main en direction de ceux qui restaient hors de vue. Il regagna la piste au trot. Il n'avait pas parcouru cinquante mètres quand le reste de la troupe apparut. Ils marchaient en gardant entre eux des intervalles réguliers, comme des perles sur un fil. Ainsi l'ensemble de leur armée était moins vulnérable.

« Excellent ! approuva Boris. Ce sont des as. Mek a dû les choisir avec soin. »

Il les regardait à travers sa lunette, examinant le visage de chacun à la recherche de Mek Nimmur. Ils étaient sept maintenant à remonter la piste mais il n'y avait toujours pas signe de leur chef. Le premier soldat arriva au niveau de Boris puis le dépassa. Deux sentinelles se faufilèrent entre les buissons, à quinze pas de lui. Figé comme une pierre, il les laissa passer. La troupe défilait devant lui, toujours aussi régulièrement espacée, toujours aussi vive. Pendant les minutes qui suivirent le passage du dernier, la vallée parut déserte et vide de toute présence humaine. Puis il perçut un mouvement furtif.

– L'arrière-garde, fit Boris entre ses dents. Mek garde la femme à l'arrière. Son nouveau jouet. Il en prend soin.

Il enclencha le cran de sûreté avec précaution, en s'assurant qu'aucun bruit métallique ne résonne dans l'air surchauffé.

– Qu'ils viennent, maintenant, souffla-t-il. Je m'occuperai d'abord de Mek. Pas de risques, pas dans la tête. Droit dans la poitrine. Quand il tombera, la femme sera paralysée. Elle n'a pas les réflexes des soldats. Ce sera un tir peinard. Immanquable, à cette distance. Droit entre ses jolis petits nénés noirs.

Les images de sang et de violence l'excitaient d'autant qu'elles contrastaient avec la beauté et la grâce de Tessay.

– J'en descendrai peut-être un autre. Mais ne comptons pas trop dessus. Ces hommes sont des pros. Ils vont certainement plonger à couvert avant même que je n'aie tué la femme.

Il regarda les visages des sentinelles qui fermaient la marche et qui, une à une et très soigneusement espacées, apparaissaient dans sa lunette. A chaque visage, son cœur tressaillait de déception. La queue du convoi était composée de trois hommes qui arrivèrent dans un petit trot de professionnel. Il n'y avait pas le moindre signe de Mek et de la femme. Les sentinelles disparurent le long du chemin, les bruits discrets de leur avancée se fondirent dans le silence. Boris était seul, allongé sur la corniche, le cœur battant la chamade avec, dans la gorge, le goût âcre de la déception.

– Où sont-ils ? marmonna-t-il avec amertume. Bordel, où est Mek ?

L'évidence le frappa aussitôt la question formulée : ils avaient pris une autre piste. Mek s'était servi de sa troupe comme d'un leurre pour l'égarer.

Il resta tranquillement immobile pendant cinq minutes qu'il mesura à sa montre, au cas où d'autres soldats arriveraient encore. Son cerveau travaillait à toute allure. La dernière trace de Tessay dont il pouvait être sûr était l'empreinte de son pied, qu'il avait vue dans la poussière de la piste, là où commençait la courbe du méandre. Cela remontait à plusieurs heures maintenant, et si Tessay et Mek l'avaient semé à cet endroit, ils pouvaient se trouver n'importe où. Mek s'était offert une avance d'un jour entier. La fureur déferla sur lui par vagues. Il dut fermer les yeux pour y résister. Il devait garder la tête froide, il devait penser, réfléchir, il n'allait pas se mettre à tout dévaster comme un buffle blessé. Il avait bien trop tendance à réagir de cette façon, c'était son point faible, il le savait. Il devait se contrôler.

Quand il rouvrit les yeux, la rage était devenue une chose froide et fonctionnelle. Il savait exactement ce qu'il allait faire et dans quel ordre. Il allait commencer par faire demi-tour et remonter la piste en l'examinant à la loupe : il devait retrouver l'endroit où Mek Nimmur avait quitté le détachement de *shufta*.

Il se glissa dans les buissons qui encombraient le pied de la corniche et se faufila jusqu'à la route. Il avança rapidement vers l'amont, en manœuvrant pour brouiller sa propre piste. Il allait d'abord rejoindre la zone de broussailles épineuses où les *shufta* s'étaient mis à l'abri du soleil. Il remarqua tout de suite que les deux milans étaient partis mais il n'allait pas se satisfaire de cet indice pour estimer l'endroit vraiment déserté. Il décrivit un cercle prudent et s'intéressa d'abord aux traces de l'arrivée des soldats dans les broussailles. Même après plusieurs heures, elles étaient lisibles et claires.

Il se figea soudain au milieu des traces. Il regarda l'empreinte sur laquelle il venait de mettre le pied. Une violente chair de poule lui hérissa les poils des avant-bras et de la nuque. Il s'était fait avoir par Mek : c'était l'empreinte d'une chaussure de tennis Bata.

Mek et la femme étaient entrés dans les broussailles

et n'en étaient pas ressortis. Ils étaient toujours là. En proie à une bouffée d'angoisse, Boris crut sentir le regard de Mek posé sur lui à travers le viseur de son AK. Planté là à découvert, penché sur les traces du chef de guerre, il était aussi vulnérable qu'un mouton.

Il plongea sur le côté, atterrit comme un chat dans l'herbe, le fusil prêt. Il lui fallut beaucoup de temps pour récupérer un rythme cardiaque normal. Une fois calmé, il s'accroupit en souplesse et entama un tour prudent de la zone de broussailles, les nerfs tendus comme des cordes de guitare, ses yeux pâles sautant vivement de point en point. Il avait le doigt sur la détente de son 30-06 dont la gueule balayait l'espace avec la lenteur d'un cobra prêt à frapper dans n'importe quelle direction.

Il progressa vers la rive du fleuve, là où le vacarme des chutes couvrirait le bruit qu'il pourrait faire. Il se dirigeait vers l'énorme rocher qu'il avait aperçu depuis son perchoir sur la montagne et se figea encore.

Il avait perçu un bruit, par-dessus le fracas des eaux du Nil. Un son si inattendu qu'il crut un moment l'avoir rêvé. C'était un rire de femme, clair et mélodieux comme un lustre de cristal agité par le vent.

Le son montait de la rive du fleuve abritée par l'éboulis. Il rampa jusqu'à l'énorme rocher, dans l'intention de s'en servir comme d'un rempart et d'un point de surveillance. Avant même de l'avoir atteint, il entendit le bruit d'un plongeon et le cri d'une femme excitée qui suivit. Il alla se plaquer derrière le rocher puis, sans sortir de son couvert, gagna l'endroit d'où il pourrait voir la plage de graviers que léchaient les vaguelettes du Nil. Ce qu'il vit le laissa éberlué. Il pouvait difficilement en croire ses yeux : comment un homme tel que Mek Nimmur pouvait-il être aussi stupide ? Ainsi donc, l'homme de fer, le chef de guerre qui avait survécu à vingt années de guérilla sanglante, se comportait maintenant comme un adolescent amoureux.

Mek Nimmur avait éloigné ses hommes pour rester seul avec son nouveau béguin. Cela pouvait être un piège qu'on lui avait tendu. C'était trop beau, trop idéal pour être vrai. Il scruta chaque centimètre de rive, dans toutes les directions possibles afin de détecter des fusils en embuscade. Puis il sourit de son petit sourire froid.

« Bien sûr qu'ils sont seuls ! Mek Nimmur n'aurait jamais laissé un de ses hommes voir Tessay nue. »

Son sourire s'agrandit alors qu'il découvrait l'ampleur de sa chance.

« Il doit être devenu fou. Il n'a donc pas pensé que j'allais les suivre. Ou il croit avoir assez d'avance pour pouvoir se laisser aller. Y a-t-il dans ce monde plus bête et plus aveugle qu'une bite qui bande ? »

Le couple avait laissé ses vêtements en tas sur la plage de gravier de basalte gris, à l'ombre du rocher. Ils jouaient et s'éclaboussaient dans les mares que remplissaient les flots du Nil. Ils étaient tous les deux nus. Mek Nimmur était large d'épaules, avec un dos musclé et des fesses hautes et dures. Le corps de Tessay était souple comme un roseau, elle avait la taille fine, des hanches étroites, sa peau avait la couleur du miel sauvage. Ils étaient complètement absorbés l'un par l'autre, sourds et aveugles au reste du monde.

« Il doit avoir laissé des sentinelles pour surveiller ses arrières. Il se croit en sécurité, ce con. Regardez-le ! »

Il exultait en le voyant poursuivre Tessay tandis qu'elle se laissait rattraper. Ils tombèrent dans l'eau peu profonde, enlacés, la bouche pleine l'un de l'autre. Ils refirent surface en riant, leurs beaux visages ruisselants, Adam et Ève noirs s'ébattant dans leur petit éden insouciant.

Boris posa les yeux sur les vêtements abandonnés sur la plage de basalte. L'AK de Mek était négligemment posé sur sa veste de camouflage, à quelques pas de l'éboulis derrière lequel il s'abritait. Il parcourut la distance en quelques enjambées rapides, ramassa le fusil d'assaut, ouvrit le magasin, le vida et reposa l'arme à sa place. Il regagna vivement son abri : Mek et Tessay étaient restés totalement étrangers à ce qui s'était passé.

Il attendit tranquillement à l'ombre du rocher en les regardant s'ébattre dans l'eau. Leur amour, leur complète préoccupation l'un pour l'autre en faisaient des enfants.

Soudain, Tessay s'arracha à l'étreinte de Mek et sortit de l'eau en courant. Elle remonta la plage. Ses seins soyeux tressaillaient à chaque mouvement de ses longues jambes de pouliche. Mek se jeta à sa suite. La toison de sa poitrine luisait d'eau, ses parties génitales étaient lourdes et puissantes.

Il la rattrapa avant qu'elle n'ait atteint le tas de vêtements. Elle lutta un moment contre son étreinte, jusqu'à ce qu'il lui ferme la bouche de la sienne. Elle s'amollit d'un coup et se laissa aller complètement. Les mains de Mek glissaient de son dos à ses fesses que l'eau rendait glissantes. Pressée contre lui, elle écarta les jambes pour lui ouvrir les plus secrètes parties de son corps. Elle gémit d'une voix rauque quand il referma doucement la main sur son sexe.

La rage de Boris se mêlait au plaisir pervers de voir sa propre femme prise par un autre homme. Un brouet d'émotions contradictoires bouillonnait en lui. Il sentit le sang engorger son sexe et le durcir jusqu'à la douleur et, dans le même temps, une violente fureur le secoua.

Les deux amants glissèrent sur leurs genoux. Tessay se laissa aller sur le dos en attirant l'homme sur elle.

– Eh, Mek Nimmur! héla Boris. Tu ne peux pas savoir comme tu as l'air con le cul à l'air comme ça.

Mek Nimmur réagit aussi vivement qu'un léopard surpris en train de tuer. D'un seul geste, il roula sur lui-même et saisit l'AK-47. Boris était sur ses gardes, il tenait le museau du 30-06 braqué sur la nuque de Mek Nimmur. Mais celui-ci fut si rapide qu'il avait ramassé l'AK-47 et le dirigeait vers son ventre avant qu'il n'ait pu esquisser un geste. Mek pressa sur la détente. Le chien frappa la chambre vide avec un clic dérisoire. Les deux hommes se regardèrent. Tessay était restée là où elle s'était allongée. Ses yeux noirs semblaient liquéfiés par l'horreur de la scène dont elle était témoin: son mari et Mek, face à face, l'un d'eux virtuellement mort.

Boris ricana doucement.

– Où la veux-tu, Mek ? Que dirais-tu si je tirais dans ta sale bite de nègre pendant qu'elle est encore au garde-à-vous ?

Comme une flèche, le regard de Mek se porta vers les montagnes. Boris y vit la confirmation de son intuition : il y avait des sentinelles. Mais elles étaient hors de portée de regard de la plage où folâtrait leur chef.

– Laisse tomber. Vous serez froids avant que tes singes ne rappliquent. Tu sais comme j'apprécie cet instant, n'est-ce pas ? Toi et moi avions rendez-vous et tu m'as posé un lapin. Mais je ne t'en veux pas. Cette fois, ce sera encore plus drôle.

Il savait qu'il ne pouvait perdre plus de temps face à un homme comme celui-ci. Mek avait commis une erreur et il n'allait certainement pas en commettre une autre. Il allait lui faire sauter la tête au plus vite et, ensuite, consacrerait quelques minutes à Tessay. Mais la tentation de jouir de la situation dans laquelle se trouvait le chef de guerre était trop forte.

– J'ai une bonne nouvelle pour toi, Mek. Tu vas vivre quelques secondes de plus. Je vais d'abord tuer la pute, et toi, tu vas regarder. J'espère que tu en profiteras autant que moi.

Il se dégagea de l'éboulis et marcha vers Tessay qui n'avait pas bougé. Elle lui tournait à moitié le dos, pliée sur elle-même pour dissimuler sa nudité. Il s'en rapprocha sans perdre Mek Nimmur de vue. Ce faisant, il commit l'erreur de sous-estimer la femme. En feignant de se détourner avec pudeur, Tessay avait ramassé un galet qui se logeait parfaitement dans sa paume. Elle le lança à la tête de Boris d'un geste étonnamment vif. Le Russe anticipa le coup. Il leva son arme pour protéger son visage.

La pierre lui heurta le coude avec une violence surprenante. Sa manche était roulée haut sur le biceps, il n'y avait rien pour amortir l'impact du galet. La tête du cubitus craqua comme du verre. Boris hurla de douleur, sa main s'ouvrit et son index glissa de la détente.

Mek se releva d'un bond et, avant que Boris n'ait eu le temps de changer son arme de main, disparut derrière le rocher géant.

Boris frappa le front de Tessay de la crosse de son fusil, l'envoyant rouler contre le gravier. Puis il lui enfonça le canon dans la gorge et l'épingla au sol en criant :

– Je vais la tuer, sale nègre ! Si tu veux ta pute, t'as intérêt à venir la chercher !

La douleur qui lacérait son coude éclaté lui rendait la voix rauque et méchante. Celle de Mek retentit claire et forte depuis son abri, derrière le rocher. Il cria un mot en amharique qui alla résonner entre les falaises. Puis il parla en anglais.

– Mes hommes seront ici dans un instant. Relâche la femme et je t'épargnerai. Fais-lui du mal et je te ferai me supplier de t'achever.

Boris se pencha sur Tessay et la releva en lui passant son bras valide autour de la gorge. De la même main, il braquait le fusil par-dessus son épaule. La main de son bras blessé avait encore assez de force pour retenir la crosse et presser sur la détente.

– Elle sera morte depuis longtemps quand tes hommes arriveront, fit-il en avançant vers l'éboulis. Viens la chercher toi-même, Mek.

Il resserra sa prise autour de son cou, en l'étouffant jusqu'à ce qu'elle suffoque et lui déchire le bras de ses ongles, laissant de longues traînées rouges sur la peau tannée.

– Écoute, Mek ! Je suis en train d'écraser son joli cou. Écoute-la étouffer.

Il serra plus fort pour la forcer à faire entendre ses gémissements. Il ne détachait pas le regard du rocher derrière lequel Mek avait disparu. Il s'en éloignait lentement pour se donner un grand champ d'action. Il réfléchissait à toute allure car il savait qu'il ne pourrait pas s'en sortir. Son bras droit était inutilisable et les *shufta* de Mek étaient trop nombreux. Il tenait la femme mais il voulait l'homme aussi. Il ne pouvait espérer plus : il devait les avoir tous les deux.

Il entendit un cri, une voix étrange qui provenait du haut de la pente. Les hommes de Mek arrivaient. Il était aux abois, maintenant. Il n'avait pas entendu bouger ou parler Mek depuis près de deux minutes. Il l'avait perdu : maintenant, il pouvait se trouver n'importe où.

« C'est trop tard, comprit Boris. Je ne l'aurai pas. Rien que la femme. Je dois le faire maintenant. »

Il la força à s'agenouiller et se pencha sur elle, en resserrant la pression de son bras autour de son cou.

– Adieu, Tessay, murmura-t-il à son oreille. Pour toi, c'est terminé.

Il durcit les muscles de son bras et sentit les vertèbres de son cou se plier à la limite de la rupture. Une simple pression supplémentaire suffirait. Il connaissait le bruit que feraient les vertèbres en cédant. Il était prêt pour le craquement qui ressemblait tant à celui d'une branche verte quand elle casse, et aussi pour le brusque relâchement de son corps entre ses mains.

Il prit le choc de plein fouet. Il eut l'impression que le coup lui avait défoncé les reins et éclaté les côtes. La violence, mais aussi la direction d'où venait le coup le surprirent terriblement. Mek Nimmur ne pouvait pas s'être déplacé aussi rapidement. Il avait quitté son abri, avait contourné les broussailles et, maintenant, il attaquait par-derrière.

L'attaque fut si sauvage que le bras qu'il avait passé

au cou de Tessay s'ouvrit. Elle laissa échapper un soupir étranglé et sifflant et glissa à terre. Boris essaya de se retourner en balançant son fusil à toute volée mais Mek était sur lui. Il empoigna l'arme et tenta de l'arracher au Russe.

Une balle siffla, à quelques centimètres de la tête de Mek. La détonation l'étourdit un instant, il lâcha prise et recula en titubant, les oreilles tintant violemment.

Boris fit un bond en arrière. Il s'escrima sur son arme pour en ouvrir la culasse et fourrer une nouvelle cartouche dans le magasin. Son bras blessé rendait ses gestes maladroits et inefficaces. Mek chargea tête basse. Il heurta Boris de plein fouet. Le fusil fut catapulté hors des mains du Russe. Les deux hommes esquissèrent une valse grotesque sur le gravier de la plage. Poitrine contre poitrine, ils luttèrent pour se repousser, trébuchèrent et basculèrent dans le fleuve. Ils surgirent toujours enlacés, l'un chevauchant l'autre, en une risible parodie des ébats amoureux auxquels Boris avait assisté quelques minutes plus tôt. Ils se repoussaient et se culbutaient, émergeant chacun à leur tour des remous. Chaque fois, la pente du lit du fleuve les éloignait. Ils eurent de l'eau jusqu'à la taille. Puis, d'un coup, le courant les emporta, toujours agrippés l'un à l'autre. Ils s'éloignaient rapidement, leurs têtes surgissant des remous.

Tessay entendit arriver les hommes que Mek avait appelés. Elle enfila son *shamma* et courut à leur rencontre. Dès qu'elle aperçut le premier d'entre eux, elle se mit à crier en amharique.

– Là ! Dans l'eau. Mek se bat avec le Russe. Aidez-le !

Elle courut avec eux le long de la rive. Arrivé à leur niveau, un des hommes épaula son fusil d'assaut. Elle bondit et écarta le canon.

– Imbécile ! rugit-elle. Tu vas atteindre Mek.

Elle escalada un des rochers qui surplombaient le fleuve et scruta la surface. Là-bas, dans l'eau rendue aveuglante par le soleil déclinant, elle vit que Boris avait réussi à passer un bras autour du cou de Mek. Il lui enfonçait la tête sous la surface. Mek luttait comme un saumon prisonnier, ils dérivaient tous deux vers le plongeon blanc de la chute d'eau.

Tessay sauta au bas du rocher et courut vers le prochain point d'où elle regarda la scène, impuissante.

Boris maintenait la tête de Mek enfoncée sous l'eau. Ils filaient maintenant droit vers la chute. Les crocs des rochers défilaient autour d'eux de plus en plus vite. Pour maintenir sa prise sur Mek, Boris était obligé d'employer toutes ses forces. Il savait qu'il ne tiendrait pas longtemps. Mek émergea un bref instant. Il inspira brièvement mais ce souffle d'air parut décupler ses forces. Tout en luttant désespérément, Boris jeta un regard vers le sommet de la chute qui approchait. Il y avait encore plus de rochers. Il repéra un gros bloc noir sur lequel les eaux déferlaient. Il se dirigea dessus à grands coups de pied, en tirant le corps de Mek. Les eaux tumultueuses les emportaient vers l'éperon rocheux qui attendait comme un monstre marin. Tout en luttant contre Mek, Boris s'efforçait de faire pivoter leurs deux corps. Il avait formé le plan de se précipiter contre le rocher en utilisant le corps de Mek comme bouclier. Celui-ci réussit une nouvelle fois à sortir la tête hors de l'eau. Il se remplissait les poumons d'une bouffée salvatrice quand il vit le rocher et comprit la manœuvre de Boris. Un violent effort le fit plonger, dans un mouvement si puissant et si surprenant qu'il entraîna Boris. Il resserra instinctivement son bras autour du cou de Mek et se retrouva entraîné et culbuté, si bien que, pour finir, les positions des deux hommes furent interverties : Mek avait réussi à interposer Boris entre lui et l'éperon rocheux. Quand ils s'écrasèrent dessus, le Russe subit toute la violence de l'impact.

Son épaule droite craqua comme une noix entre les mâchoires d'un casse-noix. Il avait encore la tête sous l'eau quand il hurla de douleur. Ses poumons se remplirent d'eau instantanément. Il lâcha prise et fut emporté loin de Mek. Il creva la surface en bataillant comme un insecte qui se noie. Son bras droit était cassé à deux endroits et ses poumons imbibés d'eau sifflaient et râlaient furieusement.

Mek apparut au milieu des remous à quelques mètres de lui. Dès qu'il repéra le crâne de Boris, il se précipita sur lui. Il saisit le Russe par le col qu'il tordit comme un garrot. Il empoigna la ceinture de Boris de l'autre main et, comme on manie un gouvernail, s'en servit pour envoyer son adversaire sur le récif qui approchait.

Boris s'écrasa la tête la première contre le roc. Mek

sentit l'impact passer du crâne de l'autre aux muscles de ses avant-bras crispés par l'effort. Le corps du Russe devint tout mou, sa tête dodelina dans les remous et ses membres devinrent souples comme des plantes aquatiques.

Ils basculèrent dans les vagues qui déferlaient. Mek, qui n'avait pas lâché le col de Boris, sortit le visage du Russe de l'eau. Il resta un instant saisi par l'horreur de la blessure qu'il lui avait infligée. L'homme avait le crâne défoncé. La peau était intacte, mais il y avait une cavité dans laquelle Mek aurait pu enfoncer le pouce. Les yeux de Boris pendaient, éjectés de leurs orbites comme ceux d'une poupée fracassée. Mek repoussa le cadavre et regarda de loin la tête brisée qui dansait sur les crêtes blanches des remous. Puis il s'approcha encore et, du bout des doigts, toucha la cavité. Les os et les esquilles cédèrent en grinçant. Il enfonça une nouvelle fois la tête martyrisée sous l'eau et l'y maintint tout en nageant vigoureusement vers la rive. Boris était mort mais, tout en nageant contre le courant, Mek lui garda obstinément la tête sous l'eau.

« Comment tue-t-on un monstre ? pensa-t-il. Je devrais l'enterrer à un carrefour avec un pieu dans le cœur. »

Il se contenta de le noyer cinquante fois.

Sur la rive, les hommes de Mek attendaient. Ils le soutinrent quand ses jambes cédèrent sous lui et l'aidèrent à regagner la terre ferme. Quand ils se mirent à sortir le corps de Boris de l'eau, Mek les interrompit sèchement.

– Laissez-le aux crocodiles. C'est tout ce qu'il mérite après ce qu'il a fait à notre pays et à notre peuple.

Un des hommes repoussa le cadavre dans le courant. Pendant qu'il s'éloignait en flottant, le soldat s'empara de l'AK qu'il portait en bandoulière et cracha une rafale. Les balles hachèrent la surface de l'eau autour de la tête de Boris et s'enfoncèrent dans son dos. Elles déchirèrent sa chemise et firent voler des morceaux de chair ensanglantée. Les autres hommes éclatèrent de rire et se joignirent à la fusillade. Ils vidèrent leurs magasins sur le corps. Mek ne fit pas un geste pour les en empêcher. Certains avaient vu des parents mourir de la plus atroce façon, grâce aux bons soins du Russe. Le cadavre tressautait dans le nuage rose de son sang. Pendant un instant Boris parut fixer le ciel puis il coula.

Mek se redressa lentement et alla à la rencontre de Tessay. Il la prit dans ses bras et la serra contre sa poitrine en murmurant :

– C'est fini. Il ne te fera plus souffrir. C'est terminé. Tu es ma femme désormais. Pour toujours !

12

Depuis que Boris et Tessay avaient déserté le campement, les règles de sécurité étaient devenues superflues. Nicholas et Royan n'avaient plus besoin de se cacher dans la hutte de celle-ci pour discuter de leur quête de la tombe.

Nicholas transféra leur quartier général dans la hutte des repas et fit construire par les hommes du campement une grande table pour y étaler les photographies prises par satellite, les cartes et tout le matériel qu'ils avaient rassemblé. Le chef assurait l'approvisionnement en café pendant que tous les deux s'abîmaient dans l'étude de leurs papiers et discutaient du bassin de Taita ainsi que de toutes les théories qu'ils échafaudaient.

– Nous n'arriverons jamais à savoir si ce trou est naturel ou s'il a été pratiqué par Taita. A moins de revenir ici avec l'équipement adéquat.

– Quel genre d'équipement envisagez-vous ? demanda-t-elle.

– Un scaphandre. Et pas des bouteilles à oxygène. Même si les équipements de plongée militaires sont plus légers et plus compacts, nous ne pouvons les utiliser en dessous de dix mètres. Soit l'équivalent d'une atmosphère. Après, l'oxygène pur est mortel. Avez-vous déjà utilisé un scaphandre autonome ?

– Duraid et moi avons passé notre lune de miel sur la mer Rouge. J'ai pris quelques leçons de plongée, j'ai même fait deux ou trois sorties mais je m'empresse d'ajouter que je ne suis pas experte en la matière.

– Je vous promets que je ne vous enverrai pas en bas,

fit-il avec un sourire. Cependant nous pouvons affirmer que nous avons trouvé assez d'indices dans la tombe de Tanus et dans le bassin de Taita pour passer à la seconde phase de l'opération.

– Il va falloir revenir avec beaucoup plus de matériel, et avec des spécialistes. Cette fois, vous ne pourrez pas vous faire passer pour un chasseur qui fait du tourisme. Quelle excuse allez-vous trouver pour ne pas déclencher les sonnettes d'alarme des bureaucrates éthiopiens ?

– Vous vous adressez à l'homme qui s'est invité chez deux charmants gentlemen : Kadhafi et Saddam. L'Éthiopie, à côté, sera une promenade du dimanche.

– Quand commence la saison des grosses pluies ? demanda-t-elle soudain.

– Bonne question. Il suffit de regarder sur la paroi du bassin de Taita le niveau des hautes eaux pour deviner à quoi ressemble la rivière quand elle est en crue.

Il feuilleta les pages de son agenda.

– Heureusement, nous avons un peu de temps devant nous. Pas des masses, mais suffisamment. Il va falloir faire vite. Nous devons rentrer en Angleterre avant de lancer les préparatifs de la phase deux.

– Nous devrions partir tout de suite, alors.

– Oui. Mais ce serait dommage de ne pas profiter du fait que nous sommes sur place. Je crois que nous pouvons mettre quelques jours à profit pour vérifier des idées qui me sont venues en pensant au bassin de Taita. Et pour nous assurer de ce dont nous aurons besoin à notre retour.

– C'est vous le chef.

– Seigneur, comme c'est agréable de l'entendre dire par une dame.

– Profitez-en, fit-elle avec un sourire suave. Ça ne se reproduira peut-être plus. Et quelles sont ces idées qui vous sont venues ?

– Ce qui monte doit redescendre et ce qui entre doit ressortir, fit-il mystérieusement. Cette eau qui pénètre dans la bonde doit bien aller quelque part. A moins qu'elle ne se jette dans un cours d'eau souterrain et ne rejoigne le Nil par ce biais, elle doit réapparaître quelque part.

– Continuez.

– Une chose est sûre, aucun être humain n'est passé

par la bonde. La pression est mortelle. Mais si nous découvrons la sortie, nous pourrons certainement nous en servir comme d'un passage.

– C'est très intéressant, fit-elle, impressionnée.

Elle se pencha sur les photos-satellites. Nicholas avait encerclé l'endroit où se trouvait le monastère. Il avait marqué la course approximative de la rivière à travers le gouffre, bien que la gorge fût trop étroite et trop embroussaillée pour être visible sur une image d'aussi petite échelle.

– La rivière s'engage ici dans le gouffre, déclara-t-elle en y posant le doigt. Et voilà la vallée par où passe la piste. D'accord ?

– D'accord. Où voulez-vous en venir ?

– Quand nous sommes passés par là, nous avons remarqué que cette vallée devait être le lit de la Dandera et que celle-ci devait s'être creusé un nouveau lit à travers le gouffre.

– C'est exact. Continuez.

– La pente du terrain vers le Nil est très abrupte à cet endroit, n'est-ce pas ? Vous souvenez-vous qu'en descendant la vallée à sec nous avons traversé un autre torrent, petit mais de débit conséquent ? Ce torrent semblait émerger de quelque part à l'est de la vallée.

– Ça y est, je vous suis. Vous suggérez que ce torrent est le trop-plein de l'eau qui entre dans la bonde. Vous êtes diablement intelligente.

– Je tire parti de votre génie, voilà tout, fit-elle avec modestie.

Elle le regardait par en dessous, à travers ses cils. Elle faisait le pitre mais ses cils étaient longs, épais et recourbés et ses prunelles avaient la couleur du miel brûlé, avec de minuscules paillettes dorées dans leurs profondeurs. C'était très déstabilisant. Il se leva pour s'arracher au charme.

– Pourquoi ne pas y jeter un œil ?

Il alla chercher son appareil photo et un sac pour la journée. Quand il revint, elle était prête mais n'était pas seule.

– Je vois que vous emmenez votre chaperon ?

– A moins que vous n'ayez le cœur de le renvoyer, fit-elle en souriant à Tamre qui, debout près d'elle, frissonnait d'extase à l'idée d'être en présence de son idole.

– Oh, d'accord ! Que le monstre nous accompagne.

Tamre s'en alla gambader devant eux à grandes enjambées maladroites. Son *shamma* poussiéreux voletait autour de ses jambes de sauterelle. Il répétait inlassablement le refrain d'un psaume en amharique et se retournait à intervalles réguliers pour s'assurer de la présence de Royan. Dans la vallée, la chaleur était irréelle. Tamre semblait ne pas la sentir mais les chemises de Nicholas et Royan étaient auréolées de larges taches sombres quand ils atteignirent l'endroit où débouchait le torrent. Ils accueillirent l'ombre d'un bosquet d'acacias avec gratitude et, pendant qu'ils se reposaient, Nicholas fouilla la vallée avec ses jumelles.

– Comment vont-elles après le traitement que je leur ai fait subir ? demanda Royan.

– Elles sont étanches, grommela-t-il. Un bon point pour Herr Zeiss.

– Et que voyez-vous, dedans ?

– Pas grand-chose. Les buissons sont trop denses. Il va falloir marcher.

Ils abandonnèrent l'ombre des acacias et s'attaquèrent à la pente de la vallée, sous un soleil de plomb. L'eau s'écoulait en une série de petites cascades qui finissaient chacune dans un bassin. Les broussailles envahissaient la rive, luxuriantes et vertes là où leurs racines avaient pu atteindre l'eau. Des nuages de papillons aux ailes jaune et noire voletaient au-dessus des bassins. Un hochequeue blanc et noir patrouillait les rochers mousseux du bord de l'eau. Sa longue queue battait la mesure comme l'aiguille d'un métronome.

Ils marquèrent une pause à mi-chemin de la pente, près d'un bassin. Nicholas se servit de son chapeau pour attraper une sauterelle jaune et brune. Il jeta l'insecte dans l'eau. Il eut quelques mouvements de pattes puis une ombre interminable monta des profondeurs. Un tourbillon, l'éclat de miroir d'un ventre écailleux et la sauterelle disparut.

– Au moins cinq kilos, se lamenta Nicholas. Pourquoi n'ai-je pas pris ma canne ?

Tamre, qui était allongé près de Nicholas, leva soudain la main. Il la garda ainsi, en l'air, et presque aussitôt un papillon vint se poser au bout d'un de ses doigts. Il resta perché là, battant doucement l'air de ses ailes de velours noir. Ils le regardèrent avec stupéfaction : on aurait cru que l'insecte avait obéi à l'adolescent. Tamre pouffa et offrit le papillon à Royan. Elle tendit la main et le garçon fit délicatement passer son cadeau de son doigt à la paume de la jeune femme.

– Merci, Tamre. C'est un cadeau merveilleux. Maintenant, mon cadeau à moi est de le laisser partir.

Elle souffla sur le papillon qui s'envola. Ils le regardèrent voleter au-dessus du bassin. Tamre tapait des mains et riait de plaisir.

– C'est curieux, murmura Nicholas, il semble avoir une espèce de complicité avec les créatures sauvages. Jali Hora a certainement renoncé à l'éduquer. Il doit le laisser agir à sa fantaisie. Traitement de faveur pour une âme extraordinaire. Je dois avouer que, moi-même, je commence à bien aimer ce petit.

Quinze mètres encore et ils arrivèrent à la source. Le torrent jaillissait du pied d'une grotte creusée dans une falaise basse de grès rouge. D'immenses fougères en cachaient l'entrée. Nicholas s'agenouilla pour les écarter et regarder à l'intérieur de la grotte.

– Que voyez-vous ? demanda Royan.

– Pas grand-chose. C'est très sombre mais on dirait que ça s'enfonce assez loin.

– Vous êtes trop gros pour y entrer. Vous devriez me laisser passer.

– C'est l'endroit rêvé pour le cobra d'eau, fit Nicholas. Ils y trouvent des tas de grenouilles à croquer. Vous êtes sûre de vouloir y aller ?

– Je n'ai jamais dit que j'avais envie d'y aller.

Elle se laissa tomber sur le sable pour délacer ses chaussures. Puis elle descendit dans l'eau. Le niveau lui arrivait à mi-cuisse et elle avançait contre le courant avec difficulté. Elle se courba pour passer sous la voûte de la grotte. Sa voix lui parvint, étouffée.

– Le plafond descend de plus en plus bas.

– Soyez prudente, petite fille. Ne prenez pas de risques.

– J'aimerais bien que vous ne m'appeliez pas « petite fille ».

Sa voix résonnait dans la cavité de pierre.

– Bien, pourtant vous êtes les deux : petite et fille à la fois. Et si je vous appelais « chère madame » ?

– Ce n'est pas mieux. Mon nom est Royan.

Il y eut un silence puis elle reprit :

– Je ne peux pas aller plus loin. Ça se rétrécit en une sorte de puits.

– Un puits ?
– Une ouverture à peu près rectangulaire, si vous préférez.
– Croyez-vous que ce soit naturel ?
– Impossible à dire. L'eau en sort comme d'un robinet. Un jet impressionnant.
– Pas de traces de travaux ? Des marques d'outils dans le rocher ?
– Rien. C'est lisse et érodé par l'eau. Et couvert de mousses et d'algues.
– Un homme pourrait-il passer par l'ouverture ? Sans la pression de l'eau, bien sûr.
– Un pygmée, oui. Ou un nain.
– Ou un enfant ?
– Ou un enfant, mais qui enverrait un enfant là-dedans ?
– Les anciens utilisaient souvent des enfants esclaves. Taita a pu faire la même chose.
– Ne dites pas ça. Vous êtes en train de démolir l'opinion que j'ai de Taita.

Elle émergea de la grotte avec la chevelure constellée de mousses et de brins de fougère. Elle était trempée jusqu'à la taille. Il lui tendit la main et la hissa sur la rive. Son pantalon mouillé soulignait les courbes de ses fesses : il se força à ne pas y prêter trop attention.

– Nous devons donc conclure que le puits est une cheminée naturelle et pas un ouvrage dû à la main de l'homme ?
– Je n'ai pas dit ça. Non. J'ai dit que je ne pouvais rien affirmer. Vous devez avoir raison. Ils ont certainement employé des enfants pour creuser.
– En tout cas, nous n'avons aucun moyen d'explorer le tunnel par ce côté ?
– Aucun. L'eau coule sous une énorme pression. J'ai essayé de passer le bras dans le puits mais je n'avais pas assez de force.
– Dommage ! J'espérais trouver un indice irréfutable. Ou, au moins, une autre piste.

Il s'assit à côté d'elle, sur la rive, et fourragea dans son sac. Elle regarda l'objet qu'il en sortit avec curiosité. C'était un petit instrument noir dont il souleva le couvercle.

– Baromètre anéroïde, expliqua-t-il. Tout bon navigateur devrait en avoir un.

– Mais encore ?

– Je voudrais savoir si ce torrent est sous le niveau de la bonde du bassin de Taita. Si non, nous pourrons rayer cette idée de notre liste. Si vous êtes prête, ajouta-t-il en se levant, nous pouvons partir.

– Pour aller où ?

– Au bassin de Taita, bien sûr. Il faut mesurer son altitude pour établir la différence avec celle de la grotte.

Quand Tamre eut compris leur destination, il leur indiqua un raccourci qui réduisit considérablement le trajet qui reliait la fontaine et la grotte au sommet de la falaise qui dominait le bassin de Taita.

– Tamre, remarqua Royan, semble passer toutes ses journées à vagabonder dans la brousse. Il connaît chaque sentier et toutes les pistes des animaux. C'est un guide excellent.

– Meilleur que Boris, en tout cas, fit Nicholas en consultant son baromètre.

– Vous avez l'air particulièrement satisfait de vous-même, déclara Royan pendant qu'il regardait son instrument.

– J'ai toutes les raisons de l'être. En comptant cinquante mètres de hauteur de falaise et un peu moins de quinze mètres supplémentaires de profondeur de bassin, ça met l'entrée de la bonde à une trentaine de mètres au-dessus du point de résurgence, dans la grotte.

– C'est-à-dire ?

– C'est-à-dire qu'il y a de grandes chances pour que les deux cours d'eau soient les mêmes. Il pénètre ici, dans le bassin de Taita, et ressort dans votre grotte.

– Comment Taita s'y est-il pris ? s'étonna-t-elle. Comment est-il arrivé au fond du bassin ? C'est vous, l'ingénieux ingénieur, dites-moi comment vous vous y prendriez.

Il haussa les épaules mais elle insista.

– Je veux dire qu'il doit y avoir un moyen très précis pour réaliser ce genre de choses. Travailler sous l'eau, par exemple. Comment fait-on pour construire un pont ? Et un barrage ? Ça ne s'improvise pas. Comment Taita a-t-il construit le puits en dessous du niveau du Nil pour mesurer la crue du fleuve ? Vous souvenez-vous de la description qu'il fait de son hydrographe, dans *le Dieu Fleuve* ?

– La technique habituelle consiste à construire un batardeau, fit Nicholas, l'esprit ailleurs. (Puis il s'interrompit et la regarda :) Nom de Dieu, s'exclama-t-il, vous êtes vraiment un crack ! Un barrage. Et si ce vieux sacripan de Taita avait barré la rivière tout entière ?

– Est-ce possible ?

– Je commence à croire que rien n'est impossible pour Taita. Il disposait d'une quantité illimitée de main-d'œuvre. Et s'il a pu construire un hydrographe sur le Nil à Assouan, c'est qu'il comprenait parfaitement les lois de l'hydrodynamique. Après tout, la vie des anciens Égyptiens était entièrement liée aux crues du fleuve et à la gestion des inondations. D'après ce que nous sommes arrivés à savoir du vieux grigou, c'est possible.

– Comment en être sûrs ?

– En trouvant les restes du barrage. Retenir la Dandera a dû être un sacré travail. Il y a de bonnes chances pour qu'il reste des vestiges des travaux.

– Où pourrait-il avoir construit ce barrage ? fit-elle avec impatience. Ou, si vous préférez, où placeriez-vous ce barrage ?

– Il y a un site naturel évident. Le point où la piste s'éloigne de la rivière pour descendre dans la vallée. Là où la rivière tombe dans le gouffre.

Ils tournèrent tous les deux la tête en direction de l'amont.

– Qu'attend-on ? fit-elle en se relevant d'un bond. Allons voir !

Précédés de Tamre, gagné lui aussi par leur fièvre, ils remontèrent la piste encombrée d'épineux jusqu'à l'endroit où elle rejoignait la rivière. Le soleil avait perdu beaucoup de son ardeur quand ils arrivèrent au sommet du gouffre où plongeait la Dandera.

– Si Taita avait érigé un barrage ici, expliqua Nicholas en désignant la gorge d'un geste ample, il aurait détourné la rivière dans cette vallée, là.

– C'est possible, fit-elle.

– Il faudrait mesurer exactement les courbes de niveau. Mais, à l'œil nu, c'est comme vous dites possible, bien que trompeur.

Il plissa les paupières pour regarder les deux promontoires qui encadraient la chute d'eau. Ils formaient une sorte de portail de calcaire que la rivière passait en rugissant.

– J'aimerais grimper là-haut pour avoir une vue sur le terrain. Ça vous tente ?

– Essayez de m'en empêcher !

Elle ouvrit la marche. C'était une escalade difficile, le calcaire s'effondrait par endroits. Quand ils atteignirent le sommet du pilier oriental du portail, ils furent récompensés par une vue splendide sur le terrain en contrebas.

Au nord, l'escarpement montait comme une muraille avec ses remparts crénelés. Au-delà, il y avait les ombres irréelles d'autres montagnes : les pics vertigineux du Choke, bleus comme les plumes d'un héron contre le bleu minéral du ciel africain.

Autour se bousculaient les badlands de la gorge, un chaos d'éperons rocheux et de roches de couleurs différentes. Certains étaient gris cendre et d'autres noirs comme le cuir d'un vieux buffle ou encore rouge comme son sang. La végétation des bords du fleuve était verte, du vert éclatant et mortel du serpent mamba, et loin du fleuve, elle était grise et flétrie.

– L'image même de la dévastation, murmura Royan. Indompté et indomptable. On comprend que Taita ait choisi cet endroit. Il repousserait n'importe quel intrus.

Ils observèrent la sauvage grandeur du paysage en silence et aussitôt l'épuisement de l'escalade s'effaça. Leur enthousiasme refit surface.

– Maintenant, on a une idée claire du site, expliqua Nicholas. On voit la pente naturelle du terrain. Le point le plus étroit va de cet endroit-ci de la gorge à celui-là, en dessous de nous. C'est une sorte de goulot qui ferait un site idéal pour un barrage. Il ne faudrait pas grand-chose pour détourner la rivière dans la vallée. Une fois qu'il a eu terminé ce qu'il fabriquait dans le gouffre, il n'a eu qu'à briser le mur du barrage pour que la rivière reprenne son cours naturel.

Tamre les dévisageait avec avidité, sans comprendre ce qui se disait mais copiant les expressions de Royan comme un miroir. Quand elle hochait la tête, il hochait la sienne, il fronçait les sourcils en même temps qu'elle et, quand elle riait, il pouffait joyeusement.

– C'est une très grande rivière, fit Royan. Quelle méthode a-t-il employée ? Un barrage de terre ? Sûrement pas.

– Les Égyptiens ont employé des canaux et des barrages de terre pendant des siècles. Mais, quand ils pouvaient utiliser la pierre, ils ne s'en privaient pas. Ils étaient d'excellents maçons. Vous avez vu les carrières d'Assouan, n'est-ce pas ?

– Il n'y a pas beaucoup de terre dans cette gorge, fit-elle remarquer. En revanche, c'est un vrai musée de géologie. Il y a toutes les sortes de roches que l'on voudrait.

– C'est bien mon avis, reprit Nicholas. Plutôt qu'un mur de terre, Taita aura fait construire un ensemble de maçonnerie et procédé à un colmatage de rochers. Le genre de barrage que les Égyptiens construisaient bien avant lui. Si tel est le cas, il y a des chances pour que des vestiges aient survécu.

– Très bien. Travaillons d'après cette hypothèse. Taita a construit un barrage en pierre puis il l'a fait démolir. Où trouverons-nous les traces de cet exploit ?

– Il faudrait commencer nos recherches à partir du site actuel, répondit-il. Là, dans le goulot de la gorge. Et puis nous fouillerons en allant vers l'aval.

Ils redescendirent. Tamre choisissait le meilleur chemin pour Royan, s'arrêtant pour l'attendre à chaque halte. Ils arrivèrent enfin au goulot d'étranglement et observèrent les alentours.

– Quelle aurait été la hauteur du barrage ? demanda Royan.

– Pas trop haut. Mais je ne peux vous donner aucune réponse précise sans mesure.

Il grimpa un peu le long de la paroi puis s'accroupit. Il regarda autour de lui, d'abord vers la vallée puis en direction des bords de la chute. Il se déplaça trois fois, montant chaque fois un peu plus haut. La pente se redressait et il finit accroché à sa façade verticale dans une position précaire. Mais il paraissait satisfait.

– Je dirais, cria-t-il à Royan depuis son perchoir, qu'il devait monter jusque-là. A mon avis, ça fait quatre ou cinq mètres.

Depuis la berge où elle était restée, Royan regarda en direction de l'autre rive pour estimer la distance à laquelle se trouvait l'autre falaise de calcaire.

– A peu près trente mètres, lui cria-t-elle.

– Oui. Un travail de titan, mais rien d'impossible.

– Taita n'était pas du genre à se laisser intimider par une difficulté. Pendant que vous êtes là-haut, voyez-vous des traces de travaux ? Taita a dû accrocher son barrage à la falaise.

Il s'aventura le long de la falaise jusqu'à se retrouver au-dessus des chutes. Quand il se rendit compte qu'il ne pouvait aller plus loin, il revint à l'endroit où l'attendaient Royan et Tamre.

– Rien ?

Il secoua la tête.

– Non, mais vous n'espériez pas qu'il reste quoi que ce soit après près de quatre mille ans ? Ces falaises sont en permanence exposées au vent et aux intempéries. Nous aurons plus de chance en cherchant les blocs de pierre qui ont servi au barrage et qui ont dû être emportés quand Taita a libéré la rivière.

Ils descendirent dans la vallée où Royan remarqua un rocher qui semblait différent de ceux qui se trouvaient disséminés autour. Il avait la taille d'une malle-cabine d'autrefois. Il était couvert de végétation mais son angle supérieur avait quelque chose de net et de bien taillé. Elle héla Nicholas.

– Regardez, fit-elle en tapotant fièrement sa trouvaille. Qu'en pensez-vous ?

Il la rejoignit et fit courir ses mains sur la surface du bloc.

– Possible. Mais pour en être certain, il faudrait trouver les traces du ciseau du maçon. Vous n'ignorez pas qu'ils taillaient un trou dans la pierre puis enfonçaient des coins jusqu'à ce qu'elle éclate.

Ils explorèrent le rocher avec soin. Royan trouva une cavité qu'elle déclara être une marque de ciseau usée par le temps, ce que Nicholas estima probable à quarante pour cent.

– Nous n'avons plus beaucoup de temps, fit-il en l'entraînant loin de sa trouvaille. Et il nous reste beaucoup à faire.

Ils explorèrent la vallée sur encore environ cinq cents mètres, jusqu'à ce que Nicholas déclare forfait.

– Même le plus puissant des fleuves n'aurait pas emporté des blocs aussi loin. Rebroussons chemin pour voir si des pierres n'ont pas été emportées dans le gouffre.

Ils regagnèrent les rives de la Dandera et s'approchèrent le plus possible des chutes. Nicholas regarda attentivement.

– Ce n'est pas aussi profond ici, estima-t-il. Je dirais moins de trente mètres.
– Croyez-vous pouvoir descendre là-dedans ? s'enquit-elle, dubitative.
Des embruns remontaient des profondeurs et trempaient leurs visages. Ils devaient hurler pour se faire entendre au-dessus du tonnerre des eaux.
– Pas sans une corde, et quelques costauds pour me hisser à l'air libre.
Il se percha sur le bord et dirigea ses jumelles vers le fond du gouffre. Il y avait un tas de rocs en bas, de toutes tailles et de toutes formes. Avec un peu d'imagination, certains auraient pu sembler rectangulaires. Ils avaient tous l'aspect lisse que donne l'usure de l'eau.
– Je ne crois pas que nous puissions juger d'ici. Et je dois avouer que je ne me réjouis pas d'avoir à descendre.
Elle s'assit par terre et se prit les genoux dans les bras. Elle avait une mine désenchantée.
– Alors nous ne pouvons être sûrs de rien. Taita a-t-il détourné la rivière ou pas ?
Il passa un bras autour de ses épaules pour la consoler. Après un instant, elle se laissa aller contre lui. Ils regardèrent le gouffre sans un mot puis elle se leva et s'éloigna de lui.
– J'imagine qu'il va falloir rentrer au campement. Combien de temps nous faudra-t-il ?
– Au moins trois heures. Vous avez raison, nous y arriverons à la nuit tombée. Et il n'y a pas de lune, ce soir.
– C'est drôle comme la déception peut vous mettre à plat, fit-elle en s'étirant. Je pourrais m'allonger et m'endormir sur un des blocs de Taita.
Elle s'interrompit et le regarda :
– Nicky, où les a-t-il trouvés ?
– Où a-t-il trouvé quoi ?
– Vous ne voyez pas ? Nous avons tout pris par le mauvais bout. Nous essayons de trouver ce qui est arrivé aux blocs de rocher. Ce matin, vous avez évoqué les carrières d'Assouan. Ne devrions-nous pas nous demander où Taita a trouvé les blocs de pierre de son barrage plutôt que de chercher ce qu'ils sont devenus ?
– La carrière ! s'exclama Nicholas. Bien sûr, vous avez raison. Le début, pas la fin. Nous devrions chercher la carrière et non pas les restes du barrage.

– On commence par où ?

– Je pensais que vous alliez me le dire !

Son éclat de rire provoqua aussitôt celui de Tamre. Ils regardèrent tous les deux l'adolescent.

– Je crois que nous allons commencer par Tamre, notre fidèle guide. Écoute-moi, Tamre. Écoute-moi bien.

Il obéit et la regarda fixement en essayant de maîtriser son attention sautillante.

– Nous cherchons un endroit d'où pourraient provenir des pierres carrées.

Il prit un tel air qu'elle essaya autrement.

– Il y a longtemps, des hommes ont pris des pierres à la montagne. Ils ont laissé un grand trou quelque part. Peut-être avec d'autres pierres carrées, dans ce trou.

Soudain le visage du gamin se fendit d'un sourire béat.

– La pierre de Jésus !

Il bondit sur ses pieds sans lui lâcher la main.

– Je vais te montrer ma pierre de Jésus.

Il l'entraîna après lui au trot le long de la pente.

– Attends, Tamre, supplia-t-elle. Pas si vite.

Mais le gamin gardait l'allure. Il se mit à entonner un hymne en amharique. Nicholas les suivit à une allure plus tranquille. Il les rejoignit, six cents mètres plus loin.

Tamre était à genoux, le front appuyé contre la paroi rocheuse. Il avait les yeux clos et avait attiré Royan à terre, à côté de lui.

– Qu'est-ce que vous fabriquez ? fit Nicholas en approchant.

– Nous prions, répondit Royan d'un air sérieux. Nous devons prier avant d'aller à la pierre de Jésus.

Elle se détourna, ferma les yeux et joignit les mains devant son front. Nicholas s'installa sur un rocher, à quelques mètres.

– De toute manière, ça ne peut pas faire de mal, dit-il pour se consoler d'avoir à attendre.

Tamre bondit soudain sur ses pieds. Il se lança dans une petite danse guillerette, en agitant les bras et en tournoyant dans la poussière.

– C'est fait, chantonna-t-il. Nous pouvons aller à la pierre de Jésus.

Il reprit la main de Royan et la conduisit vers la paroi rocheuse. Ils disparurent d'un coup sous les yeux de Nicholas qui se leva, alarmé.

– Royan ? Où êtes-vous ? Que se passe-t-il ?

– Approchez, Nicholas. Venez par ici.

Il gagna le mur et s'exclama avec étonnement :

– Seigneur ! Même en cherchant une année, nous n'aurions jamais trouvé !

La falaise était repliée sur elle-même et formait une entrée cachée. Il se glissa dans le passage et déboucha dans un amphithéâtre à ciel ouvert, vaste d'au moins trente mètres de diamètre entre des murs creusés à même le roc. Un seul regard lui confirma qu'il s'agissait de la même pierre que le rocher qu'avait trouvé Royan, dans la vallée.

L'endroit avait été creusé à même la roche. Des gradins s'élevaient jusqu'au sommet. Les cavités dont avaient été extraits les blocs de pierre étaient nettement visibles, avec leurs angles droits et nets. La carrière était à peine envahie par la végétation. Une pile de blocs de granite prêts à l'emploi gisait dans le fond de l'excavation. La découverte était si stupéfiante que Nicholas resta bouche bée à l'entrée de la carrière.

Tamre entraîna Royan au centre de la carrière. Un immense bloc y trônait. On devinait sans peine que les Égyptiens étaient sur le point de l'emporter dans la vallée car il était parfaitement taillé.

– La pierre de Jésus ! annonça Tamre en entraînant Royan dans sa génuflexion. Jésus m'a guidé jusqu'ici. La première fois, il était debout sur la pierre. Il avait une longue barbe blanche, ses yeux étaient tristes et bons.

Il se signa et se lança dans la récitation d'un de ses psaumes, dodelinant de la tête et se balançant en rythme.

En s'approchant, Nicholas remarqua les traces des fréquentes visites de Tamre à ce qu'il considérait comme un lieu sacré. La pierre de Jésus était son autel personnel. De pathétiques offrandes y étaient disposées. Vieilles gourdes de *tej*, poteries brisées et fêlées pour la plupart, bouquets de fleurs sauvages desséchés et fanés. Il avait réuni d'autres trésors sur cet autel : des carapaces de tortues, des épines de porc-épic, une croix en bois sculptée de sa main et ornée de lambeaux de tissu coloré, des colliers de haricots et des statuettes d'animaux modelés dans la boue bleue de la rivière.

Nicholas contempla les deux silhouettes agenouillées

qui priaient ensemble, devant l'autel primitif. Il était profondément ému par cette démonstration de foi, et par la confiance dont il avait fait preuve en les conduisant dans son sanctuaire.

Royan se redressa et vint le rejoindre. Ensemble, ils firent le tour de la carrière. Ils parlèrent peu, et quand ils le firent, ce fut avec le ton feutré que l'on adopte dans une cathédrale. Elle lui désigna les nombreux blocs cubiques qui étaient restés dans la gangue de pierre. Ils étaient encore soudés à la matrice rocheuse, liés à elle comme des fœtus par le cordon ombilical que le maçon n'avait pas tranché.

C'était une parfaite démonstration de la manière dont travaillaient les anciens. Toutes les étapes des travaux étaient visibles : le marquage des futurs blocs par le maître artisan, la perce des trous, la pose des coins le long des lignes de fracture et même le bloc totalement achevé, prêt à être emporté sur le site du barrage.

Quand ils eurent achevé le tour de la carrière, le soleil s'était couché et il faisait presque nuit. Ils allèrent s'asseoir sur un des blocs, avec Tamre accroupi à leurs pieds comme un chiot, le visage levé vers Royan.

– S'il avait une queue, il l'agiterait, plaisanta Nicholas.

– Nicky, fit Royan, nous ne pouvons pas trahir sa confiance et profaner cet endroit de quelque manière que ce soit. Il en a fait son temple personnel. Je crois qu'il n'y a jamais emmené quelqu'un d'autre que nous. Promettez-moi que nous le respecterons toujours, quoi qu'il advienne ?

– C'est le moins que nous puissions faire, fit-il en se tournant vers Tamre. Tu as fait quelque chose de formidable en nous emmenant voir ta pierre de Jésus, dit-il au gamin. Je suis très content de toi. La dame est très contente de toi.

– Nous devrions repartir au campement, suggéra Royan en regardant le morceau de ciel que découpaient les bords de la carrière.

Il était pourpre et indigo, traversé des derniers rayons du soleil.

– Je ne crois pas que ce soit très sage. Il n'y a pas de lune cette nuit, l'un de nous pourrait facilement se casser une jambe dans le noir. C'est une péripétie qu'il vaut mieux éviter par ici. Il doit bien falloir une semaine pour trouver le premier médecin.

– Vous ne comptez tout de même pas dormir ici ?
– Pourquoi pas ? Je peux nous allumer un feu en deux secondes et j'ai un paquet de rations de survie pour notre dîner. J'ai déjà fait ce genre de choses, vous savez ! Et puis avec votre chaperon ici présent, votre honneur est sauf. Alors, pourquoi pas ?
– Pourquoi pas, effectivement ? fit-elle avec un petit rire. Nous pourrons inspecter la carrière à la première heure, demain.
Il se leva pour aller rassembler de quoi faire du feu mais il se figea et regarda le ciel. Elle entendit alors le sifflement désormais familier.
– L'hélicoptère de Pégase. Je me demande ce qu'ils manigancent à cette heure ?
Ils regardèrent approcher les feux de bord de l'engin qui brassait les ténèbres. Il passa à trois cents mètres, allumant des éclairs vert, rouge et blanc, glissant vers le sud, en direction du monastère.

Nicholas installa le feu dans un coin de la carrière assez proche de l'entrée. Il répartit le paquet de rations de survie déshydratées en trois. Ils grignotèrent en faisant passer les tablettes de concentré sucré et poisseux avec l'eau de la gourde.
Les flammes projetaient des ombres fantomatiques sur la paroi de la carrière. Elles magnifiaient toutes les ombres. Un engoulevent niché dans un trou poussa un roucoulement si étrange que Royan frissonna et se rapprocha de Nicholas.
– Je me demande si, là où il est, Taita est au courant de nos progrès, dit-elle. A mon avis, il doit être passablement inquiet, maintenant. Nous avons démêlé la première partie de l'énigme qu'il nous a laissée. Je suis sûre qu'il ne s'attendait pas à ce que quelqu'un arrive jusqu'ici.
– La prochaine étape doit nous emmener au fond de son bassin. Ça en bouchera vraiment un coin à ce vieux grigou. Qu'espérez-vous trouver là-bas ?
– J'hésite à le dire, répliqua-t-elle. Ça pourrait nous porter malheur.
– Je ne suis pas superstitieux. Enfin, pas très. Puis-je le dire à votre place ? proposa-t-il.
Elle rit, acquiesça. Il reprit :
– Nous espérons trouver l'entrée de la tombe du pha-

raon Mamose. Plus de rébus, de pièges et de leurres : la vraie tombe !

– Que Dieu vous entende, fit-elle en croisant ostensiblement les doigts. A combien estimez-vous nos chances ? demanda-t-elle, redevenue sérieuse. Je veux parler de nos chances de trouver la tombe intacte.

– Je répondrai à cette question une fois au fond du bassin. Pas avant !

– Comment va-t-on réussir une chose pareille ? Vous avez écarté le scaphandre autonome.

– Je ne sais pas, confessa-t-il. A ce stade, je ne sais plus. Peut-être pourrons-nous y arriver avec des combinaisons de plongée.

Elle considéra un moment l'apparente impossibilité de la tâche qui les attendait.

– Souriez ! s'exclama-t-il en lui passant un bras autour des épaules. Si Taita nous a rendu le problème si ardu, il a fait de même avec tous ceux qui sont arrivés ici avant nous. Je crois que si la tombe est là-dessous, aucun pilleur de tombe n'y a accédé.

– Si l'entrée de la tombe est au fond du bassin, alors les descriptions qu'il en donne dans les rouleaux sont volontairement fausses. L'information est arrivée jusqu'à nous altérée par Taita, puis par Duraid et enfin par Wilbur Smith. Nous en sommes à chercher la vérité dans un labyrinthe de désinformation délibérée.

Ils se turent encore pendant quelques minutes, puis Royan sourit aux flammes, le visage pétillant d'impatience.

– Oh, Nicky ! C'est un défi si excitant ! Mais y a-t-il une voie possible ? Peut-on arriver là-bas ?

– Nous le découvrirons.

– Quand ?

– En temps utile. Je n'y ai pas encore complètement réfléchi. Tout ce que je peux affirmer, c'est qu'il y aura une prodigieuse quantité de travail préparatoire et de travail tout court.

– Vous êtes toujours intéressé, alors ? Vous n'êtes pas découragé ?

– Je dois reconnaître que je n'aurais jamais soupçonné Taita de pouvoir organiser une chasse aussi amusante. Je m'imaginais ouvrir tout simplement une porte et tout trouver, étalé devant nous. Comme Howard Carter entrant dans la tombe de Toutânkhamon. Mais enfin, la réponse à votre question est oui, je suis impressionné par tout ce que cela va impliquer mais rien ne pourra m'arrêter ! J'ai le parfum de la gloire dans les narines et l'éclat de l'or dans la prunelle !

Tamre s'était roulé en boule dans la poussière, de l'autre côté du feu. Il avait tiré son *shamma* par-dessus sa tête. Son sommeil devait être traversé de rêves et de chimères car il gémissait et pouffait.

– Je me demande ce que renferme cette pauvre tête folle, chuchota Royan. Il dit avoir vu Jésus dans la carrière et je suis certaine qu'il le croit vraiment.

Leurs voix étaient de plus en plus basses. Le feu diminuait d'intensité. Juste avant de s'endormir contre l'épaule de Nicholas, Royan trouva la force de murmurer :

– Si la tombe du pharaon Mamose est sous le niveau de l'eau, alors son contenu doit être abîmé ?

– Je ne crois pas que Taita ait édifié un barrage et travaillé pendant quinze ans, comme il le dit dans les rouleaux, pour noyer la momie de son roi et inonder ses trésors.

Il plissa la joue contre ses cheveux qui le chatouillaient.

– Impossible, reprit-il. La résurrection de Pharaon dans l'autre monde aurait été compromise. Je suis persuadé qu'il a tenu compte de tout ça dans ses prévisions.

Elle se pelotonna plus près et soupira avec satisfaction. Un peu plus tard, il chuchota :

– Bonne nuit, Royan.

Elle ne répondit pas. Sa respiration était profonde et régulière. Il sourit et lui embrassa doucement le sommet de la tête.

Nicholas n'aurait pu dire ce qui l'avait réveillé. Il lui fallut quelques secondes pour se situer puis il comprit qu'il était dans la carrière. Il n'y avait pas de lune mais les étoiles étaient accrochées bas dans le ciel, grosses et dodues comme des raisins mûrs. Royan dormait, allongée à côté de lui.

Il se leva lentement pour ne pas la réveiller et s'éloigna du feu qui agonisait pour vider sa vessie. La nuit était d'un calme sépulcral. Aucun oiseau de nuit ne chantait, ni aucune autre créature nocturne. Les rochers tout autour irradiaient encore la chaleur qu'ils avaient emmagasinée le jour précédent.

Le bruit qui l'avait réveillé se répéta soudain. C'était un son lointain et discret que répercutaient les falaises. Il ne pouvait le localiser mais il n'avait aucun doute sur son identité. Il l'avait entendu si souvent. C'était le bruit d'une rafale d'arme automatique, certainement un AK–47. Il ne tirait pas par longues rafales nerveuses mais par petits aboiements de trois cartouches. Ce qui était un art et demandait une expérience particulière. La personne qui tirait était un professionnel bien entraîné.

Il regarda sa montre : les chiffres luminescents indiquaient trois heures du matin. Il tendit l'oreille mais les tirs ne se reproduisirent pas. Il retourna s'allonger près de Royan mais ne dormit que d'un œil, guettant d'autres rafales dans la nuit.

Royan commença à s'étirer dès les premières lueurs de l'aube. Il lui parla du bruit qui l'avait réveillé pendant qu'ils mangeaient ce qui restait de la ration de survie de la veille.

– Croyez-vous que cela puisse être Boris ? demanda-t-elle. Il a peut-être trouvé Mek et Tessay.

– J'en doute fort. Boris est parti depuis plusieurs jours.

– Que pensez-vous que ce soit, alors ?

– Aucune idée. Mais je n'aime pas ça. Nous devrions retourner au campement aussitôt après avoir exploré la carrière. A part ça, nous ne pouvons pas faire grand-chose d'autre.

Dès que la lumière fut assez forte, Nicholas mit un film dans son appareil pour immortaliser la carrière. Royan posait devant les rocs pour donner une idée de l'échelle. Elle se prit rapidement au jeu et assuma parfaitement sa condition de mannequin. Grimpée sur un rocher, elle minaudait et faisait le clown, la bouche en cœur et la main dans les cheveux comme l'aurait fait Marilyn Monroe.

Quand ils repartirent vers le monastère, ils étaient euphoriques et excités par leur succès. Ils bavardaient avec animation, se jetant mutuellement des idées à la tête, échafaudant des plans pour la future exploitation de leur découverte. Ils arrivèrent aux falaises roses en milieu de matinée. Un petit groupe de moines remontait la piste. Même avec la distance, il était évident qu'une chose horrible s'était produite pendant leur absence. Les sinistres stridulations des moines firent se dresser les poils sur l'échine de Royan. Les moines s'étaient accroupis au bord de la route et ramassaient des poignées de poussière dont ils se couvraient la tête en se lamentant.

– Que se passe-t-il, Tamre ? Cours, va voir, vite !

Tamre courut jusqu'à ses frères. Il y eut quelques minutes de conversation et de gesticulations puis le gamin revint en courant.

– Les gens du campement. Une chose terrible est arrivée. Des hommes mauvais sont arrivés cette nuit. Beaucoup de boys sont morts, hurla-t-il.

Nicholas agrippa la main de Royan.

– Venez ! Il faut aller voir ce qui s'est passé.

Ils franchirent en courant le dernier kilomètre qui les séparait du campement. Là, des moines formaient un cercle autour de quelque chose qui gisait au sol, devant la hutte de la cuisine. Nicholas les écarta et joua des coudes pour arriver au premier rang. Il s'immobilisa et contempla le spectacle, l'estomac étreint par une sensation de nausée. Sous le voile bleu des mouches qui bourdonnaient, gisaient les corps ensanglantés du cuisinier et de trois autres boys. On leur avait lié les mains derrière le dos et on les avait forcés à s'agenouiller avant de les abattre d'un coup de feu à bout portant dans la nuque.

– Ne regardez pas ! fit Nicholas à Royan qui s'approchait. Ce n'est pas très joli.

Elle ignora son avertissement et s'approcha.

– Grand Dieu ! Ils ont été massacrés comme du bétail dans un abattoir.

– Ça explique les détonations que j'ai entendues la nuit dernière, déclara-t-il avec amertume avant de se baisser pour identifier les cadavres. Aly et Kif ne sont pas là. Où sont-ils ? Aly, cria-t-il en arabe, où es-tu ?

– Je suis là, *effendi*.

Le pisteur se dégagea de la foule. Sa voix tremblait encore et son expression était hagarde. Le devant de son T-shirt était poisseux de sang. Nicholas le prit par le bras pour l'aider à retrouver son calme.

– Que s'est-il passé ?

– Des hommes sont arrivés en pleine nuit. Ils avaient des armes. Des *shufta*. Ils ont tiré dans les huttes. Nous dormions. Ils n'ont rien dit. Ils ont tiré sans rien dire.

– Combien étaient-ils ? Qui étaient-ils ?

– Je ne sais pas combien ils étaient. Il faisait noir. Je dormais. Je me suis enfui quand la fusillade a commencé. C'étaient des bandits, des tueurs. C'étaient des hyènes et des chacals. Ils n'avaient aucune raison de faire ça. Ces hommes étaient mes frères, mes amis.

Des larmes ruisselèrent sur son visage et il se mit à sangloter. Royan se détourna, horrifiée et écœurée. Elle rejoignit sa hutte mais resta paralysée sur le seuil : tout était sens dessus dessous. Ses valises étaient retournées contre le sol, ses draps avaient été arrachés de la literie et le matelas gisait dans un coin de la pièce. Telle une somnambule évoluant dans un cauchemar, elle traversa la pièce et ramassa le porte-documents de toile où étaient rangés ses papiers. Elle le retourna en tout sens, le secoua : il était vide. Les photographies prises par satellite, les cartes, les relevés qu'elle avait faits de la stèle, les polaroïds réalisés par Nicholas dans la tombe de Tanus : tout avait disparu.

Elle remit le lit sur ses pieds et s'assit pour tenter de rassembler ses esprits. Elle était en pleine confusion, sous le choc des images des corps lacérés par les balles et jetés devant la cuisine. Hantée par cette vision, elle n'arrivait pas à penser clairement.

Nicholas fit soudain irruption dans sa hutte. Il regarda autour de lui.

– Ils m'ont fait la même chose. Ils ont tout mis à sac. Mon fusil a disparu. Mes papiers, aussi. Heureusement, j'avais gardé mes chèques de voyage et mon passeport dans mon sac à dos.

La découverte du porte-documents vide qui gisait à ses pieds le fit s'interrompre :

– Ils ont emporté le...

Elle devança la question.

– Oui ! Ils se sont emparés de tout le matériel que nous avions réuni. Même des polaroïds. Grâce à Dieu, vous avez gardé les pellicules des photos avec vous. Ce qui est arrivé à Duraid et à moi recommence. Nous ne serons jamais en sécurité ! Même pas ici, même dans l'endroit le plus reculé de la brousse.

L'hystérie faisait vibrer sa voix. Elle jaillit du lit où elle était assise et se précipita vers lui.

– Oh, Nicky, que serait-il arrivé si nous avions été au campement, la nuit dernière ? Nous serions là-bas, au soleil, en sang et couverts de mouches !

– Pas de déduction hâtive. C'est peut-être le hasard. Un raid de bandits.

– Alors pourquoi avoir emporté nos papiers ? Quelle valeur peuvent avoir des polaroïds pour un *shufta* quelconque ? Où allait l'hélicoptère de Pégase avant le raid ? C'est après nous qu'ils en avaient, Nicky. Je le sens, j'en suis persuadée. Ils voulaient nous tuer comme ils ont tué Duraid. Ils peuvent revenir n'importe quand. Maintenant, nous n'avons plus d'arme. Nous sommes totalement impuissants !

– D'accord, je suis de votre avis : nous sommes joliment vulnérables. Il serait sage de s'en aller le plus vite possible. De toute manière, nous n'avons plus aucune raison de nous attarder ici.

Il la serra plus fort et la berça avec tendresse.

– Du nerf ! Nous allons récupérer ce que nous pouvons sauver de ce capharnaüm et nous partirons tout de suite.

Elle se recula et ravala ses larmes avec effort, en reprenant lentement contrôle d'elle-même.

– Et les morts ? Combien de nos gens sont encore vivants ?

– Aly, Salin et Kif sont en vie. Ils ont filé dans la forêt dès les premiers coups de feu. Je leur ai dit d'être prêts à partir au plus vite. J'ai parlé au responsable des prêtres. Ils vont enterrer les morts et avertir les autorités aussitôt qu'ils le pourront. Ils pensent aussi que nous étions visés par l'attaque. Pour eux, nous sommes toujours en danger. Nous devons nous enfuir le plus tôt possible.

Une heure plus tard, ils étaient prêts à lever le camp. Nicholas avait pris la décision de laisser les affaires personnelles de Boris ainsi que l'équipement à la garde de Jali Hora. Les mules furent légèrement chargées.

L'abbé leur fournit une escorte de moines pour les accompagner jusqu'au sommet de l'escarpement :

– Seul un mécréant absolu vous attaquerait pendant que vous serez placés sous la protection de la croix, expliqua-t-il.

La tête et la peau séchée du dik-dik rayé étaient toujours dans la hutte d'équarrissage. Nicholas en fit un ballot qu'il ficela au sommet du bât d'une des mules. Puis il donna à la caravane, ainsi réduite, le signal du départ.

Tamre s'était faufilé dans le groupe de moines qui servait d'escorte. Il resta le plus près possible de Royan, alors qu'ils s'engageaient sur le chemin dans le concert de lamentations et d'adieux qu'émettait la communauté monastique qui les accompagnait pendant le premier kilomètre de leur voyage.

Le soleil au zénith était brûlant. L'air parfaitement immobile n'apportait aucun soulagement et les murailles de pierre de la vallée absorbaient la chaleur pour mieux la leur renvoyer, le long de la montée de la pente abrupte. Leur sueur s'évaporait à peine sortie de leurs pores, déposant sur leur peau et leurs vêtements les motifs blancs du sel cristallisé. Les muletiers, galvanisés par la peur, avaient adopté une allure soutenue. Ils trottaient derrière leurs bêtes dont ils agaçaient les testitules avec un bâton taillé en pointe afin de leur faire garder le rythme.

Au milieu de l'après-midi, ils avaient refait le trajet de la matinée et repassaient devant le site présumé du barrage de Taita. Nicholas et Royan prirent quelques minutes de répit pour se tremper la tête dans l'eau fraîche de la rivière et rincer le sel et la sueur qui leur cuirassaient le visage et le cou. Puis, côte à côte en surplomb des chutes, ils adressèrent un dernier adieu au gouffre dans les profondeurs duquel reposaient leurs espoirs et leurs rêves.

– Combien de temps jusqu'à notre retour ? demanda Royan.

– Nous ne pouvons pas nous permettre de rester loin trop longtemps. La saison des pluies va venir et les hyènes se rassemblent. Dorénavant, chaque jour qui passe est précieux et chaque heure perdue peut être cruciale.

Elle plongea le regard dans le gouffre et dit d'une voix douce :

– Tu n'as pas encore remporté la partie, Taita. La balle est toujours en jeu.

Ils se détournèrent ensemble et rejoignirent les mules qui gravissaient le chemin, à flanc d'escarpement. Ce soir-là, ils ne s'arrêtèrent pas au lieu de campement traditionnel près de la rivière, mais ils forcèrent l'allure pendant quelques kilomètres jusqu'à ce que l'obscurité les force à s'arrêter. Ils dressèrent le campement dans un endroit qui manquait de confort. Ils dînèrent de galettes de pain *injera* trempé dans la marmite de *wat* que les moines avaient emportée avec eux. Puis Nicholas et Royan défirent leurs sacs de couchage, l'un près de l'autre, à même la terre rocheuse et, les bâts des mules en guise d'oreillers, ils sombrèrent dans un sommeil sans rêves.

13

Le matin suivant, dans l'obscurité qui précède la venue de l'aube, ils burent un bol de café éthiopien amer et corsé pendant que l'on chargeait les mules. Puis ils reprirent le chemin sinueux.

Quand le soleil levant frappa les murailles abruptes qui se dressaient devant eux, celles-ci parurent à portée de main.

– Si nous gardons cette allure, fit remarquer Nicholas à Royan qui avançait près de lui à grandes enjambées, nous atteindrons le pied de la montagne dans l'après-midi. Il y a de bonnes chances pour que nous passions la nuit dans la caverne qui se trouve derrière la chute d'eau.

– Ce qui signifie que nous allons gagner deux journées sur notre voyage et rejoindre les camions dans la journée de demain ?

– C'est possible. Je serai soulagé de sortir d'ici.

– J'ai la sensation d'être au fond d'un piège, fit Royan en scrutant le coteau rocailleux et accidenté qui s'élevait autour d'eux, les enserrant dans le lit étroit de la Dandera. Vous savez, j'ai un peu réfléchi, Nicky.

– J'écoute vos nouvelles déductions.

– Ce ne sont pas des déductions, mais des pensées qui me troublent. Supposez que des gens de chez Pégase soient capables de comprendre les polaroïds et les relevés. Comment vont-ils réagir quand ils sauront quels progrès nous avons réalisés ?

– Vos pensées ne sont guère réjouissantes, convint-il. Mais nous ne pouvons pas faire grand-chose tant que nous n'aurons pas rejoint la civilisation. Sinon garder l'œil grand ouvert et l'esprit vif. Et dire que je n'ai même pas ma fidèle Rigby ! Nous sommes comme des canards sur un lac.

Aly et les muletiers semblaient être de cet avis car ils ne ralentirent pas leur allure une seule seconde. Ils ne marquèrent la première halte qu'à midi, pour avaler un peu de café et faire boire les mules. Pendant que les hommes allumaient le feu, Nicholas escalada le coteau rocheux, ses jumelles à la main. Il n'avait pas gravi une dizaine de mètres quand il se retourna : Royan grimpait à sa suite. Il s'arrêta pour lui permettre de le rattraper.

– Vous auriez dû en profiter pour vous reposer, fit-il avec sévérité. La fatigue due à la chaleur peut se révéler fatale.

– Je n'ai pas assez confiance pour vous laisser vagabonder tout seul. Je veux savoir ce que vous manigancez.

– Un peu de repérage, c'est tout. Nous aurions dû envoyer des éclaireurs au lieu de nous jeter en avant aussi aveuglément. Si je me souviens bien de notre trajet antérieur, le terrain le plus accidenté est devant nous. Dieu sait dans quel traquenard nous risquons de nous jeter.

Ils grimpèrent encore mais une falaise verticale et infranchissable leur barra l'accès au sommet de la crête. Nicholas s'installa au meilleur point de vue et scruta les deux versants de la vallée. Le terrain était bien identique au souvenir qu'il en gardait. Ils approchaient du pied de l'escarpement et le sol se faisait de plus en plus accidenté, comme la houle d'un océan qui, à l'approche du rivage, se gonfle avant de se briser en catastrophe sur la plage. La piste suivait de près la rivière. Les falaises se dressaient au-dessus d'une étroite bande de terre qui formait la rive. Sculptées par le vent et les intempéries, elles exhibaient d'étranges formes menaçantes, semblables aux créneaux d'un château hanté dans un vieux dessin animé de Walt Disney. Un promontoire de grès rouge faisait, à un endroit, saillie audessus du chemin. Le cours d'eau qui le contournait rétrécissait la piste à tel point qu'elle s'avérait quasiment impraticable pour une mule encombrée de son chargement. Les bêtes risquaient de se retrouver précipitées dans les eaux turbulentes.

Nicholas examina soigneusement le fond de la vallée à travers les lentilles grossissantes de ses jumelles. Il ne remarqua rien d'inquiétant, ni d'anormal, aussi balaya-t-il les hauteurs des falaises jusqu'à leur sommet.

C'est à ce moment que, depuis le contrebas de la vallée, lui parvint la voix d'Aly, accompagnée des échos que réveillaient ses cris :

– Dépêche-toi, *effendi* ! Les mules sont prêtes à repartir !

Nicholas lui fit un signe de la main et observa de nouveau le terrain qui s'étendait devant eux. Un éclair de lumière vive accrocha son regard. C'était un bref éclat, fulgurant et brillant comme un signal d'héliographe. Il se figea et porta toute son attention sur le rocher d'où il avait jailli.

– Que se passe-t-il ? demanda Royan. Qu'avez-vous vu ?

– Je ne saurais dire. Peut-être rien, répondit-il sans baisser ses jumelles.

Tout était possible. Un reflet contre une surface de métal poli. Un éclat lancé par une autre paire de jumelles. Ou, se dit-il, par le canon d'un tireur embusqué. Mais une miette de mica, un galet dè cristal de roche auraient renvoyé le soleil de la même manière. Et même l'aloès, ou une autre plante à feuilles grasses, pouvait se mettre à briller avec cet éclat. Il surveilla le rocher pendant quelques minutes, jusqu'à ce que la voix d'Aly leur parvienne.

– Vite, *effendi* ! Les muletiers ne vont pas attendre.

Il se redressa.

– Bien. Ce n'est rien. Partons.

Il prit Royan par le bras pour l'aider à franchir le promontoire et ils entamèrent la descente. Un bruit de cailloux bousculés leur parvint, depuis le haut de la pente. Ils s'immobilisèrent et attendirent, scrutant le sommet de la crête qui se découpait contre le ciel.

Soudain, deux longues cornes en spirale firent leur apparition, suivies de la tête d'un grand koudou, avec ses oreilles en forme de bouche de trompette braquées vers l'avant et la crinière de son fanon qui palpitait dans la brise légère et brûlante. Il s'arrêta juste au-dessus de leurs silhouettes accroupies, sans les voir, et tourna la tête dans la direction d'où il avait surgi. La lumière du soleil fit briller son œil. Son cou raidi, sa position en alerte montraient bien que quelque chose l'avait dérangé.

Il resta un moment figé puis poussa un cri et fit un bond en pleine lumière. Il disparut derrière le promontoire et le son de son galop s'estompa rapidement.

– Quelque chose l'a effrayé.

– Quoi ? demanda Royan.

– Tout est possible. Un léopard, peut-être.

Il regarda en bas de la pente d'un air hésitant. La caravane et les moines s'étaient déjà mis en route. Ils suivaient la piste qui longeait de nouveau la rivière.

– Que fait-on ?

– Nous devrions envoyer une sentinelle explorer le terrain. C'est ce qu'il faudrait faire si nous avions le temps. Mais nous ne l'avons pas.

La caravane s'éloignait. Ils devaient descendre immédiatement sinon ils allaient se retrouver isolés et sans défense. Il fallait prendre une décision rapidement.

– Venez !

Il lui prit la main de nouveau et ils dévalèrent la pente en glissant. Une fois la piste rejointe, ils durent se mettre à courir pour rattraper la caravane.

Maintenant qu'ils avaient rejoint le groupe, Nicholas pouvait se retourner pour examiner les hauteurs avec plus de soin. La masse indistincte des pics se pressait au-dessus d'eux, occultant pratiquement tout le ciel. Le tumulte de la rivière se gonflait et masquait presque tous les bruits derrière son courant qui cascadait.

Nicholas n'était pas vraiment inquiet. Il se flattait d'être doté d'un sixième sens qui lui avait sauvé la vie plus d'une fois auparavant. Cette fois, ce sens de la prémonition ne lui envoyait aucun signe. Le reflet pouvait avoir tant de raisons différentes. De même que le comportement du koudou.

Néanmoins, il restait sur le qui-vive. Toute son attention était braquée sur les hauteurs. Il aperçut une tache qui voletait au-dessus de la falaise. Elle dérivait en tombant, comme une feuille morte dans le vent tiède. Elle était si petite, si insignifiante, qu'elle ne pouvait signaler de véritable danger. Il la suivit pourtant du regard.

La feuille brune chuta en spirales capricieuses et vint effleurer sa joue. Il s'en saisit instinctivement et la fit rouler entre ses doigts, s'attendant à ce qu'elle craque et se dissolve en poussière. Mais elle était souple et douce, d'une texture légèrement grasse.

Il ouvrit la main et l'étudia avec plus d'attention. Ce n'était pas une feuille, s'aperçut-il, mais un morceau de papier huilé, d'un brun translucide. Aussitôt, il fut en état d'alerte. Ce n'était pas seulement l'incongruité de la présence de ce morceau de papier brutalement matérialisé dans cet endroit reculé qui l'inquiétait. Il avait reconnu la matière et la texture. Il l'approcha de son nez et le renifla. L'odeur âcre lui picota la gorge.

– Du plastic! s'écria-t-il.

La gélinite explosive, en cette époque du Semtex et autres explosifs, n'était que rarement employée par l'armée mais elle servait encore beaucoup dans l'industrie minière, pour les recherches de minerais. Les bâtons de nitrogélatine – de la pulpe de bois et du nitrate de sodium – étaient en général enveloppés dans ce type de papier huilé de couleur brune. Pour placer le détonateur, l'usage voulait que l'on déchire un coin de l'enveloppe brune pour dégager un peu de la matière explosive. Il s'était assez souvent servi de cette chose pour ne plus jamais en oublier l'odeur.

Son cerveau fonctionnait à toute allure. Si quelqu'un avait guetté leur passage et miné les falaises avec de la gélinite, alors le reflet qu'il avait surpris pouvait être celui des rubans de fil de cuivre déroulés entre les blocs d'explosifs. Ou de n'importe quelle autre partie du système explosif. Si tel était le cas, l'artificier devait être aplati sur le ventre quelque part, prêt à enfoncer le manche du boîtier. Le koudou effrayé avait fui l'homme qui se cachait dans les rochers.

– Aly! hurla-t-il vers la tête de la caravane. Arrêtez! Faites marche arrière!

Il se lança au pas de course vers l'avant de la caravane bien qu'il sût, au fond de lui-même, qu'il était trop tard. Si quelqu'un se cachait dans les falaises, alors il surveillait le moindre de leurs mouvements. Il ne pouvait espérer atteindre la tête de la colonne et faire faire demi-tour aux mules.

Il s'arrêta et revint vers Royan. La sécurité de la jeune femme était son souci essentiel.

– Venez! Il faut quitter la piste!

– Que se passe-t-il, Nicky? Que vous arrive-t-il?

– Je vous expliquerai plus tard! fit-il sèchement. Faites-moi confiance.

Il dut la traîner sur quelques mètres avant qu'elle ne

se décide à lui emboîter le pas pour courir avec lui dans la direction d'où ils venaient.

Ils n'avaient pas parcouru cinquante mètres quand la façade rocheuse sauta. Un violent déplacement d'air les balaya avec une puissance qui les fit vaciller. Ce n'était pas un choc unique et bref mais un long roulement, une détonation semblable à un orage qui aurait fendu le ciel directement au-dessus de leurs têtes. Elle les assourdit et les bouscula violemment.

Nicholas serra Royan dans ses bras pour l'empêcher de tomber. Il regarda derrière lui et vit la chaîne des explosions bondir depuis la crête de la falaise. D'immenses fontaines de poussière, de sable et de gravats s'élevèrent en tourbillonnant les unes après les autres comme dans un numéro de music-hall apocalyptique.

Malgré les terribles minutes qu'il vivait, il apprécia la maîtrise avec laquelle la gélinite avait été posée. L'artificier était un expert. Les colonnades de poussière s'effondrèrent sur elles-mêmes, laissant dériver un panache de fines particules contre le ciel bleu clair. Un instant, ils crurent que le monde s'immobilisait puis la forme de la falaise se mit à se défaire.

La muraille rocheuse commença par se pencher lentement en avant. De grandes failles apparurent comme des bouches au sourire pervers. Des pans de rocs s'effondrèrent, qui glissèrent au ralenti les uns sur les autres telles les jupes d'une géante s'abîmant dans une révérence interminable. La pierre gémit et craqua, et toute la falaise se précipita dans la rivière qui serpentait en contrebas.

Nicholas ne réussit à reprendre le contrôle de lui-même qu'au prix d'un gigantesque effort. Le cœur de l'explosion se situait devant la caravane, là où Tamre gambadait dans les traces d'Aly. L'artificier avait certainement attendu que Royan et lui arrivent dans l'épicentre de son piège mais avait été obligé de déclencher l'explosion quand il les avait vus repartir vers l'arrière en courant.

Mais ils n'étaient pas pour autant à l'abri. Le formidable glissement de terrain entraîné par l'explosion allait les balayer. La main de Royan toujours serrée entre ses doigts, Nicholas fixait les falaises qui tombaient. Les hommes et les mules, emportés comme des fétus, étaient précipités dans la rivière qui les engloutissait ainsi que l'aurait fait la langue d'un monstre terrible pour les réduire en pulpe sanglante entre ses crocs rocheux et rougeâtres. Par-dessus les rugissements de l'eau, il entendait les cris terrifiés des animaux écrasés.

La houle destructrice arrivait droit sur eux. Il n'avait pas le temps d'expliquer à Royan la manœuvre qu'il envisageait. Il ne leur restait que quelques secondes pour agir. Il la prit dans ses bras et l'entraîna vers les rives du cours d'eau dans une chute que seul arrêta un bloc rocheux de la taille d'un bâtiment.

Ils furent à moitié assommés par l'impact mais Nicholas se redressa et entraîna Royan dans une des anfractuosités du rocher. Ils s'aplatirent contre la pierre en retenant leur souffle alors que le premier pan de falaise arrivait sur eux en rebondissant comme une gigantesque balle de caoutchouc. Il s'écrasa contre leur abri avec une force qui fit vibrer et résonner l'énorme rocher telle la cloche d'une cathédrale. La masse de pierre passa au-dessus de leurs têtes en vrombissant avant de s'effondrer dans la rivière à laquelle elle arracha une vague qui éclaboussa les deux rives.

Ce n'était que l'avant-garde du maelström qui maintenant les attendait. La moitié de la montagne leur tombait dessus. Chaque plaque rocheuse qui frappait leur abri éclatait en mille morceaux. L'air qu'ils respiraient était plein d'une fine poussière blanche et de l'odeur nauséabonde des étincelles de silex entrechoqué.

Nicholas rampa sur Royan et couvrit son corps du sien. Un caillou heurta sa tempe, déclenchant un carillon dans ses oreilles. Quelque chose de chaud glissa derrière son oreille droite, progressant le long de sa joue comme un être vivant. Ce n'est que quand la sensation atteignit sa lèvre, laissant sur sa langue un goût de sel métallique, qu'il comprit qu'il s'agissait de sang.

Un talc fin poudrait leur gorge, âcre et irritant, provoquant des quintes de toux nerveuses. La poussière s'introduisait sous leurs paupières qu'ils s'efforçaient de maintenir fermées.

Un rocher de la taille d'un wagon voltigea et vint s'écraser à deux pas de leur cachette. L'impact se répercuta dans le sol avec une violence telle que Royan, coincée sous le poids de Nicholas, la ressentit dans le ventre et le diaphragme. Elle expulsa tout l'air de ses poumons et se retrouva pantelante avec l'impression d'avoir la cage thoracique brisée.

Puis, les ruisseaux de terre et de cailloux se tarirent. Les assauts des éboulis contre leur abri se firent moins fréquents. La poussière qu'ils respiraient se déposa lentement, le fracas des avalanches s'estompa graduellement jusqu'à se taire et ne laisser que les bruits étranglés de la rivière, au loin.

Nicholas souleva prudemment la tête. Il cligna des paupières pour faire tomber la poussière qui lui empesait les cils. Sous lui, Royan s'agitait. Il roula sur le côté pour lui permettre de se redresser et de s'asseoir. Ils se regardèrent. Ils avaient le visage blanchi en masque d'acteurs de kabuki et leurs cheveux avaient pris l'aspect des perruques poudrées des aristocrates français du XVIIIe siècle.

– Vous saignez, fit Royan d'une voix rendue rauque à la fois par la poussière et l'angoisse.

Nicholas porta la main à son visage et la ramena couverte d'une pâte de poussière et de sang.

– Ce n'est qu'une égratignure. Comment vous sentez-vous ?

– Je crois que je me suis tordu un genou. Quelque chose a craqué quand nous sommes tombés. Je ne crois pas que ce soit grave. Je n'ai pas très mal.

– Nous avons eu tous les deux une chance incroyable. Aucun être au monde ne mérite de survivre à ça.

Elle essaya de se relever mais il la retint.

– Pas maintenant. Toute la falaise au-dessus de nous est instable. Attendons. Des rochers vont certainement s'ébouler.

Il défit le bandana qu'il portait autour du cou et le lui tendit.

– De plus, il ne faudrait pas...

Il changea d'avis et ne termina pas sa phrase. Elle demanda d'une voix tremblante tout en s'essuyant le visage :

– Que vouliez-vous dire ? Il ne faudrait pas quoi ?

– Il ne faudrait pas que les salauds perchés là-haut se rendent compte que nous avons survécu à leur petite sauterie. Sinon, ils vont descendre achever leur travail en nous tranchant la gorge. Il vaut mieux qu'ils croient que nous avons clamsé comme ils le prévoyaient.

– Vous croyez qu'ils sont toujours là-haut ?

– Vous pouvez en être certaine. Ils doivent être tout à fait enchantés de nous avoir enfin éliminés. Nous n'allons pas nous montrer et gâcher leur petit bonheur, non ?

– Mais comment avez-vous su ce qui se préparait ? Si vous ne m'aviez pas entraînée...

Sa voix faiblit. Il lui raconta comment le morceau de papier brun l'avait alerté.

– Finalement, il n'y a rien de plus simple que de miner un passage étroit.

Il se tut. De loin parvenait le son étouffé mais reconnaissable entre mille des rotors d'un hélicoptère qui prenait son envol.

– Vite, fit-il. Rentrez sous le rocher aussi loin que possible ! Allongez-vous.

Il la poussa en avant, elle obéit sans poser de questions. Il s'allongea près d'elle et empila autour d'eux des tas de gravats.

– Ne bougez pas, quoi qu'il arrive.

Allongés, ils écoutèrent approcher l'hélicoptère. L'engin décrivit des cercles au-dessus d'eux. Il allait et venait tout au long de la vallée. Il passa directement au-dessus du promontoire où ils étaient tapis et le vent déplacé par les pales les fouetta lugubrement.

– Ils cherchent des survivants, fit Nicholas avec amertume. Pas un geste. Ils ne nous ont pas aperçus.

– S'ils nous observaient avant l'explosion, alors ils auraient dû venir directement sur nous, chuchota-t-elle. Ils semblent un peu perdus.

– Ils ont dû nous perdre dans la poussière de l'avalanche. Ils ne savent pas exactement où nous sommes.

Le bruit de l'hélicoptère se déplaçait lentement le long de la rivière.

– Je vais risquer un coup d'œil, fit Nicholas. Je veux m'assurer qu'il s'agit bien de nos amis de Pégase. Même s'il est peu probable qu'il y ait un autre hélicoptère dans le secteur. Gardez la tête baissée !

Il souleva la sienne lentement. A moins de huit cents mètres, le Jet Ranger de Pégase se balançait au-dessus de la rivière. Puis il s'éloigna lentement, selon un angle qui rendait l'intérieur de la cabine invisible. Soudain, la pulsation du moteur se modifia. L'engin s'éleva d'un coup en pivotant vers le nord et Nicholas distingua brièvement les personnes qui occupaient le cockpit.

Jake Helm était assis sur le siège avant, près du pilote, et le colonel Nogo sur le siège arrière. Ils regardaient tous deux vers la vallée. En quelques secondes, l'hélicoptère les emporta au-delà de l'escarpement et le son des moteurs finit par se taire. Nicholas rampa hors du rocher et aida Royan à se redresser.

– Plus de doute, nous savons à qui nous avons affaire désormais. Il y avait Helm et Nogo dans l'hélicoptère. Helm a dû poser la dynamite et Nogo diriger le raid contre le campement, la nuit dernière. Chacun a fait le boulot pour lequel il est le plus qualifié. Ce qui confirme ce que je pensais : notre homme dirige Pégase. Helm et Nogo ne sont que des seconds couteaux.

– Mais Nogo est un officier de l'armée éthiopienne !

– Bienvenue en Afrique, fit-il sans sourire. Ici tout est à vendre pour qui y met le prix. Membres du gouvernement et officiers compris.

Il fit une grimace qui fit s'effriter la pâte poussiéreuse qui lui marbrait le visage.

– Enfin, pour le moment nous devons essayer de sortir de cette vallée et rejoindre la civilisation.

Il regarda vers les hauteurs : la piste au-dessus d'eux était complètement ensevelie par les éboulis.

– Nous ne pourrons pas repartir par là, constata-t-il.

Il lui tendit la main pour l'aider mais quand elle fut debout, elle étouffa un gémissement et prit appui sur sa jambe droite.

– Mon genou ! Mais ça ira, ajouta-t-elle avec un sourire courageux.

Elle boitait néanmoins lourdement tandis qu'ils progressaient vers la rivière. Ils allaient d'un pas prudent, terrifiés à l'idée de provoquer un autre éboulement. Ils entrèrent dans le cours d'eau jusqu'à la taille. Royan nettoya la poussière et le sang séché qui plâtrait la blessure de Nicholas au crâne.

– Vous n'aurez même pas besoin de points de suture, fit-elle.

– Il y a un tube de Bétadine dans mon sac.

Elle badigeonna la plaie avec la pommade brun-jaune puis lui noua le bandana autour du crâne.

– Et voilà, fit-elle en lui tapotant l'épaule.

– Remercions le ciel pour mon sac à malices, dit Nicholas en refermant celui-ci. Nous avons au moins quelques produits essentiels avec nous. Maintenant, notre prochaine étape sera de rechercher d'éventuels survivants.

Ils arpentèrent les rives avec anxiété. La rivière était encombrée de rocs et de terre tombés des falaises. Parfois ils s'enfonçaient dans l'eau jusqu'aux aisselles et Nicholas était obligé de tenir son sac au-dessus de sa tête, à bout de bras.

Ils trouvèrent les cadavres de deux des moines, à moitié ensevelis et écrasés. Ils n'essayèrent même pas de les libérer. Une patte de mule émergeait d'un monticule qui recouvrait le reste de son corps. Le chargement qu'elle transportait avait éclaté, éparpillant son contenu un peu partout. La peau et le trophée du dik-dik gisaient dans la boue. Nicholas les ramassa et les ficela à son sac.

Ils se dirigèrent vers l'endroit où ils avaient aperçu Tamre et Aly pour la dernière fois. Ils cherchèrent pendant une heure sans succès. La pente au-dessus d'eux était saccagée : d'immenses rochers éclatés, des arbres et des buissons déracinés.

Royan grimpa aussi haut que le lui permettait sa jambe blessée. Mains en coupe autour de la bouche, elle se mit à appeler :

– Tamre ! Tamre ! Tamre !

L'écho s'emparait de son cri et le promenait de part et d'autre de la gorge.

– A mon avis, il a été emporté, dit Nicholas. Le pauvre diable est certainement enseveli. Nous sommes là depuis près d'une heure, nous ne pouvons pas perdre plus de temps si nous voulons nous en sortir. Il faut abandonner.

Elle l'ignora et repartit en titubant parmi les éboulis. Elle boitait de plus en plus.

– Tamre ! Réponds-moi ! Tamre ! Où es-tu ?

– Royan ! Ça suffit. Vous allez abîmer votre genou. Vous nous faites prendre des risques à tous les deux. Abandonnez !

Ils entendirent alors un faible gémissement. Il provenait d'un peu plus haut, sur la pente. Royan se précipita, glissant et dérapant tout en progressant. Elle poussa soudain un cri horrifié. Nicholas jeta son sac à terre et la rejoignit. Quand il fut à ses côtés, lui aussi s'affaissa à genoux.

Tamre gisait dans les gravats. Son visage était

méconnaissable. Il était déchiré et lacéré, avec la moitié de la peau arrachée. Royan avait pris sa tête contre sa cuisse et, de sa manche, lui nettoyait les narines pour lui permettre de respirer. Du sang moussait aux commissures de sa bouche et ses gémissements firent couler un peu plus de sang frais.

Il avait le bas du corps enseveli sous les rochers. Nicholas essaya de dégager les blocs mais comprit très vite l'inutilité de cette entreprise. Un roc de la taille d'une table de billard pesait en travers du corps du gamin. Il pesait plusieurs tonnes et lui avait certainement réduit en miettes l'épine dorsale et le pelvis. Un homme seul ne pourrait pas déplacer l'énorme masse. Même si cela avait été possible, le moindre mouvement n'aurait fait qu'aggraver les blessures dont souffrait Tamre.

– Faites quelque chose, Nicky, supplia Royan. Nous devons faire quelque chose pour lui.

Nicholas la dévisagea et secoua la tête. Les yeux de la jeune femme se remplirent de larmes. Celles-ci débordèrent de ses paupières et s'éparpillèrent comme des gouttes de pluie sur le visage levé de Tamre, diluant le sang en traînées rose pâle.

– Nous n'allons pas rester ainsi à le regarder mourir ! protesta-t-elle.

Le son de sa voix fit ouvrir les yeux à Tamre. Il regarda le visage penché sur lui et sourit. La lumière illumina ses traits déformés et poussiéreux.

– *Ummee !* chuchota-t-il. Tu es ma mère. Tu es si bonne. Je t'aime, ma mère.

Les mots se brisèrent dans sa gorge et un spasme lui raidit le corps. Son visage se tordit de douleur, il poussa un petit cri étranglé. Ses épaules s'affaissèrent et sa tête roula sur le côté. Royan resta longtemps assise avec la petite tête entre ses mains en pleurant doucement avec une amertume déchirante. Nicholas se résolut à lui effleurer la main.

– Il est mort, Royan.

– Je sais. Il a attendu de pouvoir me dire au revoir.

– Nous devons nous en aller.

– Vous avez raison. Mais je ne peux pas le laisser ici. Il n'a jamais eu personne. Il était seul. Il m'a appelée mère. Il m'aimait.

– Je sais, fit Nicholas en ôtant la tête du gamin de ses

genoux et en l'aidant à se relever. Éloignez-vous maintenant et attendez-moi. Je le recouvrirai du mieux que je pourrai.

Nicholas croisa les bras de Tamre et lui replia les doigts sur le crucifix d'argent qu'il portait au cou. Puis il empila avec délicatesse des rochers sur le petit corps, lui recouvrant la tête de manière que les corbeaux et les vautours ne puissent l'atteindre.

Il dévala la pente et rejoignit Royan.

– Il faut partir, maintenant.

Elle se redressa et essuya ses larmes du dos de la main.

– Je suis prête.

Ils pataugèrent à contre-courant. L'avalanche avait bloqué le lit de la rivière et les eaux jaillissaient entre les interstices des pierres. Quand ils eurent enfin dépassé la zone de l'avalanche, ils sortirent de la rivière et se frayèrent un chemin sur la rive abrupte jusqu'à la partie du chemin intacte.

Ils prirent quelques instants de repos. Derrière eux, le flot de la rivière était brun de terre et de boue. Si d'aventure les moines n'avaient pas entendu le bruit de l'explosion, ils seraient alertés par la couleur inattendue du cours d'eau. Ils trouveraient les corps et les descendraient au monastère pour leur donner un enterrement décent. Cette idée réconforta un peu Royan. Mais deux autres jours de marche les attendaient.

Royan boitait vraiment beaucoup mais elle repoussait la main que lui tendait Nicholas.

– Je vais bien. Ce n'est qu'un peu ankylosé, c'est tout.

Elle refusa même de le laisser examiner son genou et clopina obstinément le long de la piste.

Ils avancèrent en silence pendant le reste de cette terrible journée. Nicholas respectait le chagrin de la jeune femme et était même assez satisfait de la réticence dont elle faisait preuve. Cette manière qu'elle avait de garder son calme et de ne rien laisser paraître de ses troubles était une des qualités qu'il admirait le plus. Ils échangèrent quelques mots en fin d'après-midi alors qu'ils se reposaient à l'écart du chemin.

– La seule consolation est que Pégase nous croit ensevelis sous le glissement de terrain. Ils ne vont pas prendre la peine de se lancer à notre poursuite.

Cette nuit-là, ils campèrent en dessous de l'escarpement, à l'endroit où le chemin escaladait la muraille verticale. Nicholas l'emmena dans un sous-bois épais où il fit un feu, dissimulé derrière un écran de manière qu'il ne soit pas vu depuis le chemin.

Elle se résolut enfin à se laisser examiner. Son genou était gonflé et couvert de bleus. Il était brûlant au toucher.

– Vous ne devriez pas marcher avec un genou pareil, lui dit-il.

– J'ai le choix ? rétorqua-t-elle.

Il humecta son foulard avec l'eau de la gourde et lui banda l'articulation le plus serré possible sans lui couper la circulation. Il trouva au fond de son sac un flacon de Brufen et lui fit prendre deux cachets de l'anti-inflammatoire.

– Je me sens déjà mieux, déclara-t-elle.

Ils partagèrent la dernière barre de ration de survie, assis autour du feu, en bavardant à mi-voix.

– Qu'arrivera-t-il une fois au sommet ? demanda Royan. Les camions seront-ils toujours garés là où nous les avons laissés ? Les hommes de Boris y seront-ils toujours ? Et si nous tombons sur l'équipe de Pégase ?

– Impossible de répondre. Nous ne pouvons résoudre que les problèmes que nous rencontrons.

– Je n'attends qu'une chose : une fois arrivée à Addis, j'irai rapporter le massacre de Tamre et des autres à la police. Je veux que Helm et sa bande paient pour ce qu'ils ont fait.

Il se tut un moment avant de répondre.

– Je ne crois pas que ce soit la chose la plus sage.

– Que voulez-vous dire ? Nous avons été témoins d'un meurtre. Nous ne pouvons les laisser s'en tirer à si bon compte.

– Songez simplement que nous devons revenir en Éthiopie. Si nous déclenchons un scandale, toute la vallée sera envahie de soldats et de policiers. Ce qui mettra un point final à notre enquête.

– Je n'avais pas envisagé cela, fit-elle, songeuse. Pourtant, il s'agit d'un meurtre. Et Tamre...

– Je sais, je sais. Mais il existe d'autres moyens de se venger de Pégase que d'essayer de les livrer à la justice éthiopienne. N'oubliez pas que Nogo est en cheville avec Helm. Nous l'avons vu dans l'hélicoptère. Si

Pégase a un officier de l'armée à ses côtés, qui d'autre est complice ? La police ? Le chef de l'état-major ? Des membres du cabinet ? A ce stade, nous ne pouvons être sûrs de rien.

– J'avoue ne pas avoir pensé à ça non plus.

– Il faut prendre exemple sur Taita et être aussi rusés et malins que lui. Nous n'allons pas nous mettre à lancer des accusations à tort et à travers. Si nous pouvons quitter le pays discrètement et laisser croire que nous avons été enterrés sous l'avalanche, ce sera idéal. Notre retour à la gorge n'en sera que plus facile. Je ne crois pas que nous arriverons à nous en sortir de cette façon mais essayons. Soyons le plus prudents et le plus discrets possible.

Elle fixa longuement les flammes qui dansaient dans la nuit puis soupira bruyamment.

– Vous avez parlé de se venger contre Pégase. A quoi songiez-vous ?

– Tout simplement à leur barboter le trésor de Mamose sous le nez.

Pour la première fois depuis le début de cette pénible journée, elle laissa échapper un éclat de rire.

– Vous avez raison, bien sûr. Celui qui dirige Pégase le convoite assez pour tuer. Nous devons espérer qu'en l'en privant nous le ferons autant souffrir qu'il nous a fait souffrir.

Ils étaient tous les deux si fatigués qu'ils ne se réveillèrent qu'à l'aube. A peine Royan essaya-t-elle de se lever qu'elle poussa un grognement et s'affaissa. Il se précipita et elle n'émit aucune protestation quand il prit sa jambe nue sur ses genoux.

Il défit le bandana. La vue de son genou lui fit froncer les sourcils. Il avait doublé de volume et les bleus avaient la couleur d'un fruit mûr. Il humecta le bandana et lui fit un nouveau bandage. Il lui fit prendre deux Brufen et l'aida à se mettre debout.

– Comment vous sentez-vous ? demanda-t-il avec anxiété.

Elle boitilla quelques pas et lui sourit bravement.

– Ça ira parfaitement quand j'aurai marché un peu. Il sera moins raide, j'en suis sûre.

Il leva les yeux sur l'escarpement. Vu de si près, sa hauteur semblait moindre mais il se souvenait de chaque étape tortueuse de l'escalade. Il leur avait fallu une journée entière pour arriver en bas.

– Bien sûr, fit-il avec un sourire d'encouragement. Prenez mon bras. Ce sera une promenade dans le parc.

Ils peinèrent le long de la côte pendant toute la matinée. La piste semblait plus abrupte à chaque pas. Elle ne se plaignit jamais mais elle était pâle et transpirait à cause de la douleur. A midi, ils n'avaient toujours pas atteint la chute d'eau et Nicholas la fit s'arrêter pour se reposer. Ils n'avaient plus rien à manger mais elle but avec avidité. Il n'essaya pas de la rationner, mais lui-même se contenta d'une seule gorgée.

Quand elle essaya de se relever, elle suffoqua et vacilla si violemment qu'elle serait tombée s'il ne l'avait retenue.

– Flûte ! Flûte ! Flûte ! jura-t-elle. Je suis comme paralysée.

– Ça n'a aucune importance, fit-il avec légèreté.

Il débarrassa son sac de tout ce qui n'avait pas une importance primordiale. Il garda quand même la peau du dik-dik qu'il roula en boule pour la fourrer dans son sac. Puis il le boucla autour de sa taille et lui sourit.

– Allez, poids plume. Hop, sur mon dos !

– Vous ne pouvez pas me porter jusqu'en haut, fit-elle en regardant la piste qui semblait raide comme une échelle.

– C'est le seul train au départ de cette gare.

Il lui offrit son dos et elle grimpa, maladroitement.

– Ne croyez-vous pas qu'il faudrait jeter la peau du dik-dik ?

– Dieu m'en garde !

La montée était lente et pénible. Après quelques pas, il n'avait plus aucune énergie pour bavarder. Il titubait vers le sommet dans un silence obstiné. Il était trempé de sueur mais la chaleur humide qui imprégnait sa chemise et la forte odeur masculine ne dérangeaient pas Royan. C'était, au contraire, réconfortant.

Il s'arrêtait toutes les demi-heures et la déposait par terre. Il s'allongeait les yeux fermés jusqu'à ce que sa respiration redevienne régulière. Puis il ouvrait les yeux et lui souriait.

– Allez, hop ! A dada.

Il se redressait et courbait l'échine pour qu'elle puisse grimper.

A la fin de l'après-midi son allure était devenue lourde et pénible. Il était obligé de s'arrêter aux passages les plus difficiles pour rassembler toute son énergie avant de passer l'obstacle. Elle essayait de l'aider en descendant de son dos et en prenant appui sur ses épaules pour franchir les pics les plus ardus mais elle savait qu'il brûlait ses dernières ressources.

Ils n'en crurent ni l'un ni l'autre leurs yeux quand, après un détour du sentier, ils virent la chute d'eau se dresser devant eux, comme un rideau de dentelle blanche en travers de la piste. Nicholas tituba à l'intérieur de la caverne qui s'ouvrait derrière la cascade et la déposa par terre. Puis il s'effondra et resta immobile, comme mort.

Il faisait nuit quand il eut assez récupéré pour ouvrir les yeux et s'asseoir. Pendant qu'il se reposait, Royan avait pris des fagots à la réserve des moines et allumé un petit feu qu'elle s'évertuait à entretenir.

– Brave fille, lui dit-il. Si d'aventure vous cherchez une place de gouvernante...

– Ne me tentez pas! (Elle boitilla jusqu'à lui et se pencha sur sa blessure.) Une entaille parfaite et bien saine.

Soudain, une impulsion lui fit prendre la tête de Nicholas contre sa poitrine. Elle lui caressa le front et en écarta ses cheveux trempés par la sueur.

– Oh, Nicky! Comment pourrai-je jamais vous rendre tout ce que vous avez fait pour moi?

Une réplique impertinente lui monta jusqu'aux lèvres mais, malgré sa fatigue, il eut le bon goût de la ravaler. Il se laissa aller à son étreinte, savourant la sensation de son corps contre le sien, évitant tout geste qui aurait pu l'effrayer.

Elle finit par le relâcher, doucement. Puis elle s'assit.

– Je regrette beaucoup, monsieur, mais votre gouvernante ne peut vous offrir ni saumon fumé ni champagne pour votre dîner. Que diriez-vous d'un verre d'eau de source pure et revigorante?

– Je crois que nous avons mieux.

Il prit la torche et en éclaira le sol, s'attardant sur une pierre de la taille d'un poing. Il s'en saisit et éclaira le plafond de la caverne. Immédiatement, résonnèrent les battements d'ailes et les roucoulements affolés des pigeons qui nichaient dans les anfractuosités. Nicholas s'approcha en les éblouissant avec la torche.

Son premier jet fit tomber un couple frémissant et piaillant sur le sol de la caverne. Le reste de la nuée s'enfuit dans la nuit dans une explosion d'ailes blanches et folles. Nicholas ramassa les oiseaux tombés et leur tordit le cou d'un geste habile du poignet.

– Ça vous plairait, une tranche juteuse de pigeon rôti ? demanda-t-il

Ils plumèrent les bêtes brunes et grises, elle allongée sur un coude et lui en tailleur en face d'elle. Même quand il fallut vider les pigeons, elle ne chipota pas. Cette attitude, ajoutée au stoïcisme avec lequel elle avait enduré la journée, ne fit que confirmer l'opinion qu'il avait d'elle. Elle lui avait plusieurs fois montré sa résolution et son cran. Les sentiments qu'il éprouvait envers elle se renforçaient chaque jour.

Tout en se concentrant sur les dernières plumes de duvet qu'elle ôtait aux pigeons, elle déclara :

– Nous ne pouvons plus douter que le matériel qui nous a été dérobé est entre les mains de Pégase.

– Je pensais la même chose. Et d'après l'antenne que nous avons vue à leur campement près de la chute, nous pouvons affirmer qu'ils bénéficient de communications par satellite. Il est clair que notre ami Jake Helm a tout envoyé par fax au big boss.

– Donc il a tous les détails de la stèle de la tombe de Tanus. Il possède déjà le septième papyrus. S'il n'est pas un expert en égyptologie, il doit employer quelqu'un qui l'est. Vous ne croyez pas ?

– Je le croirais même capable de déchiffrer les hiéroglyphes. Je parierais qu'il est un collectionneur acharné. Je connais le genre de bonhomme. Pour eux, c'est une obsession.

– Je connais aussi le genre de bonhomme, fit-elle avec un sourire. Il y en a un assis à moins d'un millier de kilomètres de moi, à cet instant précis.

– Touché ! fit-il en levant les mains. Mais par rapport à d'autres, je suis moins atteint. Comparé aux deux types de la liste de Duraid, par exemple.

– Peter Walsh et Gotthold von Schiller.

– Ces deux-là sont des collectionneurs impitoyables. Je suis convaincu qu'aucun d'entre eux n'hésiterait à tuer pour mettre la main sur le trésor du pharaon Mamose.

– Mais d'après ce que je sais d'eux, ils sont milliardaires. Du moins en dollars.

– Vous n'avez pas encore compris que l'argent n'a rien à y voir. S'ils mettent la main sur le trésor, ils ne vendront même pas le plus insignifiant des objets. Ils iront tout enfermer dans une cave bien profonde et interdiront à toute âme d'y poser le moindre regard. Ils en jouiront en privé. C'est une passion bizarre et onaniste.

– Quel drôle de mot pour en parler ! protesta-t-elle.

– Mais il convient, je vous l'assure. C'est une pulsion sexuelle, comme celle d'un tueur récidiviste.

– J'aime tout ce qui est égyptien mais je ne crois pas être en mesure de concevoir un désir aussi intense.

– Vous ne devez jamais oublier que vous avez affaire à des hommes tout sauf ordinaires. Leur richesse leur a permis d'assouvir n'importe lequel de leur désir. Tous leurs appétits courants d'humains normaux ont été rassasiés jusqu'au gavage. Ils ont tout ce qu'ils désirent. Homme, femme, objet, perversion. Légal ou pas. A la fin, il leur faut quelque chose que personne d'autre ne peut obtenir. C'est le seul moyen de ressentir encore le frisson.

– Mais alors, fit-elle d'une voix inaudible, celui qui est derrière Pégase est un fou ?

– Plus que ça. Nous avons affaire à un maniaque immensément riche et puissant qui est assez perturbé pour ne s'arrêter devant aucun obstacle.

Pour leur petit déjeuner, ils terminèrent les carcasses de pigeons rôtis. Puis à tour de rôle, pendant que l'un détournait pudiquement les yeux vers le fond de la caverne, l'autre prenait une douche sous les eaux bondissantes de la chute.

En contraste avec la chaleur torride de la gorge, l'eau de la chute était glaciale. Elle frappait avec la force d'une lance à incendie. Royan sautillait sur sa jambe valide en suffoquant. Elle clopina dans le torrent et en émergea avec la chair de poule. Mais elle était rafraîchie et, même après avoir enfilé ses vêtements sales et poisseux, elle en gardait une nouvelle énergie pour attaquer le dernier pan d'escalade avant le sommet.

Ils examinèrent leurs plaies et bosses respectives avant de quitter la caverne. La blessure au crâne de Nicholas cicatrisait parfaitement mais le genou de Royan n'avait pas meilleure mine que la veille. Il avait viré à un gris inquiétant de foie décomposé et il avait encore enflé. Nicholas ne pouvait pas y faire grand-chose sinon l'envelopper avec le bandana.

Il finit par s'avouer vaincu et se débarrassa de son sac et de la dépouille du dik-dik. Il avait atteint les limites de sa résistance musculaire et le moindre excédent de poids pouvait faire toute la différence entre atteindre le sommet et s'affaisser, épuisé, en cours de chemin. Il ne conserva que les trois films à développer, chacun dans son étui en plastique. C'étaient les seules traces qu'ils avaient des hiéroglyphes que portait la stèle de Tanus. Pour ne pas risquer de les perdre, il les enferma dans la poche poitrine boutonnée de sa chemise kaki. Il enfonça le sac et le ballot de peau dans une anfractuosité du fond de la caverne, déterminé à les reprendre plus tard.

Ils entamèrent la dernière partie de l'ascension, celle qui était aussi la plus pénible. Au début, Royan marchait mais elle devait prendre appui sur son épaule. Et, après une heure, son genou ne pouvait plus supporter l'effort qu'elle lui imposait. Elle s'arrêta contre un rocher, au bord de la piste.

– Je suis une véritable enquiquineuse, n'est-ce pas ?

– Montez à bord, ma petite dame. Il y a toujours de la place pour les petits.

Royan perchée sur le dos de Nicholas, sa jambe blessée pendouillant misérablement sur le côté, ils progressèrent vers les hauteurs. Cette fois, leur avancée était encore plus lente que le jour précédent. Nicholas avait besoin de s'arrêter à des intervalles de plus en plus rapprochés. Elle mettait pied à terre dans les passages les plus aisés et boitillait à côté de lui en prenant appui sur son épaule. Puis elle s'effondrait et il la reprenait sur son dos.

L'expédition tournait au cauchemar. L'un comme l'autre perdirent tout sens du temps qui passe. Les heures se mêlaient aux heures en un magma indistinct de douleur et de peine. Ils finirent par s'allonger l'un près de l'autre à même le chemin, écœurés par la soif, la douleur et l'épuisement. La gourde était vide depuis une heure et il n'y avait rien sur ce tronçon de piste, rien à boire jusqu'au sommet où ils retrouveraient la Dandera.

– Partez ! Laissez-moi ici, murmura-t-elle, d'une voix rauque.

– Ne dites pas de sottises. J'ai besoin de vous pour me lester.

– Le sommet ne doit plus être loin, insista-t-elle. Vous pourrez redescendre me chercher avec un des hommes de Boris.

– S'ils sont toujours là-haut et si Pégase ne vous trouve pas avant.

Il se leva avec difficulté.

– N'y pensez pas. Vous faites partie de la promenade, et jusqu'au bout !

Il lui demanda de compter à voix haute chacun de ses pas ; à chaque centaine, il s'arrêtait et prenait un peu de repos. Puis il repartait pour la centaine suivante, avec sa voix qui comptait doucement contre son oreille et ses bras qui s'accrochaient à son cou. L'univers tout entier semblait s'être réduit au sol qui défilait sous ses pieds. Ils ne voyaient plus les falaises rocheuses qui montaient d'un côté du chemin, ni le vide immense ouvert de l'autre côté. Quand il trébuchait et la bousculait et que la douleur traversait son genou, elle fermait les yeux et s'efforçait de garder une voix égale pour ne pas se trahir pendant qu'elle comptait.

Quand il se reposait, il était obligé de s'appuyer contre la falaise : il ne pouvait plus compter sur ses jambes pour le relever s'il s'allongeait. Il n'osait même pas la poser à terre. L'effort de la soulever lui serait impossible.

– Il fait presque nuit, chuchota-t-elle à son oreille. Nous devons nous arrêter ici. Ça suffit pour aujourd'hui. Vous êtes en train de vous tuer, Nicky.

– Encore cent pas, marmonna-t-il.

– Non, Nicky. Reposez-moi !

En guise de réponse, il se repoussa de la paroi et repartit en titubant.

– Comptez ! ordonna-t-il.

– Cinquante et un, cinquante-deux...

L'inclinaison du terrain se rétablit si brutalement qu'il manqua tomber. Le chemin était plat désormais et, comme un ivrogne, il bascula à la recherche d'une marche absente.

Il vacilla et retrouva son équilibre. Immobile au bord du vide, il scruta le crépuscule devant lui. Il n'arrivait pas à croire ce qu'il voyait. Des lumières perçaient l'obscurité et il était convaincu d'être la proie d'hallucinations. Puis il entendit des voix d'hommes et secoua la tête, comme pour reprendre contact avec la réalité.

– Seigneur Dieu ! Vous y êtes arrivé. Nous sommes au sommet, Nicky. Voilà les camions. Vous avez réussi, Nicky ! Vous avez réussi !

Il essaya de parler mais sa gorge était soudée. Aucun son n'en sortait. Il tituba en direction des lumières et Royan, dans son dos, se mit à crier faiblement.

– A l'aide, à l'aide ! fit-elle en anglais puis en arabe. Aidez-nous !

Il y eut des cris de surprise et des cavalcades. Nicholas se laissa glisser dans l'herbe douce du plateau et Royan se détacha de lui. Des silhouettes sombres les entourèrent. Elles parlaient en amharique et leurs mains amicales s'emparèrent d'eux, les portant à moitié vers les lueurs. Puis une torche éclaira le visage de Nicholas et une voix tout ce qu'il y avait de britannique s'exclama :

– Salut, Nicky. Quelle surprise ! Je viens d'Addis pour chercher ton cadavre. On m'a annoncé ta mort mais c'était prématuré, non ?

– Geoffrey, bonsoir. C'est gentil d'avoir pris cette peine.

– J'ai l'impression qu'une tasse de thé ne serait pas du luxe. Tu as l'air un peu fatigué. Je n'avais jamais réalisé que ta barbe avait des poils blancs et des poils roux. C'est très à la mode. Ça te va bien.

– Te souviens-tu du docteur Al Simma ? Elle a un petit ennui au genou. Tu crois que tu saurais t'en occuper ?

Ses jambes cédèrent à cet instant et Geoffrey Tennant le rattrapa avant qu'il ne s'effondre.

– Du nerf, mon vieux !

Il le soutint jusqu'à un fauteuil de brousse au dossier de toile et l'y installa avec prévenance. On apporta un autre fauteuil pour Royan. Geoffrey lança cet ordre auquel on reconnaissait tout Anglais en Afrique.

– *Letta chai hapa !*

Quelques minutes après, il leur mettait dans les mains des gobelets fumants d'un thé très sucré. Nicholas porta un toast :

– A nous ! A nous, les derniers de notre race !

Ils burent tous les deux avec avidité et la théine et le sucre fouettèrent leur sang comme une décharge électrique.

– Maintenant, je suis sûr d'être vivant ! s'exclama Nicholas.

– Je ne voudrais pas insister lourdement, Nicky, mais si tu me disais ce qui se trafique, par ici ?

– A toi de me le dire, rétorqua Nicholas.

Il avait besoin de temps pour mesurer la situation : que savait exactement Geoffrey ? Et qui le lui avait appris ? Celui-ci répondit avec obligeance.

– La première chose que nous avons apprise est qu'un chasseur blanc, un de tes amis, Brusilov, a été repêché dans le fleuve près de la frontière soudanaise, transformé en passoire. Par balles. Les crocos et les poissons-chats lui avaient boulotté le visage et la police des frontières l'a identifié grâce aux papiers qu'il avait dans la poche de sa ceinture.

Nicholas jeta un regard d'avertissement à Royan.

– La dernière fois que nous l'avons vu, il partait seul en expédition, expliqua Nicholas. Il a probablement croisé la troupe de *shufta* qui a lancé un raid sur notre campement, il y a quatre jours.

– Oui, nous avons appris ça aussi. Le colonel Nogo a envoyé un message radio à Addis.

Ils ne reconnurent le colonel que lorsqu'il fit un pas en avant dans la lumière des lanternes. Nicholas sentit Royan se raidir. Son visage laissa apparaître une telle expression de haine qu'il allongea discrètement une main pour saisir la sienne et retenir une éventuelle indiscrétion. Elle finit par se détendre et par arborer un air plus amène.

– Je suis extrêmement soulagé de vous revoir, Sir Quenton-Harper. Vous nous avez vraiment préoccupés, ces derniers jours, déclara Nogo.

– Je vous prie de m'en excuser, fit Nicholas d'un ton patelin.

– Je vous en prie, Sir, je ne voulais pas vous faire de reproche. Mais il se trouve que nous avons été avertis par la compagnie Exploration Pégase que vous et le docteur Al Simma aviez été pris dans une explosion. J'étais présent quand Mr. Helm, de la compagnie d'exploitation, vous a mis en garde contre les travaux qu'ils menaient dans la région.

– Mais vous..., commença Royan avec sécheresse.

Nicholas lui serra la main pour la faire taire.

– Comme vous le suggérez, nous sommes responsables de notre propre imprudence. Mais qu'importe ? Le docteur Al Simma a été blessée et nous sommes tous les deux très choqués par l'accident. Surtout que ceux qui nous accompagnaient, les hommes du campement et des moines du monastère, ont été tués par les *shufta* et par l'explosion. Aussitôt à Addis, je ferai une déclaration complète aux autorités.

– J'espère de tout cœur que vous ne pensez pas qu'un blâme...

Nicholas interrompit le colonel avec une hâte courtoise.

– Bien sûr que non. Vous n'êtes absolument pas en cause. Vous nous avez prévenus du danger que représentaient les *shufta*. Vous n'étiez pas présent lors de l'attaque, qu'auriez-vous pu faire pour l'éviter ? Je dirais plutôt que vous avez fait votre devoir de la plus exemplaire des façons.

Nogo eut l'air soulagé.

– C'est très aimable de votre part, Sir Quenton-Harper.

Nicholas l'observa un moment. Il avait l'air, derrière ses lunettes cerclées de métal, du plus courtois des hommes. Si anxieux de plaire et si attentif ! Un instant, Nicholas fut sur le point de croire qu'il avait été abusé, qu'il avait vu quelqu'un d'autre dans le Jet Ranger qui survolait le site de l'avalanche comme un vautour à la recherche de cadavres.

Nicholas se força à sourire avec affabilité.

– Je vous serais extrêmement reconnaissant si vous acceptiez de me rendre un service, colonel.

– Bien sûr, répliqua Nogo avec empressement. Tout ce que vous voulez.

– J'ai laissé un sac et un de mes trophées de chasse dans la caverne sous les chutes de la Dandera. Le sac contient nos passeports et nos chèques de voyage. Vous seriez très aimable de bien vouloir envoyer un de vos hommes nous les chercher.

Tout en donnant à Nogo les instructions nécessaires pour retrouver ses affaires, il savoura le plaisir pervers d'envoyer celui qui avait voulu les assassiner dans une telle expédition. Puis il se tourna vers son ami afin de dissimuler à Nogo l'éclat vindicatif de son regard.

– Geoffrey, comment es-tu arrivé jusqu'ici ?

– Avion-taxi jusqu'à Debra Maryam. Il y a une piste

d'atterrissage de fortune, là-bas. Le colonel Nogo nous y a retrouvés et nous avons fait le reste du chemin en Jeep. Le pilote et son engin nous attendent à Debra Maryam.

Geoffrey s'interrompit pour dire quelques mots dans un exécrable amharique aux hommes du camp, puis il revint à Nicholas.

– J'ai ordonné qu'on prépare un bain pour toi et le docteur Al Simma. Après ça, un dîner et une bonne nuit de sommeil feront des merveilles. Demain, nous décollerons pour Addis. Il n'y a aucune raison pour que nous n'y soyons pas demain soir au plus tard.

Il tapota l'épaule de Royan, déguisant sa convoitise sous un sourire affable.

– J'avoue être plutôt enchanté de ne pas devoir explorer le fond des gorges de l'Abbay à votre recherche. Il paraît que c'est un des pires endroits au monde.

14

– Accepteriez-vous, docteur Al Simma, que je prenne la place de devant ? C'est affreusement mal élevé mais je souffre de mal de l'air, expliqua Geoffrey à Royan pendant que trois gamins chassaient toutes les chèvres qui broutaient sur le terrain d'aviation de Debra Maryam.

Nicholas était occupé à ranger soigneusement la peau du dik-dik sous le siège arrière. Un des sergents de Nogo, descendu pendant la nuit dans la gorge, lui avait rapporté son trophée et son sac pendant qu'ils prenaient leur petit déjeuner.

Nogo leur fit un salut des plus élégants pendant qu'ils s'éloignaient dans un nuage de poussière. Nicholas agita la main et lui sourit de derrière le hublot tout en murmurant :

– Va te faire foutre, Nogo, et profond.

Quand enfin le pilote arracha le petit Cessna 260 de la bande d'herbes sèches, l'horizon au-dessus de la gorge de l'Abbay ressemblait à une forêt de gigantesques champignons, d'énormes excroissances qui montaient dans la stratosphère. L'air en dessous d'eux était agité comme une mer en tempête et les passagers étaient impitoyablement secoués. A l'avant, Geoffrey ne semblait pas mieux loti mais il restait d'un calme olympien et ne montrait pas le moindre intérêt pour leur conversation.

Depuis la veille au soir, avec Geoffrey et Nogo toujours dans les parages, Nicholas et Royan n'avaient pu se parler tranquillement. Maintenant, assis l'un près de l'autre, isolés par le vacarme du moteur et avec Geoffrey plongé dans ses propres pensées, ils pouvaient mettre librement une version au point.

Geoffrey avait été très clair : l'ambassadeur de Grande-Bretagne à Addis était tout sauf enchanté des troubles qu'ils avaient occasionnés. Apparemment, quand ils avaient été portés disparus, un flot de fax avait déferlé depuis Whitehall. Et le chef de la police éthiopienne brûlait de les interroger. Ils devaient veiller à ne rien déclarer qui impliquât Mek Nimmur dans la mort de Boris et, dans le même temps, éviter d'alerter Pégase. Ils avaient parfaitement conscience que la réaction de leur adversaire serait à la fois brutale et définitive s'ils laissaient entendre qu'ils connaissaient l'identité des autres participants, dans le jeu mis en place par Taita.

Et surtout, ils devaient faire attention à ne pas se mettre les autorités éthiopiennes à dos, ni à leur fournir le moindre prétexte d'annuler leurs visas et de les déclarer *persona non grata* sur le territoire. Ils convinrent de jouer les innocents pris contre leur gré dans des aventures qui les dépassaient.

A l'atterrissage à Addis, leur histoire était parfaitement au point. Aussitôt le Cessna immobilisé devant les bâtiments de l'aéroport, Geoffrey revint à la vie. C'est le teint légèrement pâle qu'il tendit la main à Royan pour l'aider à descendre la petite échelle de l'avion.

– Bien entendu, vous logerez à la résidence de l'ambassade. Les hôtels ici sont épouvantables et Son Excellence a un chef à peu près passable ainsi qu'une cave fréquentable. Je vous dénicherai des vêtements. Ma bourgeoise est à peu près de votre taille, docteur Al Simma, et quant à toi, Nick, tu rempliras mes costumes au centimètre près. Grâce à Dieu, j'ai deux habits de soirée. Son Excellence est un peu à cheval sur les principes.

La résidence de l'ambassadeur de Grande-Bretagne à Addis-Abeba avait été construite pendant le règne de l'empereur Hailé Sélassié, avant l'invasion mussolinienne de 1935. Située aux abords de la ville, c'était un exemple parfait d'architecture coloniale, avec un toit de chaume et de larges vérandas. Les pelouses, entretenues par une armée de jardiniers, étaient d'immenses plages émeraude et offraient un contraste saisissant avec le cramoisi des poinsettias. La demeure elle-même avait résisté à la révolution et à la guerre de libération qui avaient suivi.

A l'entrée, Geoffrey les mit entre les mains d'un majordome éthiopien vêtu d'un *shamma* blanc et immaculé. L'homme les précéda jusqu'à des chambres d'hôtes situées au premier étage. Vautré dans un bain brûlant, Nicholas écoutait couler l'eau de celui que prenait Royan dans la suite voisine, en sirotant un whisky-soda et en réglant les robinets avec son gros orteil. Puis il entendit les murmures du médecin qui était venu examiner le genou de la jeune femme.

L'habit de Geoffrey était trop large à la ceinture et trop court aux manches, et ses souliers lui comprimaient les orteils. Nicholas se rendit compte également en se regardant dans la glace qu'il avait un besoin urgent de coiffeur.

– De toute manière, on n'y peut rien maintenant, fit-il avec résignation.

Il alla frapper à la porte de Royan.

– Mazette ! s'exclama-t-il quand elle lui ouvrit.

Sylvia Tennant lui avait prêté une robe de soirée vert amande qui mettait en relief sa carnation de brune. Elle s'était lavé les cheveux qu'elle portait dénoués sur les épaules. Il sentit son pouls s'accélérer, comme lorsqu'il était adolescent, lors de ses premiers rendez-vous. Il s'amusa de sa propre émotivité.

– Vous êtes absolument somptueuse !

– Merci, Sir. Et vous êtes vous-même tout à fait séduisant. Puis-je avoir votre bras ?

– J'espérais vous porter. On s'habitue, vous savez.

– Cette époque est révolue ! fit-elle en brandissant la canne d'ivoire sculptée que lui avait apportée le maître d'hôtel.

Ils parcoururent l'interminable couloir et elle se pencha vers lui pour chuchoter :

– Comment se nomme notre hôte ?

– L'ambassadeur de Sa Majesté britannique, Sir Oliver Bradford, CAMD.

– CAMD ? Pour Commandeur des Armées de Saint-Michel et Saint-Denis ?

– Pas du tout. Pour : Chérie, Appelez-Moi Dieu.

Elle pouffa.

– Vous êtes impossible ! Soyons sérieux : avez-vous réussi à envoyer un fax à Mrs. Street ?

– Du premier coup. Elle me charge de vous transmettre ses salams et a promis d'envoyer toutes les informations sur Pégase.

Sir Oliver les attendait sur la véranda. Geoffrey se hâta de faire les présentations. L'ambassadeur avait une épaisse tignasse blanche et les joues rouges. Geoffrey leur avait fait la leçon quant à son animosité envers les touristes fauteurs de troubles mais l'ambassadeur parut fondre quand il posa les yeux sur Royan.

Il y avait, en plus de Geoffrey et de Sylvia Tennant, une douzaine d'autres invités. Sir Oliver prit Royan par le bras et alla la présenter à d'autres groupes. Nicholas suivait, résigné désormais à l'effet que produisait la jeune femme sur tous les hommes.

– Puis-je vous présenter le général Obeid, le chef de la police ?

Le chef des forces de police éthiopiennes était un géant à la peau très noire, suave et élégamment sanglé de toile bleue. Il fit le baisemain à Royan.

– Je crois que nous avons rendez-vous demain matin. J'attends cet instant avec impatience.

Royan, qui n'avait pas été avertie, adressa à Sir Oliver un regard incertain.

– Le général Obeid voudrait apprendre de vous et de Sir Nicholas quelques détails à propos de cette affaire des gorges de l'Abbay, expliqua Sir Oliver. J'ai pris la liberté de laisser mon secrétariat s'occuper de ce rendez-vous.

– Ce ne sera qu'un entretien de routine, je vous le promets, docteur Al Simma. Ainsi qu'à vous, Sir Nicholas. Je n'abuserai que de fort peu de votre temps.

– Nous ferons tout ce qui est en notre pouvoir pour vous aider, fit Nicholas avec courtoisie. A quelle heure nous attendez-vous ?

– J'ai pensé que onze heures pourrait vous convenir.

– C'est une heure honnête, convint Nicholas.

– Mon chauffeur viendra vous prendre à dix heures trente, promit Sir Oliver.

A table, Royan fut placée entre Sir Oliver et le général Obeid. Elle se montra charmante et les hommes rivalisèrent d'attentions. Nicholas s'aperçut qu'il devrait s'habituer à la partager avec les autres hommes. Il l'avait eue à lui seul pendant trop longtemps.

Pour sa part, il se retrouva à l'autre bout de la table, en compagnie de Lady Bradford. C'était la deuxième épouse de l'ambassadeur. Elle avait trente ans de moins que lui, souffrait d'un terrible accent londonien et d'une personnalité d'une platitude affligeante, auxquels s'ajoutaient des cheveux d'un blond douteux et une poitrine invraisemblable qui menaçait de jaillir de son décolleté à sequins. Une folie de vieil homme, conclut Nicholas. Elle était experte dans la généalogie de l'aristocratie britannique. C'était, en d'autres mots, une snob achevée. Elle le questionna avec assiduité sur ses ancêtres, en insistant pour remonter sur plusieurs générations.

Elle finit par héler son mari, par-dessus la tablée tout entière.

– Sir Nicholas possède Quenton Park, le saviez-vous, très cher ? (Puis elle se pencha vers Nicholas.) Mon mari est un excellent fusil.

Sir Oliver parut impressionné par le savoir de son épouse.

– Quenton Park, vraiment ? J'ai lu un article dans *Shooting Times*, l'autre jour. Vous avez une chasse que l'on appelle les Grands Hêtres, n'est-ce pas ?

– Les Grands Mélèzes, corrigea Nicholas.

– Les meilleurs oiseaux d'Angleterre, à ce qu'on dit.

Nicholas protesta avec modestie.

– Je ne sais pas s'ils sont aussi excellents qu'on le prétend mais nous en sommes plutôt fiers. Vous devriez venir en tirer quelques-uns lors de votre prochain séjour en Angleterre.

A partir de cet instant, l'attitude de Sir Oliver changea du tout au tout. Il devint affable et plein de sollicitude. Il alla jusqu'à faire chercher par le majordome un château-lafite 1954.

– Tu as fait bonne impression, murmura Geoffrey avec ironie. Son Excellence ne sert ses 1954 qu'à de rares élus.

Ce n'est qu'après minuit que Nicholas réussit à échapper à son hôtesse pour aller tirer Royan des griffes du général Obeid et de Sir Oliver. Il l'entraîna en la soutenant pendant qu'elle clopinait gracieusement sur sa canne ouvragée. Il évita consciencieusement le regard complice de Geoffrey Tennant et ils attaquèrent la première volée de marches qui menait à leur étage.

– Eh bien, vous étiez la reine de la soirée, lui dit-il.
– Grâce à vous, Lady Bradford ronronnait comme une chatte.

La vivacité de la repartie et la discrète jalousie de son ton le ravirent. Il n'avait pas été le seul à se ronger les sangs ! Sur le pas de sa porte, elle coupa court aux hésitations en lui tendant la joue. Il y déposa un chaste baiser.

– Cette poitrine ! murmura-t-elle. N'en faites pas des cauchemars.

Et elle lui ferma la porte au nez. Il rejoignit sa chambre d'une humeur plutôt légère mais en y entrant il aperçut une enveloppe qu'on avait glissée sous sa porte. Il décolla prestement le rabat et déplia les feuilles qu'elle contenait. Son expression se modifia pendant qu'il les parcourait puis il quitta sa chambre en hâte et alla frapper à la porte de Royan.

Elle entrouvrit à peine le battant et le dévisagea. Il lut le trouble dans son regard et se dépêcha de la rassurer.

– J'ai la réponse à mon fax, dit-il en brandissant la liasse de papiers. Êtes-vous visible ?
– Un moment.

Elle referma la porte et, quelques minutes après, l'ouvrit en grand.

– Entrez.

Elle lui désigna la carafe posée sur un petit meuble.

– Un verre ?
– Je crois qu'il m'en faut un. Nous savons qui dirige Pégase !
– Dites-moi tout, vite !

Mais il prit le temps de se verser un scotch tout en lui souriant par-dessus son épaule.

– Que diriez-vous d'un peu d'eau gazeuse ?
– Allez au diable, Nicholas Quenton-Harper ! fit-elle en tapant de son pied valide. Cessez de me tourmenter ! Qui est-ce ?
– Quand nous nous sommes rencontrés, vous étiez une petite Arabe obéissante. Vous aviez du respect pour la supériorité du mâle. Écoutez-vous parler, maintenant. Je crois que je vous ai trop gâtée.
– Il est de mon devoir de vous avertir, Nicholas : vous jouez avec de la dynamite. Je vous en prie, Nicky, parlez !
– Asseyez-vous, ordonna-t-il.

Il s'installa dans le fauteuil qui lui faisait face et déplia les feuilles du fax.

– Mrs. Street est efficace. Je lui avais suggéré de s'adresser à mon agent de change. Nous avons trois heures d'avance sur le méridien de Greenwich, donc elle a dû l'intercepter avant qu'il ne quitte son bureau. Quoi qu'il en soit, elle a obtenu toutes les informations nécessaires.

– Arrêtez, Nicky, sinon je déchire mes vêtements et je hurle. Je vais faire un scandale si vous ne parlez pas.

Il farfouilla dans les pages du fax et lut à voix haute.

– Exploration Pégase a un capital déclaré, selon la Bourse de Sydney, de vingt millions...

– Je me fiche des détails, supplia-t-elle. Le nom de l'homme suffira.

– Soixante-cinq pour cent des parts de Pégase appartiennent à la compagnie minière Valhalla, reprit-il, imperturbable. Le reste est détenu par Anaconda Metals d'Autriche.

Elle avait renoncé à batailler avec lui et le fixait d'un œil résigné, penchée en avant.

– Valhalla et Anaconda appartiennent toutes les deux à HMI, Hamburg Manufacturing Industries. Dont toutes les parts sont aux mains du trust familial von Schiller qui ne comprend que deux membres : Gotthold Ernst von Schiller et sa femme, Ingemar.

– Von Schiller, murmura-t-elle. Duraid l'avait mis sur la liste des mécènes éventuels. Il doit avoir lu le livre de Wilbur Smith. Je sais qu'il a été traduit en allemand. Il a probablement pris contact avec Duraid comme vous l'avez fait. Mais il ne s'est pas laissé rebuter par les dénégations de Duraid.

– C'est bien ce que je pense, fit Nicholas. Il n'a pas dû lui être très difficile de s'infiltrer au musée du Caire et de découvrir que Duraid et vous travailliez sur quelque chose de costaud. Le reste, nous ne le connaissons que trop bien.

– Mais comment a-t-il pu installer Pégase en Éthiopie aussi rapidement ?

– La chance doit être du côté de von Schiller. Une chance diabolique. Geoffrey m'a appris que Pégase a obtenu une concession pour la prospection du cuivre il y a cinq ans, juste avant la fuite de Mengistu. Von Schiller était déjà sur place, avant même qu'on ne parle des rouleaux de papyrus. Il lui a suffi de faire déplacer le campement de base depuis le nord où ils travaillaient vers les gorges de l'Abbay, et de se tenir prêt. Jake Helm doit être un de ses hommes de main, le spécialiste des coups fourrés qu'il dépêche là où ça tourne mal. Il est aussi évident qu'il a Nogo dans sa poche. Nous nous sommes jetés tout droit dans leurs bras.

– Ça me semble plausible. Dès que Helm a rapporté notre arrivée à son maître, von Schiller a décidé d'un raid *shufta* sur notre campement. Oh, mon Dieu, comme je le hais ! Je ne l'ai jamais vu mais je le hais plus que je ne me croyais capable de haïr quelqu'un.

– Bien, en tout cas nous savons à qui nous avons affaire.

– Pas tout à fait. Von Schiller doit avoir un homme au Caire. Quelqu'un d'introduit.

– Comment se nomme votre ministre ? demanda Nicholas.

– Non ! s'exclama-t-elle. Pas Atalan Abou Sin. Je le connais depuis toujours. C'est un monument d'intégrité.

– C'est curieux de voir l'effet que peuvent avoir quelques centaines de milliers de dollars sur les fondations des bâtiments les plus solides, observa Nicholas avec flegme.

Ils n'étaient que deux au petit déjeuner. Sir Oliver était parti une heure plus tôt pour ses bureaux et Lady Bradford ne s'était pas encore levée pour accueillir le matin clair et frais des montagnes.

– J'ai à peine dormi, cette nuit. Je n'ai cessé de penser à Atalan. Oh, Nicky, je ne supporte pas l'idée qu'il puisse être responsable de la mort de Duraid.

– Je regrette de vous avoir gâché votre nuit mais nous devons envisager toutes les possibilités. Nous avons assez perdu de temps ici. Pégase a le champ libre, maintenant. Je veux rentrer et commencer à mettre sur pied notre propre force expéditionnaire.

– Voulez-vous que j'aille réserver nos places d'avion ? fit-elle en se levant. Je file téléphoner.

– Terminez votre petit déjeuner, d'abord.

– J'ai mangé tout ce qu'il me faut.

Elle se dirigea vers la porte pendant qu'il lui lançait d'une voix sonore :

– Je comprends que vous soyez si maigre. On m'a

toujours dit que l'anorexie était une terrible façon d'en finir.

Il se servit une nouvelle tranche de pain grillé qu'il tartina de confiture. Un quart d'heure après, Royan était de retour.

– Demain après-midi à trois heures trente. Un vol Kenya Airways pour Nairobi, correspondance le soir même avec la British Airways pour Heathrow.

– Parfait, dit-il en se levant à son tour. Notre voiture nous attend pour nous emmener au quartier général de votre admirateur, le général Obeid. Allons-y.

Un officier de police les attendait. Il les fit entrer dans le bâtiment par une entrée réservée et se présenta comme l'inspecteur Galla. Il les traita avec déférence et les précéda jusqu'aux bureaux de son supérieur.

Le général Obeid se leva d'un bond à peine furent-ils entrés et contourna son vaste bureau pour venir les accueillir. Il se montra affable et charmant, surtout envers Royan, et les conduisit jusqu'à son salon privé où l'inspecteur Galla leur servit les inévitables tasses de café fort et amer. Après quelques minutes de bavardage poli, le général en vint à l'affaire qui l'intéressait.

– Comme promis, je ne vous retiendrai pas plus longtemps que nécessaire. L'inspecteur Galla va enregistrer vos dépositions. Je commencerai par la disparition et la mort du major Brusilov. Je suppose que vous n'ignorez pas qu'il a été officier du KGB russe ?

L'entretien dura plus longtemps que prévu. Le général Obeid se montra opiniâtre mais ne se départit pas de sa politesse. Il fit taper leurs dépositions par un officier de police et, après qu'ils les eurent lues et signées, le général les raccompagna jusqu'à l'entrée où les attendait leur voiture. Nicholas y vit la marque d'une faveur particulière.

– Si je peux faire la moindre chose pour vous, n'hésitez pas à faire appel à moi. Faire votre connaissance a été un immense plaisir, docteur Al Simma. Revenez en Éthiopie, je vous prie, et revenez nous voir.

– Malgré notre petite mésaventure, j'ai beaucoup aimé votre beau pays, répondit-elle avec suavité. Vous nous reverrez plus tôt que vous ne le croyez.

La déclaration de Royan se révéla prophétique : deux enveloppes identiques les attendaient devant leur petit déjeuner, le lendemain matin.

Nicholas ouvrit la sienne tout en demandant un café au domestique en *shamma* immaculé qui patientait près de la table. Son expression se modifia pendant qu'il lisait le contenu de la lettre.

– Tiens, tiens ! s'exclama-t-il. Nous avons fait une bien plus grande impression sur ces policiers que nous ne le pensions. Le général Obeid veut me revoir. « Vous êtes prié de vous présenter aux services généraux de la police à, ou avant, midi. » C'est exprimé de façon martiale ! Ni salut, ni merci.

– La mienne est identique, fit Royan. Que diable cela signifie-t-il ?

– Nous le saurons assez tôt. Mais ça me paraît assez inquiétant. Je crois que c'est la fin d'une idylle.

Il n'y avait pas de comité d'accueil à leur arrivée aux quartiers généraux de la police. Le garde de l'entrée réservée les envoya au bureau des renseignements où ils se retrouvèrent embarqués dans une conversation longue et confuse avec un employé qui ne parlait qu'un anglais rudimentaire. Nicholas, grâce à ses expériences africaines précédentes, savait que la pire des choses aurait été de perdre son calme ou même de laisser voir son irritation. L'employé finit par décrocher son téléphone pour un interminable entretien avec un inconnu puis il les invita d'un geste de la main à s'asseoir sur un banc appuyé contre un mur.

– Vous attendre. Homme venir.

Pendant quarante minutes, ils partagèrent leur siège avec une pittoresque sélection d'autres demandeurs, plaignants, solliciteurs et petits truands. Quelques-uns saignaient abondamment et d'autres portaient des menottes.

– On dirait que notre étoile pâlit, fit remarquer Nicholas en portant son mouchoir à son nez pour se prémunir des effluves qui émanaient de ses voisins apparemment privés de savon depuis un certain temps. Nous n'avons plus droit au traitement pour VIP.

Puis l'inspecteur Galla, celui qui la veille les avait traités avec tant de déférence, les pria de le suivre. Il ignora la main que lui tendait Nicholas et les précéda dans un dédale de couloirs jusqu'à une pièce sobre, où il ne leur offrit aucun siège. Il s'adressa à Nicholas d'une voix froide.

– Vous êtes responsable de la perte d'une arme à feu.

– C'est exact. Comme je l'ai dit lors de ma déposition...

– La perte d'une arme à feu par négligence est une faute grave, fit l'inspecteur avec sévérité.

– Il n'y avait aucune négligence de ma part, s'offusqua Nicholas.

– Vous avez laissé cette arme à feu sans surveillance. Vous n'avez même pas essayé de la faire enfermer dans un coffre sûr. C'est de la négligence.

– Avec tout le respect que je vous dois, inspecteur, il y a une grande pénurie de coffres sûrs dans les gorges de l'Abbay.

– Négligence, répéta Galla. Négligence criminelle. Comment savoir si cette arme n'est pas tombée entre les mains d'éléments opposés au gouvernement ?

– Insinueriez-vous qu'un inconnu pourrait renverser le gouvernement avec une 275 Rigby ?

L'inspecteur ignora la pique et sortit deux documents d'un tiroir.

– Je dois soumettre ces arrêtés d'expulsion à vous et au docteur Al Simma. Vous avez vingt-quatre heures pour quitter l'Éthiopie. Vous êtes désormais visiteurs indésirables dans ce pays.

– Le docteur Al Simma n'a perdu aucune arme, fit remarquer Nicholas. D'ailleurs, d'après ce que je sais, elle n'a jamais été négligente une seule seconde de sa vie.

– Je vous demande simplement de signer ici pour reconnaître que vous avez reçu et compris ces arrêtés.

– Je voudrais parler au général Obeid, fit Nicholas.

– Le général est parti en tournée d'inspection des régions nord, ce matin. Il ne reviendra à Addis-Abeba que dans plusieurs semaines.

– Et d'ici là, nous serons en sécurité en Angleterre, n'est-ce pas ?

– Exactement, fit Galla avec un sourire narquois. Signez là, je vous prie.

– Que s'est-il passé ? demanda Royan en prenant place sur la banquette de la Rolls, près de Nicholas. C'est si soudain, si inattendu. Un jour, tout le monde nous adore et le suivant, nous sommes jetés à coups de pied par l'escalier de service.

– Vous voulez mon avis ? Nogo n'est pas le seul à

être à la solde de Pégase. Obeid a certainement reçu un message de von Schiller pendant la nuit.

– Vous rendez-vous compte de ce que cela signifie, Nicholas ? Nous ne pourrons jamais revenir en Éthiopie. La tombe de Mamose est hors de portée pour toujours.

Elle le dévisageait avec d'immenses yeux noirs et désolés.

– Quand Duraid et moi avons visité l'Irak et la Libye, c'était sans être invités par Saddam ou Kadhafi, si je me souviens bien.

– Vous avez l'air ravi à l'idée d'enfreindre la loi.

– Ce n'est qu'une loi éthiopienne, souligna-t-il. Rien de très sérieux.

– Et on vous jettera dans une prison tout aussi éthiopienne. Ça, vous pouvez le prendre au sérieux.

– Vous aussi, sourit-il. Si nous sommes pris.

– Vous pouvez être sûrs que Son Excellence a déjà fait parvenir une protestation officielle aux bureaux du président, déclara Geoffrey en les conduisant à l'aéroport. Il est complètement retourné par cette histoire, je peux vous le dire. Arrêtés d'expulsion et tout le tremblement. On n'a jamais vu ça.

– Ne te torture pas, mon vieux, fit Nicholas. Dans ces conditions, nous n'avons aucune envie de revenir ici. On s'en fiche.

– C'est une question de principe. Un éminent sujet de Sa Majesté traité comme un vulgaire criminel. Et le respect ? Parfois, je regrette de n'être pas né cent ans auparavant. Nous n'aurions pas eu à supporter ce genre de crétinerie. On aurait envoyé une canonnière, point final.

– Bien sûr, Geoffrey, mais je t'en prie, ne laisse pas cette histoire te ronger les sangs.

Geoffrey leur tourna autour comme une chatte avec ses chatons pendant qu'ils se présentaient à l'enregistrement au comptoir de la Kenya Airways. Ils n'avaient que leurs bagages à main, de simples sacs de nylon qu'ils avaient achetés au marché le matin même. Nicholas avait roulé la peau de dik-dik en boule puis l'avait enveloppée dans un *shamma* brodé qu'il avait acheté au même marché.

Geoffrey resta avec eux jusqu'à ce que leur vol fût

annoncé. Il leur adressa d'affectueux signes de la main pendant qu'ils passaient les barrières d'immigration, marques d'attention destinées bien plus à Royan qu'à Nicholas.

Ils étaient installés près de l'aile et Royan avait le siège proche du hublot. L'avion fit rugir ses moteurs et commença à s'éloigner lentement des bâtiments de l'aéroport. Nicholas se disputait avec l'hôtesse qui insistait pour qu'il place son dik-dik dans le porte-bagages et Royan regardait à travers le hublot, pour emporter avec elle une dernière image d'Addis.

Soudain, elle se raidit sur son siège et agrippa le bras de Nicholas.

– Regardez ! fit-elle avec une rage si brûlante qu'il se pencha pour voir ce qui l'avait si violemment excitée. Pégase !

Elle désignait un Falcon qui venait d'atterrir et qui s'immobilisait non loin des bâtiments de l'aéroport. Le petit avion aux lignes pures était peint en vert et portait sur son empennage arrière le minuscule cheval rouge cabré dans une pose stylisée. La porte du Falcon s'ouvrit et le petit comité de réception qui attendait sur le tarmac s'avança avec empressement pour accueillir les passagers.

Le premier était un homme de petite taille, impeccablement vêtu d'un costume tropical de couleur crème et d'un panama blanc. En dépit de sa taille, il émanait de lui un air d'assurance et de puissance, l'air particulier de ceux qui détiennent le pouvoir. Son visage était pâle, comme s'il venait d'un hiver nordique, et cette complexion le rendait étrangement incongru. Son menton était ferme et volontaire, son nez proéminent et, sous des sourcils noirs et fournis, son regard était perçant.

Nicholas le reconnut immédiatement pour l'avoir souvent vu dans les salles de ventes de Christie et Sotheby. Cet homme n'était pas de ceux que l'on oublie.

– Von Schiller !

L'Allemand toisait les hommes qui s'empressaient sur le tarmac d'un air impérial.

– On dirait un coq nain ! remarqua Royan. Ou un cobra dressé.

Von Schiller souleva son panama et dévala l'escalier du jet d'un pas vif et élastique.

– Et il a soixante-dix ans, nota Nicholas avec raideur.
– Il se déplace comme s'il en avait trente de moins. Il doit se faire teindre les cheveux et les sourcils. Regardez comme ils sont noirs.
– Tiens donc ! s'exclama Nicholas. Voyez qui est venu l'accueillir.
Une haute silhouette, vêtue d'un uniforme bleu scintillant de médailles et d'insignes militaires, se détacha du contingent. L'homme toucha le bord de sa casquette pour un salut confit de respect avant de saisir la main de von Schiller et de la secouer chaleureusement.
– Votre vénérable admirateur, le général Obeid. Je comprends qu'il n'ait pu nous recevoir hier. Il était bien trop occupé.
– Nicky, regardez !
Royan suffoquait littéralement. Elle ne regardait plus les deux hommes qui se congratulaient au pied de l'avion avec animation. Toute son attention était dirigée vers la porte du Falcon où venait d'apparaître un homme d'allure juvénile. Il était tête nue et arborait une superbe chevelure, dense et bouclée.
– Jamais vu. Qui est-ce ?
– Nahoot Guddabi. L'assistant de Duraid. L'homme qui a maintenant le poste qu'il occupait au musée.
Leur avion se mit en branle au moment où Nahoot descendait les marches du Falcon. Il s'engagea sur la piste de décollage et le Falcon disparut à leur vue. Ils se laissèrent aller contre le dossier de leur siège et se regardèrent, consternés. Nicholas fut le premier à retrouver sa voix.
– Un sabbat de sorcières. Une réunion de méchants. Nous avons eu de la chance d'y assister. Ils n'ont plus de secrets, désormais. Nous savons qui est notre ennemi.
– Von Schiller est le chef, dit Royan que la colère faisait haleter, et Nahoot Guddabi est le chien de chasse. Nahoot est celui qui a engagé les tueurs du Caire et qui les a lâchés à nos trousses. Seigneur, Nicky, vous auriez dû l'entendre lors des funérailles de Duraid. Il prétendait avoir tant de respect et d'admiration pour lui. Le sale hypocrite, l'assassin.
Ils se turent pendant un long moment. L'avion gagnait dans le ciel son altitude de croisière.
– Bien entendu, vous aviez raison au sujet d'Obeid, déclara Royan. Lui aussi est bien à la solde de von Schiller.

– Il peut tout aussi bien n'être là que pour représenter le gouvernement éthiopien, pour accueillir le propriétaire d'une des principales compagnies minières étrangères. Quelqu'un qui, ils l'espèrent, découvrira de fabuleux gisements de cuivre et les rendra tous riches.

Elle secoua la tête avec fermeté.

– Si tel était le cas, alors il y aurait là un membre du cabinet ministériel et non pas le chef de la police. Non, Obeid pue la traîtrise. Il en porte l'odeur sur lui, comme Nahoot.

De voir les assassins de son mari en chair et en os avait rouvert les plaies de Royan. Le ressentiment et le chagrin l'envahissaient de nouveau. Ces sentiments amers étaient comme une flamme qui la consumait. Nicholas se savait impuissant à éteindre cette flamme. Il ne pouvait qu'espérer la distraire. Il lui parla calmement, détournant ses sombres pensées des idées de mort et de vengeance, lui rappelant le défi qu'avait posé Taita et l'énigme de la tombe ensevelie.

Quand ils atterrirent à Heathrow, le lendemain matin, ils avaient concocté un plan d'action pour leur retour aux gorges du Nil et pour l'exploration du bassin de Taita. Mais si Royan semblait redevenue sereine et rieuse en apparence comme elle l'était toujours, Nicholas n'ignorait pas que la douleur était là, affleurant.

Il était encore très tôt et ils franchirent les guichets de l'immigration sans avoir à faire la queue. Avec la peau de dik-dik dans son sac en nylon sous le bras et Royan boitillant avec sa canne, Nicholas passa les services de douane avec un visage aussi innocent que celui d'un ange de la chapelle Sixtine.

– Vous avez un culot monstrueux, murmura-t-elle une fois qu'ils eurent passé tous les obstacles. Si vous êtes capable de mentir aussi effrontément aux douaniers, comment puis-je vous faire confiance ?

La chance était toujours avec eux : il n'y avait pas de queue à la station de taxi et, un peu plus d'une heure après avoir atterri, le taxi les déposait devant la demeure de Nicholas, à Knightsbridge. Il était tout juste huit heures et demie en ce lundi matin.

Pendant que Royan prenait une douche, Nicholas descendit à l'épicerie toute proche pour faire quelques courses. Ils préparèrent ensemble le petit déjeuner,

Royan s'occupant des toasts pendant que Nicholas s'attaquait à sa spécialité : l'omelette aux herbes.

– Vous aurez certainement besoin de l'aide d'un spécialiste quand nous retournerons aux gorges de l'Abbay ? demanda Royan.

– J'ai déjà l'homme qu'il faut en tête. J'ai travaillé avec lui auparavant. Expert en plongée et travaux sous-marins. Il est à la retraite et vit dans un petit cottage du Devon. Je le soupçonne d'être un peu à court d'argent et de commencer à périr d'ennui. Je le crois mûr pour sauter sur n'importe quelle proposition qui viendrait arranger sa situation.

Aussitôt le petit déjeuner avalé, Nicholas lui dit :

– Je ferai la vaisselle. Vous, portez les pellicules à développer. Il y a une boutique qui le fait en une heure, en face de Harrods.

– C'est ce qu'on appelle une juste distribution des tâches. Vous avez une machine à laver la vaisselle et il tombe des cordes.

– D'accord, fit-il en riant. Pour adoucir votre calvaire, je vous prête mon imperméable. En attendant les photos, vous pourrez aller faire des courses pour remplacer les mocassins que vous avez perdus dans l'avalanche. J'ai des coups de téléphone très importants à donner.

Dès qu'elle fut partie, Nicholas s'installa à son bureau avec son carnet dans une main et le combiné dans l'autre. Son premier appel fut pour Quenton Park, à une Mrs. Street qui essayait de ne pas montrer combien elle était heureuse de le savoir de retour.

– Votre bureau est noyé sous un mètre de courrier. Des factures, pour l'essentiel.

– Nous sommes ravis, n'est-ce pas ?

– Les hommes de loi m'ont harcelée et Mr. Markham de la Lloyd's appelle tous les jours.

Nicholas savait ce qu'ils voulaient, ce que veut tout solliciteur qui insiste : de l'argent. Dans ce cas, il ne s'agissait pas d'une note de tailleur impayée mais de deux millions et demi de livres.

– Soyez bonne, ne leur dites pas que je suis ici. Je ferais mieux d'aller à York plutôt qu'à Quenton. Ils ne pourront pas m'y trouver.

Il décida d'oublier ses dettes momentanément et demanda :

– Vous avez votre bloc et votre stylo avec vous ? Très bien, voici ce que je voudrais que vous fassiez.

Il dicta pendant dix minutes puis Mrs. Street lui relut les instructions qu'elle avait notées.

– Parfait. Passez à l'action, voulez-vous ? Nous serons de retour ce soir. Le docteur Al Simma séjournera avec moi un temps indéfini. Demandez à la gouvernante de préparer la seconde chambre à coucher de l'appartement.

Il appela ensuite dans le Devon. Pendant que la sonnerie retentissait, il s'imagina l'ancien cottage de gardes-côtes perché au sommet des falaises, au-dessus de la mer grise et battue par les tempêtes d'hiver. Daniel Webb devait certainement être dans son atelier, au fond du jardin, penché sur l'amour de sa vie, une Jaguar de 1935. A moins qu'il ne soit en train de fabriquer des mouches pour le saumon. La pêche était son autre passion et c'était elle qui les avait rapprochés.

– Allô ?

La voix indiquait un Daniel sur ses gardes. Nicholas le voyait parfaitement avec son crâne tavelé comme un œuf de pluvier, son poing couturé de cicatrices serré autour du combiné.

– Sapeur, j'ai un boulot pour toi. Partant ?

– On va où, major ?

Trois années n'avaient pas effacé le souvenir de la voix de Nicholas.

– Soleil et filles. Même salaire que la dernière fois.

– Je suis partant. On se retrouve où ?

– A l'appartement. Demain.

– La Jag est toujours nickel. Je partirai tôt et je serai là à l'heure du déjeuner.

Nicholas raccrocha, puis il donna deux autres coups de téléphone. Un à sa banque de Jersey et l'autre aux îles Caïman. Ses deux comptes baissaient vertigineusement. Le budget de l'expédition qu'il avait mise au point avec Royan dans l'avion était de deux cent trente mille livres. Comme tous les budgets, il était très optimiste.

« Il faut toujours ajouter cinquante pour cent, se dit-il. Ce qui signifie que le tiroir-caisse sera vide quand nous aurons fini. Espérons et prions que tu ne nous fais pas marcher, Taita. »

Il indiqua le mot de passe de ses deux comptes et donna des instructions pour un transfert immédiat.

Il lui restait deux coups de fil à passer avant de partir pour York. Leur plan tout entier reposait dessus et les contacts qu'il obtiendrait étaient au mieux fragiles, au pire chimériques.

Le premier numéro était occupé. Il essaya cinq fois de suite et tomba systématiquement sur l'irritante sonnerie haut perchée. Il essaya une dernière fois et, là, un accent de l'ouest des plus rassurants répondit :

– Bonsoir. Ambassade de Grande-Bretagne, que puis-je pour vous ?

Avec le décalage, on devait être en plein après-midi à Addis.

– Sir Nicholas Quenton-Harper, j'appelle d'Angleterre. Puis-je parler à votre attaché militaire, Mr. Geoffrey Tennant ?

Geoffrey prit la ligne quasi instantanément.

– Alors, mon cher, te voilà à la maison. Veinard !

– Je voulais te rassurer. Je me doutais que tu ne dormirais pas.

– Comment va le charmant docteur Al Simma ?

– Elle t'embrasse.

– J'aimerais te croire, soupira Geoffrey.

– J'ai une immense faveur à te demander, Geoffrey. Connais-tu le colonel Maryam Kidane au ministère de la Défense ?

– C'est un pote. Je le connais comme ma poche. Samedi dernier, nous jouions au tennis. Un revers diabolique

– Peux-tu lui demander de me joindre au plus vite ? Dis-lui que c'est au sujet d'une très rare hirondelle, pour les collections du musée.

– T'es reparti dans tes manigances ? Avoir été viré d'Éthiopie ne te suffit pas ? Tu fais le commerce d'oiseaux rares, maintenant.

– Veux-tu faire ça pour moi, Geoffrey ?

– Bien sûr. La bonne poire, c'est moi. Toujours l'idiot.

– Je te dois une fière chandelle.

– Une demi-douzaine me semble plus juste.

Son appel suivant eut moins de succès. Le numéro de Malte sonna six fois avant qu'un répondeur ne prenne le relais.

– Ici le bureau d'Africair. Nous ne pouvons vous répondre pour le moment. Veuillez laisser votre nom, votre numéro de téléphone, ainsi qu'un court message après le bip. Nous vous contacterons dès que possible. Merci.

L'accent sud-africain de Jannie Badenhorst était vraiment inimitable.

– Jannie, ici Nicholas Quenton-Harper. Est-ce que ton vieil Herc vole toujours ? Le boulot sera un jeu d'enfant. Et qui plus est, c'est bien payé. Appelle-moi à l'appartement, en Angleterre. Ce n'est pas urgent. Hier ou l'avant-veille sera très bien.

Royan sonna à la porte une minute après qu'il eut raccroché. Il dévala l'escalier au pas de course. Elle avait le bout du nez rose de froid et se mit à secouer son imper trempé de gouttes de pluie.

– Vous êtes réglée comme du papier à musique. Avez-vous les photos ?

Elle tira une enveloppe jaune de la poche de son manteau et la brandit triomphalement.

– Vous êtes excellent photographe, lui dit-elle. Elles sont parfaites. J'arrive à lire chaque caractère de la stèle à l'œil nu. Nous pouvons reprendre le jeu de Taita.

Ils étalèrent les clichés sur son bureau et se penchèrent dessus avec avidité.

– En avez-vous fait faire des doubles ? Un jeu pour chacun ? Excellent ! approuva-t-il. Les négatifs iront droit dans mon coffre, à la banque. Ne prenons pas le risque de les perdre, cette fois-ci.

Royan, à l'aide de sa grande loupe de bureau, étudia chaque cliché un à un. Elle sélectionna la photo la plus précise de chaque face de la stèle.

– Ce seront nos exemplaires de travail. Je ne crois pas que les empreintes que nous avions faites nous manqueront beaucoup. Ces clichés seront amplement suffisants.

Elle lut à voix haute un extrait du bloc de hiéroglyphes.

– *Le cobra déroule et dresse son capuchon endiamanté. Les étoiles du matin brillent dans ses yeux. Sa langue noire et glissante baise l'air par trois fois.*

L'excitation lui mettait les joues en feu.

– Je me demande ce que veut dire Taita ! Oh, Nicky, débrouiller les mystères de cet homme est si passionnant !

– Et si vous laissiez tomber pour l'instant ? fit-il

d'une voix plate. Je vous connais, si nous commençons, on y passera la nuit entière. Chargeons plutôt la Range Rover. La route jusqu'à York est longue et pénible, et on annonce du verglas. Ça nous changera un peu du climat des gorges de l'Abbay.

Elle se raidit et se mit à ranger les photos en une pile impeccable.

– Bien entendu, vous avez raison ! Je sais que j'ai un peu tendance à m'emballer.

Elle se leva.

– Avant de partir, j'aimerais téléphoner à la maison.

– Par maison, j'imagine que vous entendez Le Caire ?

– Oui. Le Caire. La famille de Duraid...

– Je vous en prie, vous n'avez pas besoin de me donner des explications. Voici le téléphone, faites comme chez vous. Je vous attends en bas, dans la cuisine. Nous prendrons une tasse de thé avant de partir.

Elle le rejoignit une demi-heure après, avec un air coupable sur le visage.

– J'ai peur de devoir jouer les enquiquineuses. J'ai un aveu à vous faire.

– Allez-y, invita-t-il.

– Je dois rentrer à la maison. Au Caire.

Il la dévisagea, étonné.

– Oh, rien que quelques jours ! précisa-t-elle en hâte. Je viens de parler au frère de Duraid. Je dois m'occuper de certaines de ses affaires.

– Je n'aime pas l'idée de vous savoir là-bas, toute seule ! Après ce que vous y avez vécu.

– Si votre théorie est la bonne et que Nahoot Guddabi est le traître, je n'ai rien à craindre : il est en Éthiopie, actuellement.

– Et alors ? Je n'aime quand même pas ça. Vous êtes la clé qui ouvre les énigmes de Taita.

– Oh ! Merci beaucoup, Sir, fit-elle en feignant d'être vexée. Ce n'est que pour cette raison que vous ne voulez pas que l'on me tue ?

– Puisque vous insistez, je veux bien reconnaître que je commence à m'habituer à vous.

– Écoutez, je serai de retour avant même que vous ne vous soyez aperçu de mon départ. De plus, vous avez des tas de choses à faire pendant mon absence.

– Je suppose que je ne peux pas vous empêcher de partir, grommela-t-il. A quelle heure décolle votre avion ?

– A huit heures, ce soir.
– C'est un peu précipité, non ? Je veux dire, nous venons à peine d'arriver.
Il fit une faible tentative pour protester puis capitula.
– Bon, je vous emmène à l'aéroport.
– Non, Nicky. Heathrow n'est pas sur votre chemin. Je prendrai le train.
– J'insiste.
La circulation en ce lundi soir était plutôt fluide et, une fois sur l'autoroute, ils roulèrent à bonne allure. Il profita du trajet pour lui faire un compte rendu des coups de fil qu'il avait passés.
– Par Maryam Kidane, j'espère entrer en contact avec Mek Nimmur au plus tôt. Mek est le pivot de notre plan. Sans lui, nous ne pourrons même pas déplacer un pion sur le bao de Taita.
Il la déposa devant la porte des départs, à Heathrow.
– Appelez-moi demain matin du Caire pour me rassurer. Et me dire quand vous reviendrez. Je serai à l'appartement.
Elle lui tendit la joue, il y déposa un baiser et elle se glissa hors de la voiture dont elle fit claquer la portière.
Il regarda sa silhouette d'elfe diminuer dans le rétroviseur alors qu'il s'éloignait. Il fut envahi d'un sentiment de perte et de mélancolie. Puis, soudain, une sensation d'inquiétude l'étreignit. Son avertisseur mental se mit à sonner. Quelque chose de désagréable se préparait. Quelque chose de déplaisant allait se produire quand elle arriverait en Égypte. Un autre fauve s'était échappé de sa cage et rôdait dans l'ombre à l'affût d'une occasion pour bondir. Mais il était trop tôt pour en discerner la forme et la couleur.
– Je vous en prie, fit-il à voix haute, faites qu'il ne lui arrivc rien.
Il songea à faire demi-tour et à essayer de la convaincre de rester avec lui mais il n'avait aucun droit sur elle. Et il se doutait qu'elle n'obéirait pas. Il était bien obligé de la laisser faire.
– N'empêche, je n'aime pas ça.

15

Sa secrétaire particulière et les autres hommes qui étaient à son service savaient exactement ce qu'il attendait d'eux. Tout se présentait comme il l'avait voulu. Gotthold von Schiller examina l'intérieur de l'abri métallique d'inspiration militaire avec satisfaction. Helm avait fait du bon travail.

Ses appartements privés occupaient la moitié du bâtiment transportable. Ils étaient spartiates mais d'une propreté chirurgicale. Ses vêtements étaient suspendus dans le placard, ses cosmétiques et ses cachets rangés dans les tiroirs du cabinet de bains. Sa cuisine privée était équipée comme il le voulait, c'est-à-dire entièrement, et les placards en avaient été remplis. Son chef chinois l'avait accompagné, emportant tous les ingrédients nécessaires pour confectionner les plats que son maître pouvait désirer manger.

Von Schiller était végétarien, non fumeur et ne buvait jamais une goutte d'alcool. Vingt ans auparavant, il était un sybarite notoire qui raffolait de la grande cuisine de la Forêt-Noire, des vins de la vallée du Rhin et des tabacs riches et corsés de Cuba. A cette époque, il était obèse, avec un triple menton qui débordait de son col. Aujourd'hui, en dépit de son âge, il était mince et vif, comme un lévrier de course.

L'automne de sa vie était le temps des plaisirs de l'esprit et de l'émotion, plutôt que des sens. Il chérissait plus les objets que les créatures vivantes, qu'elles soient humaines ou animales. Une pièce sculptée par des graveurs disparus depuis des siècles l'excitait davantage que le corps tiède et doux de la plus belle des femmes. Il aimait l'ordre et le contrôle de soi. Dominer les hommes et les événements le satisfaisait plus que ne l'avait fait aucun repas. Maintenant que son corps allait vers le déclin et que ses appétits animaux avaient perdu de leur piquant, le pouvoir et la possession d'objets rares étaient ses uniques passions.

Toutes les pièces de son immense collection de trésors anciens avaient été découvertes par d'autres que lui. Cette fois-ci, il tenait sa dernière chance de faire lui-même la découverte de ces objets sans prix qui l'excitaient tant. Briser les sceaux posés sur la porte de la tombe de Pharaon, être le premier depuis quatre mille ans à poser les yeux dessus. C'était sans aucun doute la véritable immortalité et aucun prix, or ou vie humaine, n'était excessif. Des hommes étaient morts, déjà, pour sa passion et peu lui importait qu'il faille sacrifier d'autres vies. Aucun prix n'était trop élevé.

Il vérifia son image dans le miroir accroché en face de son lit. Il lissa ses épais cheveux aux reflets sombres. Ils étaient teints, bien sûr, mais c'était là sa seule coquetterie. Il traversa la pièce au parquet nu et ouvrit la porte de la vaste salle de conférence qui allait être son quartier général dans les jours à venir.

Les personnes qui y étaient installées bondirent immédiatement sur leurs pieds. Leurs attitudes étaient serviles et leurs expressions obséquieuses. Von Schiller gagna l'extrémité de la table et grimpa sur le bloc de bois couvert de moquette que sa secrétaire particulière avait placé là pour lui. Ce bloc de bois le suivait partout où il allait. Il mesurait vingt-deux centimètres. De là, von Schiller put toiser les hommes et la femme qui l'attendaient. Il les examina un à un, en prenant son temps, les laissant au garde-à-vous un instant. Depuis son perchoir, il les dominait tous.

Il commença par Helm. Le Texan était à son service depuis plus de dix ans. D'une fidélité absolue, il était d'une force colossale, à la fois physiquement et mentalement. Et il exécutait les ordres sans poser de questions. Von Schiller se reposait entièrement sur lui. Il pouvait l'envoyer dans n'importe quel endroit de la planète, du Zaïre à l'Australie et de l'Arctique aux forêts équatoriales. Helm exécutait sa corvée sans la moindre réticence. Et en provoquant le moins de conséquences fâcheuses. Il n'avait aucun principe mais était discret et, comme un excellent chien de chasse, reconnaissait la main de son maître.

Il examina ensuite la femme. Utte Kemper était sa secrétaire particulière. Elle réglait les détails les plus intimes de sa vie. Ses repas, son emploi du temps, ses remèdes, sa vie sociale. Aucun homme, aucune femme, ne l'approchait sans franchir le barrage qu'elle représentait. Elle était aussi sa spécialiste en télécommunications. Le mur d'engins électroniques qui se dressait dans le préfabriqué était son domaine réservé. Utte était capable de se frayer son chemin dans l'éther des communications électroniques avec le flair infaillible d'un pigeon voyageur. De l'alphabet Morse aux transmissions par satellites, il ne connaissait aucun être humain qui l'égalât en habileté. Elle était à la période de sa vie qui sied le mieux aux femmes. Quarante ans, mince et blonde avec des yeux verts en amande et des pommettes hautes, elle ressemblait à Marlene Dietrich jeune.

Ingemar von Schiller étant invalide depuis vingt ans, Utte Kemper s'était glissée dans le vide qu'elle avait laissé dans la vie de son mari. Elle était, de ce fait, bien plus qu'une épouse ou qu'une secrétaire.

Quand il l'avait rencontrée, elle occupait un poste assez élevé dans la section technique du réseau national des télécommunications allemandes. Elle travaillait au noir comme actrice de films pornographiques. Pas pour l'argent bien entendu, mais pour le plaisir. Les films qu'elle avait tournés à l'époque faisaient partie de la collection de von Schiller. Après ses antiquités égyptiennes, ils étaient son bien le plus précieux. Tout comme Helm, elle n'avait aucun scrupule. Il n'existait rien qu'elle ne puisse faire pour lui, ni qu'il n'eût le droit de lui faire, pour assouvir ses désirs les plus extravagants. Quand il regardait ses films et qu'elle lui faisait une de ces choses, elle était la seule femme qui pouvait encore le faire jouir. Même si cela se produisait de moins en moins fréquemment et que le spasme qu'elle arrivait à tirer de son corps vieillissant était moins intense.

Utte avait ses appareils enregistreurs disposés devant elle. C'était là une de ses nombreuses attributions : enregistrer et classer chaque réunion et chaque conversation.

Von Schiller fit glisser son regard vers les deux autres hommes qui étaient debout devant la table.

Le premier était le colonel Nogo, dont il avait fait la connaissance le matin même en descendant du Jet Ranger qui les avait transportés d'Addis-Abeba au campement du sommet des gorges du Nil. Il savait peu de choses sur lui sinon que Helm l'avait choisi. Von Schiller n'était que modérément impressionné par ses performances. Il y avait déjà eu un accroc. Nogo avait laissé Quenton-Harper et l'Égyptienne lui échapper. Après une vie entière passée à travailler en Afrique, von Schiller n'avait qu'une piètre confiance dans les Noirs. Il préférait de loin travailler avec des Européens. Mais il était obligé de convenir que, pour l'instant, les services de Nogo étaient indispensables. Après tout, il tenait le commandement militaire du Gojam. Une fois qu'il aurait servi son but, il allait falloir s'en occuper. Helm s'en chargerait. Il ne voulait pas s'embarrasser avec ce genre de détails.

Von Schiller regarda le dernier homme. Lui aussi se révélait indispensable. Pour le moment du moins. Nahoot Guddabi était celui qui avait attiré son attention sur le septième papyrus. Un auteur anglais avait écrit une sorte de fiction d'après les rouleaux de papyrus. Mais von Schiller ne lisait jamais de fiction d'aucune sorte, que ce soit en allemand ou dans une des quatre langues qu'il pratiquait. Sans Nahoot, il n'aurait jamais été au courant des rouleaux de Taita et serait passé à côté de la chance de sa vie.

L'Égyptien était venu le trouver aussitôt effectuée la traduction des rouleaux par Duraid Al Simma. Il existait un pharaon dont l'existence était demeurée secrète et la tombe du monarque restait à découvrir. Depuis, ils avaient été en contact permanent. Quand Al Simma et sa femme avaient poussé leur enquête trop loin, von Schiller avait obtenu de Nahoot qu'il se débarrasse d'eux et qu'il lui apporte le septième papyrus.

Le rouleau était désormais le joyau de sa collection, enfermé avec ses autres trésors dans les enceintes d'acier et de béton des caves du château dans les montagnes où se trouvait son « Nid d'Aigle », son domaine privé.

Mais le choix de Nahoot pour prendre en charge la partie la plus délicate de l'entreprise – se débarrasser d'Al Simma et de sa femme – avait été une erreur. C'est un professionnel qu'il aurait dû envoyer à leurs trousses. Nahoot avait prétendu être capable de résoudre ce problème et il avait été confortablement rétribué pour une tâche qu'il avait menée de manière inepte. Lui aussi finirait mal, mais pour le moment, von Schiller en avait encore besoin.

Nahoot comprenait et déchiffrait les hiéroglyphes mieux que von Schiller. Il avait passé une grande partie de sa vie à les étudier tandis que von Schiller n'était qu'un amateur à l'enthousiasme encore récent. Nahoot pouvait lire les rouleaux et le matériel qu'ils avaient volés comme s'il s'était agi des lettres d'un vieil ami, tandis que von Schiller était obligé de s'attarder sur chaque signe et de recourir à ses innombrables dictionnaires. Et même ainsi, il butait sur certaines nuances délicates qui donnaient aux textes tout leur sens. Sans l'aide de Nahoot, il ne pouvait espérer résoudre les énigmes qui lui barraient la route menant à la tombe de Mamose.

Telle était l'équipe qu'il avait réunie et qui attendait qu'il donne le départ de la séance de travail.

– Asseyez-vous, Fräulein Kemper, dit-il enfin. Vous aussi, messieurs. Nous pouvons commencer.

Quant à lui, il resta debout sur son bloc de bois, en bout de table. Il aimait cette impression de grandeur. Sa petite taille avait été une source d'humiliation permanente, déjà à l'école où ses camarades l'avaient surnommé Minus.

– Fräulein Kemper va enregistrer tout ce qui se dira ici. Elle vous distribuera des documents qui vous seront repris à la fin de la réunion. Je tiens à être très clair sur ce point : aucun de ces documents ne devra quitter cette pièce. Ils sont de nature extrêmement confidentielle et n'appartiennent qu'à moi seul. Je ne tolérerai aucune entorse à cette règle.

Pendant qu'Utte distribuait les dossiers, von Schiller regarda chacun avec une expression qui disait assez clairement le sort qui attendait le contrevenant à la règle. Puis il ouvrit le dossier posé sur la table devant lui. Il se pencha en avant et prit appui sur ses poings fermés.

– Il y a dans votre dossier des copies des polaroïds que nous avons trouvés dans le campement de Quenton-Harper. Je voudrais que vous les regardiez avec attention.

Ils se penchèrent sur leur dossier avec docilité.

– Le docteur Nahoot a eu l'occasion de les étudier. Il les considère comme authentiques. La stèle qui figure sur ces photos date de la deuxième période intermédiaire, vers 1790 avant J.-C. Vous voulez certainement ajouter quelque chose, docteur ?

– Merci, Herr von Schiller.

Le sourire de Nahoot avait quelque chose de mielleux mais ses yeux noirs étaient nerveux. Quelque chose dans la personnalité du petit Allemand le terrifiait. Il n'avait montré aucune émotion lorsqu'il lui avait ordonné d'éliminer Duraid Al Simma et sa femme. Nahoot se doutait qu'il resterait tout aussi froid quand viendrait le moment de décider de sa mort à lui. Il avait alors compris qu'il avait pactisé avec le diable.

– Je voudrais préciser une chose. J'ai dit que la stèle représentée sur ces photos *avait l'air* authentique. Je ne pourrai donner d'opinion définitive qu'après avoir examiné la pierre.

– Je prends bonne note de cette précision, fit von Schiller. Nous sommes ici pour trouver les moyens de nous procurer cette stèle afin que vous puissiez l'examiner.

Il s'empara d'un tirage qu'Utte avait réalisé le matin même dans la chambre noire du préfabriqué voisin. La photographie n'était pas le dernier de ses talents et elle avait accompli un travail impeccable. Les polaroïds que Helm lui avait fait parvenir à Hambourg étaient flous et froissés mais ils avaient suffi à lui faire traverser les continents en hâte. Maintenant, en face de ceux-là, clairs et précis, il sentait l'impatience le suffoquer.

Dans le silence respectueux qu'observait l'assemblée, il caressa la photographie comme s'il s'agissait de l'objet qu'elle représentait. Si cette chose était authentique, ce que lui criait son instinct, alors elle vaudrait à elle seule le considérable investissement en argent et en vies humaines qui avait été fait jusqu'ici. C'était un trésor merveilleux qui valait largement le septième papyrus qu'il avait ajouté à sa collection. L'état de conservation de la stèle était extraordinaire. Il la désirait comme il n'avait désiré que peu de choses dans sa vie. Il dut fournir un grand effort pour se détacher de l'image et pour consacrer ses forces mentales à la séance de travail qui s'annonçait.

– Docteur, si d'aventure cette stèle est originale, pouvez-vous nous dire ou nous suggérer l'endroit où elle se trouve ? Ou tout au moins nous indiquer dans quelle direction orienter nos recherches ?

– Je crois qu'il ne faut pas considérer la stèle toute seule, Herr von Schiller. Regardons les polaroïds que le colonel Nogo nous a procurés et que Fräulein Kemper a si habilement reproduits.

Il prit l'une des images et l'éleva devant lui.

– Celle-ci, par exemple, fit-il alors que les autres cherchaient leur exemplaire. L'arrière-plan de l'image montre que la stèle se trouve dans une sorte de grotte ou de caverne. On voit aussi qu'il y a une grille ou une porte barrée.

Il prit une autre photo et continua :

– Regardez celle-ci. C'est un cliché d'un autre objet. C'est, je crois, une fresque peinte soit sur un mur de plâtre soit sur la paroi d'une cave ou d'une tombe. On dirait que la photo a été prise à travers les barreaux de la grille que je vous ai fait remarquer sur la photo précédente. Cette fresque est à n'en pas douter d'origine ou d'influence égyptienne. En fait, elle me rappelle fortement les fresques qui décorent la tombe de la reine Lostris en Haute Égypte, là où furent découverts les rouleaux de Taita.

– Oui, oui, fit von Schiller en guise d'encouragement. Continuez.

– La présence de la grille porte à croire que la stèle et la fresque se trouvent dans la même cave ou tombe.

– Si tel est le cas, quels indices possédons-nous pour la localiser ?

Von Schiller les regarda tous avec un froncement de sourcils irrité et tous essayèrent d'éviter son regard bleu et perçant.

– Colonel Nogo, il s'agit de votre pays. Vous connaissez le terrain parfaitement. Dites-nous ce que vous en pensez !

Le soldat secoua la tête :

– Cet homme, cet Égyptien se trompe. Ce ne sont pas les photographies d'une tombe égyptienne.

– Comment pouvez-vous dire ça ? aboya Nahoot. Qu'y connaissez-vous en égyptologie ? J'ai passé vingt-cinq ans...

– Laissez-le terminer, coupa von Schiller. Continuez, colonel.

– Je reconnais être ignare en matière de tombes égyptiennes mais ces photos ont été prises dans une église chrétienne.
– Comment en êtes-vous si sûr? fit Nahoot avec amertume.
– J'ai été ordonné prêtre il y a quinze ans mais j'ai quitté l'Église pour l'armée. Ceci pour que vous compreniez que je sais ce dont je parle. Maintenant, regardez la première photo. Le mur du fond porte, près de la grille, la silhouette d'une main humaine et un poisson stylisé. Ce sont les symboles de l'Église copte. Vous les trouverez dans chaque église de ce pays.
Ils regardèrent tous la photo qu'ils avaient à leur disposition mais aucun d'eux ne risqua un avis avant que von Schiller n'ait parlé.
– Vous avez raison, fit celui-ci. Il y a bien, comme vous le dites, un poisson et une main.
– Mais je vous assure que ces hiéroglyphes sont égyptiens! s'exclama Nahoot. J'y mettrais ma main au feu.
Nogo secoua la tête.
– Je sais ce que je dis...
D'un geste, von Schiller leur intima le silence. Il considéra le problème et finit par prendre une décision.
– Colonel Nogo, montrez-moi sur la photo-satellite l'endroit où se trouvait le campement de Quenton-Harper.
Le soldat se leva et contourna la table jusqu'à von Schiller. Il se pencha sur la photo et posa l'index sur le point où la Dandera rejoignait le Nil.
– Vous voyez, Quenton-Harper a marqué l'endroit de son campement à l'encre verte.
– Maintenant montrez-moi où se trouve l'église copte la plus proche.
– Elle est ici, Herr von Schiller. Là encore Quenton-Harper a marqué l'endroit à l'encre. Elle n'est qu'à deux kilomètres du site du campement. Il s'agit du monastère de Saint-Fromentius.
– Nous avons la réponse à votre problème, fit von Schiller sans cesser de froncer les sourcils. Symboles coptes et égyptiens dans le même lieu. Le monastère.
Ils le dévisagèrent sans oser poser de questions quant à sa conclusion.
– Je veux que l'on fouille ce monastère, souffla-t-il. Je veux que chaque salle, chaque mur soit examiné.

Il se tourna vers Nogo.

– Pouvez-vous faire ça ?

– Bien entendu, Herr von Schiller. Un de mes hommes de confiance fait partie de la congrégation. Qui plus est, la zone du Gojam est placée sous la loi martiale. Je commande aux forces militaires, j'ai donc tout pouvoir pour traquer rebelles, dissidents et bandits où bon me semble.

– Vos hommes, fit Helm, entreront-ils dans une église pour faire leur devoir ? Et vous ? N'avez-vous pas de scrupules religieux ? Vous allez peut-être devoir – comment dire – profaner des lieux sacrés.

– J'ai déjà expliqué que je ne suis plus croyant. Je prendrai beaucoup de plaisir à détruire les symboles de superstition que nous ne manquerons pas de trouver dans ce monastère. Quant à mes hommes, je choisirai des musulmans et des animistes hostiles à la croix. Je les commanderai moi-même, et je vous assure qu'il n'y aura aucune difficulté.

– Comment allez-vous expliquer ce raid à vos supérieurs ? Je ne veux être en aucun cas associé à ce qui se passera dans ce monastère, fit von Schiller.

– J'ai reçu l'ordre de prendre toutes les mesures nécessaires contre les rebelles qui opèrent dans les gorges de l'Abbay. Je pourrai aisément justifier toute fouille du monastère.

– Je veux la stèle. Je la veux à n'importe quel prix. Me comprenez-vous, colonel ?

– Je vous comprends parfaitement, Herr von Schiller.

– Vous savez que je suis un homme généreux. Apportez-la-moi en bon état et vous serez récompensé. Vous pouvez demander à Mr. Helm n'importe quel secours ou assistance, les équipements et le personnel de Pégase sont à votre disposition.

– Si nous pouvions utiliser votre hélicoptère, il nous ferait gagner beaucoup de temps. Je pourrais faire transporter mes hommes dans les gorges demain et, si la pierre se trouve dans le monastère, alors je vous la livrerai demain soir.

– Parfait. Emmenez le docteur Guddabi avec vous. Il inspectera la tombe pour trouver d'autres pièces importantes et traduira les inscriptions et les gravures que vous dénicherez dans le monastère. Il doit passer pour un de vos hommes. Je ne veux pas entendre plus tard de récriminations.

– Nous partirons avant l'aube. Je vais donner des ordres immédiatement.

Tuma Nogo salua von Schiller et quitta le bâtiment à grands pas.

Le colonel Nogo n'avait jamais pénétré dans le *qiddist* ou le *maqdas* mais il connaissait le monastère de Saint-Fromentius pour y être allé plusieurs fois. Il n'ignorait rien de l'ampleur de la tâche qui l'attendait ni de la réaction des moines à son entrée en force dans leur territoire. Il avait visité de nombreuses autres cathédrales troglodytes, il avait été ordonné dans celle de Lalibela, et il savait quels labyrinthes ces constructions abritaient.

Il avait estimé que vingt hommes suffiraient pour investir et fouiller le monastère. Il avait personnellement choisi les meilleurs, et aucun d'entre eux n'était sujet aux états d'âme.

Deux heures avant l'aube, il les réunit dans l'enceinte du campement de Pégase et, sous l'éclat blafard des projecteurs, leur fournit ses directives. Puis il fit sortir chaque homme du rang, lui demandant de répéter ses instructions avant d'examiner soigneusement ses armes et son équipement.

Tuma Nogo se sentait on ne peut plus coupable d'avoir laissé échapper l'Anglais et l'Égyptienne. Il avait également conscience du danger que représentait Herr von Schiller. Il ne se faisait aucune illusion sur le sort qui l'attendait si cette expédition échouait. Il ne connaissait Gotthold von Schiller que depuis peu mais il avait compris qu'il fallait le craindre comme Dieu ou le Diable. Ce raid était une occasion de remonter dans l'estime de l'effrayant petit Allemand.

Le Jet Ranger attendait, son pilote aux commandes, moteur ronflant et rotors tournant paresseusement. Il ne pouvait transporter toute la troupe : quatre voyages seraient nécessaires pour tous les conduire au lieu de rendez-vous, près de la gorge. Nogo faisait partie du premier contingent, avec Nahoot Guddabi. L'hélicoptère les déposa à six kilomètres du monastère, dans une clairière des rives de la Dandera, à l'endroit qui avait déjà servi lors du raid sur le campement de Quenton-Harper.

La clairière était assez éloignée du monastère pour

que le bruit du Jet Ranger ne donne pas l'alerte. Mais même si les moines l'entendaient, Nogo comptait sur le fait que désormais ce bruit était devenu assez familier pour ne pas être inquiétant.

Pendant que l'hélicoptère faisait la navette, les hommes attendaient en silence. Ils n'étaient même pas autorisés à fumer. Lorsque la troupe fut au complet, Nogo la fit avancer en file indienne le long de la piste qui flanquait la rivière. Ils étaient tous en excellente condition physique et parfaitement entraînés. Ils fendaient l'obscurité avec rapidité et aisance. Nahoot était le seul civil et, au bout d'un kilomètre, il se mit à se plaindre qu'il lui fallait un peu de repos. Nogo écoutait ses pathétiques soupirs avec un sourire enchanté tout en entraînant ses hommes à sa suite.

Il avait programmé leur arrivée au monastère de manière qu'elle coïncide avec les matines. Il fit trotter ses hommes le long de l'escalier de pierre, armes au clair, leur équipement soigneusement ficelé pour éviter tout bruit incongru. Les semelles de caoutchouc de leurs bottes rebondissaient silencieusement contre les dalles, le long des cloîtres désertés, vers l'entrée de la cathédrale souterraine.

Les psalmodies monotones et les roulements des tambours résonnaient à l'intérieur, ponctués par les accents frêles de l'abbé, qui dirigeait l'office. Le colonel Nogo marqua une pause devant les portes et ses hommes se rangèrent en double file derrière lui. Il n'avait guère besoin de donner des ordres : ses instructions avaient couvert toutes les étapes de l'expédition. Il regarda ses hommes un long moment puis fit un signe de tête à son lieutenant.

La nef de l'église était vide. Tous les moines s'étaient rassemblés dans le *qiddist*. Nogo traversa la nef, suivi de près par son détachement. Puis il monta les marches qui menaient aux portes de bois du *qiddist*. Elles étaient ouvertes. En entrant, ses hommes se déployèrent sur deux rangs et prirent position le long des murs. Leurs fusils d'assaut étaient armés et leurs baïonnettes braquées en direction des hommes agenouillés.

L'action fut si rapide et si discrète qu'il fallut un moment aux moines pour sentir une présence étrangère en ce lieu sacré. Les chants et les tambours se turent graduellement et les visages se tournèrent lentement vers les rangées d'hommes en armes. Seul Jali Hora ne s'aperçut de rien. Complètement absorbé par ses actes de dévotion, il restait agenouillé devant les portes du *maqdas,* le saint des saints. Sa voix aigrelette résonnait comme le cri isolé d'une âme égarée.

Le colonel traversa la nef en écartant les moines à coups de pied. Il saisit Jali Hora par l'épaule et le jeta violemment à terre. La couronne de fer-blanc glissa de son crâne et alla rouler contre les dalles de pierre avec un bruit sonore.

Nogo, ignorant le corps qui gisait face contre terre, se tourna vers les moines immobiles dans leurs *shamma* blancs. Il s'adressa à eux dans un amharique péremptoire.

– Je suis ici pour fouiller l'église et le monastère. Nous soupçonnons des dissidents et des bandits d'avoir trouvé refuge ici.

Il se tut pour regarder avec hauteur les prêtres qui tremblaient.

– Je dois vous avertir, menaça-t-il, que la moindre tentative pour empêcher mes hommes de faire leur devoir sera considérée comme un acte de rébellion et de provocation. Il y sera répondu par la force.

Jali Hora se traîna sur ses genoux et, à l'aide d'une des tentures brodées, il se redressa lentement. Accroché à la tapisserie de la Vierge à l'Enfant, il rassembla ses forces en frémissant.

– Ces lieux sont sacrés ! s'écria-t-il d'une voix étonnamment claire. Nous sommes voués au service de Dieu, le Père, le Fils et le Saint-Esprit.

– Silence ! beugla Nogo.

Il défit la boucle du holster qu'il portait à la hanche et posa une main menaçante sur la crosse de son Tokarev. Jali Hora ignora son geste.

– Nous sommes des hommes saints, placés sous la protection divine. Il n'y a aucun *shufta* ici. Il n'y a aucun hors-la-loi parmi nous. Au nom de Dieu le Très-Haut, je vous conjure de partir, de nous laisser à nos prières et à nos dévotions. Ne profanez pas...

Nogo dégaina son pistolet et du même mouvement balança le canon noir sur le visage du prêtre. Il eut un méchant mouvement de poignet et la bouche de Jali Hora éclata comme une grenade trop mûre. Le jus rouge qui avait jailli de ses lèvres fendues inonda le velours élimé de ses vêtements. Un murmure horrifié parcourut l'assemblée des moines accroupis.

Jali Hora restait accroché à la tapisserie. Il était encore debout mais tremblait violemment. Il ouvrit sa bouche meurtrie pour protester mais ne produisit qu'un croassement haut perché, un cri de corneille qui agonise. Son sang d'un rouge éclatant jaillissait de ses lèvres en gouttes brillantes.

Nogo éclata de rire et balaya d'un coup de pied les jambes du vieillard. Jali Hora s'effondra comme un sac de linge sale.

– Où est ton dieu maintenant, hein, vieux babouin ? Pleurniche après lui autant que tu peux, il ne te répondra jamais.

D'un geste de son pistolet, Nogo fit approcher son lieutenant. Il choisit six hommes pour garder les moines, et le reste de la troupe le suivit jusqu'à l'entrée du *maqdas*.

Les portes étaient fermées. Nogo secoua le cadenas avec impatience.

– Ouvre immédiatement, vieille corneille ! hurla-t-il à Jali Hora qui sanglotait et gémissait.

– Il est devenu complètement gaga, fit le lieutenant. Il a perdu la boule, colonel. Il ne peut pas vous comprendre.

– Alors défoncez cette porte, ordonna Nogo. Et puis, non ! On a assez perdu de temps comme ça. Tirez sur la serrure. Le bois est pourri.

Le lieutenant avança docilement jusqu'à la porte, fit reculer ses hommes et lâcha une longue rafale de son AK-47 contre le panneau de bois.

Le bois et la pierre jaillirent en éclats et en poussière qui s'éparpillèrent sur le sol. L'écho de la rafale et les miaulements des balles qui ricochaient résonnèrent sous les voûtes avec une violence qui fit gémir les moines. Atterrés, ils se couvrirent les oreilles et les yeux en hululant. Le lieutenant recula d'un pas. La serrure de fer noirci et son mécanisme pendaient de travers contre le panneau démoli.

– Allez-y ! Arrachez-moi ça.

Cinq hommes avancèrent et appuyèrent l'épaule contre la porte. Les craquements du bois firent hurler les moines. Certains se voilaient la face comme pour ne pas être témoins du sacrilège, d'autres se lacéraient le visage de leurs ongles, laissant de profondes marques rouges dans leurs joues.

– Encore ! rugit Nogo.

Les cinq hommes se jetèrent contre le panneau de bois. La serrure fut arrachée de ses attaches. Ils ouvrirent alors en grand la lourde porte et scrutèrent les noires profondeurs de la salle avec circonspection. Seules quelques lampes à huile fumaient dans le *maqdas*.

Maintenant, même ceux qui n'étaient pas chrétiens hésitaient à franchir le seuil de ce lieu sacré. Ils reculèrent tous, Tuma Nogo compris.

– Nahoot ! fit-il en direction de l'Égyptien qui haletait et transpirait encore. C'est votre boulot, maintenant. Herr von Schiller vous a donné l'ordre de lui trouver les trucs qu'on cherche. Approchez !

Il le saisit par le bras et l'attira jusqu'à l'entrée de la salle.

– Allez, ô disciple du Prophète. La trinité des dieux chrétiens ne peut pas vous faire de mal.

Il entra dans le *maqdas* tout de suite après Nahoot. Il alluma sa torche et promena le faisceau sur les murs de la pièce basse. Le rayon fit sortir de l'obscurité les étagères d'offrandes votives, étincelant sur le verre et les pierres précieuses, sur le cuivre, l'or et l'argent. Il s'immobilisa sur l'autel en bois de cèdre, éclairant la couronne de l'Épiphanie et les calices, la grande croix copte en argent.

– Derrière l'autel ! s'écria Nahoot avec fièvre. L'entrée barrée par la grille ! C'est l'endroit où ont été pris les polaroïds.

Il traversa la pièce comme un dément et, les poings crispés autour des barreaux de la grille, jeta des regards éperdus devant lui, comme un prisonnier condamné à l'enfermement à perpétuité.

– C'est le tombeau. Apportez de la lumière !

Sa voix était suraiguë et hystérique.

Nogo le rejoignit en courant. En passant, il frôla la pierre du *tabot* cachée sous sa tenture damasquinée. Il braqua sa torche entre les barreaux de la grille. Les cris de Nahoot se transformèrent en murmure.

– Par l'ineffable compassion de Dieu et le souffle éternel du Prophète ! Ce sont les fresques peintes par le scribe. C'est l'œuvre de l'esclave Taita.

Comme l'avait fait Royan, il reconnut sans hésiter le style et la patte de Taita. Ses coups de pinceau étaient si particuliers, et son talent avait triomphé du temps.

– Ouvrez cette porte ! rugit Nahoot, d'une voix redevenue stridente et impatiente.

Nogo fit approcher ses hommes d'un geste impérieux. Ils s'attroupèrent autour de la grille et essayèrent de l'arracher à la paroi de la caverne. Il apparut très vite que leurs efforts étaient totalement vains. Nogo les interrompit.

– Fouillez les cellules des moines ! ordonna-t-il à son lieutenant. Trouvez-moi les outils qu'il faut pour faire sauter cette porte.

L'officier se rua hors de la pièce, entraînant avec lui le plus gros de la troupe. Nogo revint à la grille et étudia longuement l'intérieur du *maqdas*.

– La stèle ! rugit-il brutalement. Herr von Schiller veut la pierre avant toute chose.

Il fit courir le halo de sa lampe autour de la pièce.

– D'après l'angle de prise de vue des polaroïds...

Il s'interrompit et arrêta le rayon lumineux sur le drap damasquiné qui abritait la pierre du *tabot*. Le tabernacle recouvert de velours était posé dessus.

– Oui ! glapit Nahoot par-dessus son épaule. C'est ça !

Une demi-douzaine de pas suffirent à Tuma Nogo pour traverser la pièce. Il saisit l'ourlet brodé de pampilles dorées du drap du tabernacle et tira dessus. Le tabernacle était un simple coffre en bois d'olivier gravé. Il luisait faiblement de la patine qu'avaient donnée à son bois des années de pieuses manipulations.

– Superstitions primitives, marmonna Nogo avec mépris.

Il le prit à deux mains et le précipita contre le mur de la caverne. Le bois explosa et le couvercle du coffre s'ouvrit, éparpillant des tablettes de glaise gravées sur les dalles. Mais ni Nogo ni Nahoot n'accordèrent la moindre attention à ces objets sacrés.

– Découvrez-la, pressa Nahoot. Découvrez la pierre.

Nogo tira sur un coin du drap. Il était coincé sous le poids de la pierre et le tissu vieilli et pourri se déchira avec un bruit doux.

Le testament de pierre de Taita, la stèle gravée, fut entièrement révélé. Nogo lui-même fut saisi par ce qui leur apparut. Il recula de quelques pas, avec le drap déchiré serré dans le poing.

– C'est la pierre de la photographie, murmura-t-il. C'est ça que Herr von Schiller nous a demandé de ramener. Nous sommes riches.

L'aveu de son avidité brisa le charme. Nahoot se précipita et se jeta à genoux devant la stèle. Il referma ses deux bras autour de la pierre avec la passion d'un amant trop longtemps séparé de l'objet de sa flamme. Il sanglotait doucement et Nogo, à son grand étonnement, vit des larmes ruisseler sur ses joues. Nogo n'avait considéré que la récompense que la pierre lui rapporterait. Il n'avait jamais pensé qu'un homme puisse éprouver de tels sentiments pour un objet inanimé. Surtout pour une chose aussi commune qu'une stèle de pierre ordinaire.

Ils étaient toujours figés dans cette position, Nahoot à genoux devant la stèle et Nogo immobile et stupéfait derrière lui, quand le lieutenant revint en courant. Il avait déniché une pioche au fer rouillé. Son irruption tira les deux hommes de leur transe.

– Ouvrez cette grille !

Bien que la porte fût antique et le bois friable, il fallut la force de plusieurs hommes travaillant à tour de rôle pour venir à bout des étais scellés dans le roc de la caverne.

Finalement la lourde grille céda. A peine les ouvriers avaient-ils fait un bond de côté qu'elle tomba en avant et se fracassa sur les dalles de pierre en soulevant un nuage de poussière qui obscurcit un instant la lumière des lampes et de la torche électrique.

Nahoot fut le premier à pénétrer dans le tombeau. Il franchit le tourbillon de poussière et se laissa tomber à genoux à côté de l'antique cercueil de bois.

– Apportez de la lumière ! s'écria-t-il impatiemment.

Nogo s'approcha promptement et braqua la torche électrique sur le cercueil.

Ce dernier était orné du portrait d'un homme en trois dimensions, non seulement sur les côtés, mais également sur le couvercle. Manifestement, il s'agissait du même artiste que celui qui avait exécuté les peintures murales. Le portrait du couvercle était en parfait état. Il représentait un homme dans la fleur de l'âge au visage décidé et fier, celui d'un agriculteur ou d'un soldat au regard calme et serein. Un bel homme, aux épaisses tresses blondes, peint avec art par quelqu'un qui semblait l'avoir bien connu et aimé. L'artiste avait su rendre son caractère en mettant en valeur ses principales qualités.

Le regard de Nahoot passa du portrait aux inscriptions qui se trouvaient sur le mur au-dessus du tombeau. Il les lut à haute voix puis, les larmes aux yeux, regarda à nouveau le sarcophage et lut le cartouche peint sous le portrait du général aux cheveux blonds.

– Tanus, Seigneur Harrab. (Sa voix s'étrangla d'émotion, il déglutit bruyamment et s'éclaircit la voix.) Cela coïncide exactement avec la description du septième papyrus. Nous avons la stèle et le sarcophage. Un trésor inestimable. Herr von Schiller va être fou de joie.

– J'aimerais vous croire, lui dit Nogo, l'air dubitatif. Herr von Schiller est un homme dangereux.

– Vous avez fait du bon travail jusqu'ici, le rassura Nahoot. Il ne vous reste plus qu'à prendre la stèle et le sarcophage et à les transporter jusqu'à l'hélicoptère pour les rapporter au campement de Pégase. Si vous y parvenez, vous serez un homme riche. Plus riche que vous ne l'auriez jamais cru possible.

Il n'en fallut pas plus pour éperonner Nogo. Il surveilla ses hommes pendant qu'ils s'affairaient dans un nuage de poussière au pied de la stèle, creusant tout autour afin de desceller les dalles sur lesquelles elle reposait. Finalement, ils réussirent à dégager le pied de la stèle et, unissant leurs efforts, à déloger la pierre de l'endroit où elle reposait depuis près de quatre mille ans.

C'est seulement lorsqu'elle fut descellée qu'ils prirent conscience de son poids. Bien que de dimensions modestes, elle devait bien peser une demi-tonne. Nahoot retourna au *qiddist* et, ignorant les rangées de moines accroupis, arracha une douzaine des lourdes tentures de laine accrochées aux murs et chargea les soldats de les porter à l'intérieur du *maqdas*.

Il enveloppa la stèle et le sarcophage dans les tentures de laine grossièrement tissée. D'une étonnante robustesse, celles-ci offraient une bonne prise aux hommes chargés de les porter. Il fallut dix soldats pour soulever et transporter la stèle, tandis que trois autres se chargeaient du sarcophage et de son contenu desséché. Ce qui laissait sept hommes armés pour servir d'escorte.

Puis, ployant sous la charge, la procession s'ébranla et franchit la porte dévastée du saint des saints pour pénétrer dans le *qiddist* central.

Sitôt que la congrégation des moines vit ce qu'ils emportaient avec eux, une rumeur outragée de lamentations et d'exhortations s'éleva parmi les rangs des saints hommes accroupis.

– Silence ! rugit Nogo. Silence ! Faites taire ces imbéciles.

Les gardes chargèrent la masse humaine et, à coups de botte et de crosse, commencèrent à se frayer un chemin en criant aux moines de s'écarter pour laisser passer les porteurs. La rumeur allait croissant tandis que les moines s'encourageaient mutuellement en poussant des cris de protestation, et en se flagellant dans un accès de ferveur religieuse outragée. Plusieurs d'entre eux se relevèrent, outrepassant l'ordre qui leur avait été fait de rester assis. Ils se rapprochaient de plus en plus des hommes armés, s'agrippant à leurs uniformes, psalmodiant et s'agitant autour d'eux dans une démonstration d'hostilité croissante.

Au milieu de tout ce désordre, la silhouette spectrale de Jali Hora reparut soudain. Sa barbe et ses robes étaient tachées de sang et il roulait des yeux déments injectés de sang. De ses lèvres tuméfiées et de sa bouche meurtrie jaillit une longue plainte aiguë. Les rangées de moines gesticulants s'ouvrirent pour le laisser passer, et tel un épouvantail animé, son habit claquant autour de ses jambes grêles, il s'élança tout droit vers le colonel Nogo.

– Arrière, espèce de vieux cinglé ! rugit Nogo en brandissant le canon de son fusil d'assaut pour le repousser.

Mais aucune force terrestre n'aurait pu arrêter Jali Hora. Sans la moindre hésitation, il fonça droit sur la baïonnette que Nogo tenait pointée en direction de son abdomen.

La pointe d'acier transperça les robes chamarrées et pénétra dans la chair aussi aisément qu'un harpon dans le ventre d'un poisson, avant de ressortir au milieu de son dos, déchirant le manteau de velours tout éclaboussé du sang du vieil homme. Ainsi embroché, Jali Hora se tordait et gesticulait, tandis qu'une plainte horrible jaillissait d'entre ses lèvres ensanglantées.

Nogo voulut retirer sa baïonnette, mais les entrailles convulsées de l'abbé la retinrent prisonnière, et lorsque Nogo tira plus fort, Jali Hora s'agita comme un pantin, ses bras et ses jambes gesticulant et battant l'air en tout sens.

Il n'y avait qu'une seule façon de libérer la baïonnette. Nogo positionna le sélecteur de tir de son AK-47 sur « coup par coup ». Il tira une fois.

Bien qu'étouffée par le corps de Jali Hora, la détonation fut si puissante qu'elle fit cesser un instant les vociférations des moines. La balle déchira la chair à l'endroit où la lame avait pénétré. Tirée à une vitesse trois fois supérieure à la vitesse du son, elle créa une onde de choc hydrostatique qui réduisit les entrailles du vieillard en bouillie, liquéfiant littéralement les chairs. La convulsion qui jusqu'ici retenait la baïonnette prisonnière cessa, et l'impact du coup de feu libéra la pointe d'acier en projetant le corps de Jali Hora en arrière, dans les bras des moines qui se pressaient derrière lui.

Le silence tendu et surnaturel persista quelques instants encore, puis fut rompu par le chœur horrifié des moines qui redoubla d'intensité et de colère. C'était comme s'ils avaient été mus par un seul esprit, un seul instinct. Tel un vol d'oiseaux blancs, ils s'abattirent sur les hommes en armes qui se trouvaient parmi eux, fermement décidés à obtenir réparation pour le meurtre qui venait d'être commis. Sans même songer au danger, ils se jetèrent sur eux à mains nues, cherchant à leur arracher les yeux avec leurs doigts crochus, saisissant à pleines mains le canon des fusils pointés sur eux. Certains, même, saisissaient les baïonnettes qui tranchaient la chair et les tendons comme des lames de rasoir.

L'espace d'un court instant il sembla que les soldats allaient être vaincus, écrasés par le nombre, mais ceux qui portaient la stèle et le sarcophage lâchèrent leur fardeau et dégainèrent leurs armes.

Les moines les serraient de si près qu'ils ne purent pas mettre en joue et furent obligés de donner des coups de crosse et de baïonnette pour se ménager un espace afin de tirer. Ils n'avaient pas besoin de beaucoup de place car l'AK-47 est doté d'un canon court et d'une puissance de feu élevée. La première salve entièrement automatique, dirigée à bout portant sur les moines à hauteur de l'abdomen, ouvrit une brèche dans leurs rangs. Chaque balle atteignait sa cible et, sitôt qu'elle avait traversé le corps d'un homme, la balle perforante poursuivait sa trajectoire pour aller tuer l'homme qui se trouvait derrière.

A présent tous les soldats faisaient feu, la crosse sur la hanche, balayant les rangs serrés des moines, tels des jardiniers arrosant un parterre de pensées blanches. Lorsqu'un chargeur de vingt-huit coups était vide, ils l'ôtaient et le remplaçaient aussitôt par un autre.

Nahoot se réfugia derrière un pilier effondré, affolé par le rugissement assourdissant des fusils. Il regardait autour de lui, incapable de croire au carnage auquel il était en train d'assister. A une distance aussi rapprochée, la 7.62 est un missile redoutable qui peut trancher un bras ou une jambe aussi aisément qu'un coup de hache, mais moins proprement. Reçue en plein abdomen, elle vous éventre un homme comme de rien.

Un des moines reçut une balle en plein front. Son crâne explosa dans un nuage de sang et de cervelle, et le soldat qui l'avait touché éclata de rire sans cesser de tirer. Ils étaient tous pris dans la folie du moment. Telle une horde de chiens sauvages acculant leur proie, ils tiraient, rechargeaient et tiraient à nouveau.

Les moines des premiers rangs battirent précipitamment en retraite et se heurtèrent à ceux qui se trouvaient derrière eux. Ils se débattaient en poussant des cris de douleur et de terreur, jusqu'à ce qu'un ouragan de coups de feu s'abatte sur eux, tuant et blessant les moines qui tombaient pêle-mêle sur l'amoncellement de cadavres et d'agonisants. En cherchant à fuir devant la grêle de balles, les moines avaient bloqué la sortie. Entassés les uns contre les autres, ils se débattaient désespérément dans leurs habits blancs, et les soldats, qui étaient à présent seuls au centre du *qiddist*, pointèrent leurs canons sur la masse humaine prise au piège. Les balles se logeaient dans les corps qui tressaillaient et ployaient comme les arbres d'une forêt dans la tempête. A présent, les cris avaient presque entièrement cessé ; seule la voix des armes résonnait encore.

Il fallut quelques minutes encore avant que les fusils se taisent complètement. Puis on n'entendit plus que les gémissements et les plaintes des blessés. Dans le lieu de prière flottaient un brouillard de fumée bleue et une odeur de poudre brûlée. Même le rire des soldats se tut lorsqu'ils regardèrent autour d'eux et prirent conscience de l'énormité du massacre. Le sol était jonché de corps, leurs *shamma* éclaboussés d'écarlate, et sous eux le pavé couvert de flaques de sang frais dans lesquelles les cartouches de cuivre vides étincelaient comme des joyaux.

– Cessez le feu ! s'écria enfin Nogo. Reprenez la charge ! En avant, marche !

Sa voix les tira de leur torpeur et, remettant leurs fusils à l'épaule, ils se baissèrent pour reprendre leurs pesants fardeaux enveloppés dans les tentures. Puis ils se mirent en marche d'un pas chancelant, pataugeant dans les flaques de sang, trébuchant sur les corps agités de convulsions ou complètement inertes. Pris à la gorge par une odeur de poudre, de sang, d'entrailles et de boyaux déchiquetés par les balles, ils traversèrent le *qiddist*.

Lorsqu'ils atteignirent le seuil et commencèrent à descendre pesamment les marches menant à la nef de l'église, Nahoot lut du soulagement sur le visage de ces vétérans endurcis qui se hâtaient loin de la puanteur du charnier. Pour Nahoot, c'était trop. Une vision d'horreur comme il n'en avait jamais vu, même dans ses pires cauchemars.

Il s'approcha en chancelant du mur de la nef et s'agrippa à l'une des tentures murales, puis son estomac se souleva brusquement et une gorgée de bile amère lui remplit la bouche. Lorsqu'il regarda à nouveau autour de lui, il vit qu'il était seul à l'exception d'un moine blessé qui arrivait dans sa direction en rampant sur le sol de pierre. Touché à la colonne vertébrale, l'homme traînait ses jambes paralysées derrière lui, laissant sur les pavés une trace de sang gluante comme de la bave d'escargot.

Nahoot poussa un cri strident et recula, puis il se retourna d'un bond et sortit en courant de l'église pour longer le cloître qui surplombait les gorges du Nil à la suite du groupe de soldats qui commençait à gravir l'escalier de pierre avec le butin. Sa terreur était telle qu'il n'entendit même pas approcher l'hélicoptère dont le rotor tournoyait au-dessus de sa tête comme un disque d'argent.

16

Gotthold von Schiller attendait devant la porte de son quartier général en compagnie d'Utte Kemper, qui se tenait en retrait d'un pas. Le pilote du Jet Ranger avait annoncé son arrivée par radio et, au sol, tout était prêt pour recevoir son précieux chargement. L'engin souleva un nuage de poussière pâle en atterrissant sur la piste circulaire aménagée à son intention. La forme oblongue et emmaillotée de tapisseries qu'il transportait n'entrant pas dans la cabine, on avait dû la ficeler entre les patins de l'hélicoptère. Dès que ces derniers eurent touché terre et que le pilote eut coupé le moteur, la petite douzaine d'hommes qui composait l'équipe de Jake Helm s'élança pour défaire les cordages de nylon. Les hommes, vêtus de combinaisons de toile, portèrent la stèle jusqu'au préfabriqué. Helm, qui suivait de près, donnait des ordres brefs.

On avait dégagé le centre de la salle de conférences en repoussant la longue table contre un des murs. Les hommes de Helm y déposèrent la stèle avec d'infinies précautions. Quelques minutes plus tard, c'était au tour du cercueil de Tanus, Grand Lion d'Égypte, d'être rangé à ses côtés.

Helm congédia ses hommes sans ménagement et referma soigneusement la porte derrière eux. Ils n'étaient plus que quatre dans la pièce. Nahoot et Helm s'accroupirent de part et d'autre de la stèle et se préparèrent à la dégager des tapisseries de laine. Von Schiller alla se poster devant, Utte à ses côtés.

– Pouvons-nous commencer ? demanda Helm d'une

voix sourde tout en scrutant le visage de von Schiller comme un chien guette les expressions de son maître.

– Doucement, fit von Schiller d'une voix étranglée. N'abîmez rien.

Son front était recouvert d'un écran de transpiration et son visage était devenu extrêmement pâle. Utte se rapprocha instinctivement de lui mais il ne lui accorda pas le moindre regard : il fixait le trésor déposé à ses pieds.

Helm déplia la lame de son couteau et trancha les câbles qui retenaient les couvertures. La respiration de von Schiller devint bruyante, comme celle d'un homme aux poumons viciés.

– C'est ça, souffla-t-il d'une voix rauque. Oui, c'est comme ça qu'il faut s'y prendre.

Utte Kemper surveillait l'expression de son visage. Ajouter un bel objet à ses collections lui faisait toujours cet effet. Il avait l'air au bord d'une violente attaque cardiaque, mais elle savait que de ce côté-là il ne craignait rien.

Helm alla à l'extrémité de la stèle. Il pratiqua une petite ouverture dans la toile, glissa sa lame dans la fente et la fit lentement courir jusqu'à la base, comme s'il défaisait une fermeture à glissière. La lame était tranchante comme un rasoir et fendit le tissu qui glissa au sol, révélant la pierre gravée.

La sueur jaillit des pores de von Schiller comme de la rosée. Elle gouttait de son menton sur sa saharienne. La vision des hiéroglyphes gravés lui arracha un petit gémissement. Utte le regarda, attentive à la montée de son propre désir. Elle savait ce dont il était capable quand il était, comme maintenant, au paroxysme de l'émotion.

– Regardez ici, Herr von Schiller.

Nahoot, agenouillé devant l'obélisque, parcourut du doigt la forme du faucon à l'aile brisée.

– C'est la signature de l'esclave Taita.

– Est-elle authentique ?

Von Schiller parlait en sifflant, comme un homme qu'une grave maladie ferait suffoquer.

– Absolument. J'y mettrais ma tête à couper !

– Nous y viendrons peut-être, fit von Schiller dont les yeux luisaient avec l'éclat dur et clair du saphir.

– Cette colonne a été sculptée il y a près de quatre

mille ans, affirma Nahoot. Ce sceau est le véritable sceau du scribe.

Le visage illuminé par une sorte de ravissement religieux, il se pencha sur les signes de pierre et les traduisit avec volubilité :

– *Anubis à tête de chacal, le dieu des cimetières, tient dans ses griffes le sang et les viscères, les os et les poumons et le cœur qui sont mon corps séparé. Il les déplace comme les pierres du jeu de bao. Mes membres lui servent de boulier, ma tête est la sphère immense du grand...*

– Ça suffit ! ordonna von Schiller. Vous continuerez plus tard. Partez, maintenant. Laissez-moi seul. Ne revenez pas avant que je ne vous aie convoqués.

Nahoot parut tout étonné. Il se releva maladroitement. Il ne s'attendait pas à se faire congédier au moment même où il triomphait, et d'une façon aussi brutale. Helm lui fit signe d'obéir et tous deux se hâtèrent en direction de la porte.

– Helm, fit von Schiller d'une voix pâteuse, veillez à ce que personne ne me dérange.

– Certainement, Herr von Schiller.

Il coula un regard interrogateur vers Utte mais von Schiller intervint.

– Elle reste.

Les deux hommes quittèrent la pièce, Helm referma soigneusement la porte derrière eux. Utte alla donner un tour de clé dans la serrure. Puis elle se retourna, face à von Schiller, et s'adossa au battant, les mains croisées derrière elle.

Ses seins étaient tendus vers lui, fermes et agressifs. Sous le tissu fin de son chemisier, ses mamelons se devinaient nettement, durs comme des billes.

– Le costume, fit-elle. Voulez-vous le costume ?

Sa propre voix était rauque et tendue. Elle prenait à ce jeu autant de plaisir que lui.

– Oui, murmura-t-il. Le costume.

Elle se dirigea vers la porte du fond et disparut dans ses quartiers privés. Dès qu'elle fut partie, von Schiller commença à se déshabiller. Une fois nu, il jeta ses vêtements dans un coin et, planté au milieu de la pièce, fit face à la porte par laquelle elle allait bientôt réapparaître.

Elle se matérialisa d'un coup sur le seuil. La transformation qu'elle avait subie le fit suffoquer. Elle portait une perruque égyptienne de nattes tressées et s'était coiffée de l'*uraeus*, le serre-tête d'or avec le cobra dressé au-dessus du front. C'était une couronne authentique, extrêmement ancienne : von Schiller l'avait payée cinq millions de marks.

– Je suis la réincarnation de Lostris, l'ancienne reine d'Égypte, souffla-t-elle. Mon âme est immortelle, ma chair est imputrescible.

Elle était chaussée de sandales qui, comme ses bagues, ses anneaux d'oreilles et ses bracelets, provenaient de la tombe d'une princesse. Tout ce qu'elle portait était une véritable relique royale.

– Oui, fit-il d'une voix inégale, le visage pâle comme celui d'un mort.

– Rien ne peut me détruire. Je vivrai éternellement.

Sa jupe était d'une soie jaune et diaphane, ceinturée d'or et de pierres précieuses.

– Éternellement, répéta-t-il.

Elle était nue jusqu'à la taille. Ses gros seins étaient blancs comme le lait. Elle les prit entre ses mains en coupe.

– Depuis quatre mille ans, ils sont restés jeunes et tendres, ronronna-t-elle. Je te les donne.

Elle ôta ses sandales dorées, révélant des pieds minces et bien dessinés. Elle écarta les pans de sa jupe et les maintint de manière à exposer son sexe. Tous ses gestes étaient lents et très calculés. C'était une actrice consommée.

– Voici la promesse de vie éternelle, dit-elle en posant une main sur la toison couleur de miel. Je te la donne.

Il grogna et cligna des paupières pour chasser la sueur qui lui coulait dans les yeux. Il la regardait avec avidité.

Avec la suavité d'un cobra qui déroule ses anneaux, elle se mit à lentement onduler des hanches. Elle écarta les pieds et ouvrit les cuisses. Ses doigts entrouvrirent les lèvres de sa vulve.

– Voici la porte qui donne sur l'éternité. Je l'ouvre pour toi.

Von Schiller grogna plus fort. Le rituel avait beau se répéter à l'identique, il était toujours aussi efficace. Il avança vers elle, comme en transe. Son corps était mince et desséché comme celui d'une momie antique.

Les poils de sa poitrine offraient des reflets argentés, la peau de son ventre pendait en plis froissés mais la toison de son pubis était aussi noire et aussi dense que ses cheveux. Son pénis était énorme, complètement hors de proportion avec le corps vieillot dont il saillait. Il se tendit quand elle s'approcha, se releva, braqué selon un angle nouveau. Comme indépendant, son prépuce se retroussa sur la tête pourpre et massive qu'il protégeait.

– Sur la stèle, grogna-t-il. Vite, sur la pierre !

Elle lui tourna le dos et s'agenouilla sur la pierre, en le regardant approcher par-dessus son épaule. Elle avait les fesses rondes et blanches comme des œufs d'autruche.

Helm et ses hommes travaillèrent toute la nuit dans les ateliers de Pégase à la fabrication des caisses de bois qui abriteraient la stèle et le cercueil. A l'aube, ils les chargèrent à l'arrière d'un camion et les protégèrent avec d'épaisses plaques de caoutchouc avant de les ficeler aux châssis conçus spécialement à cet effet.

Nahoot avait demandé à voyager à l'arrière du camion. Il fallut trente heures d'un voyage éprouvant pour couvrir la distance qui les séparait d'Addis-Abeba. Quand le camion couvert de poussière passa en cahotant les grilles du périmètre de sécurité, le Falcon de Pégase attendait sur le tarmac de l'aéroport.

Von Schiller et Utte Kemper avaient rejoint Addis dans l'hélicoptère de la compagnie. Le général Obeid était avec eux, il était venu leur souhaiter bon voyage.

Pendant que l'on chargeait les caisses dans l'avion, Obeid alla s'entretenir avec l'officier des douanes. Celui-ci tamponna les documents qui autorisaient l'exportation de deux caisses d'échantillons géologiques et il se retira avec discrétion.

– Le chargement est terminé, Herr von Schiller. Nous sommes prêts à décoller, vint avertir le pilote avec un salut déférent.

Von Schiller serra la main de Obeid et gravit la passerelle. Utte et Nahoot Guddabi lui emboîtèrent le pas. Les cernes autour des yeux de Nahoot étaient plus profonds et plus foncés que jamais, le voyage l'avait quasiment vidé de toute énergie mais il ne pouvait se résoudre à quitter, ne serait-ce que du regard, les précieuses caisses de bois.

Le Falcon grimpa à l'assaut du ciel dégagé, au-dessus des montagnes, et mit le cap sur le nord. Quelques minutes après que le commandant eut éteint les voyants des ceintures de sécurité, Utte Kemper passa sa jolie tête blonde par l'ouverture de la porte du cockpit.

– Herr von Schiller voudrait connaître notre heure d'arrivée, fit-elle au pilote.

– Je compte atterrir à Francfort à vingt et une heures. Veuillez informer Herr von Schiller que j'ai demandé que des moyens de transport soient à notre disposition dès notre arrivée.

Le Falcon atterrit avec quelques minutes d'avance sur l'heure prévue. Il roula jusqu'à son hangar privé. Les officiers des douanes et de l'immigration qui les attendaient étaient de vieilles connaissances. Ils étaient toujours de service quand le Falcon apportait ce type de chargement particulier. Les formalités terminées, ils burent un verre de schnaps avec Gotthold von Schiller, au petit bar intégré du jet. Ils empochèrent avec discrétion les enveloppes qui avaient été déposées à leur intention devant les verres de cristal.

Le voyage vers les montagnes prit tout le reste de la nuit. La route était verglacée. Le chauffeur de von Schiller roulait derrière le camion bâché de Pégase, sans jamais le perdre de vue. Ils passèrent la grille du château à cinq heures du matin. Le parc était recouvert de cinquante centimètres de neige. Avec ses remparts de pierre noire et ses fenêtres en ogive, le château semblait sorti du roman de Bram Stoker. Malgré l'heure avancée, le majordome et son équipe au grand complet se tenaient prêts à accueillir leur maître.

Herr Reeper, le conservateur de la collection von Schiller, était également présent, avec ses assistants les plus sûrs, afin de transporter les deux coffres vers les caves. Ils les chargèrent avec mille précautions sur le chariot élévateur et descendirent vers les caves à l'aide du monte-charge installé à cet effet.

Pendant que l'on déballait les caisses, von Schiller rejoignit ses appartements de la tour nord. Il prit un bain et goûta au petit déjeuner que lui avait préparé son chef chinois. Puis il alla dans la chambre de sa femme. Elle lui parut encore plus frêle et émaciée que la dernière fois. Ses cheveux étaient tout blancs maintenant, ses traits tirés et son teint cireux. Il congédia l'infirmière et embrassa tendrement le front de sa femme. Le cancer la dévorait lentement mais elle était la mère de ses deux fils et, à sa manière particulière, il l'aimait toujours.

Il passa une heure avec elle puis il regagna sa propre chambre. Il ne dormit que quatre heures. Il n'avait jamais eu besoin de dormir plus. Il travailla jusqu'au milieu de l'après-midi avec Utte et deux autres secrétaires, puis le conservateur lui fit savoir par l'interphone qu'ils étaient à sa disposition, dans la cave.

Von Schiller et Utte prirent l'ascenseur. Herr Reeper et Nahoot les attendaient à la sortie, devant les portes coulissantes. Dès le premier regard, von Schiller remarqua qu'ils étaient bouleversés par une émotion qui dépassait toute mesure. Ils brûlaient d'envie de lui communiquer leurs informations, de toute évidence.

– Avez-vous fini l'analyse aux rayons X? leur demanda-t-il pendant qu'ils pressaient le pas derrière lui, le long du couloir souterrain qui menait à la cave.

– Les techniciens ont terminé, déclara Reeper. Ils ont bien travaillé. Les plaques sont magnifiques. *Ja, wunderbar !*

Von Schiller était un des mécènes de la clinique, et toutes ses demandes étaient traitées comme les ordres d'un roi. Le directeur avait envoyé son équipement le plus moderne ainsi que deux techniciens pour photographier la momie de Seigneur Harrab, et un chef radiologue pour interpréter les clichés.

Reeper inséra sa carte dans la serrure d'acier qui défendait la cave. La porte s'ouvrit avec un discret sifflement pneumatique. Ils firent tous un pas de côté pour laisser passer von Schiller. Celui-ci marqua une pause sur le seuil et examina la vaste cave. Le plaisir était toujours aussi vif, il semblait même se faire plus intense chaque fois qu'il pénétrait dans cet endroit.

Les murs étaient recouverts d'un revêtement d'acier et de béton de deux mètres d'épaisseur et protégés par tous les gadgets électroniques qu'avait pu inventer le génie humain. Mais la salle d'exposition en face de laquelle il se tenait ne révélait rien de tout cet appareillage. Éclairée avec parcimonie et meublée avec élégance, elle avait été dessinée et décorée par le plus grand des architectes d'intérieur d'Europe. La couleur dominante était le bleu, chaque pièce de la collection avait sa vitrine particulière et toutes ces vitrines étaient méticuleusement disposées sous leur meilleur angle.

L'or et les pierres précieuses nichées dans des coussins de velours bleu nuit brillaient doucement. Des projecteurs habilement dissimulés réveillaient le lustre de la pierre et de l'albâtre, de l'ivoire et de l'obsidienne. Il y avait des statues extraordinaires. Le panthéon des anciens dieux était au complet : Thot et Anubis, Hâpy et Seth ainsi que la glorieuse trinité, Osiris, Isis et Horus. Ils fixaient l'espace de ces yeux mystérieux qui avaient vu la lente procession des siècles.

Sur son piédestal temporaire, au centre de la pièce, se dressait le dernier objet ajouté à cette collection hors du commun : la pierre haute et svelte que Taita avait laissée en guise de testament. Von Schiller s'arrêta pour en caresser la surface polie puis pénétra dans la salle attenante.

Le cercueil de Tanus, Seigneur Harrab, reposait sur deux tréteaux. Une radiologue en blouse blanche était penchée sur son écran rétro-éclairé où étaient épinglées des plaques de clichés aux rayons X. Von Schiller alla droit à l'écran et examina les images fantomatiques qui y étaient exposées. Dans le cadre que dessinait le cercueil de bois, la silhouette du gisant aux mains croisées sur la poitrine était d'une parfaite netteté. Elle lui rappelait l'effigie gravée sur le sarcophage d'un roi médiéval.

– Quelles informations pouvez-vous me donner à propos de ce corps ? demanda-t-il à la jeune femme sans la regarder.

– Il est de sexe masculin, répondit-elle de sa voix tranchante. A sa mort, il avait entre cinquante et soixante-cinq ans. Il était de petite taille.

La déclaration fit tiquer l'entourage de von Schiller. Ils lui jetèrent des regards circonspects mais il semblait ne se rendre compte de rien.

– Il lui manque cinq dents. Une incisive de la mâchoire supérieure, une canine et trois molaires. Ses dents de sagesse sont barrées et ses autres dents sont toutes cariées. Il y a des traces d'infection par la bilharzie. Il a probablement eu la poliomyélite dans son enfance. Sa jambe gauche est atrophiée.

Il lui fallut cinq minutes pour énumérer ses constatations.

Elle acheva par ces mots :

– La cause de la mort semble être une blessure à la

partie supérieure droite du thorax. Une lance ou une flèche. D'après l'angle de la blessure, la pointe du projectile a transpercé le poumon droit.

– Rien d'autre ?

La radiologue marqua une hésitation, puis répondit :

– Herr von Schiller, vous n'ignorez pas que j'ai déjà procédé à plusieurs examens sur des momies pour vous. Dans lc cas dc cellc-ci, lcs incisions qui ont permis l'extraction des viscères semblent avoir été faites avec beaucoup plus de soin et d'adresse que sur les autres cadavres. La personne qui les a faites devait être un chirurgien confirmé.

– Merci, fit von Schiller. Avez-vous des commentaires à faire ? demanda-t-il à Nahoot.

– Rien sinon que cette description ne correspond pas au portrait que le septième papyrus fait de Tanus, Seigneur Harrab, à l'heure de sa mort.

– Que voulez-vous dire ?

– Tanus était un homme de grande taille. Il était plus jeune. Regardez ses portraits, sur le couvercle du cercueil.

– Continuez.

Nahoot approcha de l'écran et désigna de l'index plusieurs formes sombres, toutes très nettes, qui ornaient le corps.

– Des bijoux, fit-il. Des amulettes, des bracelets, des pectoraux. Plusieurs colliers, des bagues et des anneaux d'oreilles. Et surtout, ajouta-t-il en caressant le cercle noir qui ceignait la tête du mort, la couronne. L'*uraeus*. La forme du serpent sacré est nettement reconnaissable.

– Qu'est-ce que cela signifie ? demanda von Schiller, intrigué.

– Il ne s'agit pas du corps d'un individu quelconque. Ce n'est même pas celui d'un noble. Il a trop de bijoux. Et la couronne ! Le cobra sacré, l'*uraeus* qui n'est porté que par la royauté. Je peux affirmer que nous sommes en présence d'une momie royale.

– C'est impossible, coupa von Schiller. Regardez les inscriptions portées sur le cercueil. Et celles peintes sur les murs de la tombe. De toute évidence, il s'agit de la momie d'un général égyptien.

– Avec tout le respect que je vous dois, Herr von Schiller, il y aurait une explication. Dans *Le dieu Fleuve*, le livre écrit par cet Anglais, il est suggéré que Taita l'esclave a échangé les deux momies. Celle du pharaon Mamose et celle de son ami, Tanus.

– Pour quelle raison aurait-il bien pu faire une chose pareille ?

– Ce n'est sans doute pas de l'ordre de la raison, mais plutôt du spirituel, ou du surnaturel. Taita voulait que son ami jouisse de la fortune du pharaon dans l'autre monde. C'était le dernier cadeau qu'il pouvait faire à son ami.

– Vous y croyez, vous ?

– Je ne l'exclus pas. Un autre détail semble étayer cette théorie : le cercueil est visiblement trop grand pour ce corps. Pour moi, il a été dessiné pour accueillir un homme plus fort. Oui, Herr von Schiller, je crois qu'il y a toutes les chances pour que ce soit une momie royale.

Le visage de von Schiller avait viré au gris pâle. Des perles de sueur brillaient sur son front et sa voix était rauque.

– Une momie royale ?

– Il y a de fortes chances.

Von Schiller avança lentement jusqu'au cercueil scellé qui reposait sur ses tréteaux. Il se pencha sur le couvercle où était peint le visage de l'homme mort.

– L'*uraeus* d'or de Mamose. Les bijoux personnels du pharaon. (Il posa sur le cercueil une main tremblante.) Si c'est vrai, alors notre découverte dépasse nos plus folles espérances. (Von Schiller inspira profondément.) Ouvrez le cercueil. Enlevez ses bandages à la momie du pharaon Mamose.

Ce fut une entreprise délicate. Nahoot avait déjà accompli ce type de travaux, mais jamais sur la dépouille d'un personnage aussi illustre qu'un roi d'Égypte.

Il dut d'abord trouver le joint qui, sous la peinture, scellait le couvercle au cercueil. Cela fait, il put gratter l'antique couche de vernis et de colle qui faisait adhérer le couvercle. Cette opération devait être menée avec le plus grand soin, de manière à infliger le moins de dommages possible au cercueil lui-même, objet d'une valeur inestimable. Ce travail dura quasiment deux jours.

Quand le couvercle fut décollé et prêt à être soulevé, Nahoot fit parvenir une note à von Schiller. Le vieil homme était en réunion, dans la bibliothèque, avec ses fils et les autres directeurs de ses sociétés. Von Schiller, qui ne pouvait supporter l'idée de s'éloigner dc scs trésors, avait refusé de se rendre en ville. A peine eut-il pris connaissance du message de Nahoot qu'il ajourna la réunion. Il congédia ses directeurs et ses rejetons sans plus de cérémonie et se précipita à la cave.

Au-dcssus du cercueil, Nahoot et Reeper avaient fait dresser un échafaudage qui soutenait des cales et des appareils de levage. Dès que von Schiller fit son apparition, Reeper congédia ses assistants. Seuls Nahoot, von Schiller et lui seraient témoins de l'ouverture du cercueil.

Reeper apporta à Schiller le piédestal recouvert de moquette de manière que ce dernier, juché dessus, puisse suivre toutes les opérations. Depuis son perchoir, le vieil homme leur intima l'ordre de commencer. Nahoot et Reeper pressèrent précautionneusement sur les leviers qui firent cliqueter les deux appareils de levage, cran après cran. Un craquement assourdi puis un bruit de rupture firent tressaillir von Schiller.

– Ce ne sont que les derniers points de colle qui cèdent, le rassura Nahoot.

– Continuez ! ordonna von Schiller.

Ils soulevèrent le couvercle de quelques centimètres supplémentaires, jusqu'à ce qu'il soit suspendu au-dessus du cercueil. L'échafaudage était monté sur des roulettes feutrées qui avançaient sans à-coups sur le sol carrelé. Ils déplacèrent ainsi la structure tout entière, emportant le couvercle du cercueil qui y était suspendu. Von Schiller scruta l'intérieur du cercueil. Une expression de surprise envahit ses traits. Il s'était attendu à une forme humaine soigneusement enrubannée et reposant, avec la sérénité requise, dans l'attitude mortuaire classique, mais l'intérieur du cercueil était rempli de bandelettes de coton sous lesquelles on devinait à peine le corps.

– Que diable..., s'exclama von Schiller.

Il avança la main pour empoigner les paquets de vieux bandages décolorés mais Nahoot l'arrêta.

– Non ! N'y touchez pas, cria-t-il d'un ton brutal avant de retrouver son obséquiosité. Je vous prie de m'excuser, Herr von Schiller, mais tout ceci est d'un intérêt essentiel. Cela confirme la théorie de l'échange des corps. Je crois que nous devons étudier cela avant de procéder au dévoilement de la momie. Avec votre permission, bien entendu, Herr von Schiller.

Von Schiller hésita. Il brûlait de découvrir ce qui reposait sous cet espèce de nid de rat où s'emmêlaient les vieux chiffons, mais il ne pouvait nier la vertu de la prudence et de la modération. Des actes inconsidérés provoqueraient des dommages irréparables. Il se redressa et descendit de son bloc.

– Très bien, grommela-t-il.

Il tira un mouchoir de la poche-poitrine de son costume croisé bleu nuit et tapota son front qui se couvrait d'une abondante sueur.

– Est-ce possible ? Cela peut-il être Mamose ? demanda-t-il d'une voix tremblante.

C'est en fourrant son mouchoir dans la poche de son pantalon qu'il prit conscience de la douloureuse érection qui déformait sa braguette. Il allongea son sexe contre son ventre en le saisissant à travers la doublure de sa poche.

– Retirez tous ces torchons.

– Avec votre permission, Herr von Schiller, nous allons d'abord en faire des clichés, suggéra Reeper avec tact.

– Bien sûr, fit von Schiller. Nous sommes des hommes de science, des archéologues, pas de vulgaires pillards. Faites donc vos photos.

Ils se mirent à l'ouvrage avec une lenteur que von Schiller trouva criminelle. Au fond de cette cave, on n'éprouvait aucune sensation du passage du temps. Quand le vieil homme consulta la montre en or qu'il portait au poignet, il s'aperçut avec étonnement qu'il était plus de vingt et une heures. Il défit son nœud papillon et le jeta sur le banc où gisait déjà sa veste.

Progressivement, la forme humaine émergeait de la masse compacte des bandages hors d'âge. Minuit était passé quand Nahoot écarta la dernière couche des tissus qui enveloppaient le torse de la momie. Ils cillèrent en découvrant l'éclat de l'or qui transparaissait sous les bandages posés par les mains habiles des embaumeurs.

– A l'origine, bien sûr, il devait y avoir plusieurs cercueils extérieurs. Ils ont disparu, comme les masques, qui doivent se trouver dans le sarcophage original de Pharaon, où se trouve le corps de Tanus dont la localication demeure encore un mystère. Il ne reste plus ici que les premières bandelettes de la momie royale.

A l'aide de longs forceps, il éplucha la couche supérieure de bandages pendant que von Schiller, juché sur son bloc, poussait des soupirs et s'agitait.

– Le médaillon pectoral de la maison royale de Mamose, chuchota Nahoot avec révérence.

Dans la lumière des lampes à arc, le superbe joyau brillait des éclats resplendissants de l'or, du lapis-lazuli et de la cornaline. Il recouvrait entièrement le torse de la momie. Le motif central était un vautour aux ailes largement déployées, avec dans ses serres le cartouche doré du roi. L'ouvrage était exceptionnel, le dessin splendide.

– Maintenant, le doute n'est plus possible, chuchota von Schiller. Le cartouche prouve l'identité du corps.

Ils dégagèrent ensuite les mains du roi qui étaient croisées sur le grand médaillon. Les doigts étaient longs et délicats, et chacun était alourdi par des bagues magnifiques. Le sceptre et le fléau, symboles de la royauté, étaient maintenus serrés entre les mains du mort. Nahoot exulta en les découvrant.

– Les symboles du pouvoir royal. C'est encore une preuve qu'il s'agit bien de Mamose VIII, le maître du Royaume du Haut et du Royaume du Bas.

Il s'approcha du visage voilé du monarque mais von Schiller l'interrompit.

– Laissez ça pour la fin, ordonna-t-il. Je ne suis pas encore prêt à regarder le visage de Pharaon.

Nahoot et Reeper s'attaquèrent à la partie inférieure du monarque. Chaque couche de coton écartée révélait des amulettes, placées là par les embaumeurs pour la protection du défunt. C'était des bijoux d'or et de céramique, aux couleurs rayonnantes et aux formes merveilleuses : tous les oiseaux du ciel et toutes les créatures de la terre étaient représentés ainsi que les poissons qui frayaient dans les eaux du Nil. Ils prirent des clichés de toutes les amulettes puis les retirèrent et les rangèrent dans les cases numérotées des plateaux qui avaient été disposés sur un établi.

Pharaon avait de petits pieds, aussi délicats que ses mains. Chaque orteil était orné de bagues précieuses. Maintenant que seule sa tête était encore couverte, les deux hommes regardèrent von Schiller d'un air interrogateur.

– Il est très tard, Herr von Schiller, fit Reeper. Si vous désirez vous reposer...

– Continuez, coupa celui-ci avec brutalité.

Ils se placèrent de part et d'autre de la tête de la momie pendant que von Schiller restait sur son piédestal, entre eux deux.

La face du roi apparut progressivement dans la lumière pour la première fois depuis près de quatre mille ans. Ses cheveux étaient un fin nuage qui gardait les nuances rouges du henné qu'il avait employé pendant toute sa vie. Sa peau, qui avait été traitée avec des résines aromatiques, était dure comme de l'ambre poli. Son nez était mince et aquilin, ses lèvres étirées en un sourire doux, presque rêveur, qui révélait le trou de son incisive manquante.

La résine scellait ses cils qui semblaient humides de larmes et, entre ses paupières entrouvertes, la vie semblait palpiter encore. Ce n'est qu'en se penchant plus près que von Schiller s'aperçut que la lumière qui vibrait dans ces orbites millénaires n'était due qu'à des reflets sur les disques de porcelaine que les embaumeurs avaient glissés dans les orbites vides.

Le front de Pharaon arborait l'*uraeus* sacré. Chaque détail de la tête du cobra était parfaitement intact. Le métal tendre n'était ni rayé ni déformé. Les crocs pointus du reptile étaient recourbés sur une longue langue bifide roulée entre eux, et ses yeux étaient de verre bleu qui étincelait. Sur le bandeau d'or, à l'arrière du capuchon déployé, était gravé le cartouche royal de Mamose.

– Je veux cette couronne ! fit von Schiller d'une voix qui tremblait d'excitation. Dégagez-la que je puisse la tenir dans mes mains.

– Nous ne pourrons peut-être pas l'enlever sans abîmer la tête de la momie royale, protesta Nahoot.

– Ne discutez pas. Faites ce que je dis.

– Immédiatement, Herr von Schiller. Mais il nous faudra du temps pour cela. Si Herr von Schiller désire prendre un peu de repos, nous viendrons l'avertir quand la couronne sera à sa disposition.

Les résines qui imbibaient la peau de la momie avaient fait adhérer le cercle d'or. Pour le retirer, Nahoot et Reeper durent d'abord soulever le corps tout entier et l'étendre sur le brancard d'acier qui attendait près du cercueil. Puis ils ramollirent les résines et les ôtèrent à l'aide de solvants spécialement préparés. L'opération dura aussi longtemps que l'avait prévu Nahoot.

Ils purent enfin déposer l'*uraeus* d'or sur un coussin de velours bleu, comme dans un rite de couronnement. Ils baissèrent les lumières et disposèrent un spot de manière qu'il n'éclaire que la couronne. Puis ils montèrent chercher von Schiller.

Ce dernier descendit admirer la couronne mais interdit aux deux archéologues de le suivre. Il gagna la cave en compagnie d'Utte Kemper. Il actionna la serrure et fit glisser la lourde porte.

Quand il pénétra dans la cave, la couronne qui scintillait dans son nid de velours accrocha tout de suite son regard.

Sa respiration devint aussitôt sifflante comme celle d'un asthmatique. Il s'empara de la main d'Utte et la serra jusqu'à ce que ses jointures craquent. La douleur la fit gémir mais elle l'excitait aussi. Von Schiller la déshabilla, plaça la couronne sur sa tête et l'allongea entièrement nue dans le cercueil ouvert.

– Je suis la promesse de la vie, murmura-t-elle. J'ai le visage resplendissant de l'éternité.

Il ne la toucha pas. Il dominait le cercueil, nu, avec son membre épaissi et turgescent qui jaillissait de la base de son ventre comme une créature animée d'une vie indépendante.

Elle fit lentement glisser ses mains le long de son propre corps et quand ses doigts atteignirent son mont de Vénus, elle entonna avec gravité :

– Puisses-tu vivre toujours !

La couronne de Mamose se révéla indubitablement efficace. Rien auparavant n'avait produit pareil effet sur Gotthold von Schiller : la tête écarlate de son pénis explosa toute seule et les rubans d'argent de sa semence fusèrent et éclaboussèrent le ventre immaculé d'Utte Kemper.

Dans le cercueil ouvert, elle cambra le dos et se contorsionna dans l'orgasme qui la consumait.

Bien qu'il ne se fût écoulé que quelques semaines, Royan avait l'impression d'avoir été privée des années entières de son Égypte natale. Maintenant, elle prenait vraiment conscience de l'intensité avec laquelle tout lui avait manqué : les rues de la ville, populeuses et encombrées, les merveilleuses senteurs d'épices, de nourriture et de parfums qui flottaient dans les bazars et la voix plaintive du muezzin qui, depuis les minarets des mosquées, appelait les fidèles à la prière.

Il faisait encore nuit quand, ce matin-là, elle sortit de l'appartement de Giza. Son genou blessé étant toujours enflé et douloureux, elle clopina le long des rives du Nil en s'aidant de sa canne. Elle contempla l'aube qui pavait le fleuve de reflets de cuivre et d'or et sertissait de flammes les voiles triangulaires des felouques.

Comme ce Nil était différent de celui qu'elle avait vu en Éthiopie ! Ce n'était pas l'Abbay, mais le vrai Nil, vaste et lent, qui charriait sa puissante et familière odeur de boue. C'était son fleuve, sa terre. En sa présence, les résolutions qu'elle avait prises et qui l'avaient ramenée ici, chez elle, se renforcèrent. Ses doutes s'apaisèrent et sa conscience retrouva la sérénité. Elle fit demi-tour et repartit, sûre d'elle et pleine de confiance en la voie sur laquelle elle s'engageait.

Elle rendit visite à la famille de Duraid. Elle dut faire amende honorable pour être partie si brutalement, pendant si longtemps et sans fournir d'explications. Son beau-frère commença par lui témoigner une froideur rigide mais, après que sa femme eut versé quelques larmes en embrassant Royan et que ses enfants se furent pendus à ses jupes – n'était-elle pas leur *ammah* préférée ? –, il s'adoucit et se proposa même de l'accompagner à l'oasis. Quand elle expliqua qu'elle voulait être seule pour se rendre au cimetière, il alla jusqu'à lui proposer sa précieuse Citroën.

Devant la tombe de Duraid, Royan savoura l'odeur du désert qui venait lui emplir les narines, portée par une brise brûlante qui jouait dans ses cheveux. Duraid avait toujours aimé le désert, et il était agréable de le savoir désormais proche de lui. La stèle de sa tombe était simple et traditionnelle : elle ne portait que son nom et ses dates, sous une croix gravée. Elle s'agenouilla et nettoya la tombe, remplaçant les bouquets desséchés par ceux qu'elle avait apportés du Caire.

Puis elle s'assit sur le sable pour s'attarder plus tranquillement en sa compagnie. Elle n'avait rien préparé, elle se contenta de faire revivre dans son esprit les nombreux instants de bonheur qu'ils avaient vécus ensemble. Elle se souvint de sa compréhension, de sa gentillesse, de la chaleur tranquille de l'amour qu'il éprouvait à son égard. Elle regrettait de n'avoir jamais pu le lui retourner à sa juste mesure, mais même cela, il l'avait compris et accepté.

Elle souhaitait qu'il comprenne aussi pourquoi elle était revenue. C'était un adieu. Elle l'avait pleuré et, même si elle ne devait jamais l'oublier, même s'il faisait partie d'elle-même pour toujours, le temps était venu pour elle de s'en aller. Et pour lui, de la laisser s'éloigner.

Quand elle quitta le cimetière, ce fut sans se retourner.

Pour ne pas avoir à repasser devant la villa calcinée, elle choisit d'emprunter la route qui contournait la rive sud du lac. Elle préférait ne pas se souvenir de la nuit d'horreur où Duraid avait trouvé la mort. Elle ne rejoignit la ville que bien après la tombée de la nuit. La famille de Duraid la vit revenir avec soulagement. Son beau-frère fit trois fois le tour de la Citroën pour s'assurer que la carrosserie était intacte avant de la pousser à l'intérieur de la maison où sa femme leur avait préparé un festin.

Atalan Abou Sin, le ministre que Royan était venu voir, se trouvait en visite officielle à Paris où il devait passer trois jours. Sachant Nahoot Guddabi absent du Caire, Royan attendit son retour en toute tranquillité. Elle passa le plus clair de son temps au musée. Elle y avait beaucoup d'amis qui furent tous enchantés de la revoir et s'empressèrent de la mettre au courant de tous les petits événements survenus depuis son départ.

Elle passa aussi beaucoup de temps dans la salle de lecture du musée, pour examiner les microfilms du manuscrit de Taita à la recherche d'indices qui lui auraient échappé. Elle s'intéressa surtout à une certaine section du second papyrus dont elle tira un grand nombre de notes. Maintenant que l'idée de retrouver la tombe du pharaon Mamose était devenue crédible et réalisable, son intérêt s'était centuplé.

L'extrait du papyrus sur lequel elle s'attardait était le récit d'une visite qu'avait rendue le pharaon aux ateliers de la nécropole où l'on préparait son trésor funéraire.

Ils avaient, selon le récit de Taita le scribe, visité les petits ateliers individuels en commençant par ceux de l'armurerie, riches des collections de costumes de guerre et de chasse. Ils s'étaient ensuite rendus auprès des ébénistes, tous artistes exceptionnels. Dans les ateliers des sculpteurs, Taita s'était attardé devant les statues des dieux et les images grandeur nature du roi, où il était représenté au cours des diverses occupations de sa vie quotidienne. Ces statues allaient être installées de part et d'autre de l'allée qui reliait la nécropole à la tombe de Pharaon, dans la Vallée des Rois. Dans ces ateliers, on travaillait aussi à la fabrication de l'énorme sarcophage de granite qui abriterait la momie du roi. Mais, d'après Taita et les récits qu'il fit plus tard, l'Histoire avait privé Mamose de cette partie de son trésor. Quand les Égyptiens avaient fui en direction du sud, vers le pays qu'ils appelaient Cush, pour échapper à l'invasion hyksos qui menaçait leur patrie, les énormes éléments de pierre avaient été abandonnés dans la Vallée des Rois.

C'est en se penchant sur la description que faisait le scribe de l'atelier des orfèvres que Royan fut frappée par la phrase qu'il avait employée pour décrire le masque mortuaire de Pharaon. « *Il était à la fois le sommet et le zénith. Tous les âges à venir seront un jour émerveillés par sa splendeur.* »

Royan laissa dériver son regard loin du microfilm. Elle s'interrogeait sur la dimension prophétique de ces mots. Était-elle de ceux qui, un jour, seraient émerveillés par la splendeur du masque d'or ? Serait-elle la première à le voir, après quatre mille ans ? Ses mains toucheraient-elles cette merveille, la saisiraient-elles ? En ferait-elle ce que lui dictait sa conscience ?

La lecture du récit de Taita éveillait en Royan un sentiment de compassion pour le peuple qui vivait à cette époque reculée. Ces gens étaient son propre peuple, après tout. Elle était copte et, donc, une de leurs descendantes directes. Cette communion intemporelle devait expliquer en partie la passion qui, dès l'enfance, l'avait amenée à se penser faite pour étudier l'histoire de ce peuple et de cette période révolue.

Pendant ces journées où elle attendait le retour d'Atalan Abou Sin, son esprit fut accaparé par beaucoup d'autres choses, dont les moins importantes n'étaient pas les sentiments qu'elle éprouvait envers Nicholas Quenton-Harper. Depuis sa visite au cimetière de l'oasis, depuis qu'elle avait fait la paix avec la mémoire de Duraid, l'image de Nicholas s'imposait à elle avec une plus grande intensité. Elle était certaine de si peu de choses et avait à faire tant de choix difficiles ! Il lui était impossible de réaliser chacun de ses souhaits sans leur sacrifier des désirs d'égale importance.

Quand l'heure de son rendez-vous avec Atalan Abou Sin sonna enfin, elle eut toutes les peines du monde à s'y résoudre. Elle boitilla longtemps à travers les bazars, comme en transe. Elle protégeait son genou avec sa canne et errait, sourde aux appels des marchands qui l'interpellaient, la prenant pour une touriste à cause du teint de sa peau et de ses habits européens. Elle hésita si longtemps qu'elle arriva à son rendez-vous avec près d'une heure de retard. Heureusement, l'Égypte restait l'Égypte et Atalan Abou Sin était un Arabe pour qui le temps n'avait pas la même signification qu'en Occident.

Il se montra, comme toujours, charmant et d'une urbanité délicieuse. Cette fois-ci, l'intimité de son bureau lui permettait de porter la *dishdasha* blanche confortable et le turban. Il lui serra la main avec chaleur. A Londres, il l'aurait embrassée sur les joues mais pas en Orient où un homme n'embrassait jamais une femme à moins qu'elle ne fût son épouse. Encore fallait-il pour cela l'intimité de leur propre demeure.

Il la fit entrer dans son salon privé, où son secrétaire leur servit de minuscules tasses d'un café très fort. Après un long échange de compliments et l'intervalle respectable de bavardages anodins, Royan put commencer les traditionnelles approches biaisées visant à exposer la raison de sa visite.

– J'ai passé une grande partie de ces jours-ci dans la salle de lecture du musée. J'ai revu un grand nombre de mes anciens collègues mais quelle surprise d'apprendre que Nahoot avait retiré sa candidature au poste de directeur !

– Mon neveu peut se montrer une véritable tête de mule, soupira Atalan. Le poste était à lui, et voilà qu'au dernier moment il vient m'annoncer qu'on lui propose un emploi en Allemagne. J'ai essayé de le dissuader d'accepter. Je lui ai dit qu'il n'allait pas beaucoup aimer le temps qu'il fait dans le Nord, surtout après avoir été élevé dans la vallée du Nil. Je lui ai expliqué qu'il n'y a rien de plus important qu'un pays et une famille, et que tout l'argent du monde ne pouvait les remplacer. Mais...

Atalan Abou Sin écarta les mains avec une mimique éloquente.

– Et qui avez-vous choisi pour ce poste de directeur ? demanda Royan avec l'innocence de rigueur.

– Nous n'avons pas encore pris de décision définitive.. Maintenant que Nahoot a retiré sa candidature, il n'y a guère de nom qui nous vienne à l'esprit pour le remplacer. Nous allons peut-être devoir recruter au plan international. Pour ma part, je serais assez fâché de voir ce poste aller à un étranger. Quelle que soit sa qualification.

– Excellence, puis-je vous dire deux mots en particulier ? demanda Royan avec un regard significatif au secrétaire qui s'affairait dans un coin.

Atalan Abou Sin n'hésita qu'un instant.

– Bien entendu, fit-il.

D'un geste, il congédia le jeune homme qui referma soigneusement la porte derrière lui.

Atalan Abou Sin se pencha alors en avant et, d'une voix feutrée, il demanda :

– De quoi voulez-vous que nous nous entretenions, ma chère ?

Royan quitta son bureau une heure plus tard. Il l'accompagna jusqu'aux ascenseurs qui se trouvaient à l'extrémité du dédale des couloirs. Il lui dit au revoir d'une voix pleine d'amabilité.

– Nous nous reverrons d'ici peu, *inch Allah.*

Quand Royan arriva à Heathrow, il lui sembla que la différence de température avec Le Caire était de plus de cinquante degrés. Son train entra en gare de York vers la fin d'un après-midi humide et brumeux. Elle composa aussitôt le numéro que lui avait donné Nicholas.

– Petite malheureuse, gronda-t-il. Pourquoi ne pas m'avoir prévenu que vous reveniez ? Je serais venu vous chercher à l'aéroport.

Le plaisir qu'elle éprouvait à le revoir la surprit. Elle ne s'était pas attendue à ce qu'il lui manque autant, se dit-elle en le regardant descendre de sa Range Rover et gagner le hall de la gare à grandes enjambées. Il allait tête nue. Visiblement, il ne s'était pas donné la peine de passer chez le coiffeur. Ses cheveux sombres étaient en broussaille et le vent faisait voler des mèches gris-argent autour de ses oreilles.

– Comment va votre genou ? Doit-on toujours vous porter ?

– Il est presque guéri. Je vais bientôt pouvoir me débarrasser de cette canne.

Elle brûlait du désir de se jeter à son cou mais elle s'abstint de toute démonstration. Elle se contenta de lui tendre une joue rosie par la froidure. Il sentait bon le cuir et les épices d'une lotion après-rasage.

Une fois installé derrière le volant, il attendit un moment avant de démarrer. Il scrutait son visage qu'éclairait la lumière de la rue, filtrée par la vitre levée de la portière.

– Vous avez l'air bien contente de vous, chère madame. Vous avez fait des découvertes ?

– Heureuse de retrouver de vieux amis, voilà tout. Mais je dois avouer que Le Caire est toujours très revigorant.

– Il n'y a rien à manger à la maison. Nous pourrions nous arrêter dans un pub ? Ça vous dirait, une tourte à la viande ?

– Je veux voir ma mère. Je me sens affreusement coupable, je ne sais même pas comment va sa jambe.

– Je suis allé lui rendre visite, avant-hier. Elle se porte comme un charme. Et elle raffole de son nouveau chiot qui, le croiriez-vous, s'appelle Taita.

– Vous êtes un ange d'avoir pris la peine de vous occuper d'elle.

– Je l'aime bien. C'est un sacré personnage. On n'en fait plus comme ça. Je propose que nous mangions un morceau puis j'irai chercher une bouteille de Laphroaig et nous lui rendrons une petite visite.

Ils quittèrent le cottage de Georgina bien après minuit. Elle avait rendu plus que justice au whisky que Nicholas avait apporté et, maintenant, elle vacillait légèrement sur sa jambe plâtrée en leur faisant des signes d'adieu depuis le seuil de la cuisine, son chiot serré contre son ample poitrine.

– Vous avez une influence déplorable sur ma mère.

– Qui a une mauvaise influence sur qui ? protesta-t-il.

Certaines de ses blagues ont rendu le Stilton [1] plus bleu qu'il ne l'était.

– Vous auriez dû me laisser lui tenir compagnie, cette nuit.

– Elle a Taita, et moi, j'ai besoin de vous avoir sous la main. Nous avons des tonnes de travail. Je brûle de vous montrer tout ce que j'ai fait pendant que vous flâniez en Égypte.

La gouvernante de Quenton Park lui avait préparé une chambre dans l'appartement qui se trouvait derrière la cathédrale de York. Alors qu'elle suivait Nicholas qui lui montait ses valises, elle perçut un ronflement sonore. Il provenait de la chambre du second étage. Elle eut un regard surpris à l'adresse de Nicholas.

– Sapeur Webb, fit-il. C'est le nouveau venu dans l'équipe et notre ingénieur. Vous ferez sa connaissance demain et je crois qu'il vous plaira. C'est un pêcheur, ajouta-t-il.

– Je ne vois pas en quoi cela me fera l'aimer.

– Les meilleurs sont tous pêcheurs.

– Comme mon compagnon ici présent, fit-elle en riant. Vous restez à Quenton Park ?

– Non. Je préfère éviter la maison, afin que l'on ne sache pas que je suis de retour en Angleterre. Il y a certaines personnes de la Lloyd's auxquelles je ne tiens pas à parler. Je me suis installé dans la petite pièce du dernier étage. Si vous avez besoin de moi, appelez.

Une fois seule, elle examina la petite chambre aux murs tendus de chintz, et équipée d'une minuscule salle de bains. Le lit à deux places prenait tout l'espace. Sa proposition de l'appeler si elle avait besoin de lui lui revint à l'esprit. Elle leva les yeux vers le plafond au moment où il laissait brutalement tomber un de ses souliers.

– Ne me tentez pas, chuchota-t-elle.

Son odeur flottait toujours dans ses narines et elle se souvint de son corps mince et ferme, humide de sueur, de son contact alors qu'il la portait pour sortir des gorges de l'Abbay. Le désir et le besoin étaient deux mots auxquels elle n'avait pas songé depuis des années. Ils commençaient à jouer un rôle important dans son existence.

1. Genre de roquefort. *(N.d.T.)*

– Ça suffit comme ça, ma fille ! se morigéna-t-elle.
Et elle alla se faire couler un bain.

Le lendemain, Nicholas vint frapper à sa porte.
– Allons, allons, Royan. La vraie vie n'attend pas !
Dehors, il faisait encore nuit noire. Elle grogna et marmonna :
– Quelle heure est-il ?
Mais il était déjà reparti. Elle l'entendit vaguement siffloter en bas. Elle consulta sa montre et grogna encore une fois.
– Il siffle à six heures et demie du matin, après ce que maman et lui ont fait subir au Laphroaig. Je ne le crois pas. Cet homme est un monstre !
Vingt minutes plus tard, elle le retrouvait en train de s'agiter dans la cuisine, vêtu d'un pull de pêcheur bleu marine, d'un jean et d'un tablier de boucher. Il lui désigna du menton les tranches de pain bruni qui attendaient près du grille-pain électrique.
– Pain grillé pour trois, c'est pas beau, ça ? Quant à l'omelette, elle arrive dans cinq minutes.
Royan regarda l'autre homme présent. Agé d'environ cinquante ans, il avait de larges épaules et portait ses manches roulées haut au-dessus de biceps impressionnants. Et il était aussi chauve qu'une boule de billard.
– Bonjour, fit-elle, je suis Royan Al Simma.
– Excusez-moi, dit Nicholas en brandissant le fouet à œufs. Voici Danny, Daniel Webb. Sapeur pour les amis.
Danny se leva, sa tasse à café serrée dans un poing qui avait l'air très efficace.
– Enchanté, Miss Al Simma. Puis-je vous verser une tasse de café ?
Le sommet de son crâne était parsemé de taches de rousseur et ses yeux étaient d'un bleu remarquable.
– Docteur Al Simma, précisa Nicholas.
– Appelez-moi Royan, je vous prie, coupa-t-elle. Et oui, j'aimerais beaucoup du café.
Pendant le petit déjeuner, personne ne fit allusion à l'Éthiopie ou à l'énigme de Taita. Royan mangea son omelette en écoutant Sapeur disserter avec passion sur la manière d'attraper un espadon à la mouche. Nicholas l'assaillait de questions impitoyablement et contredisait chaque affirmation qu'il avançait. Visiblement, ces deux-là étaient très amis et elle supposa qu'elle finirait bien par s'accoutumer au jargon qu'ils employaient.

Aussitôt le petit déjeuner avalé, Nicholas se leva, sa tasse de café à la main.

– Prenez vos tasses et suivez-moi.

Il se dirigea vers le salon proche de l'entrée.

– J'ai une surprise pour vous, dit-il à Royan. Les gens du musée ont travaillé sans relâche pour qu'il soit prêt à temps.

Il ouvrit en grand les portes du salon en imitant le son d'une trompette triomphale.

– Taratata !

Au milieu de la table trônait le dik-dik que Nicholas avait rapporté en douce d'Afrique. Couronné de ses fières cornes et vêtu du manteau rayé, il était si réaliste qu'elle s'attendait à ce qu'il bondisse de la table et décampe comme une flèche.

– Oh, Nicky ! C'est si bien fait ! s'exclama-t-elle en tournant autour. L'artiste en a saisi toute la vérité !

L'animal empaillé lui rappela la chaleur et l'odeur de la brousse. Elle éprouva devant la petite créature un pincement triste et nostalgique. Ses yeux de verre étaient étonnamment vivants et brillants et le bout de son proboscis avait l'air tout humide et luisant comme s'il s'apprêtait à le tortiller pour flairer l'atmosphère.

– Je le trouve splendide. Je suis ravi que vous soyez de mon avis.

Il caressa la douce fourrure. Elle se dit que ce n'était pas le moment de gâcher un tel plaisir de gosse.

– Dès que nous aurons résolu l'énigme de Taita, j'écrirai un papier à l'attention du Muséum d'histoire naturelle. Ce sont ces types qui ont traité mon aïeul de menteur. Nous allons restaurer l'honneur de la famille.

Il recouvrit l'animal d'une housse puis, avec précaution, le prit dans ses bras pour aller le déposer dans un coin de la pièce.

– C'était la première surprise. Maintenant, la plus belle !

Il lui indiqua un sofa adossé au mur.

– Asseyez-vous. Je ne voudrais pas que vous tombiez dans les pommes.

Elle sourit à tant d'extravagance mais alla s'asseoir avec docilité à l'extrémité du sofa, les jambes repliées sous elle. Sapeur Webb l'imita gauchement, visiblement mal à l'aise de se retrouver si proche d'elle.

– Abordons la façon dont nous allons gagner l'intérieur du gouffre de la Dandera. Sapeur et moi n'avons parlé que de cela pendant votre voyage au Caire.

– De ça et de poissons, quand même, fit-elle en lui souriant.

– Bah, ces deux sujets impliquent l'eau, c'est mon excuse. Vous souvenez-vous que nous avons discuté de l'idée d'explorer le fond du bassin de Taita avec un équipement de plongée et que je vous en ai exposé tous les dangers ?

– Je m'en souviens. Vous disiez que la pression au niveau de la bonde était trop élevée et qu'il allait falloir trouver un autre moyen d'y pénétrer.

– Exact, fit Nicholas avec un sourire mystérieux. Eh bien, Sapeur ici présent a déjà gagné le salaire exorbitant que je lui ai promis. Promis, je souligne, et non payé. Il nous a trouvé une autre méthode.

Elle déplia ses jambes et posa les deux pieds au sol pour se pencher en avant, les coudes sur les genoux et le menton dans les mains.

– Ce doit être cette formidable capacité de réflexion qui lui a fait tomber tous les cheveux, reprit Nicholas. Je veux dire par là que son truc est extraordinairement bien pensé. Bien que la solution ait été évidente, ni vous ni moi n'y avons songé.

– Arrêtez, Nicky, fit-elle d'une voix menaçante. Vous recommencez à me faire marcher.

– Je vais vous donner un indice, fit-il sans l'écouter et en continuant d'exciter son intérêt. Parfois, les plus vieilles solutions sont les meilleures. C'est l'indice.

– Si vous êtes si malin, comment n'êtes-vous pas plus célèbre ? commença-t-elle. Les vieilles solutions ! Vous voulez parler de celle qu'a adoptée Taita ? Son moyen d'atteindre le fond du bassin sans équipement de plongée ?

– Par Dieu ! Je crois qu'elle y est ! s'écria Nicholas.

– Un barrage, fit Royan en claquant des mains. Vous suggérez de barrer la rivière à l'endroit où Taita avait installé son barrage il y a quatre mille ans !

– Elle y est ! s'exclama Nicholas. Cette petite n'est vraiment pas bête ! Montre-lui tes dessins, Sapeur.

Sapeur Webb, fier comme un paon, s'approcha du tableau qui reposait contre le mur et que Royan n'avait même pas remarqué. Il retira le drap qui le masquait et exposa les images qui y étaient épinglées.

Elle reconnut tout de suite les agrandissements des photos qu'avait prises Nicholas sur le site présumé du barrage de Taita. Et, aussi, celles de la carrière que Tamre leur avait fait découvrir. Elles avaient été surchargées de chiffres et de lignes au marqueur noir.

– Le major, fit Sapeur, m'a fourni une estimation des mesures du lit de la rivière à cet endroit. Il a aussi calculé la hauteur que devra avoir notre mur. J'ai, bien entendu, introduit une marge d'erreur dans nos calculs. Même avec trente pour cent de marge, je crois que le projet est possible avec l'équipement très limité dont nous disposerons.

– Si les anciens Égyptiens l'ont fait, pour toi ce sera du gâteau, Sapeur.

– C'est très aimable, major, mais « gâteau » n'est pas exactement le terme que j'aurais choisi.

Il se tourna vers les croquis fixés près des photos et Royan se rendit compte qu'il s'agissait de plans et de coupes du projet, tracés d'après les photos et les estimations de Nicholas.

– Il existe différentes méthodes pour édifier un barrage mais la plupart présupposent le recours au béton armé et à un équipement très lourd. J'ai cru comprendre que nous ne pourrions pas bénéficier de ces moyens modernes.

– Pense à Taita, fit Nicholas. Il l'a fait sans bulldozer.

– D'un autre côté, répliqua Sapeur, les Égyptiens avaient probablement un nombre illimité d'esclaves à leur disposition.

– Des esclaves, je peux t'en fournir. Ou du moins, leur équivalent moderne. En quantité illimitée ? Ça, peut-être pas.

– Plus on aura de main-d'œuvre et plus tôt j'arriverai à détourner le cours de la rivière. Nous sommes bien d'accord : tout doit être fait avant la saison des pluies.

– Ce qui nous laisse deux mois, tout au plus. Pour la main-d'œuvre, je compte enrôler une partie de la communauté monastique de Saint-Fromentius. Je cherche encore l'argument théologique qui aiderait à les convaincre de participer à la construction du barrage. Je doute qu'ils me croient si je leur raconte qu'on a découvert le site du Saint-Sépulcre en Éthiopie...

– Si tu me trouves la main-d'œuvre, je te construis ton barrage, grommela Sapeur. Comme tu dis, ce sont les anciennes méthodes qui sont les meilleures. Je parierais que les anciens ont utilisé le système des gabions et du coffrage pour installer les fondations du barrage.

– Gabions ? intervint Royan. Je regrette mais je n'ai pas encore passé ma maîtrise de maçonnerie.

– C'est moi qui devrais être désolé, fit Sapeur en s'essayant maladroitement à la galanterie. Laissez-moi vous montrer mes croquis. Ce type, Taita, a dû s'y prendre ainsi : il a fait fabriquer d'énormes paniers qu'il a fait placer dans la rivière et remplir de pierres et de rochers. C'est ce que nous appelons des gabions. Ensuite, il a certainement fait construire un coffrage de parois circulaires en bois entre les gabions, destiné à être comblé avec de la terre et des pierres.

– Je vois en gros, fit Royan, dubitative, mais je n'ai pas vraiment besoin de comprendre chaque détail.

– Absolument ! s'exclama Sapeur avec fougue. D'autre part, bien que le major m'ait assuré que l'on trouvera tout le bois nécessaire sur le site, j'ai décidé que nous utiliserons de la toile métallique pour la construction des gabions.

– De la toile métallique ? fit Royan, surprise. Je ne crois pas qu'il y en ait beaucoup dans la vallée de l'Abbay.

Sapeur allait répondre mais Nicholas le devança :

– Nous y viendrons dans un moment. Laissons Sapeur terminer son exposé. Nous n'allons pas lui gâcher ce plaisir. Parle des pierres de la carrière à Royan. Je suis certain qu'elle va adorer ça.

– Bien que le barrage soit une structure temporaire, nous devons être sûrs qu'il retienne la rivière pendant assez de temps pour permettre à notre équipe de pénétrer dans le tunnel sous-marin en toute sécurité...

– Nous appelons cet endroit « le bassin de Taita », précisa Royan.

– Nous devons être certains que le barrage ne cédera pas pendant que nos ouvriers sont au fond. Vous pouvez imaginer les conséquences...

Il marqua un silence pour leur permettre de songer à cette éventualité. Royan frissonna et resserra ses bras autour de ses épaules.

– Pas très agréable, convint Nicholas. Donc, tu as l'intention d'utiliser les blocs de pierre.

– Tout à fait. J'ai étudié les photos de la carrière. J'ai

compté près de cent cinquante blocs de granite, taillés ou presque. Si nous les utilisons avec mon système de toile métallique et de coffrage en bois, ils renforceront considérablement les fondations du barrage.

– Ces blocs pèsent plusieurs tonnes chacun, nota Royan. Comment allez-vous les déplacer ?

Quand Sapeur ouvrit la bouche, elle l'interrompit :

– Non, ne dites rien. Si vous m'affirmez que c'est possible, je vous croirai.

– C'est possible.

– Taita l'a fait, intervint Nicholas. Nous ferons tout à sa manière. Cela devrait vous plaire, après tout c'est un de vos parents.

– Vous savez, vous avez raison, fit-elle avec un sourire. Curieusement, ça me fait plaisir. Je crois d'ailleurs que c'est un bon présage. Quand tout cela va-t-il commencer ?

– Ça a déjà commencé, répondit Nicholas. Sapeur et moi avons déjà commandé toutes les marchandises et le matériel que nous emporterons avec nous. La toile métallique a été prédécoupée par une petite usine, près d'ici. Grâce à la crise, ils avaient des tas de machines en chômage technique.

– Je me suis rendu tous les jours dans leurs ateliers pour superviser le découpage et l'emballage, intervint Sapeur. La moitié du chargement est déjà en route. Le reste partira avant la fin de la semaine.

– Sapeur va s'en occuper cet après-midi. Vous et moi, précisa Nicholas, allons régler quelques détails de dernière minute puis nous partirons à notre tour. Je ne vous attendais pas aussi tôt, sinon nous serions partis tous ensemble pour La Valette.

– La Valette ? s'étonna Royan. A Malte ? Je croyais que nous allions en Éthiopie ?

– La base de Jannie Badenhorst est à Malte.

– Jannie qui ?

– Badenhorst. D'Africair.

– Là, je suis vraiment perdue.

– Africair est une compagnie de transport aérien qui possède un vieil Hercule de la RAF. Jannie la dirige avec son fils, Fred. Malte leur sert de base. C'est un pays calme et tranquille. Pas de politiciens africains, pas de corruption. Et c'est la porte de beaucoup de destinations au Moyen-Orient et en Afrique du Nord où Jannie et Fred ont la majorité de leur clientèle. Fred s'occupe surtout de convoyer de l'alcool dans les pays musulmans où il est bien sûr interdit. C'est le Al Capone de la Méditerranée. La contrebande est le gros business de cette partie du monde. Ce qui ne l'empêche pas d'accepter d'autres contrats. Duraid et moi sommes allés en Libye depuis la base de Jannie, et c'est lui qui nous emmènera jusqu'à la vallée de l'Abbay.

– Nicky, je ne voudrais pas jouer les rabat-joie mais nous sommes tous les deux indésirables en Éthiopie. Avez-vous songé à ce détail ? Comment allons-nous rentrer dans ce pays ?

– Par la porte de derrière, fit Nicholas avec un grand sourire. Et le gardien en est mon vieux copain, Mek Nimmur.

– Vous avez repris contact avec Mek ?

– Avec Tessay. Il semblerait qu'elle soit devenue son messager. J'imagine que l'avoir avec lui rend un fier service à Mek. Elle a toutes les relations qu'il faut et elle peut entrer et sortir sans risques de Khartoum, d'Addis et de mille autres endroits où il serait dangereux qu'on le voie.

– Dites-moi, fit Royan, impressionnée, vous n'avez pas chômé.

– Nous ne pouvons pas nous permettre d'aller en vacances au Caire comme ça nous chante.

Elle ignora la pique tout en se disant que malgré son sourire il cachait mal que son absence l'avait irrité.

– Une autre question : Mek Nimmur est-il au courant de l'énigme de Taita ?

– Pas en détail, mais il a des doutes. De toute manière, nous pouvons lui faire confiance. (Il marqua une hésitation puis il reprit.) Tessay s'est montrée très discrète au téléphone mais il semblerait qu'il y ait eu une sorte de raid sur le monastère. Jali Hora et une trentaine de moines ont été massacrés. Les reliques sacrées ont été emportées.

– Oh, mon Dieu, non ! s'écria Royan. Qui aurait pu faire une chose pareille ?

– Ceux qui ont assassiné Duraid et tenté par trois fois de vous éliminer.

– Pégase !

– Von Schiller.

– Mais alors, balbutia Royan, nous en sommes directement responsables ! Les polaroïds qu'ils nous ont pris leur ont ouvert le chemin de la stèle et de la tombe de Tanus. Von Schiller n'a pas eu besoin d'être extralucide pour deviner à quel endroit nous les avions pris. Maintenant, nous avons du sang sur les mains.

– Seigneur, Royan, comment pouvez-vous vous sentir responsable de la folie de von Schiller ? Je ne vous laisserai pas vous punir pour ça, fit Nicholas d'une voix que la colère rendait coupante.

– C'est nous qui avons tout commencé.

– Je ne suis pas d'accord sur ce point, mais je veux bien croire que c'est von Schiller qui a nettoyé le *maqdas* de Saint-Fromentius et que la stèle et le cercueil sont bien au chaud dans sa collection.

– Oh, Nicky, je me sens si coupable. Je n'avais jamais réalisé le danger que nous faisions courir à ces fervents croyants...

– Vous voulez peut-être tout laisser tomber ? fit-il avec cruauté.

Elle envisagea cette possibilité, puis secoua la tête.

– Non. Peut-être qu'une fois là-bas, avec ce que nous trouverons au fond du bassin de Taita, nous aurons un moyen de réparer ?

– Je l'espère, fit-il farouchement. Je l'espère sincèrement.

17

L'Hercule C-Mk1, un mastodonte turbopropulsé par quatre moteurs, était d'un brun terne et poussiéreux. Le matricule peint sur son fuselage était à moitié effacé, il ne portait nulle part le nom de sa compagnie et son aspect déglingué disait tout des quarante années de bons et loyaux services qu'il avait traversées : il avait bien volé un demi-million d'heures avant d'arriver entre les mains de Jannie Badenhorst.

– Vous êtes sûr que cette chose vole toujours ? demanda Royan.

Immobile en bout de piste, sur le terrain d'aviation de La Valette, l'avion avait la mine triste d'une fille des rues hors d'âge que l'on aurait mise au rancart à cause d'une grossesse à la fois imprévue et indésirable.

– Jannie fait exprès de lui garder cet aspect, expliqua Nicholas. Dans les endroits où il va, il vaut mieux ne pas trop attirer les regards envieux.

– C'est réussi.

– Mais Jannie et Fred sont des mécaniciens hors pair. Grâce à eux deux, Grosse Dolly cache des merveilles sous son capot.

– Grosse Dolly ?

– Dolly Parton. Jannie est un fan absolu.

Le taxi les déposa devant la porte d'un hangar et, en attendant Nicholas qui réglait la course, Royan fourra ses mains dans les poches de son anorak en frissonnant dans la bise qui soufflait depuis la Méditerranée.

– Voilà Jannie, fit Nicholas en désignant la silhouette

trapue en combinaison graisseuse qui descendait la rampe de chargement d'Hercule.

– Salut, vieux ! fit Jannie en s'approchant d'un pas traînant. Je commençais à me dire que tu ne viendrais pas.

L'homme avait encore beaucoup du joueur de rugby qu'il avait été dans sa jeunesse ; sa légère claudication était d'ailleurs un souvenir de match.

– Nous avons quitté Heathrow en retard, fit Nicholas. Les aiguilleurs du ciel français étaient en grève. Les joies des voyages internationaux...

Il présenta Royan, et Jannie les invita à rencontrer sa nouvelle secrétaire.

– Elle vous offrira une tasse de café.

Il les conduisit dans le hangar obscur par une porte découpée dans l'immense vantail principal. Il y avait près de l'entrée un petit bureau vitré, avec une pancarte au-dessus de la porte où figuraient le nom de la compagnie – Africair – ainsi que son logo : une hache ailée. Mara, la secrétaire de Jannie, était une Maltaise qui devait n'avoir que quelques années de moins que son patron. Ce qui lui manquait en jeunesse et en beauté était largement compensé par une poitrine plus que confortable.

– Jannie les aime mûres avec du monde au balcon, murmura discrètement Nicholas à Royan.

Mara servit le café pendant que Jannie exposait son plan de vol à Nicholas.

– Il est un peu compliqué, expliqua-t-il. Tu dois bien te douter qu'il va falloir jouer serré. On peut dire que Kadhafi n'est pas vraiment fou de moi en ce moment et j'ai plutôt intérêt à éviter de survoler son territoire. Nous allons passer au-dessus de l'Égypte mais sans nous y poser.

Son doigt suivait une ligne sur les cartes étalées en travers du bureau.

– Il y a un problème au Soudan. Ils nous font une petite guerre civile en ce moment, précisa-t-il avec un clin d'œil à l'intention de Nicholas. Mais le gouvernement du nord n'est pas équipé des meilleurs radars du monde. C'est du vieux matos russe de récupération. Le pays est gigantesque et Fred et moi avons repéré toutes les zones désertes. On évitera soigneusement leurs principales bases militaires.

– Combien de temps dure le vol ? demanda Nicholas.
– Tu sais, Grosse Dolly n'est pas une flèche. Et je viens de t'expliquer qu'on n'allait pas prendre de raccourci.
– Combien de temps ?
– Fred et moi avons installé des couchettes et une cuisine. Vous serez comme chez vous. (Il souleva sa casquette et se gratta le crâne avant de se résoudre à avouer :) Quinze heures.
– Grosse Dolly peut voler quinze heures ?
– On lui a rajouté des réservoirs. Soixante et onze mille litres de carburant. Même avec le chargement que tu nous as confié, on fait l'aller-retour sans se ravitailler.
Il s'interrompit car le vantail du hangar s'était mis en branle : un énorme camion y pénétra.
– Ce doit être Fred et Sapeur, fit-il.
Il finit sa tasse de café et serra Mara contre lui. La Maltaise pouffa, la poitrine frémissante comme un champ de neige qui prépare une avalanche.
Le camion se gara à l'extrémité du hangar où attendait un stock de matériel et de marchandises parfaitement rangé et prêt à être embarqué.
Fred descendit du camion et Jannie le présenta à Royan. Le fils ressemblait au père, en plus jeune. Il avait une bedaine naissante et un visage ouvert et bucolique qui évoquait davantage l'éleveur de moutons que le pilote.
Sapeur contourna le camion et vint serrer la main de Nicholas.
– C'est le dernier camion. On peut commencer à charger.
– J'aimerais décoller avant quatre heures demain matin, intervint Jannie. On aura ainsi plus de chance d'arriver à temps à notre rendez-vous prévu le soir. Si on veut dormir un peu avant de partir, on devrait se mettre au boulot.
Il désigna les palettes qui attendaient d'être chargées.
– J'ai voulu embaucher de la main-d'œuvre mais Sapeur n'a rien voulu savoir.
– Il a raison, fit Nicholas. Moins il y a de gens au courant, mieux c'est. On s'y met ?
Le chargement était pré-emballé et fixé aux palettes d'acier par d'épaisses cordes de nylon. Il était recouvert d'un filet spécial. Il y avait trente-six palettes et les bal-

lots de toile contenant les parachutes étaient inclus dans chaque lot. Convoyer cet énorme chargement à travers l'Afrique nécessiterait deux voyages.

Royan énumérait le contenu de chaque palette en se basant sur une liste dactylographiée tandis que Nicholas le contrôlait. Une fois le contenu des palettes vérifié, il faisait signe à Fred qui manœuvrait le chariot élévateur.

Dans les entrailles de l'énorme Hercule, Jannie et Sapeur aidaient Fred à placer chaque palette sur les châssis puis les arrimaient avec soin. Le dernier élément à être embarqué fut la petite pelleteuse que Sapeur avait achetée d'occasion à York. Après l'avoir essayée et examinée sous toutes les coutures, il l'avait déclarée parfaite. Il la conduisit le long de la rampe de chargement et l'attacha avec un soin amoureux aux rambardes de l'habitacle.

La pelleteuse faisait le tiers du poids du chargement mais c'était, d'après Sapeur, l'élément essentiel dans la construction du barrage. Il avait calculé qu'il faudrait cinq parachutes pour faire atterrir l'engin sans dommage. Le carburant nécessaire à son fonctionnement posait un véritable problème, aussi le second chargement était-il entièrement composé de réservoirs faits d'un nylon spécial qui résisterait à l'impact de l'atterrissage.

Le premier chargement ne fut achevé que peu après minuit. Les palettes restantes étaient alignées contre le mur du hangar où elles attendraient le retour de Grosse Dolly. Ils se rassemblèrent alors autour du buffet de spécialités de l'île que Mara avait dressé dans le bureau d'Africair en guise de banquet d'adieu.

– Eh oui, fit Jannie, c'est aussi une excellente cuisinière.

– A notre atterrissage! fit Nicholas en levant son verre de chianti rouge.

Ils s'allongèrent tout habillés sur les couchettes fixées à la cloison derrière la cabine de pilotage pour profiter de quelques heures de sommeil. Quand les voix tranquilles des deux pilotes qui procédaient aux dernières vérifications avant le décollage la réveillèrent, Royan eut l'impression de n'avoir dormi que quelques minutes. La plainte des énormes moteurs se fit bientôt entendre. Alors que Jannie s'entretenait avec la tour de contrôle et que Fred roulait vers la zone de délestage, les trois passagers se glissèrent hors de leurs couchettes pour aller s'amarrer dans les fauteuils pliables du fond de la cabine. Grosse Dolly grimpa dans le ciel nocturne et les lumières de l'île s'estompèrent puis disparurent. Il ne resta plus que la mer noire en dessous et, au-dessus, l'éclat scintillant des étoiles. Royan se tourna vers Nicholas et, à la lumière sourde des lumignons qui éclairaient la cabine, elle lui sourit.

– Eh bien, Taita, nous revenons sur le terrain pour la dernière manche, fit-elle d'une voix tendue par l'excitation.

– Être obligé de se faufiler de cette manière en Éthiopie a au moins un avantage : Pégase ne se rendra pas compte tout de suite que nous sommes de retour.

– Espérons que vous avez raison, fit Royan en croisant les doigts. Nous aurons suffisamment de soucis avec ce que Taita nous réserve sans que Pégase ne nous fasse la fête.

– Ils retournent en Éthiopie, affirma von Schiller d'un ton péremptoire.

– Comment pouvons-nous en être sûrs, Herr von Schiller ? demanda Nahoot.

Von Schiller le foudroya du regard. Cet Égyptien l'irritait prodigieusement, il commençait à regretter de l'avoir embauché. Nahoot n'avait que médiocrement progressé dans le décryptage des textes gravés sur la stèle qu'ils avaient rapportée du monastère.

La traduction des textes n'avait pas posé de problèmes insurmontables. Von Schiller était persuadé qu'avec du temps et en s'aidant des livres de sa bibliothèque, il aurait pu lui-même mener ce travail à bien, sans l'aide de Nahoot. Pour l'instant, ils avaient affaire à des vers totalement dépourvus de sens et à des strophes rajoutées et hors contexte. Un des côtés de la stèle était quasiment recouvert de colonnes de lettres et de chiffres qui n'avaient pas l'ombre d'un rapport avec les textes des trois autres faces.

Bien que Nahoot rechignât à l'admettre, il était clair que le sens caché derrière tout cela lui avait complètement échappé. Von Schiller arrivait aux limites de sa patience. Les excuses de Nahoot le fatiguaient autant que les promesses qu'il s'avérait incapable de tenir. Tout en lui l'exaspérait, de sa voix effroyablement huileuse à ses yeux tristes et enfoncés dans ses orbites cernées. Et il commençait à détester la fâcheuse habitude qu'il avait prise de remettre en question toutes les décisions que lui, Gotthold von Schiller, prenait.

– Le général Obeid m'a indiqué l'heure exacte du vol sur lequel ils ont quitté Addis-Abeba. Mes hommes les attendaient à l'aéroport en Angleterre. Ni Harper ni cette femme ne sont le genre de personnes que l'on perd de vue dans une foule. Mes hommes ont suivi la femme quand elle s'est rendue au Caire...

– Excusez-moi, Herr von Schiller, mais pourquoi ne vous êtes-vous pas occupé d'elle si vous étiez au fait de tous ses mouvements ?

– *Dummkopf!* explosa von Schiller. Parce qu'il me semble qu'elle est plus capable de me mener à la tombe que vous ne l'êtes vous-même !

– Mais, monsieur, j'ai fait...

– Vous n'avez rien fait sinon trouver des excuses à vos échecs. Grâce à vous, la stèle reste une énigme.

– C'est très difficile...

– Bien sûr que c'est difficile ! Pourquoi croyez-vous donc que je vous paye si cher ? Si cela avait été simple, je l'aurais fait moi-même. S'il s'agit des instructions pour retrouver la tombe de Mamose, il est évident que Taita le scribe aura voulu que ce soit difficile.

– Si vous m'accordiez un peu plus de temps, je crois être assez près de trouver la clé...

– Plus une seconde ! Avez-vous entendu ce que je viens de dire ? Harper retourne aux gorges de l'Abbay. Ils ont décollé de Malte cette nuit, dans un avion chargé jusqu'à la gueule. Mes hommes ne sont pas arrivés à établir la nature de ce chargement mais il y aurait entre autres du matériel pour des travaux de terrassement : une pelleteuse. Ça ne peut signifier qu'une chose : ils ont trouvé la tombe et ils retournent creuser.

– Alors vous pourrez vous débarrasser d'eux dès qu'ils arriveront au monastère, fit Nahoot avec un plaisir anticipé. Le colonel Nogo...

– Pourquoi faut-il que je me répète ! s'écria von Schiller en abattant le poing sur son bureau. Ils sont notre seule chance d'arriver à la tombe de Mamose. Il ne faut surtout pas qu'il leur arrive malheur. (Il braqua un œil glacé sur Nahoot.) Vous retournez sur-le-champ en Éthiopie. Peut-être que là-bas vous me servirez à quelque chose. Car ici vous ne m'êtes d'aucune utilité.

Nahoot accueillit la décision avec consternation mais eut la sagesse de ne pas contredire von Schiller. Il écouta ses instructions d'un air maussade.

– Vous irez au campement et vous vous mettrez aux ordres de Helm. Vous y obéirez comme s'ils venaient de moi-même. Compris ?

– Oui, Herr von Schiller, marmonna Nahoot.

– Ne tentez absolument rien concernant Harper et la femme. Ils ne doivent même pas se douter que vous êtes revenu au campement. L'équipe de géologues de Pégase doit continuer ses travaux normalement. Il est plus qu'heureux que Helm ait découvert des gisements indiquant de façon certaine la présence importante de galène, ce minerai à partir duquel, comme vous le savez, on obtient le plomb. Il continuera d'analyser ces gisements. S'ils tiennent leurs promesses, alors cette expédition se révélera hautement rentable.

– En quoi consistera mon travail ?

– Vous jouerez les prédateurs à l'affût. Je veux que vous soyez prêt à tirer profit des moindres progrès que fera Harper. Mais il faut lui laisser le plus de latitude possible. Ne lui mettez pas la puce à l'oreille avec d'intempestifs survols en hélicoptère, et n'allez pas vous approcher de son campement. Plus de raids nocturnes. Chacun de vos gestes doit être discuté avec moi. Je vous le répète : pas d'initiative personnelle.

– Si je dois travailler avec de telles restrictions, protesta Nahoot, comment vais-je savoir si Harper et la femme ont fait des progrès ?

– Le colonel Nogo a un homme de confiance, un espion, dans le monastère. Il nous informera de chaque geste de Harper.

– Mais, et moi ? Quel sera mon travail ?

– Vous examinerez les renseignements que Nogo aura obtenus. Les travaux archéologiques vous sont familiers. Vous arriverez à comprendre ce que manigance ce Harper et vous pourrez dire s'il avance, ou non.

– Je vois, marmonna Nahoot.

– Je serais retourné moi-même aux gorges de l'Abbay, si cela avait été possible. Mais il s'écoulera peut-être des mois avant que Harper ne fasse des progrès significatifs. Vous savez mieux que quiconque que ces choses-là demandent du temps.

– Il a fallu dix ans à Howard Carter pour trouver la tombe de Toutânkhamon, souligna Nahoot avec malice.

– J'espère que ce sera moins long dans notre cas, fit von Schiller avec froideur. Sinon, je doute fort que vous restiez associé au projet. Quant à moi, il va y avoir ici en Allemagne d'importantes négociations ainsi que l'assemblée générale annuelle. Je ne peux pas les manquer.

– Donc vous ne retournerez pas en Éthiopie ? fit Nahoot, ravi d'échapper à la cruelle tutelle de von Schiller.

– Je m'y rendrai dès qu'il y aura là-bas des choses intéressantes. Je compte sur vous pour décider si ma présence est nécessaire.

– Et la stèle ? Je devrais...

– Vous continuerez de travailler à sa traduction. Vous emporterez un jeu complet de photographies avec vous et vous y travaillerez là-bas. Je veux un rapport hebdomadaire par satellite.

– Quand voulez-vous que je parte ?

– Sur-le-champ. Aujourd'hui, si possible. Adressez-vous à Fräulein Kemper. Elle s'occupera des formalités de votre voyage.

Pour la première fois depuis le début de l'entretien, Nahoot parut satisfait.

Grosse Dolly maintenait tranquillement son cap sud-est et le voyage se révélait passablement ennuyeux. Au moment où l'aube se leva, ils survolèrent les côtes africaines, en l'occurrence une plage déserte et isolée choisie à dessein par Jannie. Mais le changement de décor n'allégea en rien leur ennui. Le désert s'étendait de toutes parts, nu, brun, sans le moindre relief.

La voix de Jannie qui s'entretenait avec diverses tours de contrôle leur parvenait à intervalles irréguliers, mais ces bribes de conversation ne les renseignaient en rien sur l'identité ou la nationalité de l'émetteur.

Parfois, Jannie abandonnait son anglais à l'accent terriblement marqué pour parler en arabe. Cette aisance à parler cette langue surprenait Royan, mais étant afrikaner, Jannie s'adaptait naturellement aux sonorités gutturales. Il était même capable d'imiter les multiples accents et dialectes de Libye et d'Égypte.

Sapeur passa les premières heures du voyage penché

sur ses croquis de barrage puis, incapable de progresser sans mesures plus précises, il se hissa sur sa couchette pour lire un roman en poche. Mais le malheureux auteur s'avéra incapable de retenir son attention très longtemps : le livre s'affaissa sur son visage et ses pages se mirent à frémir au rythme des ronflements sonores de l'ingénieur chauve.

Sur la couchette de la jeune femme, Nicholas et Royan jouèrent aux échecs jusqu'à ce que la faim les conduise au petit espace qui tenait lieu de cuisine. Royan s'attela à la tâche subalterne de tailler des tranches de pain et de faire du café tandis que Nicholas déployait tout son art culinaire en confectionnant des piles de sandwiches. Ils gagnèrent la cabine de pilotage et partagèrent leur repas avec Jannie et Fred.

– Sommes-nous toujours au-dessus de l'Égypte ? demanda Royan.

La bouche pleine, Jannie lui désigna un point situé au-delà de l'aile gauche de l'avion.

– A cinquante milles, il y a Wadi Halfia. Mon père s'est fait tuer là, en 43. Il était avec la 6e division d'Afrique du Sud. On l'appelait Wadi Hellfire [1]. (Il arracha à son sandwich une autre monstrueuse bouchée.) Jamais connu mon vieux. Une fois, avec Fred, on s'est posés là-bas. On a essayé de trouver sa tombe. C'est un bout de pays sacrément vaste. Y a des tas de tombes, en plus. Et y en a peu qui ont un nom dessus.

Ils mangèrent un long moment sans rien dire, perdus dans leurs propres pensées. Le père de Nicholas avait lui aussi combattu Rommel dans le désert mais il avait eu plus de chance que celui de Jannie.

Nicholas regarda Royan. Elle regardait défiler son pays par le hublot. La passion qu'il lut dans son regard le surprit. On pouvait si facilement la prendre pour une Anglaise ! Ce n'était qu'à des moments comme celui-là qu'il prenait conscience des autres facettes de sa personnalité.

Elle ne se rendait pas compte qu'il l'observait. Il se demanda à quoi elle pouvait bien songer, quelles pensées sombres et mystérieuses bouillonnaient en elle. Il se souvint de la manière dont elle avait sauté sur la première occasion de retourner au Caire et une étrange

1. Jeu de mots sur Halfia et *Hell Fire*, qui signifie « Feu de l'enfer ». *(N.d.T.)*

inquiétude l'envahit. Il se demanda si des liens sentimentaux dont il ignorait la nature n'allaient pas l'emporter sur une relation qu'il croyait établie. Il prit brutalement conscience qu'ils ne se connaissaient que depuis quelques semaines et qu'en dépit de l'immense attrait qu'elle exerçait sur lui il ignorait presque tout d'elle.

Elle tourna alors la tête et leurs regards se croisèrent. Serrés dans le minuscule réduit qui servait de poste de pilotage, ils se regardèrent les yeux dans les yeux, à quelques centimètres l'un de l'autre. L'échange ne dura que quelques secondes mais il eut tout le temps de voir danser dans ses yeux les sombres reflets de la culpabilité, ou d'un autre sentiment, étrange et mystérieux. Ce qui ne contribua guère à dissiper ses appréhensions.

La jeune femme se pencha vers Jannie.

– Quand survolerons-nous le Nil ? demanda-t-elle.

– De l'autre côté de la frontière. Le gouvernement soudanais concentre ses efforts sur les rebelles du sud. Ici dans le nord, certaines parties du fleuve sont complètement désertes. Bientôt, nous allons descendre pour passer sous les radars des stations de la région de Khartoum.

Il prit la carte qu'il avait posée sur ses cuisses et la lui tendit. Son doigt épais traça la route qu'ils étaient supposés emprunter. Elle était marquée au stylo bleu.

– Grosse Dolly a tellement emprunté ce chemin qu'elle pourrait continuer sans moi. Pas vrai, fifille ? ajouta-t-il en tapotant son tableau de bord avec affection.

Deux heures après, Nicholas et Royan avaient repris leur partie d'échecs. Jannie fit une déclaration par la radio intérieure.

– Bon, vous paniquez pas, les amis. On va perdre de l'altitude. Vous pouvez venir voir le spectacle.

Ils assistèrent à la superbe démonstration de vol en rase-mottes de Fred, ceinturés à leurs sièges. La descente fut si rapide que Royan eut la sensation de tomber du ciel et d'avoir laissé son estomac quelque part dans les hauteurs. Fred redressa Grosse Dolly à quelques mètres du sol, si bas qu'ils eurent l'impression de rouler à vive allure dans un gros bus. A chaque relief du terrain bruni par le soleil, Fred soulevait délicatement Grosse Dolly. L'avion slalomait entre les énormes éboulis de roches noires et virait sur l'aile pour contourner ici et là une colline fouettée par le vent.

– Le Nil est à sept minutes et demie, prévint Jannie. A moins d'avoir navigué n'importe comment, on devrait trouver une île en forme de requin juste en dessous de nous.

Soudain, la vaste étendue argentée du fleuve se déploya sous eux. Royan aperçut brièvement une île verte, avec quelques petites cases au toit de chaume et une douzaine de barques échouées sur une étroite bande de sable.

– Dites donc, dit Fred, il n'a pas perdu la main, le vieux. Il peut encore nous durer quelques milliers de kilomètres.

– Tu sais ce qu'il te dit, le vieux, mauviette ? Je connais encore deux ou trois trucs dont t'as pas idée.

– C'est à Mara qu'il faut parler de ça, répondit Fred en virant si sec en direction du sud qu'il effraya un troupeau de dromadaires qui broutaient des buissons d'épineux.

Les bêtes détalèrent dans la plaine, laissant derrière elles un panache de poussière blanc comme un voile de mariée.

– Nous sommes à trois heures de notre rendez-vous, annonça Jannie. On devrait se poser quarante minutes avant le coucher du soleil. On pourrait pas mieux faire.

– Je ferais mieux d'aller me changer, annonça Royan. Elle tira le sac qu'elle avait coincé sous sa couchette et disparut dans les toilettes. Elle en ressortit vingt minutes après vêtue d'une jupe-culotte et d'un haut en coton.

– Parfait ! fit Nicholas. Mais votre genou ?

– Il me portera bien jusque là-bas, fit-elle, sur la défensive.

– Vous voulez dire que je n'aurai pas le plaisir de vous porter sur mon dos ?

Les montagnes d'Éthiopie apparurent si confusément à l'horizon que Royan ne les vit que lorsque Nicholas lui désigna la ligne bleu pâle qui barrait le ciel indigo à l'orient.

– Nous y sommes presque.

Devant eux s'étendait une terre toujours aussi vierge, vaste étendue de savane brune, ocellée des points noirs des acacias.

– Plus que dix minutes ! annonça Jannie. Quelqu'un voit quelque chose ?

Ils regardèrent tous droit devant.

– Cinq minutes...

– Là ! s'exclama Nicholas. C'est le Nil Bleu.

Une forêt dense d'épineux dessinait une ligne sombre à l'avant.

– Et voici la cheminée de l'ancien moulin à sucre, sur la rive du fleuve. Mek Nimmur a dit que la piste d'atterrissage se trouvait à six kilomètres du moulin.

– Si tel est le cas, ce n'est pas sur la carte, grommela Jannie. Mais après tout, on sera fixés dans une minute.

La minute s'écoula en lents cliquetis de la montre de bord.

– Toujours rien...

Une fusée rouge traversa le ciel devant le nez de Grosse Dolly, arrachant un sourire à tout le cockpit.

– Pile dans le mille, fit Nicholas en tapotant l'épaule de Jannie. Je n'aurais pas fait mieux moi-même.

Fred grimpa à plusieurs centaines de pieds et décrivit un demi-tour complet. Deux feux brûlaient maintenant dans la plaine. L'un avec une fumée noire, l'autre envoyant une colonne blanche à l'assaut du ciel vespéral. Ils purent bientôt distinguer la bande de terre envahie par les herbes et depuis longtemps inutilisée qui servait de piste d'atterrissage. Elle avait été construite vingt ans auparavant par une société qui espérait faire pousser de la canne à sucre en irriguant avec l'eau du Nil. Mais l'Afrique avait été une fois de plus victorieuse et la société avait fait faillite, laissant derrière elle pour seule épitaphe cette trace fragile pareille à une égratignure. Mek Nimmur avait choisi cet endroit isolé et désert comme point de rendez-vous.

– Pas le moindre comité de réception en vue, grommela Jannie. Je fais quoi ?

– Continue ton approche, fit Nicholas. Il va bien y avoir une autre fusée... Ah, la voilà !

La boule de feu avait jailli d'un buisson d'épineux à l'extrémité de la piste et, pour la première fois, ils distinguèrent des silhouettes humaines dans le paysage désolé.

– C'est Mek ! On y va.

Quand Grosse Dolly eut achevé sa glissade au bout de la piste, une silhouette en tenue de camouflage se matérialisa devant eux. A l'aide d'une paire de raquettes, elle les guida vers l'espace ouvert entre les arbres qui tenait lieu de garage.

Jannie coupa les gaz et adressa un sourire éclatant à ses passagers.

– Et voilà, les amis ! On dirait qu'on a encore eu de la chance !

Même depuis le cockpit haut perché de Grosse Dolly, il était impossible de ne pas reconnaître l'imposante silhouette de Mek Nimmur. Il avait émergé de la masse touffue du bois d'acacias et ce n'est qu'alors qu'ils s'aperçurent que les arbres avaient été recouverts d'un filet de camouflage. Aussitôt la rampe d'accès abaissée, Mek Nimmur la gravit à grandes enjambées.

– Nicholas !

Ils tombèrent dans les bras l'un de l'autre. Après lui avoir déposé deux bises sonores sur les joues, Mek tint Nicholas à bout de bras et examina son visage, sans dissimuler la joie qu'il éprouvait à le revoir.

– Ah, tu vois que j'avais raison ! Tu mijotais bien quelque chose. Ce n'était pas une simple chasse au dik-dik, hein ?

– Comment mentir à un vieil ami ?

– Voilà une chose qui ne t'a jamais posé de problème, fit Mek avec un rire jovial. Mais je suis content, on va s'amuser ensemble. La vie commençait à devenir ennuyeuse.

– Tu m'étonnes ! s'exclama Nicholas en administrant une bourrade sur l'épaule de son ami.

Une silhouette mince et gracieuse avait emboîté le pas de Mek. A cause de son uniforme vert olive, Nicholas ne reconnut Tessay qu'au moment où elle se mit à parler. Ses boots de toile et sa casquette lui donnaient l'allure d'un jeune garçon.

– Nicholas ! Royan ! Bienvenue ! s'écria-t-elle.

Les deux femmes s'étreignirent avec autant d'enthousiasme que l'avaient fait les hommes.

– Hé, oh, ça va comme ça ! protesta Jannie. On n'est pas à Woodstock, ici ! J'ai pas que ça à faire, je dois rentrer à Malte ce soir. Je voudrais bien décoller avant la nuit.

Mek s'occupa aussitôt du déchargement. Ses hommes grimpèrent à bord et s'attaquèrent aux palettes pendant que Sapeur faisait démarrer sa pelleteuse. Il s'en servit pour transporter le chargement depuis la rampe jusqu'au massif d'acacias, sous le filet de camouflage. Avec une telle main-d'œuvre, le ventre de Grosse Dolly se retrouva vide au moment où le soleil commençait à déraper vers l'horizon. Le bref crépuscule africain alluma toutes les couleurs du paysage.

Dans le cockpit, pendant que Fred consultait son état de vol, Jannie et Nicholas discutèrent brièvement une dernière fois de leurs plans et de leurs rendez-vous radio.

– Bien, dans quatre jours à compter d'aujourd'hui, confirma Jannie.

– Nicholas, tu vas le laisser partir, oui ou non ? s'écria Mek depuis le sol. Nous devons traverser la frontière avant l'aube.

Ils regardèrent Grosse Dolly rouler jusqu'au bout de la piste et faire demi-tour. Le bruit des moteurs devint assourdissant alors qu'elle accélérait dans un énorme nuage de poussière, puis passait au-dessus de leurs têtes, tous feux de navigation éteints, avant de se fondre dans le ciel nocturne comme une chauve-souris.

– Venez ici, fit Nicholas à Royan en l'entraînant sous le couvert des acacias. Je ne veux plus que ce genou nous joue des sales tours.

Il la fit asseoir et remonta sa jupe-culotte sur sa cuisse. Puis il lui fixa une bande de maintien élastique autour du genou, tout en essayant de ne pas trop montrer le plaisir qu'il prenait à cette tâche. Les ecchymoses avaient presque disparu et l'articulation n'était pratiquement plus gonflée.

Il palpa doucement son genou. Sa peau avait le toucher du velours, la chair en dessous était ferme et tiède. Il leva les yeux et il vit à son expression qu'elle trouvait la situation aussi agréable que lui-même. Elle rougit alors légèrement et redescendit sa jupe d'un geste vif. Elle se leva d'un bond.

– Tessay et moi avons des tas de choses à nous dire, jeta-t-elle avant de détaler.

– Je vais laisser ici une patrouille pour garder votre matériel, expliqua Mek à Nicholas. Nous voyagerons en petit groupe jusqu'à la frontière. Je ne crois pas qu'il puisse arriver quelque chose. Il y a peu d'activité ennemie dans le secteur. Ils s'étripent dans le sud mais ici, on a la paix.

– La frontière est loin ?
– Cinq heures de marche. Nous profiterons du coucher de la lune pour nous faufiler par un des oléoducs. Le reste de mes hommes attend à l'entrée des gorges de l'Abbay. Nous devons les retrouver avant l'aube.
– Et de là-bas jusqu'au monastère ?
– Deux autres jours de marche. Nous y serons juste à temps pour réceptionner le colis que nous lancera ton gros copain depuis son gros avion.
Il alla ensuite donner ses derniers ordres au commando chargé de surveiller le matériel qui resterait à Roseires puis il rassembla la petite troupe de six hommes qui les escorterait au-delà de la frontière. Mek partagea le chargement entre eux. L'élément le plus important était une petite radio militaire très sophistiquée : ce fut Nicholas qui s'en occupa.
– Vos sacs sont très peu pratiques à porter, signala Mek à Nicholas et Royan. Je vous conseille de les refaire.
Ils vidèrent donc leurs sacs et en transvasèrent le contenu dans les sacs à dos de toile que Mek avait mis à leur disposition. Deux de ses hommes s'en chargèrent et disparurent dans l'obscurité.
– Il ne va pas emporter ça ! s'exclama Mek, consterné par les énormes pieds du théodolite que Sapeur avait récupéré sur une des palettes.
Sapeur ne parlant pas arabe, Nicholas dut traduire.
– Il dit que c'est un instrument fragile. Il ne pouvait pas le laisser parachuter depuis l'avion. Il dit que s'il se casse, il ne pourra pas faire le travail pour lequel il a été engagé.
– Et qui va le porter ? demanda Mek. Mes hommes vont se révolter si j'essaie de leur faire prendre ce truc.
– Dis à ton râleur que je vais m'en occuper moi même, déclara Sapeur avec dignité. Je ne voudrais pas qu'un de ses gros bras maladroits y pose ne serait-ce que le doigt.
Il se chargea de son fardeau, le cala sur ses épaules et s'en alla, le dos raide.
Mek laissa cinq minutes d'avance aux éclaireurs puis donna le signal du départ.
Une demi-heure après l'envol de Grosse Dolly, ils quittaient la zone d'atterrissage et s'avançaient dans la plaine sombre et silencieuse. Ils marchaient vers l'est à

bonne allure. Mek et Nicholas semblaient avoir des yeux de chat. Ils voyaient dans la nuit et seuls les avertissements qu'ils chuchotaient à Royan empêchaient celle-ci de buter contre les amas de cailloux qui venaient perturber le chemin. Il lui arrivait malgré tout de trébucher, mais la poigne ferme de Nicholas semblait être toujours là pour la rattraper.

Ils avançaient dans un silence absolu. Ils s'arrêtaient cinq minutes toutes les heures et là, seulement, Nicholas et Mek parlaient doucement. Royan se rendit compte que Nicholas exposait les raisons de leur retour dans les gorges de l'Abbay. Mek posait des questions de sa voix de basse et Nicholas prononçait souvent les noms de Mamose et de Taita.

Elle avait perdu depuis un moment tout sens de la distance qu'ils avaient parcourue. Son seul repère était les pauses régulières de cinq minutes. La fatigue prenait peu à peu possession de son corps, chaque pas devenait un effort et, malgré son bandage, son genou recommençait à la faire souffrir. Nicholas lui prenait le bras de plus en plus fréquemment. Parfois, suite à un avertissement murmuré par une voix âpre venue de l'avant, ils s'arrêtaient brutalement. Ils restaient alors immobiles dans la nuit, les nerfs tendus, jusqu'à ce qu'un murmure les autorise à repartir du même pas pressé. Une fois, Royan perçut l'odeur froide et bourbeuse du fleuve. Le Nil devait être tout proche. Sans que le moindre mot ne fût échangé, elle sentit monter la tension nerveuse des hommes qui ouvraient la marche.

– On passe la frontière, lui chuchota Nicholas à l'oreille.

La nervosité générale était contagieuse. Royan en oublia sa fatigue et sentit son pouls battre jusque dans ses oreilles. Cette fois-ci, ils ne s'arrêtèrent pas pour le repos habituel. Ils marchèrent une heure de plus, jusqu'à ce qu'elle sentît l'humeur des soldats se transformer. Quelqu'un rit discrètement, les pas se firent plus légers, une lueur blafarde alluma l'orient et, soudain, les cornes d'argent du croissant de lune marquèrent le ciel au-dessus de la ligne noire et lointaine de la chaîne de montagnes.

– Nous sommes passés, lui dit Nicholas d'une voix redevenue normale. Bienvenue en Éthiopie. Comment ça va ?

– Très bien.

– Moi aussi, je suis fatigué, déclara-t-il avec un grand sourire. Nous allons bientôt installer le campement. Bientôt.

Il mentait, bien entendu. Ils continuèrent à marcher. Elle avait envie de fondre en larmes. Soudain, elle entendit le fleuve, le doux bruissement précipité du Nil dans l'aube naissante. Mek s'adressa aux hommes qui, devant, s'étaient arrêtés. Nicholas la guida hors du sentier, la fit asseoir et s'agenouilla devant elle pour lui retirer ses boots.

– Je suis fier de vous, murmura-t-il.

Il lui retira ses chaussettes et lui examina les pieds à la recherche d'ampoules. Il lui retira ensuite son bandage et s'occupa de son genou. Il était légèrement enflé. Il le massa d'une main douce et habile.

– N'arrêtez surtout pas, fit-elle avec un soupir. C'est délicieux.

– Vous allez prendre un anti-inflammatoire.

Il tira deux cachets de Brufen de son sac. Puis il étendit sa veste par terre pour qu'elle s'allonge.

– Les sacs de couchage sont avec nos autres affaires. Il faudra vivre à la dure en attendant que Jannie fasse sa livraison.

Il lui tendit sa gourde et, pendant qu'elle avalait ses cachets, il sortit une plaquette de ration de secours.

– Ça n'a rien d'un repas de gourmet, déclara-t-il en la reniflant. Dans l'armée on appelle ça « galette des rats ».

Elle s'endormit avec la bouche encore pleine du pâté de viande sans goût et du fromage insipide.

Nicholas la réveilla en lui tendant une tasse de thé fumant. Elle se rendit compte que l'après-midi touchait à sa fin. Il s'accroupit à côté d'elle et sirota sa propre tasse en soufflant sur la vapeur brûlante entre chaque gorgée.

– Vous serez contente d'apprendre que Mek est à présent au courant de nos projets. Il est prêt à nous aider.

– Que lui avez-vous dit ?

– Juste de quoi éveiller son intérêt. J'ai adopté la théorie du dévoilement progressif. N'avouez jamais tout d'un coup, allez-y morceau par morceau. Il sait ce que nous cherchons et que nous allons construire un barrage sur la rivière.

– Et les hommes qui nous aideront à bâtir le barrage ?

– Les moines de Saint-Fromentius feront ce qu'il leur demandera. C'est un héros.

– Que lui avez-vous promis ?

– Nous n'avons pas encore abordé le sujet. Je lui ai dit que nous n'avions aucune idée de ce que nous trouverions. Ça l'a fait rire. Il dit me faire confiance.

– Un peu bête comme garçon, non ?

– Je ne dirais pas ça de Mek Nimmur. Je crois que, quand l'heure viendra, il nous fera savoir à combien il chiffre son intervention.

Il leva alors les yeux.

– Nous parlions de toi, Mek.

Le soldat sortit du couvert et s'accroupit près de Nicholas.

– Que disiez-vous ?

– Royan dit que tu es un salaud de l'avoir fait marcher toute la nuit.

– Nicholas vous gâte trop. Je l'ai bien vu, il n'arrête pas de vous cajoler. Moi, mon truc, c'est « à la dure » ! Les femmes adorent ça. (Il éclata de rire puis redevint plus sérieux.) Je suis désolé, Royan. La frontière est toujours un endroit difficile. Vous me trouverez moins inhumain maintenant que nous sommes chez moi.

– Nous sommes très reconnaissants de tout ce que vous avez fait pour nous.

– Nicholas est un vieil ami et j'espère que vous aussi, vous serez mon amie.

– J'ai été très perturbée par ce que m'a appris Tessay. Il s'est passé des choses horribles au monastère.

Mek se rembrunit. Il tirailla si nerveusement sur sa barbe qu'il en arracha quelques poils.

– Nogo et ses tueurs. Ce n'est qu'un échantillon de ce contre quoi nous nous battons. Nous avons échappé à la barbarie de Mengistu pour plonger dans une autre horreur.

– Qu'est-il arrivé, Mek ?

Il décrivit le massacre et le pillage du monastère d'une voix brève et rauque.

– Ce monastère est un symbole pour les gens du Gojam. J'y ai été baptisé. Par Jali Hora lui-même. L'assassinat de l'abbé et la profanation de l'église sont un outrage terrible. (Il vissa sa casquette sur son crâne d'un geste sec.) Il faut repartir, maintenant. La route qui nous attend est escarpée et plutôt difficile.

Maintenant que la frontière était loin derrière eux, ils pouvaient marcher en plein jour. Le deuxième jour de marche les emmena dans les profondeurs de la gorge. Il n'y avait pas de contreforts : ce fut comme passer les tours de garde d'un château. Les parois du grand massif s'élevaient à près de mille deux cents mètres. La rivière serpentait dans le fond, entièrement parcourue de rapides et d'écume immaculée. Vers midi, Mek arrêta sa troupe dans un petit bosquet d'arbres, près de la rivière. Il y avait une plage en contrebas, abritée par de gigantesques rochers qui avaient dû rouler depuis les falaises dressées en rempart tout autour.

Sapeur, toujours sous le coup de sa petite altercation avec Mek à propos du théodolite, boudait dans son coin. Il avait installé le lourd instrument bien en évidence et restait assis près de lui. Mek et Tessay étaient étrangement calmes et perdus dans leurs pensées. Puis Tessay pressa la main de Mek.

– Je veux le leur dire, fit-elle impulsivement.

Mek contempla longuement la rivière avant d'acquiescer.

– Pourquoi pas ?

– Je veux qu'ils sachent. Ils connaissaient Boris. Ils comprendront.

– Veux-tu que je le leur dise ? demanda Mek.

– Oui. Il vaut mieux que ça vienne de toi.

Il attendit un moment, cherchant ses mots, puis il se lança, de sa voix basse, sans les regarder.

– Dès que j'ai vu cette femme, j'ai compris qu'elle m'avait été envoyée par Dieu. (Tessay se rapprocha de lui.) Tessay et moi nous sommes voués l'un à l'autre lors de la nuit du Timkat. Nous avons demandé à Dieu son pardon et je l'ai prise pour femme. (Elle posa le front contre son épaule.) Le Russe nous a suivis. Il nous a retrouvés ici, à cet endroit même. Il a essayé de nous tuer, tous les deux.

Tessay regarda la plage où elle et Mek avaient frôlé la mort de si près. Le souvenir la fit frissonner.

– Nous nous sommes battus, fit-il simplement. Et quand il est mort, j'ai jeté son corps à l'eau.

– Nous savions qu'il était mort, déclara Royan. A

l'ambassade, on nous a dit que son corps avait été retrouvé près de la frontière. Nous ignorions ce qui s'était passé.

– J'aurais aimé être là, fit Nicholas. Ça a dû être une sacrée bataille !

– Le Russe savait se défendre. Je ne regrette pas de ne plus avoir à le combattre, déclara Mek. (Il se leva.) Si nous partons maintenant, nous arriverons au monastère avant la nuit.

Mai Metemma, le nouvel abbé, vint à leur rencontre sur la terrasse qui dominait la rivière. Il n'avait que quelques années de moins que Jali Hora et portait haut sa tête argentée. Ce jour-là, en l'honneur d'un hôte tel que Mek, il arborait la couronne bleue.

Après que les visiteurs se furent rafraîchis et reposés, les moines vinrent les chercher pour les emmener au festin préparé pour leur arrivée. Quand les flasques de *tej* eurent été remplies pour la troisième fois et que l'humeur des saints hommes se fut considérablement adoucie, Mek chuchota à l'oreille du vieil homme.

– Vous vous souvenez de l'histoire de saint Fromentius ? Comment Dieu l'a jeté sur notre rivage en pleine tempête pour qu'il nous apporte la vraie foi ?

Les yeux de l'abbé se remplirent de larmes.

– Son saint corps était ici, dans notre *maqdas*. Les barbares sont venus et ont emporté la relique. Nous sommes des enfants sans père. La raison de cette église et de ce monastère n'est plus, se lamenta-t-il. Les pèlerins ne viendront plus de tous les coins de l'Éthiopie pour prier devant son autel. L'Église nous oubliera. Nous sommes perdus. Notre monastère périra et nos moines seront emportés par le vent comme des feuilles mortes.

– Saint Fromentius n'est pas venu seul en Éthiopie. Un autre chrétien de la Haute Église de Byzance l'accompagnait, fit Mek.

– C'était saint Antoine, balbutia l'abbé en levant sa flasque pour y puiser un peu de réconfort.

– Saint Antoine, répéta Mek. Il mourut avant saint Fromentius mais il n'était pas moins saint que son frère.

– Saint Antoine était aussi un grand homme et un grand saint. Il mérite notre amour et notre vénération.

– Les voies de Dieu sont mystérieuses, n'est-ce pas ?

– Ses voies sont impénétrables. Ce n'est pas à nous de les questionner ou de les comprendre.

– Et pourtant, Il est plein de compassion et Il récompense le dévot.

– Il n'est que compassion, clama l'abbé dont les joues ruisselaient de larmes.

– Votre monastère et vous avez souffert d'une grande perte. Les reliques sacrées de saint Fromentius vous ont été enlevées. Hélas, vous ne les retrouverez jamais. Mais si Dieu vous en envoyait d'autres ? Et s'Il vous envoyait le corps sacré de saint Antoine ?

L'abbé redressa la tête, soudain en alerte.

– Oh, mais ce serait un miracle !

Mek Nimmur lui passa un bras autour de l'épaule et commença à lui murmurer des explications à l'oreille. Mai Metemma cessa de pleurer et écouta avec attention.

– Je vous ai trouvé de la main-d'œuvre, fit Mek à Nicholas alors qu'ils remontaient la vallée, le matin suivant. Mai Metemma a promis de nous envoyer cent hommes dans deux jours et cinq cents dans la semaine qui suit. Il offre des indulgences à tous ceux qui seront volontaires pour travailler au barrage. Ils échapperont aux flammes du Purgatoire s'ils prennent part à une entreprise aussi glorieuse que d'aller retrouver les reliques de saint Antoine.

Les deux femmes se figèrent et le regardèrent.

– Qu'est-ce que tu as promis à ce pauvre homme ? demanda Tessay.

– Un corps pour remplacer celui que Nogo a volé à l'église. Si nous découvrons la tombe, alors la part du monastère sera la momie de Mamose.

– Ce n'est pas honnête ! s'exclama Royan. Vous lui avez menti pour qu'il nous aide.

Les yeux de Mek étincelèrent.

– Je n'ai pas menti ! La relique qu'ils ont perdue n'était pas le corps de saint Fromentius et pourtant, pendant des centaines d'années, il a servi à unir la communauté de moines et a attiré les chrétiens de tous les pays. Maintenant qu'il a disparu, l'existence du monastère est menacée. Ils ont perdu leur raison de continuer.

– Et vous, vous les faites marcher avec une fausse promesse ! fit Royan, furieuse.

– Le corps de Mamose est tout aussi authentique que celui qu'ils ont perdu. Quelle importance si le corps est celui d'un ancien Égyptien au lieu de celui d'un ancien chrétien ? Du moment qu'il sert de point de repère à la foi des fidèles et qu'il accorde cinq cents années de vie supplémentaires au monastère.

– A mon avis, Mek a raison, fit Nicholas.

– Depuis quand êtes-vous un expert en chrétienté ? cingla Royan. Vous êtes athée.

– Vous avez raison. Je n'y connais rien. Débrouillez-vous avec Mek. Je vais parler barrage avec Sapeur Webb.

Il pressa le pas vers la tête de la colonne pour rejoindre l'ingénieur. De temps en temps, des éclats de voix parvenaient jusqu'à lui. Il connaissait Mek mais il commençait à connaître la jeune femme. Il brûlait de savoir qui remporterait cette manche.

Ils atteignirent l'entrée du gouffre vers le milieu de l'après-midi. Pendant que Mek cherchait un endroit où installer le campement, Nicholas emmena Sapeur à l'endroit où la rivière faisait un bond par-dessus la chute. Sapeur installa le théodolite et Nicholas se chargea de la mire graduée. Avec des gestes péremptoires, Sapeur la lui fit monter et descendre le long de la paroi de la falaise tout en regardant à travers l'objectif du théodolite. Nicholas, accroché à son promontoire, s'évertuait à garder la mire en position pour que Sapeur puisse faire ses mesures.

– C'est bon ! beugla Sapeur après avoir pris sa vingtième vue. Maintenant il faudrait que tu ailles sur l'autre rive.

– Okay ! cria Nicholas. Tu préfères que je vole ou que je nage ?

Il remonta le courant sur près de cinq kilomètres pour trouver le gué qui traversait la Dandera puis il revint en arrière en se frayant un passage à travers la végétation sauvage qui bordait la rive. Arrivé au niveau de son point de départ, il vit Sapeur qui attendait en fumant une cigarette.

– Ça va ? Ne va surtout pas te faire une hernie ! lui cria-t-il par-dessus les flots tumultueux de la rivière.

Sapeur termina son travail comme le jour déclinait. Nicholas dut repartir pour son long voyage jusqu'au gué. Il parcourut les derniers kilomètres dans la pénombre, guidé par les lumières vacillantes du campement. Il arriva en titubant et balança la mire dans un coin avec une mine écœurée.

– Tu ferais bien de me dire que ça en valait la peine, grommela-t-il à l'adresse de Sapeur qui ne leva même pas la tête des dessins qu'il rectifiait à la lueur blafarde du gaz.

– Tes estimations n'étaient pas si mauvaises, déclara-t-il enfin. La rivière mesure quarante et un mètres de large à l'endroit où je compte mettre en place le barrage.

– Tout ce qui m'intéresse, c'est de savoir si tu es capable d'installer ce barrage.

– Si tu m'apportes ma fichue pelleteuse, je te colle un barrage sur le Nil lui-même.

Après avoir avalé une autre galette des rats, Royan chercha le regard de Nicholas. Quand celui-ci la remarqua, elle inclina discrètement la tête pour qu'il la suive. Puis elle se leva, l'air de rien, et s'éloigna du campement. Elle ne se retourna qu'une fois pour s'assurer qu'il suivait. Nicholas alluma sa lampe-torche pour les éclairer jusqu'au site du barrage où ils s'installèrent sur un rocher en surplomb.

Il éteignit la lampe et ils attendirent un moment en silence que leurs yeux s'accoutument à la pénombre étoilée.

– Il y a eu des jours où j'ai pensé que nous ne reviendrions jamais ici, murmura Royan. Tout n'était qu'un rêve et le bassin de Taita n'existait pas.

– Pour nous, il n'existera peut-être jamais. Sans l'aide des moines...

Elle se mit à rire doucement.

– Mek Nimmur et vous avez gagné. Bien sûr, nous allons accepter leur aide. Les arguments de Mek sont très convaincants.

– Donc, c'est d'accord ? Leur récompense sera la momie de Mamose ?

– Je suis d'accord pour leur donner la momie qu'ils découvriront. S'ils en découvrent une. D'après ce que nous savons, la véritable momie de Mamose est peut-être celle qu'a volée Nogo.

Il passa un bras autour de ses épaules et, après un moment, elle se laissa aller contre lui.

– Oh, Nicky, je suis à la fois terrifiée et excitée. J'ai peur que nos espoirs ne soient vains et l'idée de trouver la clé des énigmes de Taita me rend folle.

Elle leva la tête vers lui, il sentit son souffle sur ses lèvres et il l'embrassa avec tendresse.

Puis il redressa la tête, les lèvres encore brûlantes, et étudia son visage à la lumière des étoiles. Elle ne fit aucun geste pour le repousser. Elle avança plutôt le visage et lui rendit son baiser. Ce fut d'abord un baiser chaste, avec ses lèvres pudiquement closes. Il passa une main dans ses longs cheveux et maintint son visage contre le sien. Il entrouvrit les lèvres, elle gémit doucement entre les siennes qu'elle gardait obstinément closes.

Avec une lente volupté, il s'appliqua à les lui faire ouvrir. Ses protestations cessèrent quand il glissa sa langue dans sa bouche. Elle émettait un drôle de petit son maintenant, comme un chaton qui tète, et ses bras se refermèrent autour de lui. Ses doigts coururent le long de son dos et elle but le souffle de sa bouche grande ouverte.

Il glissa une main entre eux et défit les boutons de son chemisier. Elle se cambra entre ses bras pour l'aider. Il s'aperçut avec un choc délicieux qu'elle était nue sous son vêtement. Il prit un de ses seins dans sa main. Il était petit et ferme, remplissant tout juste sa main. Le bourgeon qu'il pinça entre ses doigts se durcit comme une petite fraise des bois.

Il cessa de l'embrasser et, quand il entreprit de mordiller le bout de son sein, elle parut défaillir alors que ses ongles se plantaient dans son dos comme les griffes d'une chatte qu'on caresse. Son corps tout entier frissonnait contre le sien, elle se laissait aller avec un abandon qui l'excitait terriblement.

Incapable de se retenir plus longtemps, il glissa une main contre son ventre et la referma sur la mousse brûlante de son sexe. Elle se dégagea d'un seul mouvement et se retrouva debout, en train de lisser sa jupe et de refermer les boutons de son chemisier.

– Je suis désolée, Nicky. Je veux bien, vous ne pouvez pas imaginer comme je le veux. Mais pas maintenant. Je vous en prie, Nicky, pardonnez-moi. Je suis prise entre deux mondes. Une partie de moi dit oui, l'autre me l'interdit...

Il se leva et l'embrassa chastement.

– Nous ne sommes pas pressés. Il faut toujours attendre pour mieux savourer les bonnes choses. Venez ! Rentrons.

Les moines promis par Mai Metemma arrivèrent le lendemain matin, avant les premières lueurs de l'aube. Leurs chants éveillèrent le campement et tous sortirent en titubant de leurs abris pour accueillir la longue colonne.

– Dieu du ciel, fit Nicholas en bâillant, on dirait que nous avons mis en branle une nouvelle croisade. Ils ont dû quitter le monastère en pleine nuit pour être ici à cette heure-ci.

Il alla chercher Tessay et lui dit :

– Dorénavant, vous êtes nommée interprète officielle. Sapeur ne parle pas un mot d'arabe ou d'amharique. Ne le perdez pas de vue.

Dès que le jour fut suffisamment levé, Nicholas et Mek allèrent repérer un endroit qui conviendrait au parachutage. A midi, ils convinrent qu'il n'y avait qu'une seule possibilité : la vallée elle-même. Comparé aux rocs accidentés qui l'encerclaient, le terrain de la vallée était plat et presque exempt de tout obstacle. L'important était que le largage se fasse le plus près possible du site du barrage. Chaque kilomètre supplémentaire ajouterait à la difficulté et au temps que prendrait l'entreprise.

– Le temps est le facteur essentiel, déclara Nicholas à Mek. Chaque jour qui nous sépare de la saison des pluies compte.

Mek leva les yeux au ciel.

– Prions le Seigneur pour des pluies tardives !

Ils décidèrent d'installer le site du largage à un kilomètre et demi de la rivière, à l'endroit le plus large de la vallée, avec une belle approche à travers les collines. Jannie aurait à voler en ligne droite sur cinq kilomètres, avec sa rampe de chargement abaissée.

Mek examina les parois abruptes et les pics agressifs qui les environnaient.

– J'espère que ton gros copain sait voler.

– Voler ? Il est à moitié oiseau.

Ils arpentèrent la vallée pour vérifier les balises et les points de repère, qui consistaient en des blocs de quartz disposés en croix au centre de la vallée. Sapeur, dont la silhouette se découpait au sommet de la vallée, s'affairait aux balises fumigènes qui indiquaient l'approche de la zone de livraison.

De l'autre côté, Nicholas pouvait voir les deux femmes assises sur un rocher. Sapeur leur avait montré comment installer les fusées. Elles marquaient la fin de la zone de largage et indiqueraient à Jannie le moment où faire demi-tour.

Les hommes de Mek finissaient de disposer les blocs de quartz. Puis Mek donna l'ordre de dégager la zone. Ils rejoignirent Sapeur sur les hauteurs de la vallée. Mek aida Nicholas à installer l'antenne aérienne puis celui-ci mit le contact de la radio et se positionna sur la fréquence convenue.

– Grosse Dolly. Viens donc, Grosse Dolly !

Mais seuls des parasites lui répondirent.

– Ils doivent avoir été retardés, fit Nicholas qui essayait de ne pas afficher son inquiétude. Jannie arrive tout droit de Malte. Après cette livraison, il retournera à Roseires pour charger le deuxième lot. Avec un peu de chance, nous aurons tout reçu avant demain midi.

– Si le gros bonhomme vient, souligna Mek.

– Jannie est un pro. Il viendra. Grosse Dolly, fit-il dans le micro, tu m'entends ? A toi.

Il appela toutes les dix minutes, chaque fois hanté par des visions de Mig soudanais qui interceptaient le gros Hercule et l'envoyaient piquer vers le sol dans une tornade de flammes.

Soudain, une voix lointaine et mêlée de parasites se fit entendre.

– Pharaon, ici Grosse Dolly. Je suis à quarante-cinq minutes. J'arrive.

Le message de Jannie avait été bref. Rompu aux manœuvres de contrebande, il n'allait pas laisser à un éventuel espion la chance de le repérer.

– Grosse Dolly, reçu cinq sur cinq. Pharaon attend.

Il fit un grand sourire à Mek.

– Les affaires reprennent, non ?

Mek entendit l'avion avant tout le monde. Dans ce pays, la durée de vie était proportionnelle à la faculté que l'on avait de percevoir les moteurs d'un avion le plus tôt possible. Nicholas, qui n'avait pas le même entraînement, perçut le ronflement des moteurs cinq minutes après.

– Le voilà !

La minuscule tache noire volait si bas qu'elle se confondait avec le fond sombre de l'escarpement. Nicholas donna le signal à Sapeur. Celui-ci courut jusqu'à ses fusées et se pencha au-dessus avec des gestes affairés. Quand il se recula, des nuages d'un jaune d'or étincelant se mirent à éclore et la fumée dériva paresseusement dans la brise légère.

Nicholas ajusta ses jumelles et scruta l'extrémité de la vallée. Royan et Tessay s'occupaient de leurs fusées. Soudain, des volutes cramoisies enflèrent au-dessus de leurs têtes et les deux femmes rejoignirent leur position en courant.

– Grosse Dolly, fit Nicholas dans son micro, la fumée est lancée. Tu la vois ?

– Affirmatif. On ne voit que vous. Accueillez la manne céleste avec reconnaissance.

Ils virent grossir l'engin jusqu'à ce que ses ailes envahissent le ciel tout entier. Puis sa silhouette parut se modifier alors que ses ailes s'abaissaient et que son gros ventre s'ouvrait pour laisser descendre sa rampe. Grosse Dolly ralentit au point de sembler suspendue par un fil invisible au soleil qui brûlait dans le ciel africain. Elle approcha lentement, vira pour s'aligner sur les fumigènes. Elle piquait de plus en plus bas, droit vers le point de chute.

Avec un rugissement sauvage qui leur fit rentrer la tête dans les épaules, elle passa au-dessus d'eux comme pour faucher de ses ailes les crêtes des collines. Nicholas aperçut Jannie qui lorgnait le sol à travers son cockpit. Il eut le temps de voir le grand sourire qui lui éclairait le visage, sa main levée pour un bref salut, et, déjà, il s'éloignait.

Nicholas se redressa et regarda Grosse Dolly glisser avec majesté vers le milieu de la vallée. La première palette se détacha de sa masse et tomba comme une pierre, jusqu'au moment où, en s'ouvrant, le bouquet blanc de ses parachutes arrêta sa chute. Le pesant container parut s'immobiliser dans les airs. Il se balança et oscilla et, quelques secondes après, touchait le sol dans un nuage de poussière jaunâtre. Là-haut, depuis le bord de la vallée, ils perçurent parfaitement le fracas tant attendu. Grosse Dolly procéda encore à deux largages.

Les moteurs de Grosse Dolly hurlèrent plus fort, elle releva le nez pour grimper au-dessus des nuages de fumée cramoisie et sortir du piège mortel de la vallée. Elle décrivit un large arc de cercle et se prépara à un second passage. Les palettes tombèrent au moment où elle volait en rugissant au-dessus des repères en quartz. Comme la fois précédente, elle prit de l'altitude à l'extrémité de la vallée et frôla les pics rocheux qui l'auraient facilement éventrée.

Jannie répéta six fois la manœuvre périlleuse, laissant chaque fois tomber trois lourds paquets rectangulaires. Ils gisaient en ligne dans le fond de la vallée, empêtrés dans le désordre de soie blanche de leurs parachutes.

Alors qu'il reprenait de la hauteur après son ultime passage, Jannie fit vibrer les écouteurs de Nicholas de sa grosse voix :

– T'en va pas, Pharaon ! Je reviendrai.

L'avion s'éloigna en direction de l'ouest.

Nicholas et Mek rejoignirent le fond de la vallée au pas de course. Là-bas, les moines étaient déjà autour des palettes qu'ils examinaient en s'esclaffant. Rapidement, ils organisèrent le travail, répartissant les hommes en groupes.

Nicholas et Sapeur s'étaient arrangés pour que les palettes soient larguées selon un ordre qui respectait l'urgence de leurs besoins. La première palette contenait de la nourriture déshydratée et en conserve, leurs affaires personnelles et le matériel de camping, plus quelques petites choses qui agrémenteraient leur séjour : des moustiquaires et une caisse de whisky. Nicholas vit avec soulagement que rien n'avait souffert à l'atterrissage – même les bouteilles étaient intactes.

Sapeur prit en charge le matériel de construction et les pièces les plus lourdes. Assisté de Tessay qui traduisait ses ordres, il fit tout emporter jusqu'à l'ancienne carrière où l'équipement devait être stocké en attendant qu'on en ait besoin. Quand la nuit tomba, plus de la moitié des palettes n'avait pas encore été ouverte. Ils les laissèrent à l'endroit où elles étaient tombées avec quelques hommes de Mek pour les surveiller et, recrus de fatigue, retournèrent au campement.

Cette nuit-là, l'estomac réchauffé par une lampée de whisky et un véritable repas, une moustiquaire au-dessus de lui et un bon matelas en mousse sous lui,

Nicholas sombra dans le sommeil, le sourire aux lèvres. Finalement, l'aventure commençait bien.

Ils furent réveillés par les moines qui psalmodiaient les matines.

– Nous n'aurons pas besoin de réveil, grommela-t-il avant d'aller en titubant jusqu'à la rivière pour faire sa toilette.

Quand le soleil souligna d'or les remparts de l'escarpement, Mek et lui étaient à leur poste sur les hauteurs et scrutaient l'ouest. Jannie avait dû passer la nuit à Roseires, pendant que les hommes de Mek restés là-bas l'aidaient à charger le matériel livré lors de leur arrivée. Il s'agissait d'une des étapes les plus délicates de l'opération. Bien que Mek ait assuré qu'il n'y avait guère de mouvements de troupes dans ce secteur, quelques soldats soudanais égarés suffiraient pour tout faire tourner au désastre. C'est donc le cœur battant qu'ils entendirent rebondir contre les parois de pierre le ronron familier des turbopropulseurs.

Grosse Dolly se prépara à son premier survol de la vallée et, alors qu'elle passait dans l'alignement des croix de quartz, l'énorme pelleteuse jaune bascula hors de sa soute. Nicholas retint son souffle en la voyant faire le grand saut. Les parachutes s'ouvrirent, elle se balança follement en plein ciel et joua au yo-yo au bout des cordages de nylon pendant que les moines accompagnaient sa descente de cris émerveillés. Elle heurta le sol dans un nuage de poussière.

Sapeur, immobile à côté de Nicholas, grogna et se voila la face pour ne pas voir la poussière qui montait dans le ciel.

– Merde ! fit-il d'une voix blanche.

– C'est son nom, ou juste un cri de joie ? demanda Nicholas.

La dernière palette larguée, l'avion remonta en plein ciel dans un rugissement de moteurs. Nicholas contacta Jannie par radio.

– Mille merci, Grosse Dolly. Bon retour.

– *Inch Allah !* Si Dieu veut ! répondit Jannie.

– Je te ferai signe quand j'aurai besoin qu'on me ramène.

– Je t'attendrai ! Je te dis merde.

– Bien, fit Nicholas en administrant une claque dans le dos de Sapeur. Allons voir si nous disposons toujours d'une pelleteuse.

L’engin jaune gisait sur le côté, cabossé. Il perdait son huile comme un dinosaure blessé son sang.

– Tu peux te barrer, fit Sapeur, effondré comme devant la tombe de sa bien-aimée. Laisse-moi juste une douzaine de ces types pour me filer un coup de main.

Ce soir-là, il ne revint pas dîner au campement. Tessay lui fit porter un bol de *wat* et du pain *injera.* Nicholas songea un instant à aller lui proposer son aide mais il se ravisa. Il connaissait suffisamment Sapeur pour savoir qu’il préférait rester seul dans certaines occasions.

Au petit matin, des phares blancs illuminèrent le campement et les parois rocheuses répercutèrent l’écho d’un moteur diesel. Couvert de graisse et de poussière jusqu’à son crâne chauve, l’œil cave mais triomphant, Sapeur amena la pelleteuse jaune dans l’enceinte du campement. Depuis le siège du conducteur, il hurlait à pleins poumons.

– Debout, les aminches ! Bougez-vous un peu les arpions, parce qu’on va le construire, ce barrage !

18

Ils eurent besoin de deux jours entiers pour rassembler toutes les palettes éparpillées et en transporter le contenu à la carrière abandonnée. Là, ils le rangèrent selon l'ordonnancement que Nicholas et Sapeur avaient mis au point en Angleterre. Il était primordial de savoir avec précision à quel endroit était rangé chaque élément de leur équipement, ainsi que de pouvoir y accéder facilement. Sapeur se rendit aussitôt sur le site du barrage où il commença les fondations, enfonçant dans la terre meuble des rives de longues gaffes graduées, relevant les mesures avec un long mètre-ruban en métal.

Nicholas, quant à lui, surveilla les performances des moines volontaires au travail. Il s'efforça de les connaître individuellement. Il repéra ceux qui avaient un tempérament de meneurs d'hommes et, parmi ceux-ci, sélectionna les plus astucieux et les plus motivés. Il retint aussi les noms de ceux qui parlaient arabe ou anglais. Celui qui promettait le plus était un moine nommé Hansith Sherif dont il fit son interprète et son assistant.

Une fois qu'ils furent revenus au campement, Mek Nimmur entraîna Nicholas à l'écart des deux femmes.

– A partir de maintenant, mon boulot sera de veiller à la sécurité du site. Nous devons nous tenir prêts à soutenir un raid comme celui qui a nettoyé ton campement précédent. Nogo et ses brutes sont toujours dans le secteur. Il apprendra vite ton retour dans les gorges. S'il rapplique, je dois être prêt à l'accueillir.

– Je trouve aussi que l'AK-47 te va mieux que la pioche. Peux-tu me laisser Tessay ? J'ai besoin d'elle.

– Et moi alors ! répliqua Mek en souriant. J'en prends de plus en plus conscience. Prends soin d'elle. Je rentrerai tous les soirs prendre de ses nouvelles.

Mek emmena ses hommes dans la brousse et les déploya en lignes défensives le long de la piste et tout autour du campement. Chaque fois qu'il levait les yeux de son travail, Nicholas devinait la silhouette d'une des sentinelles postées dans les hauteurs. C'était une vision tout à fait rassurante.

Comme il l'avait promis, Mek revint chaque soir au campement. Souvent, au cours de la nuit, parvenaient à Nicholas son rire profond et rauque ainsi que les clochettes d'argent de la voix de Tessay. Ils étaient ensemble sous le petit abri de toile qui leur était réservé. Alors, les yeux ouverts dans l'obscurité, il songeait à Royan si proche dans sa propre tente et pourtant si lointaine.

Le cinquième jour, la seconde fournée de trois cents hommes qu'avait engagés Mai Metemma arriva. Nicholas n'en revenait pas : les choses se passaient rarement de cette manière en Afrique. Rien n'arrivait jamais à l'heure due. Il se demanda ce que Mek avait exactement dit à l'abbé et décida qu'il préférait ne pas le savoir. Après tout, le plus important était que le gros œuvre puisse être mis en route.

Ces hommes venaient tous des villages disséminés à flanc d'escarpement. Mai Metemma les avait enrôlés en leur promettant quantité d'indulgences et en les menaçant des flammes de l'Enfer.

Nicholas et Sapeur répartirent cette main-d'œuvre en groupes d'une trentaine d'hommes avec, à leur tête, un moine soigneusement choisi pour tenir le rôle de contremaître. Ils avaient pris soin de classer les hommes selon leur puissance physique. Les plus solides et les plus gaillards étaient destinés aux travaux de force tandis que les petits gabarits étaient réservés pour les tâches qui demandaient plus d'adresse et d'agilité.

Nicholas trouva des noms pour chaque équipe. Les Buffles, les Lions, les Haches... L'exercice mit à rude épreuve son imagination mais il voulait, par ce biais, insuffler aux hommes un sentiment de fierté et, dans son propre intérêt, stimuler entre eux l'esprit de compétition. Il les fit défiler dans la carrière, chaque équipe ayant son contremaître à sa tête. Perché sur un des blocs de pierre taillés plusieurs milliers d'années auparavant, il les harangua et leur apprit qu'ils seraient payés avec des dollars d'argent, des Marie-Thérèse. Il leur promit aussi un salaire trois fois supérieur à ceux en vigueur.

Les hommes, qui jusqu'ici l'avaient écouté avec un air morne, se transformèrent d'un coup. Pas un n'avait espéré être rémunéré pour ce travail et la plupart réfléchissaient au moment favorable pour déserter et rentrer chez soi. Et maintenant, Nicholas promettait de payer et qui plus est en dollars d'argent. En Éthiopie, les Marie-Thérèse étaient considérés comme la seule monnaie valable. Ils étaient encore frappés de l'année 1780 et du portrait de la vieille impératrice, avec son double menton et son décolleté qui exposait la moitié de son buste glorieux. Une seule de ces pièces avait plus de valeur qu'un sac plein de billets de banque sans valeur imprimés par le régime d'Addis. Pour payer ces hommes, Nicholas avait fait mettre dans les palettes parachutées par Jannie un coffre plein de pièces d'argent.

Au fil de son discours, des sourires célestes se mirent à éclore et les dents éclatantes illuminèrent les visages d'ébène levés vers lui. Quelqu'un se mit à chanter et, bientôt, ils se mirent tous à frapper des pieds, à danser et à scander le nom de Nicholas. Après avoir fait la queue pour la distribution des outils, ils descendirent en colonne vers le site du barrage, sans cesser de chanter et danser.

– Saint Nicholas ! fit Tessay en riant. Le Père Noël. Ils ne vous oublieront jamais.

– Ils vont peut-être vous embaumer et construire un monastère autour de votre tombe, suggéra Royan d'un ton suave.

– Ils ne savent pas encore qu'ils vont devoir transpirer pour gagner chacun des dollars que j'ai promis.

Les travaux commençaient dès les premières lueurs de l'aube et ne s'arrêtaient que quand il faisait trop sombre pour continuer. Les hommes retournaient à leurs baraquements à la lumière des torches, trop épuisés pour chanter la moindre note. Nicholas avait conclu un accord avec les chefs des villages environnants pour que, chaque jour, on fournisse au campement une bête de boucherie. Les femmes descendaient en chassant l'animal devant elles, d'énormes poteries pleines de *tej* en équilibre sur la tête.

La petite armée de travailleurs de Nicholas n'eut à souffrir aucune désertion.

Perché sur le siège de sa pelleteuse, Sapeur souleva le premier gabion de toile métallique entre les bras hydrauliques de l'engin. Les paniers remplis de rocaille pesaient plusieurs tonnes et toute activité fut interrompue quand les hommes se massèrent sur les rives pour assister à la manœuvre. Un murmure étonné résonna quand Sapeur fit descendre la rive escarpée à la pelleteuse jaune et qu'il entra dans l'eau, le gabion en l'air. Le courant, comme choqué par une telle intrusion, se rua autour des roues avec rage mais Sapeur avançait, imperturbable.

Les hommes massés sur la rive se mirent à chanter des encouragements en battant des mains. Le niveau de l'eau atteignait le ventre de la pelleteuse tandis que des nuées de vapeur s'élevaient en sifflant du carter. Sapeur bloqua les freins et fit lentement descendre le gabion dans l'eau avant de repartir vers la rive en marche arrière. Les hommes l'accueillirent avec des vivats exubérants. Le premier gabion fut aussitôt submergé et englouti, et seul un tourbillon signalait son existence. Un autre gabion attendait sur la berge. La pelleteuse s'en empara et le souleva entre ses bras d'acier aussi tendrement que l'aurait fait une femme avec son enfant.

Nicholas ordonna aux contremaîtres de remettre leurs hommes au travail. Les longues colonnes repartirent vers les hauteurs. Les hommes étaient nus à l'exception de pagnes immaculés drapés autour de leurs reins. Dans la chaleur de la gorge, les peaux baignées de sueur luisaient comme de l'anthracite fraîchement exhumé. Chacun transportait un panier de pierrailles qu'il allait verser dans le gabion puis remontait remplir son panier au sommet de la colline. Dès qu'un gabion était rempli, une autre équipe posait le couvercle et le fixait à l'aide d'un solide lien de métal.

– Vingt dollars de mieux à l'équipe qui remplit le plus de paniers ! s'écria Nicholas.

Ils accueillirent la proposition avec des cris de joie et

redoublèrent d'efforts. Mais il leur était impossible de lutter avec la pelleteuse de Sapeur. Celui-ci déposait sa digue de rochers avec art, dans l'eau peu profonde des bords de la rivière. Il rangeait chaque gabion contre le précédent et utilisait les rives comme un support où il les appuyait.

Au début, les progrès n'étaient guère visibles, mais, dès que les premiers blocs émergèrent, la rivière réagit avec violence. En se ruant contre le mur de Sapeur, le murmure soyeux de ses rapides se transformait en rugissements furieux.

Bientôt le sommet de la muraille de gabions creva la surface et la rivière se retrouva réduite à la moitié de sa largeur. Elle se jetait dans le passage qu'on lui avait ménagé comme un torrent furieux dont les eaux vertes montaient imperceptiblement le long des rives. Les flots attaquaient les fondations du barrage, s'acharnant sur les points les plus fragiles. La montée des eaux ralentit l'avancée des travaux.

Plus loin, dans les forêts poussées dans l'humidité de la rivière, les bûcherons étaient à l'œuvre. A chaque chute des grands arbres, Nicholas serrait les dents. Les immenses troncs ployaient et s'effondraient avec des bruits de créatures vivantes, et lui qui aimait à se considérer comme un protecteur de la nature ne pouvait oublier qu'il avait fallu des siècles à ces arbres pour atteindre leur taille actuelle.

– Tu veux quoi ? lui dit Sapeur non sans cruauté. Ton fichu barrage ou tes jolis arbres ?

Nicholas fit demi-tour sans répondre. Ce travail incessant commençait à les épuiser. Les nerfs étaient tendus à se rompre et les humeurs étaient généralement susceptibles. Il y avait déjà eu des disputes violentes entre les ouvriers et Nicholas avait été forcé de séparer les combattants en plongeant sous les moulinets de pics de pioches.

Ils étranglèrent lentement la rivière dans son lit, au rythme de la progression des digues. Bientôt, ils durent aller travailler sur l'autre rive. Il fallut les forces combinées de tous les membres de l'équipe pour construire une nouvelle route qui irait jusqu'au gué. Cela fait, ils firent entrer la pelleteuse dans l'eau et entreprirent de lui faire traverser la rivière. Une centaine d'hommes furent mobilisés et la halèrent avec des câbles.

Ils durent ensuite construire une autre route le long de la rive pour rejoindre le site du barrage. Ils abattirent les troncs qui obstruaient le passage et écartèrent les éboulis rocheux qui gênaient la progression de la pelleteuse. Une fois qu'ils furent installés sur le site du barrage, le remplissage des gabions reprit de plus belle. Les deux digues se rapprochèrent graduellement, au rythme de quelques mètres par jour. L'espace entre elles diminuait et l'eau montait et devenait plus puissante, rendant le travail plus difficile.

Pendant ce temps, à deux cents mètres en amont du barrage, les Faucons et les Scorpions étaient à pied d'œuvre. Ils construisaient un radeau avec les troncs des arbres qu'ils avaient abattus. Ils les lièrent entre eux de manière à former une grille qu'ils imperméabilisèrent en déroulant dessus une épaisse feuille de PVC. Puis ils posèrent sur le tout une autre grille de troncs d'arbres, de manière à former un gigantesque sandwich. L'ensemble fut ficelé avec de solides câbles de métal. Ils terminèrent en lestant une des extrémités du radeau avec des rochers.

Sapeur avait fait disposer le lest de manière que le radeau flotte à la verticale, une de ses extrémités frôlant le lit de la rivière tandis que l'autre resterait dressée au-dessus de la surface. Les dimensions du radeau avaient été calculées avec soin en fonction de l'espace laissé entre les deux digues. Pendant ce temps, Sapeur fit préparer une pile de gabions qu'il remisa de part et d'autre du barrage.

Trois équipes, les Éléphants, les Buffles et les Rhinocéros, qui comprenaient les hommes les plus solides et les plus musclés, travaillaient d'arrache-pied à l'entrée de la vallée. Ils creusaient un canal profond dans lequel la rivière serait détournée.

– Votre ingénieur à la grosse tête, ce Taita, n'aurait jamais imaginé ce petit raffinement, n'est-ce pas? déclara Sapeur à Royan, sur le bord de la tranchée où ils se tenaient. Nous n'avons plus besoin de faire monter le niveau de la rivière que de deux mètres pour qu'elle se déverse dans le canal. Ailleurs, il aurait fallu la faire monter d'au moins six mètres pour la détourner.

– Il y a quatre mille ans, la rivière avait peut-être un niveau différent, répondit la jeune femme qui se sentait étrangement obligée de prendre la défense de Taita.

Peut-être a-t-il lui aussi creusé un canal dont les traces ont disparu.

– Mon œil, grommela Sapeur. Le salopiot n'y a simplement pas pensé. (Son expression était toute pétrie d'autosatisfaction.) Un point contre Mr. Taita!

Royan sourit sans rien dire. Même le très efficace et terre à terre Sapeur Webb prenait l'opération comme un défi lancé à travers les âges. Lui aussi s'était laissé prendre au jeu de Taita.

Aucune menace, aucune récompense, fût-elle divine, n'aurait pu amener les moines à travailler le dimanche. Chaque samedi soir, ils s'interrompaient une heure plus tôt et repartaient en direction du monastère pour être à l'heure pour la communion du jour suivant. Nicholas rouspétait et protestait contre cette désertion mais il était secrètement aussi enchanté que les autres de cette occasion de prendre un peu de repos. Et au moins ne chanterait-on pas matines pour les réveiller à quatre heures, le lendemain matin!

Ils s'étaient donc promis de faire la grasse matinée mais, par la force de l'habitude, Nicholas se réveilla à la même heure indue que les autres jours. Incapable de rester au lit, il décida d'aller faire ses ablutions. Quand il revint de la rivière, Royan était réveillée, elle aussi, et habillée.

– Café?

Elle prit la cafetière qui chauffait sur le feu et lui en versa une tasse fumante.

– J'ai affreusement mal dormi. J'ai fait des rêves stupides. J'étais dans la tombe de Mamose, perdue dans un dédale de couloirs. Je cherchais la chambre mortuaire, j'ouvrais des portes mais elles ne donnaient que sur des chambres pleines de monde. Duraid travaillait dans une des pièces. Il a levé la tête et il m'a dit: « N'oublie pas le protocole des quatre taureaux. Commence par le commencement. » Il était vivant! J'ai voulu le rejoindre mais la porte s'est fermée. J'ai compris que je ne le reverrais plus jamais.

Ses yeux se remplirent de larmes qui scintillèrent dans les lueurs des flammes. Nicholas tenta de la distraire de ce souvenir douloureux.

– Qui y avait-il dans les autres chambres?

– Nahoot Guddabi était dans la suivante. Il ricanait.

« Le chacal chasse le soleil », a-t-il dit. Et puis sa tête s'est transformée en celle d'Anubis, le dieu-chacal des cimetières. Il a aboyé, j'ai eu si peur que je me suis enfuie.

Elle sirota son café et reprit :

– Tout ça est idiot et totalement dépourvu de sens mais von Schiller était dans la chambre suivante. Il s'est élevé dans l'air et a battu des ailes en disant : « Le vautour monte et la pierre tombe. » Je le haïssais si violemment que j'ai essayé de le frapper mais il a disparu.

– Et vous vous êtes réveillée ?

– Non. Il restait une pièce.

– Qui s'y trouvait ?

Elle baissa les yeux et murmura d'une petite voix :

– Vous.

– Moi ? Et que vous ai-je dit ?

– Rien, fit-elle en rougissant violemment.

– Qu'ai-je fait, alors ? demanda-t-il, intrigué par sa réaction.

– Rien. Enfin... Je ne peux pas en parler !

Les images du rêve l'envahirent à nouveau, aussi prégnantes que la réalité, chaque détail du corps nu de Nicholas et même son odeur et la sensation de son toucher. Elle s'efforça de ne pas y penser. Elle se sentait vulnérable, comme elle l'avait été dans le rêve.

– Dites-moi, insista-t-il.

– Non !

Elle se leva, troublée, les joues en feu. C'était la première fois de sa vie qu'elle rêvait ainsi d'un homme, qu'elle avait éprouvé un orgasme en dormant. Elle s'était d'ailleurs réveillée, son pyjama trempé.

Elle bafouilla la première chose qui lui traversa l'esprit :

– Nous n'avons rien à faire de toute la journée.

– Au contraire, fit-il en se levant à son tour. Nous devons songer à préparer notre départ d'ici. Quand le moment viendra, nous serons probablement très pressés.

– Ça vous embête si je viens avec vous ?

Deux équipes, les Buffles et les Éléphants, les attendaient dans la carrière. Il y avait là soixante des hommes les plus costauds. Nicholas déplia les canots de rafting insubmersibles qui étaient ficelés sur une des palettes. Ces canots avaient été conçus pour la descente de rapides et chacun pouvait supporter un équipage de seize personnes et une tonne de chargement.

Nicholas leur fit porter les lourds paquets au moyen des longues perches taillées à cet effet. Cinq hommes à chaque extrémité des perches suffirent à la tâche. Ils s'engagèrent dans le chemin au pas de course. Dès que l'une des équipes montrait des signes de fatigue, elle était remplacée par d'autres porteurs qui se glissaient à leur place sans ralentir l'allure.

Nicholas portait la radio dans une mallette étanche. Royan et lui trottaient derrière la caravane, chantant en chœur avec les porteurs.

Mai Metemma attendait sur la terrasse de l'église de Saint-Fromentius. Il les précéda le long de l'escalier creusé à même le roc, qui les amena soixante mètres plus bas au bord de l'eau. Il y avait là une étroite corniche de pierre contre laquelle venaient se briser les eaux du Nil. Les embruns de la cascade les inondaient comme une averse perpétuelle. Après la chaleur et le soleil de la vallée, il faisait froid, sombre et humide dans les profondeurs de la gorge. Les falaises noires ruisselaient d'eau et la corniche sur laquelle ils se trouvaient était glissante.

La course folle du fleuve fit frissonner Royan. Il formait un gigantesque tourbillon qui creusait un cercle dans le chaudron rocheux avant de se précipiter dans l'étroit goulot de la gorge et commencer son long voyage vers l'Égypte.

– Si j'avais su que vous comptiez rentrer par là... fit-elle en regardant le fleuve.

– Si vous préférez rentrer à pied, je n'y vois aucun inconvénient. Avec un peu de chance, on pourra emporter quelques kilos de plus. Le fleuve est le seul moyen pour partir d'ici.

– Ce doit être vrai mais ce n'est pas très engageant. Elle ramassa une branche de bois sur la plate-forme et la jeta dans les flots. La branche fut emportée et fila sur une vague qui se gonflait au contact d'un obstacle submergé.

– A quelle vitesse va le courant ? demanda-t-elle en regardant la branche disparaître dans les remous.

– Oh, pas plus de huit ou neuf nœuds, dit-il négligemment, mais ce n'est pas grand-chose. L'eau est encore très basse. Attendez qu'il commence à pleuvoir ! Là, ce sera drôle ! Des tas de gens payeraient cher pour avoir la chance de descendre un tel fleuve. Vous allez adorer ça.

– Je brûle d'impatience, fit-elle un peu sèchement.

Il y avait une petite caverne à quinze mètres au-dessus de la corniche : la chapelle de l'Épiphanie. Elle avait été creusée là, hors d'atteinte de la crue, par des moines, plusieurs siècles auparavant. Elle se terminait par une vaste grotte éclairée aux bougies qui abritait une statue de la Vierge à l'Enfant grandeur nature, enveloppée dans une bure en velours. Mai Metemma leur permit de ranger les canots dans ce sanctuaire. Une fois les porteurs partis, Nicholas montra à Royan comment actionner les poignées automatiques et les bouteilles de gaz carbonique qui gonfleraient les radeaux en quelques minutes. Il emballa la radio et la trousse de secours dans un sac en plastique et plaça le tout dans un des paquets.

– Rassurez-moi, vous avez bien l'intention de participer à cette promenade ? Vous ne pensez pas m'y envoyer toute seule ? demanda-t-elle avec anxiété.

– Il vaut mieux que vous sachiez comment tout cela fonctionne, répondit-il. Si les choses se gâtent vraiment au moment où nous partirons, j'aurai peut-être besoin de votre aide pour mettre les canots à l'eau.

Quand ils rejoignirent la surface chaude et ensoleillée, l'humeur changeante de Royan avait encore varié.

– Il n'est pas encore midi et nous avons toute la journée devant nous. Retournons au bassin de Taita, suggéra-t-elle.

Il haussa les épaules avec indulgence. Les Buffles et les Éléphants les accompagnèrent jusqu'à l'embranchement. Là, ils continuèrent leur route en direction du barrage en criant des adieux à Nicholas et Royan.

Il ne s'était pas écoulé beaucoup de temps depuis leur dernière visite mais le chemin était entièrement envahi par la végétation. Nicholas dut jouer de la machette et ils se baissèrent plus d'une fois pour passer sous des branches d'épineux. Ils arrivèrent à la corniche qui surplombait le bassin en plein milieu d'après-midi.

– On dirait que personne n'est venu là après nous, fit Nicholas avec soulagement.

– Pourquoi ? Vous vous attendiez à des visites ?

– On ne sait jamais. Von Schiller est un homme charmant, qui sait s'entourer d'excellents jeunes gens. Helm, par exemple. J'ai comme l'intuition qu'il est venu farfouiller par ici. Je vais examiner les lieux plus attentivement.

Il chercha rapidement des signes laissés par d'éventuels intrus. Puis il retourna à l'endroit où Royan s'était assise, au bord du précipice.

– Rien. Nous avons toujours une longueur d'avance.

– Quand Sapeur aura arrêté la rivière, ce sera notre principal lieu d'activité, n'est-ce pas ?

– Oui, mais je voudrais installer un campement ici avant que Sapeur ait terminé. Il faudra transporter tout le matériel dont nous aurons besoin pour l'avoir sous la main quand nous commencerons l'exploration du bassin.

– Comment allons-nous arriver au fond du bassin ? Par le lit de la rivière ?

– Nous pourrons nous en servir comme d'une route que nous descendrons depuis le barrage. A moins que nous ne la remontions depuis le monastère.

– Je suppose que vous avez pensé à une autre manière de nous emmener en bas. Je me trompe ?

– Même à sec, le lit de la rivière est un trop long chemin. Il y a cinq à six kilomètres depuis chaque extrémité du gouffre. Sans compter que ce sera un chemin plutôt impraticable. Je suis un expert, rappelez-vous. J'y suis passé une fois et je ne voudrais pas recommencer. Il y a au moins cinq chutes et des rochers invraisemblables.

– Quelle est donc votre idée ?

– Ce n'est pas la mienne. C'est celle de Taita.

Elle allongea le cou pour jeter un coup d'œil dans le vide.

– Vous voulez dire que nous allons construire un échafaudage, comme il l'a fait ?

– Ce qui est bon pour Taita est bon pour moi. Le vieux renard a dû envisager de descendre le lit de la rivière et il a abandonné l'idée.

– Quand allez-vous vous mettre à la construction de l'échafaudage ?

– Une de nos équipes est en train de rassembler des bambous plus haut dans la gorge. Demain, nous allons commencer à les transporter ici. Nous n'avons pas un jour à perdre. Une fois le barrage fermé, nous devrons descendre dans le bassin au plus tôt.

Comme pour souligner ses paroles, un roulement de tonnerre lointain se fit entendre. Ils levèrent les yeux vers le sommet de l'escarpement. A environ cent cinquante kilomètres au nord, délicatement délavées dans les tons sépia, des masses de cumulo-nimbus s'élevaient dans le ciel, frôlant la ligne bleue et acérée de l'escarpement. Ils ne dirent rien – ils savaient tous les deux qu'un orage se préparait là-bas, dans les montagnes.

Nicholas regarda sa montre et se leva.

– Il faut repartir si nous voulons être rentrés avant la nuit.

Il lui tendit la main pour l'aider à se relever. Elle épousseta ses vêtements et avança jusqu'au bord du vide.

– Réveille-toi, Taita. On arrive, on te rattrape, lança-t-elle.

– Ne le provoquez pas, fit Nicholas en la retenant par le bras. Le vieux coquin nous a déjà assez donné de fil à retordre.

Les bûcherons avaient laissé plusieurs souches d'arbres de taille imposante de part et d'autre du lit de la Dandera, en amont du barrage. Sapeur s'en servit comme de points d'ancrage pour les lourds câbles qu'il voulait tendre en travers de la rivière. Ces câbles étaient astucieusement gréés à un système de palans. Le câble principal était fixé en remorque à la pelleteuse. Deux autres câbles étaient déroulés chacun sur une rive, où les Buffles et les Éléphants se tenaient prêts à entrer en action. Une des équipes était sous les ordres de Nicholas et l'autre sous ceux de Mek, descendu des collines pour leur prêter main-forte.

Le radeau de troncs d'arbres attendait sur la rive, déjà à moitié immergé. Avec son lourd lest de rochers, c'était une structure dont la manœuvre demanderait de gigantesques efforts. Sapeur le considéra en plissant les yeux. Le barrage était pratiquement fermé, les deux digues de gabions s'allongeant depuis les deux rives, laissant un orifice de six mètres de largeur par où s'engouffrait en rugissant le volume entier du cours d'eau.

– Ce qu'il faut éviter, dit-il à Nicholas et Mek, c'est que le fichu bouchon nous échappe et aille heurter cette satanée digue. Du coup, ça fichera en l'air tout notre boulot. Je veux le déposer bien gentiment contre le trou, compris ? Des questions ? Profitez-en pour les poser, après ce sera trop tard.

Il tira une dernière bouffée de sa cigarette et expédia le mégot dans le courant. Puis, d'un air lugubre, il donna le coup d'envoi :

– Bien, messieurs. Le dernier à l'eau est une pédale.

Comparés aux autres, Nicholas et Mek, avec leurs shorts kaki, étaient trop vêtus. Les ouvriers, eux, s'étaient mis entièrement nus. Au signal convenu, ils se ruèrent dans l'eau et prirent position le long des filins.

Avant de les rejoindre, Nicholas jeta un regard autour de lui. Au petit déjeuner, Royan avait très innocemment demandé si elle pouvait lui emprunter ses jumelles. Maintenant, il comprenait pourquoi. Tessay et elle étaient allées se percher au-dessus de la gorge. Au moment où il leva les yeux, il aperçut Royan qui passait les jumelles à Tessay. Les deux jeunes femmes ne perdaient pas une miette de l'opération.

Nicholas revint aux rangées de malabars en costume d'Adam. La mine consternée, il murmura entre ses dents :

– Bon sang, la concurrence est impressionnante ! Espérons que Royan ne s'amuse pas à faire des comparaisons.

Sapeur se jucha sur sa pelleteuse jaune et dans un nuage de vapeur de diesel fit rugir son moteur. Il leva la main au-dessus de la tête, poing fermé. Nicholas transmit l'ordre à son équipe.

– Allez-y ! Tirez.

L'ordre traduit en amharique parcourut toute la rangée et les hommes se penchèrent sur le câble. Sapeur fit lentement avancer la pelleteuse. Les filins se tendirent, les roues des palans se mirent à grincer et le radeau de troncs d'arbres glissa lourdement le long de la rive, puis dans l'eau. Le lest s'enfonça rapidement et rebondit sur le fond de la rivière, alors que l'autre extrémité flottait. Ils le tirèrent lentement en travers du courant jusqu'à ce qu'il flotte à la verticale.

Le courant l'entraîna alors en direction des digues de gabions. Il prit de la vitesse de manière inquiétante. La pelleteuse meugla et cracha un torrent de fumée noire. Sapeur avait renversé la vapeur et rembobinait les câbles à toute allure. Les hommes tiraient et chantaient, certains déjà enfoncés dans l'eau jusqu'au cou.

Le radeau s'immobilisa au milieu du courant et ils purent le laisser aller à une allure plus contrôlée, en direction de l'espace laissé ouvert entre les digues. Quand il dériva vers une rive, Sapeur leva le bras droit et le fit tournoyer. L'équipe de Mek postée sur la rive opposée lâcha du lest et celle de Nicholas retint ses câbles. Docile, le radeau s'aligna sur le trou.

– Allez, hop ! On ferme ! hurla Sapeur.

Le courant était de toute manière trop violent pour qu'on y résiste plus longtemps. Il entraînait les deux équipes dans la rivière. Certains étaient complètement immergés, ils lâchaient prise, pataugeaient et nageaient. Ceux qui résistaient encore s'efforcèrent de freiner la descente du radeau pour qu'il ne s'écrase pas contre les digues. Il s'appuya fermement contre le barrage, comme un bouchon géant s'encastre dans la bonde d'une baignoire gigantesque. Le courant fut instantanément stoppé.

Alors que les ouvriers regagnaient la rive, le corps étincelant dans le soleil, Sapeur libéra les câbles accrochés à son treuil et remonta la rive, moteur à fond. Au moment où il passait près de lui, Nicholas se hissa sur la plate-forme, derrière le siège de Sapeur.

– Il faut étayer en vitesse, maintenant. Avant que le radeau n'éclate ! lui cria Sapeur.

Depuis son perchoir à l'arrière de la pelleteuse, Nicholas occupait une position idéale pour évaluer la situation. Le barrage tenait, mais tout juste. De nombreux jets d'eau jaillissaient par les orifices laissés entre les gabions et le radeau. La pression de l'eau contre les écrans de PVC était énorme. Le radeau, qui subissait toute la colère de la rivière, se pliait et se courbait comme la herse d'un château fort sous les coups d'un bélier.

Sapeur souleva un des gabions entreposés sur la rive et entra dans la rivière, juste sous le barrage. Là, le flot arrivait à peine à hauteur de genou. Nicholas et Sapeur étaient trempés par les échappées d'eau qui parvenaient à forcer le barrage. C'était comme travailler sous une douche glacée. Sapeur se rapprocha au maximum du radeau que la pression gondolait et plaça le lourd gabion juste derrière. Il fit marche arrière et repartit vers la rive pour prendre un gabion supplémentaire. Il éleva progressivement un mur de soutien derrière le radeau en disposant les gabions en talus. Peu à peu, l'épaulement fut aussi solide que les digues latérales.

Nicholas sauta à terre et abandonna Sapeur à sa pelleteuse. Il courut jusqu'au canal creusé en amont, à l'entrée de la vallée. La plupart des ouvriers s'y étaient rassemblés. Il se faufila jusqu'à Royan qui le saisit par le bras.

– Ça marche, Nicky. Le barrage tient bon.

Le niveau des eaux prisonnières montait le long du radeau et des digues de gabions. Sous les cris d'encouragement, la rivière se mit à clapoter à l'entrée du canal. Une cinquantaine d'hommes sautèrent dans le canal, leurs outils à la main. Des nuages de poussière s'élevèrent quand ils dégagèrent à grands coups de pelle la terre qui barrait l'entrée du canal. Un mince serpent d'eau se fraya un passage sous les cris et les applaudissements. Sous les efforts conjugués du groupe, le ruisseau grossit et se mua en torrent. Et d'un coup, entraîné par la rivière qui poussait derrière, il cascada avec violence.

Les hommes restés au fond du canal poussèrent des hurlements paniqués devant la brutalité et la férocité du cours d'eau qui arrivait sur eux. Ils se jetèrent sur les rives du canal mais certains, les moins vifs, furent emportés. Ils criaient et se débattaient, en jetant des appels au secours désespérés. Les ouvriers restés sur les bords coururent le long du canal, ils leur jetèrent des cordes et les arrachèrent de justesse au courant, trempés et maculés de boue.

Maintenant, la rivière coulait dans le canal et dévalait la vallée, de nouveau logée dans le lit qu'elle avait abandonné des milliers d'années auparavant. Ils restèrent près d'une heure sur son bord à la regarder, comme captivés.

Nicholas finit par s'arracher à sa contemplation. Il retourna auprès de Sapeur qui continuait à consolider le barrage. Il avait construit un talus en aval du barrage avec quatre rangées de gabions qui montaient en se rétrécissant jusqu'au sommet de la muraille. Le barrage était désormais beaucoup plus solide, les lourds paniers de toile métallique remplis de pierres étayaient parfaitement la structure, tandis que le canal détournait l'essentiel de la pression de la rivière.

– Vous croyez que cela tiendra ? demanda Royan, dubitative.

– Au moins jusqu'aux pluies, fit Nicholas en l'entraînant. Nous n'allons pas nous attarder ici. Il est temps d'aller explorer le bassin de Taita.

Ils suivirent les rives du cours d'eau qu'ils avaient créé. A certains endroits, ils durent se hisser en haut des talus car le flot avait noyé la piste. Ils atteignirent enfin la confluence avec le ruisseau qui prenait sa source dans la fontaine qu'ils avaient explorée avec Tamre. Le ruisseau était tari.

Ils longèrent le lit à sec, escaladèrent les collines et atteignirent le promontoire d'où se déversait la fontaine. La caverne était toujours entourée de ses énormes fougères vertes, mais, comme une orbite dans un crâne déterré, elle était vide et sombre.

– La source est tarie ! murmura Royan. Le barrage l'a asséchée. C'est bien la preuve qu'elle était alimentée par le bassin de Taita. En détournant la rivière, nous l'avons arrêtée.

Elle avait le regard brillant d'impatience.

– Vite. Ne perdons plus de temps ici. Remontons au bassin de Taita.

Nicholas descendit le premier. Cette fois-là, il s'était équipé d'une sellette fixée à un système de poulie adéquat. Il se laissa tomber par-dessus la saillie qui dominait le vide. Le siège se balança maladroitement et vint heurter la paroi rocheuse. Son pouce droit se retrouva coincé entre le rebord du siège en bois et le rocher. La douleur le fit hurler et, quand il se dégagea, il se rendit compte que la peau était arrachée à sa jointure. Le sang jaillissait et gouttait entre ses jambes. C'était affreusement douloureux mais bénin. Il suça la plaie mais le sang continuait de perler et il n'avait pas le temps de panser la blessure.

Il avait passé le surplomb et l'abîme s'ouvrait sous lui, sombre et effrayant. Son regard était irrésistiblement attiré par la gravure placée entre les deux rangées de niches. Maintenant qu'il savait ce qu'il cherchait, il devinait nettement les contours du faucon à l'aile brisée. Cette vision lui redonna du cœur à l'ouvrage. Depuis leur dernière visite, un mois auparavant, il avait été hanté par la sensation d'avoir rêvé tout cela. Il craignait que le cartouche de Taita ne fût qu'une hallucination et qu'à leur retour ils s'aperçoivent que la paroi de pierre était lisse et intacte. Mais il était bien là.

Il examina entre ses pieds le fond de la gorge. La chute d'eau qui alimentait le bassin avait été réduite à un mince filet. L'eau qui ruisselait le long de la paroi polie était celle que filtraient encore les interstices du barrage, à laquelle venaient s'adjoindre les ultimes débordements des bassins qui se trouvaient en amont.

Le niveau de l'eau dans le bassin de Taita avait considérablement baissé. Une quinzaine de mètres de roche avaient été mis au jour et seize nouvelles niches étaient visibles.

Mais le bassin n'était pas complètement vidé. Le fond était plus bas que le niveau de sortie et une mare d'eau sombre stagnait au centre. Nicholas se dégagea de la sellette et se tint debout à l'endroit exact où il avait failli mourir noyé. Il en éprouva une impression étrange.

Levant les yeux vers les rayons de soleil qui s'engouffraient dans les hauteurs du gouffre, il eut le sentiment de se trouver au fond d'un puits de mine. La caresse humide de l'air sur ses bras le fit frissonner et son estomac se serra bizarrement. Il donna quelques secousses à la corde pour qu'on remonte le siège et avança en équilibre sur la pierre glissante, vers la paroi rocheuse où les niches creusaient de noir le gris plus pâle du granite.

Il distingua l'ouverture qui avait manqué l'aspirer. Elle était à moitié immergée dans un coin plus profond au pied de la falaise. On n'en voyait que la partie supérieure sous la base des rangées de niches.

Le rebord de pierre sur lequel il marchait allait en se rétrécissant. Il avançait maintenant en crabe avec les orteils qui touchaient l'eau. Bientôt, il s'aperçut qu'il ne pourrait pas progresser davantage sans mettre les pieds dans l'eau. Il n'avait aucun moyen d'estimer la profondeur de l'eau stagnante.

Il s'accroupit et se pencha du mieux qu'il put, une main contre la paroi pour ne pas tomber, tâtonnant de l'autre en direction de l'ouverture en partie immergée.

Les bords du trou étaient lisses, et une fois de plus ils lui parurent trop nets et trop bien découpés pour n'être pas dus à la main de l'homme. En remontant sa manche, il s'aperçut que son pouce saignait toujours. Il enfonça néanmoins la main au fond de la flaque. Il sentit des blocs de maçonnerie rudimentaire. Il enfonça la main plus avant, jusqu'à ce que l'eau atteigne son coude.

Soudain, une créature agile et massive tourbillonna dans l'eau noire, juste devant son visage. Un réflexe lui fit retirer le bras de l'eau. La chose fonça vers la surface, cherchant à planter dans sa chair une rangée de crocs longs et acérés. Il eut juste le temps d'apercevoir une tête hideuse, semblable à celle d'un barracuda, et en déduisit que la bête avait dû être attirée par l'odeur du sang qui s'écoulait de son pouce blessé.

Il se redressa vivement en vacillant sur son perchoir, son bras serré contre lui. Un seul croc avait atteint son but, tailladant sa chair comme l'aurait fait un rasoir. Le sang ruisselait de la longue estafilade au dos de sa main, éclaboussant de rouge la surface de l'eau.

La sombre mare se mit à bouillonner instantanément, peuplée d'affreuses formes aquatiques. Nicholas, le dos plaqué à la paroi, les regardait avec un mélange de dégoût et d'effarement. Il distinguait quelques silhouettes sinueuses et fuyantes comme des rubans, certaines aussi épaisses que son mollet.

Une bête jaillit soudain de l'eau et claqua des mâchoires. Elle avait d'énormes yeux luisants et un museau allongé. L'animal devait mesurer près de deux mètres et se contorsionnait comme s'il cherchait à gravir la corniche où se tenait Nicholas, visant ses jambes nues. Ce dernier poussa un cri d'horreur et fit un bond en arrière. Il s'enfuit en titubant vers un refuge plus sûr. Il se retourna pour regarder ce à quoi il avait échappé. L'affreuse tête avait disparu mais la surface était toujours agitée par les formes souples des sphyrènes.

– Des anguilles ! s'écria-t-il. Des anguilles tropicales géantes !

Le sang les avait excitées. La baisse du niveau de l'eau les avait contraintes à trouver refuge dans la mare, où elles se trouvaient à présent en si grand nombre qu'elles devaient avoir déjà dévoré tous les autres poissons. Maintenant, elles étaient affamées. Toutes les flaques qui stagnaient au fond du gouffre devaient grouiller de ces créatures terrifiantes. Grâce à Dieu, il ne saignait pas la dernière fois qu'il s'était aventuré dans ces eaux.

Il défit le mouchoir qu'il portait au cou et en entoura sa main blessée. Les anguilles empêchaient toute tentative d'exploration de l'ouverture dans la falaise. Mais Nicholas imagina bientôt un moyen de se débarrasser de ces monstres.

Lentement, la frénésie qui s'était emparée de la mare retomba et la surface de l'eau redevint lisse et calme. Nicholas leva les yeux vers le siège qui revenait et vit les jambes fines de Royan qui se balançaient de part et d'autre du cadre de bois.

– Qu'avez-vous trouvé ? demanda-t-elle. Y a-t-il un tunnel...

Elle s'interrompit à la vue du sang sur ses vêtements et du bandage autour de sa main.

– Mon Dieu, que vous est-il arrivé ? s'exclama-t-elle. Vous êtes blessé. Est-ce grave ?

Ses pieds se posèrent sur la corniche, près de lui. Elle se glissa hors du siège et lui prit la main avec délicatesse.

– Que vous êtes-vous fait ?

– Ce n'est pas aussi grave que ça en a l'air. Ça saigne beaucoup mais ce n'est pas profond.

– Comment vous êtes-vous fait ça ? insista-t-elle.

En guise de réponse, il déchira un morceau du mouchoir ensanglanté.

– Regardez ! fit-il en jetant le bout de tissu roulé en boule dans la mare.

Royan laissa échapper un cri d'horreur devant le remous de formes glissantes qui explosa à la surface de l'eau. L'une des bêtes déroula la moitié de son corps monstrueux contre la corniche avant de retomber, laissant une traînée de glaire argentée le long de la pierre noire.

– Taita a laissé des chiens de garde pour nous tenir à distance. Nous allons devoir prendre soin de ces amours avant d'explorer l'entrée souterraine.

L'échafaudage de bambou construit à flanc de falaise par Nicholas et Sapeur était fixé aux niches creusées à même le roc quatre mille ans auparavant. Pour assembler son échafaudage, Taita avait probablement utilisé des cordages faits à partir d'écorce. Sapeur avait choisi un câble galvanisé de forte section qui rendait sa structure assez solide pour supporter le poids de plusieurs hommes. Les Buffles formèrent une chaîne humaine afin d'acheminer le matériel et l'équipement le long de l'échafaudage.

Le premier élément à atteindre le sol de la caverne fut le générateur portable Honda EM500. Sapeur le connecta aux lampes qu'il avait fixées au pied de la falaise. Le petit moteur à essence ronronnait avec une assurance tranquille mais fournissait une impressionnante quantité d'énergie. La lumière chassait les ombres des recoins les plus éloignés et éclairait le cul-de-sac rocheux comme une scène de théâtre.

L'humeur générale s'en trouva immédiatement transformée. Les hommes devinrent plus gais et plus sûrs d'eux.

– Maintenant que nous savons qu'elles fonctionnent, on peut éteindre les lumières, déclara Nicholas.

– Il fait si sombre ! protesta Royan. Sans lumière, c'est sinistre.

– Faut économiser l'essence, expliqua Nicholas. Il n'y a pas beaucoup de stations-service dans le secteur. Nous n'avons qu'une réserve de deux cents litres. Le petit Honda n'est pas très gourmand mais il faut être prudent. Nous ne savons pas encore combien de temps nous allons devoir passer dans ce tunnel.

Royan haussa les épaules, résignée, et lorsque Sapeur arrêta le générateur, la caverne retourna à sa triste obscurité. Royan regarda la mare noirâtre d'un air dépité.

– Qu'est-ce que vous allez faire de ces affreuses petites bêtes ? demanda-t-elle à Nicholas.

– Sapeur et moi avons eu une idée. Nous avons pensé vider la mare en faisant la chaîne avec des seaux mais l'eau qui continue à s'accumuler rend l'opération un peu précaire.

– On pourra déjà s'estimer heureux si on échappe à la montée des eaux, grommela Sapeur. Si seulement le major avait songé à emporter une pompe...

– Même moi, je ne peux pas penser à tout, Sapeur. Nous allons construire un petit batardeau autour de l'ouverture immergée et écoper avec des seaux.

Un peu à l'écart, Royan assista à l'opération. Une demi-douzaine de gabions vides furent descendus et installés autour de la mare. On ne les remplit qu'à moitié avec des cailloux ramassés dans l'ancien lit de la rivière. La pelleteuse étant restée à la surface, ils seraient déplacés grâce à la bonne vieille énergie humaine. Il y avait suffisamment de feuilles de PVC pour envelopper les gabions et les rendre étanches.

– Et pour les anguilles ? demanda Royan que les effroyables créatures fascinaient. Vous n'allez pas faire descendre des hommes là-dedans ?

– Vous allez voir ce que vous allez voir, fit Nicholas. Je réserve une petite surprise à vos poissons favoris.

Une fois les opérations pour la construction du coffrage effectuées, Nicholas demanda à tout le monde de quitter la caverne. Royan, Sapeur et les ouvriers allèrent se percher sur l'échafaudage. Nicholas prit alors le sac de grenades à fragmentation que lui avait procurées Mek.

– Sept secondes de délai, se répéta-t-il.

Il dégoupilla deux grenades, les jeta au milieu de la mare, fit demi-tour et courut jusqu'au coin le plus éloigné de la caverne. Là, il s'agenouilla, le visage tourné vers la muraille de pierre, et se couvrit les oreilles de ses mains.

La roche trembla sous lui et les vagues soulevées par la double explosion le recouvrirent avec une violence qui lui comprima la poitrine et lui vida les poumons. Répercutées entre les entrailles du gouffre, les explosions se révélèrent assourdissantes, mais Nicholas s'était protégé les oreilles et l'eau absorba une grande partie de la détonation. Deux fontaines jumelles éclaboussèrent la falaise au-dessus de sa tête et déversèrent sur lui des ruisseaux qui trempèrent sa chemise.

Quand les derniers échos s'estompèrent, il se redressa. En dehors de la douche glacée, il n'avait souffert que de la déflagration. Il retourna au bord de la mare et découvrit une eau qui scintillait sous les convulsions de la vingtaine d'anguilles qui s'y tordaient dans des éclairs de ventre blanchâtre. La plupart étaient mortes, éventrées, d'autres étaient simplement assommées par l'explosion. Connaissant la ténacité avec laquelle elles s'accrochaient à la vie, il se doutait bien qu'elles n'allaient pas tarder à reprendre du poil de la bête, mais, pour le moment, elles ne représentaient aucun danger.

– C'est bon, Sapeur ! cria-t-il vers les hauteurs. Tu peux les envoyer.

Les hommes dévalèrent l'échafaudage, estomaqués par le carnage qu'avaient provoqué les deux grenades, et entreprirent de repêcher les corps des anguilles mortes.

– Vous les mangez ? demanda Nicholas à un des moines.

– Très bonnes ! fit le moine en se frottant l'estomac.

– Ça va comme ça, les goinfres, coupa Sapeur. Au boulot. Fichons ces gabions dans l'eau avant que ces bestioles ne se réveillent et ne vous bouffent.

Nicholas sonda la mare avec une gaule en bambou et s'aperçut qu'il y avait près de deux mètres de fond. Une fois les gabions mis en place, ils durent achever de les remplir. Ce fut une tâche épuisante qui les occupa pendant deux jours entiers mais ils finirent ainsi par élever un solide batardeau en demi-lune. L'entrée du tunnel était enfin accessible.

Avec des seaux en cuir et des pots à *tej*, les Buffles commencèrent à écoper. Nicholas et Royan regardèrent baisser le niveau des eaux et apparaître la mystérieuse entrée pratiquée dans la falaise.

Elle était presque rectangulaire et mesurait environ trois mètres de large sur deux de hauteur. Les parois et le plafond avaient été érodés par le courant, mais, en baissant, le niveau révéla les restes de blocs de pierre qui en scellaient jadis l'ouverture. Certains étaient toujours en place mais la plupart avaient été emportés par des milliers d'années de crues et poussés au fond du tunnel qu'ils obstruaient en partie.

Nicholas, impatient, descendit à l'intérieur du batardeau. Il pataugea dans l'eau et, à mains nues, tenta d'écarter une partie des débris qui encombraient l'entrée.

– C'est une sorte de puits !

Royan, aussi impatiente que lui, le rejoignit en fendant le restant d'eau stagnante.

– C'est bouché ! s'exclama-t-elle, déçue. Taita l'aurait-il fait exprès ?

– Peut-être. C'est difficile à dire. Une grande partie a été entraînée ici par le courant mais il a certainement rebouché le tunnel après lui, en se retirant.

– Dégager cet orifice va demander un travail titanesque, fit Royan d'une voix qui avait perdu beaucoup de son enthousiasme.

– J'en ai peur, admit Nicholas. Il va falloir sortir chaque roc à la main. Et nous n'avons pas le temps de procéder selon les canons de la fouille archéologique. Il va falloir travailler comme des terrassiers.

Il grimpa hors du coffrage et l'aida à remonter sur le bord.

– Au moins, nous avons de la lumière. Nous allons

travailler par équipes de nuit et de jour. Jusqu'à ce que nous arrivions au bout.

– Ils ont installé un barrage sur la Dandera, fit Nahoot Guddabi.

Von Schiller le dévisagea avec stupéfaction.

– Un barrage sur la rivière ? En êtes-vous certain ?

– Oui, Herr von Schiller. Notre espion au campement de Harper nous a fait un rapport. Plus de trois cents hommes travaillent dans les gorges. Et ce n'est pas tout. Harper s'est fait parachuter une énorme quantité de matériel et de fournitures. Il s'agit d'une véritable expédition militaire. Selon notre homme, il a même une machine pour retourner la terre. Un tracteur ou quelque chose comme ça.

Von Schiller chercha une confirmation dans le regard de Helm. Celui-ci acquiesça.

– Oui, Herr von Schiller. C'est vrai. Harper a investi beaucoup d'argent. Rien que l'avion a dû lui coûter cinquante mille dollars.

Depuis qu'un message satellite l'avait fait accourir de Francfort, von Schiller éprouvait les premiers frissons de la passion véritable. Il avait pris un vol direct jusqu'à Addis-Abeba où l'attendait le Jet Ranger qui l'avait transporté jusqu'au campement de Pégase, en surplomb des gorges de l'Abbay.

Ainsi, Harper avait fait une découverte de la plus haute importance. Von Schiller alla jeter un regard par la fenêtre. Au loin, en contrebas du campement, la Dandera s'écoulait au sein de la vallée. C'était une grosse rivière, et y dresser un barrage était une entreprise difficile et coûteuse. Surtout dans un endroit aussi reculé et aussi sauvage. Un tel projet ne s'entreprenait pas à la légère, en tout cas pas sans la certitude d'une récompense substantielle.

La détermination de l'Anglais forçait son admiration.

– Montrez-moi l'endroit où il a construit ce barrage ! ordonna-t-il.

Helm contourna la table, se pencha sur la photographie satellite et désigna soigneusement le site du barrage. Ils contemplèrent l'image pendant une minute puis von Schiller demanda :

– Qu'en pensez-vous, Helm ?

Le Texan hocha la tête et voûta ses épaules de taureau.

– Je ne peux que faire des suppositions.
– Eh bien, supposez donc !
– Il cherche peut-être à détourner le courant. Pour laver des pépites d'or ou des objets en métal précieux. Ou pour balayer des éléments qui recouvrent le site de la tombe...
– Très improbable ! coupa von Schiller. Ce serait une méthode inefficace et exorbitante.
– C'est bien mon avis, fit Nahoot avec une obséquiosité qui passa inaperçue.
– A quoi pensez-vous encore ? demanda von Schiller à Helm.
– La seule raison à laquelle je pense serait qu'il a voulu atteindre quelque chose que recouvrait la rivière.
– C'est plus logique. Qu'y a-t-il après ce barrage ?
– Arrivée à peu près à ce niveau, juste après le barrage, la rivière se précipite dans un ravin profond. Le ravin s'étend sur une douzaine de kilomètres, jusqu'ici, au-dessus du monastère. J'ai survolé le site en hélicoptère. Il me semble impraticable et pourtant...
– Oui, quoi donc ?
– Un jour où nous survolions l'endroit, nous avons vu Harper et la femme. Ils étaient sur le plateau, au bord du ravin. Ils étaient là, fit-il en posant le doigt sur la photo.
Von Schiller se pencha pour repérer l'endroit indiqué.
– Qu'est-ce qu'ils fichaient là ? demanda-t-il sans lever les yeux.
– Rien. Ils étaient assis.
– S'étaient-ils aperçus de votre présence ?
– Bien sûr. Nous étions en hélicoptère. Ils nous avaient entendus arriver. Ils nous regardaient et Harper nous a fait un signe de la main.
– Et ils auraient donc interrompu ce à quoi ils se livraient en vous entendant approcher ?
Von Schiller se tut pendant un si long moment que les deux hommes commencèrent à échanger des regards inquiets. Quand l'Allemand parla, ce fut si inattendu que Nahoot sursauta.
– Visiblement, Harper a une bonne raison de croire que la tombe se trouve dans la gorge, après le barrage. Quand et comment communiquez-vous avec votre espion ?

– Harper est approvisionné par les villages situés sur l'escarpement. Les femmes apportent du bétail pour nourrir les ouvriers. Notre homme leur confie ses rapports qu'elles remontent avec elles.

– Très bien, très bien. Je veux savoir si Harper travaille dans le ravin, sous le niveau du barrage. Quand pouvez-vous le découvrir ?

– Après-demain au plus tard, promit Hclm.

Von Schiller se tourna vers le colonel Nogo. Il avait écouté la conversation sans rien dire, du bout de la table où il se tenait.

– Combien avez-vous d'hommes dans ce secteur ? demanda von Schiller.

– Trois bataillons complets. Plus de trois cents hommes parfaitement entraînés. Beaucoup sont des vétérans.

– Où sont-ils ? Indiquez-le-moi sur la carte.

Le colonel s'approcha à son tour.

– Un bataillon ici, un autre dans le village de Debra Maryam et le troisième au pied de l'escarpement, prêt à attaquer le campement de Harper.

– A mon avis, fit Nahoot, vous devriez attaquer maintenant. Les éliminer avant qu'ils ne découvrent la tombe...

– Taisez-vous ! aboya von Schiller sans le regarder. Vous donnerez votre avis quand je le demanderai.

Il considéra la carte un moment puis interrogea Nogo.

– De combien d'hommes dispose ce chef de guérilla, comment s'appelle-t-il, cet homme qui s'est associé avec Harper ?

– Mek Nimmur n'est pas un chef de guérilla. C'est un bandit, un *shufta* notoire, un terroriste.

– Un homme qui se bat pour sa liberté est souvent le terroriste d'un autre, remarqua von Schiller avec sécheresse. Combien d'hommes a-t-il sous son commandement ?

– Pas beaucoup. Moins de cent, guère plus de cinquante. Ils gardent le campement de Harper et le barrage.

Von Schiller hocha la tête en se tiraillant le lobe de l'oreille.

– Comment Harper et sa bande sont-ils revenus en Éthiopie ? Il a décollé de Malte mais son avion n'a pas pu atterrir dans la gorge.

Il sauta à bas de son bloc et trottina jusqu'à la fenêtre d'où il avait une vue panoramique. Il contempla les profondeurs de la gorge, le chaos de pics, de collines et de plateaux que l'éloignement bleuissait.

– Comment sont-ils entrés sans attirer l'attention des autorités ? En parachute, comme il a reçu son matériel ?

– Non, fit Nogo. Selon mes informateurs, il est arrivé à pied avec Mek Nimmur, plusieurs jours avant que son matériel ne lui soit livré.

– Alors, d'où est-il parti ? Où se trouve le terrain d'aviation le plus proche où peut atterrir un gros avion ?

– S'il est arrivé avec Mek Nimmur, cela ne peut être que du Soudan. C'est de là qu'opère Nimmur. Il y a plusieurs terrains d'aviation abandonnés près de la frontière.

– Le Soudan ? fit von Schiller en cherchant la frontière sur la carte. Ils ont suivi le fleuve, alors ?

– Certainement, affirma Nogo.

– Donc Harper envisage de repartir par le même chemin. Je veux que votre bataillon de Debra Maryam se déploie ici et là. De part et d'autre de la rivière, au-dessous du monastère. Ils doivent être en position d'empêcher Harper d'atteindre la frontière.

– Oui. Compris ! C'est une excellente tactique, fit Nogo avec un plaisir anticipé qui rendait ses yeux brillants derrière ses lunettes.

– Je veux aussi que les hommes qu'il vous reste se rapprochent du pied de l'escarpement. Qu'ils évitent tout contact avec les hommes de Mek Nimmur mais qu'ils se placent de manière à pouvoir avancer rapidement pour encercler le site du barrage. Ils doivent pouvoir bloquer le ravin dès que je vous en donnerai l'ordre.

– Quand ?

– Nous continuerons à surveiller attentivement Harper. S'il fait une découverte, il commencera par dégager certaines pièces. Beaucoup seront trop volumineuses pour être dissimulées. Votre informateur s'en apercevra. C'est à cet instant que nous entrerons en action.

– Vous devriez agir maintenant, Herr von Schiller, intervint Nahoot. Avant qu'il n'ait ouvert la tombe.

– Ne soyez pas si bête ! cingla von Schiller. Si nous agissons trop tôt, nous ne saurons jamais s'il a localisé la tombe.

– Nous pourrons le forcer à...

– Si j'ai appris une chose, c'est qu'on ne force pas un homme comme Harper. C'est un de ces Anglais qui... je me souviens de la dernière guerre, contre eux... Non ! C'est un peuple têtu. Nous ne devons rien précipiter. Quand Harper aura fait ses découvertes dans le ravin, alors ce sera le moment d'agir.

Il sourit de son petit sourire glacé.

– Attendre. Nous devons attendre.

19

Les débris rocheux qui encombraient le puits ne formaient pas une masse suffisamment compacte pour empêcher l'eau de circuler. Si tel avait été le cas, Nicholas n'aurait pas été aspiré par le courant quand il avait plongé dans le bassin. Mais ces débris, enchevêtrés depuis des siècles, allaient nécessiter des efforts considérables pour être déblayés. Les travaux de dégagement étaient compliqués par les dimensions de l'espace dans lequel ils avaient lieu. Le tunnel se révéla ne pouvoir contenir que quatre hommes, et le reste de l'équipe dut se contenter d'évacuer les décombres.

Nicholas changeait les équipes toutes les heures. A chaque relève, Sapeur et lui pénétraient à l'intérieur du tunnel pour estimer les progrès accomplis.

– Trente-cinq mètres ! Pas mal, les Buffles, cria Nicholas à Hansith Sherif, le moine contremaître.

Dans le tunnel, le sol allait en pente douce et régulière. En se retournant, Nicholas vit à contre-jour le rectangle que dessinaient les murs – on ne pouvait plus douter qu'ils fussent l'œuvre d'un ingénieur.

Un ruisseau fuyait entre ses pieds, le long de la pente du tunnel. Il le regarda couler attentivement, afin de juger de la profondeur où ils se trouvaient.

– Vingt-cinq à trente mètres, estima-t-il. Je comprends que la pression à l'entrée du tunnel ait manqué me broyer les os...

Il s'interrompit. Dans la boue, à ses pieds, gisait un objet d'une forme peu courante. Il le ramassa et alla se placer à la lueur des lampes afin de mieux l'examiner. Il frotta l'objet entre son pouce et son index et un grand sourire illumina son visage.

Il pataugea vers la sortie du tunnel en appelant Royan à grands cris.

– Que pensez-vous de ça ? demanda-t-il en brandissant triomphalement sa trouvaille.

Elle sauta du bord du batardeau où elle était perchée et se saisit dc l'objet.

– Où avez-vous trouvé ça, Nicky ?

– Dans la boue, là où il était depuis quatre mille ans. A l'endroit où un des hommes de Taita l'a laissé tomber, certainement en volant du vin pendant que le responsable avait le dos tourné.

Royan tourna l'éclat de poterie vers la lumière.

– Vous avez raison, Nicky ! C'est un morceau de flacon de vin. Regardez le col et le bord du goulot. Et si on devait avoir des doutes, le cercle de cuisson autour du goulot le situe parfaitement dans la période qui nous intéresse. Ça ne peut pas dater de moins de 2000 avant J.-C.

Sans lâcher le morceau de poterie, elle lui jeta les bras autour du cou.

– C'est une preuve de plus, Nicky. Nous sommes réellement sur les traces de Taita. Ne pouvez-vous les faire aller plus vite ? Le vieux renard doit sentir notre haleine contre sa nuque !

Un cri de joie résonna à l'intérieur du tunnel. Nicholas se précipita :

– Que se passe-t-il, Hansith ? demanda-t-il au moine. Pourquoi criez-vous ?

– Nous sommes passés, *effendi*.

Hansith Sherif souriait de toutes ses dents. Nicholas se fraya un passage entre les ouvriers. Ils avaient dégagé un énorme rocher, révélant une ouverture. Il y dirigea sa torche mais ne vit qu'un grand vide sombre.

Il se tourna vers le moine et lui administra une claque vigoureuse sur l'épaule.

– Bien joué, Hansith. Un dollar de plus pour chaque homme de l'équipe. Mais qu'ils travaillent ! Dégagez-moi toutes ces saletés.

Ce ne fut pas si facile, et il fallut deux équipes se relayant pour dégager le conduit de ses décombres. Finalement, Nicholas et Royan purent approcher de l'entrée de la caverne creusée dans la roche, au bout du tunnel.

– Seigneur, qu'est-il arrivé ? demanda Royan d'une voix incrédule. Qu'est-ce qui a pu produire une chose pareille ?

– C'est, à mon avis, une cavité naturelle. Il devait y avoir un défaut dans la roche. Il devait aller d'ici à là, dit Nicholas en faisant glisser le faisceau de sa lampe sur les failles qui émaillaient le plafond de la caverne.

– Croyez-vous que ce soit l'eau qui ait tout balayé ?

– Je crois bien. Même le sol a été emporté.

La roche s'était affaissée, laissant une énorme cavité à trois mètres de l'endroit où ils se trouvaient, un vaste trou rempli d'eau. C'était une sorte de piscine circulaire aux parois verticales au-dessus de laquelle le plafond s'était effondré, dessinant désormais un dôme irrégulier. Le bord opposé de la piscine disparaissait dans l'obscurité : ils estimèrent le plan d'eau long d'au moins trente mètres.

Il semblait n'y avoir aucun moyen de contourner cet obstacle. Nicholas demanda à Hansith d'apporter une des longues perches en bambou qui avaient servi à l'échafaudage. La perche mesurait près de dix mètres et Nicholas l'enfonça dans la piscine pour en sonder le fond. Sans résultat.

– Pas de fond. Voulez-vous savoir ce que je pense ?

– Allez-y, fit Royan.

– Je crois que c'est par cette cavité que ressort la rivière, de l'autre côté de la colline. L'eau a creusé son propre chemin vers la sortie.

– Pourquoi ce bassin n'est-il pas vide, dans ce cas ? demanda Royan en examinant l'étang avec suspicion.

– Le conduit doit faire un coude. L'eau y stagne comme dans le siphon d'un lavabo.

Il fit courir le faisceau de la torche sur la surface de la piscine. Royan poussa une exclamation de dégoût en voyant serpenter vers eux une anguille géante que la lumière avait attirée.

– Les sales bêtes ! fit-elle en reculant involontairement. La rivière tout entière doit en être infestée.

La longue forme fit rapidement le tour de la piscine et disparut aussi vite qu'elle était apparue.

– Si votre théorie est la bonne et qu'une partie de la galerie souterraine de Taita s'est effondrée, alors le tunnel continue de l'autre côté de cette piscine.

Nicholas dirigea le rayon de sa torche vers l'endroit que lui désignait Royan.

– Regardez, Nicky ! s'exclama-t-elle soudain. Le voilà.

Par-delà l'étendue noire de la piscine, l'ouverture rectangulaire béait dans leur direction.

– Comment allons-nous traverser ? se lamenta-t-elle.

– Difficilement, nom de Dieu ! jura Nicholas avec amertume. Ça va nous demander encore deux jours. Il va falloir construire un pont !

– Quel genre de pont ?

– Il faut faire venir Sapeur. Après tout, c'est son domaine.

Sapeur jeta un regard désabusé à la rive lointaine.

– Un pont flottant, décréta-t-il. Combien de radeaux pneumatiques as-tu mis à l'abri ?

– Laisse tomber, Sapeur. Tu ne poseras pas tes sales grosses pattes sur mes canots.

– Comme tu voudras, fit Sapeur. Ç'aurait été plus simple. On aurait ancré un canot au milieu et on aurait construit une passerelle dessus. J'ai besoin d'un truc qui flotte bien...

– Du baobab ! s'exclama Nicholas. Ça fera parfaitement l'affaire. Une fois sec, le bois de baobab est aussi léger que du balsa. Ça flotte aussi bien qu'un de mes canots.

– Et il pousse des tas de baobabs dans les collines, fit Sapeur. Dans cette vallée, un arbre sur deux a une gueule de baobab.

Un énorme spécimen d'*Adansonia digitata* s'élevait à trois cents mètres du haut de la falaise. Son écorce molle évoquait le corps d'un grand reptile des âges préhistoriques. Sa circonférence était impressionnante : même en se tenant par la main, vingt hommes n'auraient pu en faire le tour. Avec ses branches supérieures nues et tordues, il avait l'air d'être mort depuis une centaine d'années. Seules de lourdes cosses gainées de velours indiquaient qu'il vivait encore : elles pendaient à ses plus hautes branches, éclatées sur des graines noires qu'emmitouflait une crème épaisse et blanche.

– Les Zoulous racontent que le Nkulu Kulu, le Grand Esprit, a planté le baobab la tête en bas et les racines en l'air pour le punir, expliqua Nicholas à Royan, stupéfaite par l'immense éventail de ses branches.

– Pourquoi avoir fait une chose pareille ? demanda-t-elle. Qu'est-ce que ce pauvre vieux avait fait de si terrible ?

– Il s'était vanté d'être l'arbre le plus fort et le plus épais de la forêt, aussi le Nkulu Kulu a-t-il décidé de lui donner une petite leçon d'humilité.

Une des branches de l'arbre s'était brisée sous l'effet de son propre poids et gisait au pied du tronc. Son bois était blanc et fibreux, léger comme du liège. Sur les indications de Nicholas, les bûcherons la détaillèrent en planches qu'ils portèrent jusqu'à la galerie. Là, Sapeur assembla des planches en une sorte de chaussée flottante dont il ancra les deux bouts au rocher. Il fixa dessus une passerelle en bambou. L'ensemble ondulait à la surface de l'eau mais pouvait néanmoins soutenir le poids d'une douzaine d'hommes.

Nicholas fut le premier à traverser. Parvenu de l'autre côté, il appuya une échelle grossièrement assemblée contre la paroi verticale de la piscine et grimpa dans l'ouverture rectangulaire de la galerie. Royan le suivait de près.

A l'entrée de la deuxième partie du tunnel, ils se rendirent vite compte que la configuration du lieu avait changé. La section du tunnel où ils se trouvaient n'avait pas été autant lissée et érodée par le cours d'eau. Les dimensions étaient les mêmes qu'ailleurs, deux mètres sur trois, mais les angles étaient plus nets et les parois, bien que taillées grossièrement, portaient clairement des marques d'outils. Le sol était sommairement pavé.

Cette partie du tunnel avait été également inondée, car elle se trouvait sous le niveau naturel de la rivière. Le pavage était humide sous leurs pieds et encore couvert d'une vase qui n'avait pas eu le temps de sécher. L'humidité suintait du plafond et des parois et l'atmosphère était empuantie par la boue et la moisissure.

Ils attendirent que Sapeur ait déroulé les câbles des lampes qu'il fixa et alluma. Ils s'aperçurent alors que le tunnel se redressait selon une inclinaison d'une vingtaine de degrés.

– Vous voyez ce qu'a manigancé ce vieux renard de Taita, indiqua Nicholas à Royan. Il est descendu sous le niveau de l'eau pour inonder le tunnel sur une longueur telle que personne ne puisse le franchir à la nage et, maintenant, il remonte.

Ils avancèrent lentement le long du plan incliné. Nicholas comptait ses pas à voix haute.

– Cent huit, cent neuf, cent dix...

Ils atteignirent le niveau où s'arrêtaient désormais les eaux détournées. Une marque sur les murs l'indiquait très clairement et, par ailleurs, les dalles où ils marchaient étaient sèches. Cinquante pas plus loin, ils passèrent le niveau des hautes eaux qui avait tout aussi clairement marqué la pierre des parois. Au-delà de cette ligne, le tunnel n'avait jamais été inondé. Les murs étaient dans l'état où les avaient laissés les esclaves égyptiens quatre mille ans auparavant. Les traces des outils de bronze étaient aussi nettes que si elles dataient de la veille.

A moins de trois mètres au-dessus du niveau des eaux les plus hautes, ils arrivèrent à un palier de pierre. Le sol cessait de monter et le tunnel faisait un coude brutal.

– Je crois qu'on peut s'arrêter une minute devant cette prouesse d'ingénieur, fit Nicholas en retenant Royan par le bras. Taita a placé ce palier juste après le niveau des crues. Comment l'a-t-il calculé ? Il n'avait que de médiocres instruments de mesure et, pourtant, il a posé son niveau au mètre près. C'est admirable, non ?

– Il répète à longueur de manuscrit qu'il est un génie. Nous sommes bien obligés de le croire, fit-elle en se dégageant. Continuons, je veux voir ce qu'il y a après ce coin !

Nicolas tenait la lampe le plus haut possible et, quand la lumière éclaira le tunnel, Royan poussa un cri et saisit la main libre de Nicholas. Ils s'immobilisèrent tous les deux, médusés.

Taita avait placé ce coude là uniquement pour l'effet. La section du tunnel qu'ils venaient de parcourir avait été construite sans soin particulier. Les parois étaient irrégulières et nues, le plafond grossier et lézardé. Taita avait pris ses mesures si précisément qu'il ne s'était pas donné la peine d'enjoliver un tunnel que les crues inonderaient.

Maintenant, un escalier gigantesque s'élevait devant eux. Il montait selon un angle calculé de manière que son sommet soit invisible depuis sa base. Les marches occupaient toute la largeur du tunnel. Elles étaient hautes d'une bonne main, avec un giron taillé dans un gneiss moucheté, poli et assemblé si habilement qu'on ne distinguait aucun point de jonction. Dans cette nouvelle section, le plafond était trois fois plus haut qu'auparavant. Il formait un dôme impeccable, aux proportions idéales. Les parois, tout comme le plafond, étaient recouvertes de plaques de granite bleu fixées les unes aux autres avec une précision et une symétrie époustouflantes. Ils avaient découvert un chef-d'œuvre de maçonnerie, majestueux et solennel, qu'une simplicité étudiée et l'absence totale d'ornementation rendaient plus impressionnant encore.

Royan prit la main de Nicholas et ils gravirent lentement l'escalier. Les marches étaient couvertes d'une couche de poussière blanche qui avait la légèreté du talc et se soulevait en nuées impalpables autour de leurs genoux et planaient longtemps après leur passage. Elles tamisaient la lumière crue de la lampe électrique que portait Nicholas.

Le sommet de l'escalier leur apparut peu à peu. Royan enfonça ses ongles dans la main de Nicholas quand elle découvrit ce qui y trônait. La volée de marches s'achevait sur un palier où se découpait une porte rectangulaire. En cet instant magique, les mots leur firent défaut et ils ne purent que contempler cette porte qui venait de leur apparaître. Les mains enlacées dans une étreinte passionnée, ils restèrent immobiles pendant un moment qui sembla durer une éternité. Finalement, Nicholas détacha son regard de la porte et baissa les yeux vers Royan. Son visage resplendissait de ses propres sentiments intérieurs, ses yeux brillaient comme éclairés par un feu dévorant. Il comprit qu'il n'existait sur cette terre aucune autre personne avec laquelle il aurait pu partager cet instant.

Elle tourna la tête vers lui. Ils se regardèrent longtemps dans les yeux. Ils avaient tous les deux conscience de vivre un des moments les plus exaltants de leur existence, un de ceux qui ne se reproduiraient jamais.

L'entrée avait été fermée par une argile blanche qui avait le fini crémeux de l'ivoire. Sa surface ne présentait aucun défaut, aucune tache, elle était immaculée comme la peau immarcescible d'une vierge.

Deux sceaux avaient été apposés au centre du panneau blanc. Celui du haut était un cartouche royal, un nœud rectangulaire coiffé du scarabée, symbole d'éternité. Royan lut le message qui y était marqué. Ses lèvres remuaient mais sa gorge semblait incapable de proférer le moindre son.

« *Le Tout-Puissant. Le Divin. Le Maître des Deux Royaumes d'Égypte. Ami du dieu Horus. Bien-aimé d'Osiris et d'Isis. Mamose, puisse-t-il vivre toujours !* »

Sous le splendide sceau royal, il y avait un dessin plus petit, plus simple. Un faucon à l'aile brisée et une légende : « *Moi, Taita l'esclave, je t'ai obéi, divin Pharaon.* » Sous le faucon blessé, une unique colonne de hiéroglyphes clamait une menace sévère : « *Les dieux te regardent, étranger ! Trouble l'éternel repos du roi à tes propres risques !* »

Briser le sceau de l'entrée était un acte grave et, malgré l'imminence de la saison des pluies, ils n'avaient aucune intention de le commettre à la légère. Ils devaient s'efforcer de conserver la trace de tout ce qu'ils découvraient, de pénétrer dans la tombe en causant le moins de dommages possible.

Ils accordèrent une des précieuses journées qu'il leur restait aux préparatifs. Le souci majeur de Nicholas était d'assurer la sécurité du site de la tombe. Il demanda à Mek Nimmur de placer un garde armé sur la passerelle qui enjambait la piscine. Passer au-delà de ce point était interdit. Seuls Nicholas, Royan, Sapeur, Mek, Tessay et quatre moines choisis par Nicholas avaient le droit de le franchir.

Pendant les travaux de déblaiement du tunnel, Hansith Sherif avait plus d'une fois fait la preuve de ses qualités. Doué d'une force physique impressionnante, très déterminé et intelligent, il était rapidement devenu le premier assistant de Nicholas. Ce fut lui qui porta le trépied et les divers accessoires photographiques pendant que Nicholas prenait des vues du tunnel et de la porte scellée. Il utilisa trois bobines entières, pour être certain de garder une trace des sceaux, de l'entrée et de ses alentours. Ce n'est qu'ensuite que Nicholas permit aux moines d'apporter les outils qui allaient servir à ouvrir la porte.

Pour réduire la perte de voltage due à la distance parcourue par le courant, Sapeur transporta le générateur Honda jusqu'au siphon. Il installa les lampes sur le palier supérieur et les dirigea vers l'entrée scellée.

Il régna bientôt une atmosphère solennelle car, bien

que la tombe datât de plusieurs milliers d'années, y pénétrer restait un acte sacrilège. Royan avait traduit à Sapeur, Mek et Tessay les hiéroglyphes qui avertissaient les intrus, et aucun d'entre eux ne semblait le prendre à la légère.

Nicholas dessina l'ouverture carrée qu'il comptait découper dans la cloison d'argile. Elle était assez large pour permettre le passage et contenait le cartouche royal et le faucon blessé du sceau de Taita. Il avait l'intention de les emporter d'un seul tenant et les voyait déjà trôner dans le musée de Quenton Park.

Nicholas commença par le coin supérieur droit, avec une alêne pointue qui lui servit à sonder la couche de plâtre. Il fit pivoter la pointe à travers l'argile sèche dans l'espoir de découvrir précisément ce qui se trouvait sous sa surface. Il s'aperçut ainsi que l'argile avait été étendue sur des lattes de roseaux finement tissés.

– Ça rend les choses plus faciles, expliqua-t-il à Royan. La natte de roseaux maintiendra la couche d'argile compacte. Elle l'empêcha de se briser ou de s'effriter.

Il força sur l'alêne jusqu'à ce que la couche cède et que l'aiguille s'enfonce librement.

– Quinze centimètres d'épaisseur. Taita ne bâcle jamais son travail. C'est du costaud.

Il perça un trou à chaque coin du carré qu'il avait tracé. Puis il fit signe à Hansith d'apporter le foret afin de les agrandir. C'était une de ces vrilles qu'utilisent les pêcheurs pour percer les lacs gelés.

Dès que la vrille eut percé la couche, Nicholas écarta Hansith avec impatience et colla avidement son œil au trou agrandi. Derrière, tout était noir. Il perçut néanmoins le souffle fragile de l'atmosphère confinée depuis des millénaires qui s'échappait par le trou. C'était une odeur sèche et sans vie, celle d'une époque disparue depuis longtemps.

– Vous voyez quelque chose ? demanda Royan qui s'était approchée.

– De la lumière ! Il me faut de la lumière !

Sapeur lui tendit une lampe dont il dirigea la lumière sur le trou.

– Alors ? s'écria Royan en piétinant d'impatience. Que voyez-vous ?

– Des couleurs ! murmura-t-il. Des couleurs inimaginables, indescriptibles !

Il recula et souleva Royan par la taille pour qu'elle puisse regarder à travers l'ouverture.
– Magnifique ! s'exclama-t-elle. Que c'est beau...

Sapeur brancha le lourd ventilateur qui allait brasser l'air du tunnel pendant toute la durée des travaux tandis que Nicholas préparait la tronçonneuse. Quand il fut prêt, il tendit à Royan des lunettes protectrices et un masque. Il l'aida à les ajuster puis lui montra comment mettre les protège-tympans en cire.

Avant de démarrer la tronçonneuse, il demanda aux autres de reculer jusqu'à la passerelle qui enjambait le siphon : les fumées que crachait le moteur de la tronçonneuse, la poussière qu'elle soulèverait, le bruit de son moteur, tout cela rendrait vite insupportable l'espace confiné du tunnel. Mais il voulait surtout être seul avec Royan au moment d'accéder à la tombe.

Quand ils furent enfin seuls, Nicholas fit tourner le ventilateur à sa vitesse maximale puis il enfila son masque et ses lunettes et enfonça ses bouchons d'oreilles. Il tira sur la cordelette qui démarrait le moteur de la tronçonneuse et l'engin tressauta en libérant des jets de fumée bleuâtre.

Nicholas se prépara mentalement et appuya la lame contre le trou pratiqué à la vrille dans l'argile qui défendait l'entrée. L'épais revêtement blanc et les plaques qu'il recouvrait cédèrent comme le glaçage d'un gâteau de mariage sous un couteau. Il fit délicatement courir la lame le long de la ligne qu'il avait tracée et un nuage de poussière de plâtre envahit l'atmosphère. Quelques secondes suffirent à réduire toute visibilité. Nicholas s'efforçait de suivre ses marques avec précision. Il fit descendre la lame le long du côté droit, suivit la base inférieure du carré et remonta le long du côté gauche. Il acheva son travail en fendant le côté supérieur et, quand il sentit le panneau vaciller, il coupa le moteur et déposa la tronçonneuse par terre.

Royan se précipita pour l'aider. Ils retinrent le morceau de plâtre qui menaçait de basculer et d'aller se briser contre le sol de pierre. Ils le soulevèrent délicatement et allèrent l'appuyer contre un des murs.

L'ouverture dans le plâtre dessinait un carré noir. Nicholas y dirigea la lumière des lampes mais la poussière était encore trop dense pour permettre de voir l'intérieur de la tombe. Il s'aventura dans la première salle. Le nuage de poussière était si épais que la lumière des lampes n'arrivait pas à le percer.

Il se retourna pour aider Royan à le rejoindre, n'imaginant pas un seul instant entreprendre sans elle l'exploration de la tombe. La jeune femme enjamba l'ouverture et ils attendirent tranquillement que le ventilateur ait dissipé les poussières et éclairci l'atmosphère. Le nuage s'estompait graduellement.

Ils distinguèrent tout d'abord le sol sur lequel ils se trouvaient. Ce n'était plus des dalles de pierre mais des carreaux d'agate jaune, polis jusqu'à la transparence et assemblés avec une adresse qui rendait les jointures invisibles. Ils avaient l'impression d'être sur une plaque de verre d'un seul tenant, légèrement voilée par une fine couche de poussière. Aux endroits où ils avaient posé le pied, l'agate scintillait sous la lumière des lampes.

La poussière en suspension céda bientôt la place à un extraordinaire kaléidoscope de formes et de couleurs. Royan ôta son masque et le laissa tomber. Nicholas l'imita en aspirant une énorme goulée de l'air confiné. Rien, pendant des siècles, n'était venu le perturber. Il gardait l'odeur de l'antiquité lointaine, le parfum des bandes de coton qui emmaillotaient le cadavre embaumé.

Un couloir long et étroit s'ouvrait devant eux. L'extrémité se perdait dans l'ombre. Nicholas récupéra la lampe restée sur le palier en se penchant par l'ouverture carrée pratiquée dans la porte. Il la posa par terre et l'orienta de manière qu'elle éclaire le couloir.

Les silhouettes de dieux anciens surgirent aussitôt. Dos au mur, l'attitude hostile, ils posaient sur les intrus un regard sévère. Nicholas et Royan avancèrent pas à pas. La couche de poussière sur le sol d'agate étouffait leurs pas et les légères particules du talc qui flottait toujours reflétaient la lumière et les entouraient d'une aura éthérée, onirique.

Chaque centimètre carré des murs et du plafond était couvert d'inscriptions qui reproduisaient de longs extraits d'écrits mystiques tirés du *Livre de la Respiration*, du *Livre des Portes* et du *Livre de la Sagesse*. D'autres hiéroglyphes racontaient l'histoire du pharaon Mamose et exaltaient les vertus qui en faisaient le favori des dieux.

Ils arrivèrent ensuite au premier des huit sanctuaires pratiqués dans les murs de la galerie funéraire. C'était une pièce circulaire dont les murs étaient décorés de prières au grand dieu Osiris, que l'on voyait en statue, dans une niche à même la paroi, coiffé de son turban emplumé. Ses yeux d'onyx et de cristal de roche fixaient sur eux un regard d'une telle intensité que Royan frissonna. Nicholas avança la main et effleura le pied du dieu.

– De l'or !

Il leva les yeux vers la fresque qui habillait le mur et une partie de la voûte. Elle était essentiellement composée d'un portrait d'Osiris, le dieu de l'Au-delà, avec son visage vert, sa barbe postiche, ses bras croisés sur sa poitrine et refermés sur le fléau et la crosse. Il portait sa coiffe de plumes et avait le front orné d'un cobra dressé. Nicholas et Royan le regardaient avec une admiration mêlée de crainte. Dans la lumière tamisée par la poussière, le dieu semblait vivant et prêt à se mettre en branle sous leurs yeux.

Ils ne s'attardèrent pas dans ce sanctuaire : la galerie s'allongeait devant eux, rectiligne comme le vol d'une flèche vers sa cible. Ils la suivirent. Le sanctuaire suivant était dédié à la déesse. Dans sa niche, la statue d'or d'Isis était assise sur le trône qui la symbolisait. Horus nourrisson tétait son sein. Ses yeux étaient d'ivoire et de lapis-lazuli.

Son portrait recouvrait les murs autour de la niche de sa statue. Elle était représentée sous l'aspect de la Mère aux yeux assombris par le khôl, coiffée du disque solaire et des cornes de la vache sacrée. Des symboles étaient peints autour d'elle, dans des couleurs si vives qu'ils évoquaient les tournoiements d'un nuage de lucioles. C'étaient là les cent noms différents de la déesse : elle était Ast, Net et Bast, elle était aussi Ptah, Seker, Mersekert et Rennut. Chacun de ces noms était une formule magique. Le caractère sacré et bienfaisant de la déesse avait perduré tandis que la plupart des autres divinités s'étaient éteintes, leurs adorateurs n'étant plus là pour répéter leurs noms mystiques et leur insuffler ainsi la vie éternelle.

Byzance et plus tard l'Égypte chrétienne avaient attribué les vertus de l'antique déesse à la Vierge Marie. Isis allaitant son enfant se retrouvait dans l'image de la

Madone. Tous les avatars de la déesse faisaient vibrer Royan avec la même force. Le sang de ses ancêtres qui courait dans ses veines reconnaissait Isis et Marie, la foi chrétienne et le paganisme se mêlaient inextricablement dans son âme. Elle éprouvait à la fois le poids de la culpabilité et l'exaltation pieuse.

Le sanctuaire suivant abritait la statue dorée de Horus à tête de faucon, le dernier membre de la sainte Trinité. Ses yeux étaient de cornaline rouge, sa main droite tenait l'arc de guerre et, parce qu'il dispensait à la fois la vie et la mort, sa main gauche brandissait l'*ankh*.

Les portraits de ses divers aspects encerclaient sa statue de toutes parts : Horus nourrisson qui tétait le sein d'Isis ; Horus Harpocrate, l'adolescent céleste au corps souple et fier, qui, de l'index, faisait le geste mystique de se toucher le menton, chaussé de sandales et vêtu de sa jupe courte aux plis empesés. Et Horus à tête de faucon, Horus au corps de lion, Horus au corps de jeune guerrier coiffé de la couronne du Sud et du Nord réunis. Son socle portait cette inscription gravée : « *Grand Dieu, Seigneur du Ciel, Puissant parmi tous les dieux, dont la force a vaincu les ennemis du divin père, Osiris.* »

Le quatrième sanctuaire était consacré à Seth, le démon, dieu de la violence et de la discorde. Son corps était en or mais sa tête était celle d'une hyène noire.

Le cinquième sanctuaire était celui du dieu des morts et des cimetières, Anubis à tête de chacal. Il présidait aux embaumements, il surveillait le fléau de la grande balance où était pesé le cœur du défunt. Si le fléau restait parfaitement horizontal, le mort était déclaré vertueux. S'il penchait en sa défaveur, Anubis jetait alors son cœur au monstre crocodile qui le dévorait.

Le sixième sanctuaire était dédié au dieu de l'écriture, Thot. Il avait la tête de l'ibis sacré et tenait son stylet entre les doigts. Dans le septième sanctuaire, Hathor la vache sacrée se tenait fermement sur ses quatre sabots. Elle avait une robe pie, un doux visage humain et de grandes oreilles en embouchure de trompette. Le huitième sanctuaire était le plus grand et le plus splendide car il abritait Amon-Râ, le père de la création. Il était le soleil, l'énorme disque doré d'où jaillissaient des rayons.

Nicholas se retourna pour regarder derrière lui. Ces

huit statues à elles seules formaient un trésor dont la valeur dépassait tout ce que Howard Carter et Lord Carnarvon avaient découvert dans la tombe de Toutânkhamon. Il était conscient qu'envisager leur valeur marchande était honteux, mais il n'en restait pas moins qu'une seule de ces œuvres d'art suffirait à payer plusieurs fois ses dettes. Il refoula cette pensée au plus lointain de son esprit et revint à la vaste salle qui s'ouvrait au bout de la galerie.

– La chambre mortuaire, murmura Royan. La tombe.

L'obscurité reculait devant eux comme le fantôme du pharaon vers sa dernière demeure. Maintenant, ils distinguaient l'intérieur de la tombe. Sur les murs resplendissaient des fresques encore plus magnifiques que les précédentes. Ni leurs yeux ni leurs sens n'arrivaient à se lasser d'une telle profusion.

Une silhouette humaine se détachait sur le mur du fond. C'était le corps souple et sinueux de la déesse Nut : elle donnait naissance au soleil. Les rayons d'or ruisselaient de son ventre grand ouvert et allaient baigner le sarcophage du pharaon. Ainsi, ils accordaient au roi mort une nouvelle vie.

Le sarcophage royal était dressé au centre de la salle. C'était un cercueil massif taillé dans un solide bloc de granite. Nicholas songea au nombre d'esclaves qui avaient dû peiner pour traîner cette masse de pierre à travers les couloirs souterrains. Il imaginait leurs corps luisants de sueur et entendait les grincements des rondins de bois sur lesquels roulait l'immense masse du cercueil.

Quand Nicholas regarda à l'intérieur du cercueil, il eut l'impression de sombrer : le sarcophage était vide. Le couvercle de granite avait été arraché avec une telle violence qu'il s'était brisé et qu'il gisait maintenant en deux morceaux, à côté du cercueil.

Ils avancèrent lentement. Dans leur bouche, la déception mêlait son amertume au goût de la poussière. Le sarcophage ouvert ne contenait plus que les morceaux des quatre canopes, ces vases creusés dans l'albâtre pour contenir les entrailles, le foie et les autres organes du roi. Leurs couvercles étaient ornés de têtes de dieux et de créatures de l'au-delà.

– Vide ! chuchota Royan. Le corps du roi a disparu.

Les jours qui suivirent, tandis qu'ils photographiaient les fresques et emballaient les statues des huit dieux et déesses de la galerie funéraire, Royan et Nicholas discutèrent de la disparition de la momie royale.

– Les sceaux à l'entrée de la tombe étaient intacts, souligna Royan.

– Il doit y avoir une explication. Taita pourrait avoir enlevé lui-même le trésor et le corps. Il a déploré plusieurs fois au cours de son récit un tel gaspillage. Il ne cessait de répéter qu'il aurait mieux valu employer le trésor à entretenir et nourrir son peuple.

– Ça n'a aucun sens, répliqua Royan. Dresser un barrage sur la rivière, construire un tunnel, bâtir un tombeau aussi élaboré que celui-ci pour ensuite retirer et détruire la momie du roi ? Taita était un homme logique. Et, à sa manière, il vénérait les dieux d'Égypte. Il suffit de le lire. Jamais il n'aurait bafoué les traditions religieuses auxquelles il croyait si fort. Quelque chose ne va pas : la mystérieuse et pour ainsi dire cavalière disparition du corps, même les peintures et les inscriptions sur les murs.

– Pour la disparition du corps, je suis de votre avis. Mais que trouvez-vous aux décorations ?

– Regardez ces peintures ! Elles sont belles, certes, c'est le travail d'un artiste compétent, mais elles sont sans originalité, les formes et les couleurs sont banales. Et les personnages sont raides et figés. Ils ne bougent ni ne dansent. Il leur manque l'étincelle de génie qu'on trouvait dans la tombe de Lostris.

Nicholas examina les fresques d'un air songeur.

– Je vois ce que vous voulez dire. Même les fresques de la tombe de Tanus étaient d'une autre classe que celles-ci.

– Exactement ! Ces peintures-là étaient de la main de Taita. Celles-ci ne le sont pas. Elles ont été faites par un de ses aides.

– Et les inscriptions ? Qu'est-ce qui ne parvient pas à vous convaincre ?

– Avez-vous déjà entendu parler d'une tombe qui ne comporterait aucun texte du *Livre des Morts* ? Ou qui ne décrirait pas le voyage du mort à travers les sept portes vers le paradis ?

Nicholas resta interdit. Il n'avait jamais envisagé les choses sous cet aspect. Sans mot dire, il retourna à la longue galerie où l'on empaquetait les statues pour se donner le temps de réfléchir.

Il avait pris soin, avant de quitter l'Angleterre, de faire emballer le matériel fragile qui leur serait parachuté dans de solides caisses de métal. Ces caisses, qui avaient servi à transporter des munitions, avaient des joints de caoutchouc imperméables et de solides verrous. Quand ils quitteraient l'Éthiopie, tout leur équipement serait abandonné sur place, mais les caisses de métal et les emballages de polystyrène avaient été soigneusement mis de côté pour le transport des trésors qu'ils comptaient trouver dans la tombe.

Six des statues sacrées logeaient exactement dans les caisses. Celles de Hathor et de Seth étaient trop grosses mais Nicholas s'aperçut qu'elles avaient été sculptées en plusieurs parties. Les têtes étaient amovibles et les pattes de Hathor tenaient à son corps grâce à des chevilles de bois. Démontées, ces deux statues nettement plus grandes que les autres entreraient dans les caisses.

Nicholas, songeur, regarda Hansith emballer la tête d'ébène de Seth. Puis il alla rejoindre Royan qui travaillait aux inscriptions peintes sur le mur, au-dessus du sarcophage vide.

– Bon, je suis de votre avis. L'absence d'extraits du *Livre des Morts* est étrange. Mais que faire sinon accepter un mystère que nous ne pourrons jamais éclaircir ?

– Nicky, il y a autre chose. Ce n'est pas tout. Je le sens dans toutes les fibres de mon être. Quelque chose nous échappe.

– Qui suis-je, moi simple mâle, pour mettre en question la véracité de l'instinct d'une femme ? ironisa-t-il.

– Arrêtez, je vous en prie ! fit-elle d'un ton cinglant. Dites-moi plutôt combien de temps il me reste pour travailler sur les relevés de la stèle ?

– Une semaine, deux au plus. Je dois prendre rendez-vous avec Jannie. Nous devons être à Roseires quand il viendra nous chercher. C'est un rendez-vous que nous ne pouvons pas manquer.

– Dieu du ciel ! s'exclama-t-elle. Je croyais que vous aviez tout arrangé bien avant. Comment allez-vous joindre Jannie ?

– Enfantin, fit-il en souriant. Il y a une cabine publique à la poste de Debra Maryam. Tessay peut se déplacer librement dans le Gojam. Elle ira téléphoner à

Geoffrey Tennant, à l'ambassade à Addis. Il est au courant de tout, il transmettra le message à Jannie.

– Tessay est d'accord ?

– Elle est d'accord pour se rendre à Debra Maryam demain matin. Jannie doit être prévenu suffisamment tôt pour se préparer. Il va falloir coordonner soigneusement nos arrivées respectives sur le terrain d'aviation. Il ne faudrait pas que l'un de nous arrive en avance et attende à Roseires : ce serait la porte ouverte à tous les problèmes.

– Le 1er avril à l'aube, répéta Nicholas à Tessay. Dites à Jannie d'être ici pour le Poisson d'avril. Une date simple à retenir.

Ils la regardèrent s'éloigner, encadrée de son escorte de moines.

– Ça ne vous inquiète pas de la laisser partir ainsi toute seule ? demanda Royan à Mek Nimmur.

– Elle sait ce qu'elle fait. Et puis elle est connue et très aimée dans le Gojam. Elle est aussi en sécurité qu'on peut l'être dans un pays dangereux.

Il regarda la silhouette de Tessay diminuer.

– J'aurais aimé l'accompagner, mais...

L'exclamation que poussa Royan l'interrompit.

– J'ai oublié de lui dire quelque chose !

Elle fila au pas de course le long de la piste en appelant à grands cris.

– Tessay ! Attendez !

La jeune femme se retourna et attendit Royan. Alors que les deux femmes bavardaient, Nicholas leva les yeux vers la ligne lointaine de l'escarpement. L'angoisse lui noua l'estomac quand il s'aperçut qu'au-dessus des montagnes les nuages d'orage étaient plus sombres et plus denses. Les pluies se préparaient. Il se demanda s'ils avaient vraiment le temps dont ils pensaient disposer avant que le barrage ne cède.

Quand il revint à la piste, il vit Royan passer quelque chose à Tessay qui hocha la tête et le glissa dans sa poche. Puis les deux femmes s'embrassèrent et Tessay s'éloigna. Royan attendit au milieu de la piste jusqu'à ce que la jeune femme ait disparu puis elle revint lentement vers Nicholas qui attendait.

– De quoi s'agissait-il ? demanda-t-il à Royan qui sourit d'un air entendu.

– Des trucs de filles. Il y a des choses qu'il vaut mieux que les mâles ignorent.

Nicholas leva un sourcil et elle s'adoucit :

– Tessay va demander à Geoffrey Tennant d'envoyer un message à maman pour lui faire savoir que je vais bien. Je ne voudrais pas qu'elle s'inquiète trop.

En descendant l'échafaudage vers le campement qu'ils avaient installé près du bassin de Taita, Nicholas se demanda par quel hasard Royan avait le numéro de sa mère écrit à l'avance sur le papier qu'elle avait remis à Tessay. Il s'interrogea sur ce besoin soudain de Royan de donner des nouvelles à sa mère.

« Je me demande ce qu'elle manigance. J'essaierai de cuisiner Tessay quand elle reviendra. »

Royan aurait préféré camper dans la tombe mais Nicholas avait insisté pour qu'ils dorment en plein air.

– L'atmosphère moisie de la tombe est certainement très mauvaise pour la santé. Le mal des cavernes menace toujours dans ces endroits fermés depuis longtemps. Il paraît que c'est ce qui a tué un bon nombre des hommes de Carter qui travaillaient à la tombe de Toutânkhamon.

– Les champignons qui causent le mal des cavernes poussent dans les crottes de chauve-souris, fit-elle remarquer. Il n'y a pas de chauves-souris dans la tombe de Mamose. Taita l'a scellée avec beaucoup de soins.

– Moquez-vous ! Vous n'allez quand même pas travailler là-dedans sans arrêt. J'exige que vous en sortiez quelques heures chaque jour.

– C'est vraiment pour vous faire plaisir, fit-elle en haussant les épaules.

Mais, une fois arrivée au pied de l'échafaudage, elle jeta sur l'endroit où elle était supposée dormir un regard consterné et se dirigea vers l'entrée du tunnel.

Le palier où se trouvait la porte scellée avait été transformé en atelier. Royan déplia ses dessins et ses photographies, ouvrit ses livres et s'installa à la table de bois que lui avait fabriquée Hansith. Sur ce bureau de fortune, Sapeur avait installé une lampe qui diffusait assez de lumière pour qu'elle puisse travailler confortablement. Les caisses de munitions qui contenaient les huit statues étaient appuyées contre un des murs. Nicholas avait insisté pour que leurs découvertes soient rangées à un endroit où il pourrait les surveiller. Sur la passerelle au-dessus du siphon, les hommes de Mek, solidement armés, montaient la garde par roulement vingt-quatre heures sur vingt-quatre.

Pendant que Nicholas terminait ses prises de vues, Royan s'abîma dans l'examen de ses notes. Elle travailla pendant des heures, jetant des phrases et des équations dans son carnet. De temps en temps, elle quittait subitement son bureau et franchissait le carré découpé dans l'entrée de plâtre pour filer droit à la galerie afin d'étudier un détail des murs décorés.

Chaque fois, Nicholas se redressait et la regardait avec une expression de tendresse indulgente. Elle était si tendue qu'elle ne se rendait plus compte de ce qui l'entourait, à commencer par lui. Il ne l'avait jamais vue ainsi et son pouvoir de concentration l'impressionnait.

Elle travailla quinze heures sans marquer de pause. Il dut la prendre par le bras et l'emmener, sans se soucier de ses protestations, de l'autre côté du tunnel pour lui faire prendre le repas qui avait été préparé à leur intention. Après qu'elle eut mangé, il l'accompagna jusqu'à sa hutte et insista pour qu'elle s'allonge sur son matelas.

– Maintenant, Royan, vous allez dormir.

Il fut réveillé par un bruit furtif. Elle avait quitté sa hutte et se glissait discrètement vers l'entrée de la tombe. Il regarda sa montre et émit un grognement incrédule : ils n'avaient dormi que trois heures et demie ! Il se rasa en vitesse et englouti un morceau de pain *injera* et une tasse de thé avant d'aller la retrouver, à l'intérieur de la tombe.

Elle était debout devant la niche qui avait contenu la statue d'Osiris. Elle était si absorbée qu'elle ne l'entendit pas approcher. Elle sursauta violemment quand il lui toucha le bras.

– Vous m'avez fait peur !

– Que regardez-vous ? Avez-vous découvert quelque chose ?

– Rien, fit-elle vivement avant de reprendre : Je ne sais pas. Une idée.

– Allez, dites-moi ce que vous préparez.

– Ce serait mieux si je vous le montrais.

Elle l'emmena à sa table, sur le palier, et rangea soigneusement ses notes avant de s'expliquer.

– J'ai étudié les relevés que nous avons faits des inscriptions de la stèle de Tanus. J'ai identifié tous les extraits qui me semblaient provenir des livres des mystères : le *Livre de la Respiration,* le *Livre des Portes* et le *Livre de Thot.*

Elle lui montra quinze pages couvertes de son écriture soignée.

– Tous ces textes ne sont pas de la main de Taita. Je les ai écartés. (Elle mit de côté le carnet et saisit le suivant.) Tout ceci provient de la quatrième face de la stèle. Je ne reconnais aucun texte mais j'ai l'impression qu'il s'agit d'une liste de nombres et de chiffres. Un code ? Je n'en suis pas sûre mais j'ai quelques idées sur lesquelles je reviendrai. Maintenant, reprit-elle en lui montrant un nouveau carnet, voici les textes que je n'ai vus dans aucun livre classique. Ils doivent être, en partie ou en totalité, de la main de Taita. S'il a laissé des indices quelque part, ils doivent être là-dedans.

– Comme cet extrait merveilleux qui décrivait les chairs roses de la déesse ?

Elle rougit violemment et piqua du nez sur son carnet.

– Je me doutais bien que vous n'oublieriez pas une chose pareille ! Tenez, regardez plutôt cet extrait de la troisième face de la stèle que Taita avait intitulée *Automne.* C'est celui qui m'a mis la puce à l'oreille.

Nicholas se pencha et lut les hiéroglyphes à voix haute :

– *Le grand dieu Osiris joua le premier coup, en utilisant le protocole des quatre taureaux. A la première porte, il fit allégeance à la règle immuable du damier.*

Il la regarda.

– Je me souviens de cet extrait. Taita fait référence au bao, ce jeu qu'il aimait passionnément.

– Oui, mais vous souvenez-vous du rêve que je vous ai raconté ? fit Royan avec une pointe d'embarras. J'ai revu Duraid dans une des chambres de la tombe ?

– Je m'en souviens, fit-il, amusé par la gêne qu'elle n'arrivait pas à dissimuler. Il vous a dit quelque chose à propos du protocole des quatre taureaux. Nous n'allons quand même pas nous lancer dans l'interprétation des rêves ?

Son manque de sérieux parut l'agacer.

– Je voulais simplement suggérer que mon subconscient avait enregistré cet extrait et qu'il avait forgé une solution qu'il avait placée dans la bouche de

Duraid. Pouvez-vous être sérieux ne serait-ce qu'un moment ?

– Désolé. Rappelez-moi ce que Duraid vous a dit.

– « *Souviens-toi du protocole des quatre taureaux. Commence par le commencement.* »

– Je ne suis pas un expert au jeu du bao. Que voulait-il dire ?

– Les règles et les subtilités du jeu ont disparu dans la nuit des temps mais vous n'ignorez pas que l'on a découvert des damiers de bao dans des tombes de la 11ᵉ à la 17ᵉ dynastie. On pense que c'est une forme précoce du jeu d'échecs.

Elle commença à en dessiner un sur une page vierge de son carnet.

– Le damier de bao ressemble à l'échiquier. Un carré de huit cases sur huit. Les pions étaient des pierres de couleur qui se déplaçaient d'une manière précise. Le protocole des quatre taureaux était une ouverture qu'affectionnaient particulièrement les grands maîtres de ce jeu, des hommes comme Taita. On sacrifiait des pions de manière à disposer les pierres les plus puissantes sur la rangée d'ouverture d'où elles pouvaient contrôler la ligne centrale du bao, qui est d'une importance primordiale.

– Je ne suis pas sûr de savoir où nous allons, mais continuez, j'écoute.

– La rangée d'ouverture, fit-elle en la lui montrant sur son dessin comme si elle s'adressait à un enfant attardé. Le commencement. Duraid a dit : « *Commence par le commencement.* » Et Taita a dit : « *Le grand dieu Osiris joua le premier coup.* »

– Je ne comprends toujours pas, fit Nicholas en hochant la tête.

– Venez !

Ses carnets à la main, elle lui fit passer l'ouverture découpée dans le plâtre blanc et le conduisit devant le sanctuaire d'Osiris.

– Le premier coup, répéta-t-elle. Le commencement.

Elle se tourna en direction de la galerie.

– Combien de sanctuaires y a-t-il en tout ?

– Les trois de la trinité et puis Seth, Thot, Anubis, Hathor et Râ. Huit.

– Gloire à Dieu ! s'exclama-t-elle. Le petit sait compter ! Combien de cases dans une rangée du damier de bao ?

– Huit dans un sens et huit dans l'autre... Vous croyez que...

Elle ne répondit pas mais ouvrit son carnet.

– Ces chiffres et ces symboles n'ont aucun sens. Ils n'ont aucun rapport les uns avec les autres sinon qu'aucun des chiffres n'est supérieur à huit.

– Je croyais vous avoir comprise mais je suis de nouveau perdu.

– Si dans quatre mille ans quelqu'un lisait le compte rendu d'une partie d'échecs, que comprendrait-il ? demanda-t-elle. Ne verrait-il pas qu'une liste de chiffres et de symboles sans aucune signification ? Vous êtes particulièrement obtus ou quoi ? J'ai l'impression d'essayer de vous arracher une dent.

– Oh, mon Dieu ! Mon Dieu ! s'exclama-t-il, le visage illuminé. Quel trait de génie ! Taita joue au bao avec nous.

– Et voici la première porte, fit-elle en désignant le sanctuaire. Voici le commencement. C'est là que le grand Osiris a joué le premier coup. C'est ici que nous devons commencer, au début du damier sacré. C'est à partir de là que nous devons parer son premier coup.

Ils levèrent les yeux et regardèrent les bords du sanctuaire, les murs incurvés et le plafond en forme de dôme. C'est Nicholas qui brisa le silence.

– Au risque de paraître particulièrement obtus et de me faire arracher une nouvelle dent, je voudrais poser une question : comment diable va-t-on jouer à un jeu dont nous ignorons les règles ?

Quand il pénétra dans la salle de conférences où l'avait convoqué von Schiller, le colonel Nogo exsudait l'assurance et la confiance en soi. Nahoot Guddabi, décidé à ne pas se laisser exclure, le suivait d'un air affairé. Lui aussi essayait de paraître sûr de lui et important, mais, au fond de lui, il sentait toute la précarité de sa position et ressentait le besoin de se justifier aux yeux de son maître.

Von Schiller dictait des lettres à Utte Kemper et, dès qu'ils pénétrèrent dans la pièce, il se leva et remonta précipitamment sur son bloc de bois recouvert de moquette.

– Vous m'aviez promis un rapport pour hier ! aboya-t-il à l'adresse de Nogo. Qu'avez-vous appris de votre informateur ?

– Je suis désolé de vous avoir fait attendre, Herr von Schiller, fit Nogo dont la superbe s'était complètement dégonflée sous l'attaque brutale de von Schiller.

Il commença à s'agiter avec nervosité. Cet Allemand l'effrayait.

– Les femmes sont revenues du campement très en retard. On ne peut pas faire confiance à ces paysans. Le temps n'a aucune signification pour eux.

– Écoutez, fit von Schiller avec impatience, je connais les défauts de vos frères de couleur, Nogo. Et je dois dire que vous-même n'en êtes pas complètement dépourvu. Dites-moi plutôt ce que vous avez de neuf.

– Harper a achevé les travaux du barrage, il y a sept jours. Il a immédiatement transféré son campement en aval, dans les collines au-dessus du ravin. Puis il a fait construire une sorte d'échelle en bambou pour descendre au fond du ravin. Selon mon informateur, ils ont dégagé un trou au fond d'un bassin vide.

– Un trou ? Quel genre de trou ?

Von Schiller avait pâli. Il commençait à transpirer.

– Tout va bien, Herr von Schiller ? demanda Nogo, alarmé par l'aspect maladif qu'avait pris l'Allemand.

– Je vais parfaitement bien ! hurla von Schiller. Qu'est-ce que c'est que ce trou ? Décrivez-le-moi.

– La femme qui m'a apporté le message est une paysanne. Elle est stupide. Elle a juste dit que quand le niveau de l'eau a baissé, il y avait un trou dans le fond. Il était rempli de détritus et de cailloux. Ils l'ont déblayé.

Nahoot ne put se retenir plus longtemps.

– Un tunnel ! Ce doit être l'entrée du tunnel de la tombe.

– Taisez-vous ! lui intima von Schiller avec rage. Vous n'avez rien qui étaye cette supposition. Laissez Nogo achever. Continuez, fit-il en se tournant vers le colonel. Dites-moi la suite.

– La femme dit qu'il y a une cave au fond du trou. Comme un lieu saint creusé à même la roche, avec des peintures sur les murs...

– Des peintures ? Quel genre de peintures ?

– La femme a dit qu'il s'agissait de saints, répondit Nogo avec un geste de mépris. C'est une femme sans éducation. Bête...

– Des saints chrétiens ? demanda von Schiller.

– C'est impossible, Herr von Schiller, coupa Nahoot. Je vous dis que Harper a découvert la tombe de Mamose. Vous devez intervenir rapidement, maintenant.

– Je ne vous le redirai pas deux fois, espèce de minus ! hurla von Schiller. Taisez-vous !

Il revint à Nogo.

– Y avait-il autre chose dans cette caverne ? Répétez-moi tout ce qu'a dit cette femme.

– Des peintures et des statues de saints, fit Nogo. Je suis désolé, Herr von Schiller, c'est tout ce qu'elle a dit. Je sais que ça n'a aucun sens mais c'est ce que cette femme m'a dit.

– Je suis seul juge de ce qui a du sens ou qui n'en a pas, coupa von Schiller. Qu'est-il arrivé aux statues ?

– Harper les a fait mettre dans des boîtes.

– Les a-t-il sorties du sanctuaire ?

– Je ne sais pas, Herr von Schiller. La femme ne m'en a pas parlé.

Von Schiller descendit de son bloc et se mit à arpenter la salle de conférences en marmonnant.

– Herr von Schiller... commença Nahoot, mais l'Allemand lui intima le silence d'un geste bref.

Il finit par s'arrêter en face de Nogo et le dévisagea.

– Ont-ils trouvé une momie dans le sanctuaire ?

– Je ne sais pas, Herr von Schiller. La femme ne l'a pas dit.

– Où est-elle ?

Von Schiller avait atteint un tel degré d'énervement qu'il avait empoigné Nogo par la veste et, dressé sur la pointe des pieds, lui aboyait au visage.

– Où est cette femme ? L'avez-vous renvoyée ?

Des postillons aspergèrent le visage de Nogo. Il cligna les yeux et essaya de s'éloigner mais la prise de von Schiller était impitoyable.

– Non, monsieur. Elle est toujours ici. Je ne voulais pas vous l'amener...

– Crétin ! Faites-la venir ici immédiatement. Je veux l'interroger moi-même. (Il repoussa Nogo loin de lui.) Allez la chercher !

Nogo revint quelques minutes plus tard en traînant une femme par le bras. Elle était jeune et les tatouages bleus qu'elle portait sur les joues et le menton n'arrivaient pas à l'enlaidir. Elle portait la longue robe noire et le turban des femmes mariées. Un enfant était accroché à sa hanche.

Dès que Nogo la lâcha, elle se laissa tomber à terre en gémissant de terreur. Le gamin se mit à pleurer à l'unisson. Il avait les narines blanches de morve séchée. La femme ouvrit le haut de sa robe d'une main tremblante et dégagea un sein gonflé de lait. Elle enfonça le téton dans la bouche de l'enfant. Le bébé et la mère regardaient von Schiller avec des yeux blancs de terreur.

– Demandez-lui s'il y avait un cerceuil ou le corps d'un saint dans le sanctuaire, fit von Schiller en regardant la femme avec dégoût.

Nogo l'interrogea durant une minute puis secoua la tête.

– Elle ne sait rien. Elle est très bête, vous savez. Elle ne comprend rien.

– Interrogez-la à propos des statues des saints. Qu'est-ce que Harper en a fait ? Où se trouvent-elles, actuellement ? Les a-t-il sorties du lieu saint ?

Après un long échange avec la femme, Nogo secoua encore la tête.

– Non. Elle dit que les statues sont toujours dans la grotte. L'homme blanc les a mises dans des boîtes et les soldats montent la garde.

– Des soldats ? Quels soldats ?

– Ceux de Mek Nimmur, le chef *shufta* dont je vous ai parlé. Il est toujours avec Harper.

– Combien de boîtes y a-t-il ?

Von Schiller, aiguillonné par l'impatience, avança jusqu'à la femme qu'il bouscula de la pointe de sa botte.

– Combien de statues ?

La femme poussa un cri angoissé et recula. Von Schiller eut un sursaut lui aussi et s'écarta en grimaçant de dégoût.

– *Gott im Himmel !* fit-il en appliquant son mouchoir contre son nez et sa bouche. Elle pue comme un animal. Demandez-lui combien de boîtes il y a.

– Pas beaucoup, traduisit Nogo. Peut-être cinq, pas plus de dix. Elle n'est pas sûre.

– De quelle taille ? Sont-elles grosses ?

Quand Nogo lui posa la question, la femme indiqua la longueur de son bras. La déception de von Schiller s'afficha clairement sur son visage.

– Si peu d'objets, et si insignifiants.

Il se détourna et alla regarder par les fenêtres qui ouvraient sur le sud, par-dessus le bord de l'escarpement, dans les profondeurs sauvages de la gorge.

– Si ce que raconte cette créature est vrai, alors Harper n'a pas encore découvert le trésor de Mamose. Il devrait y en avoir plus, bien plus.

Nogo, après s'être encore entretenu avec la femme, s'adressa à von Schiller :

– Elle dit que quelqu'un du groupe de Harper a quitté le campement pour aller à Debra Maryam.

Von Schiller fit volte-face.

– Quelqu'un ? Qui ?

– Une Éthiopienne. La concubine de Mek Nimmur. Une femme qu'elle appelle Woizero Tessay. Je la connais. Elle était mariée au chasseur russe avant de devenir la putain de Mek Nimmur.

Von Schiller traversa la pièce d'un bond et empoigna la femme par sa robe. Il mit une telle violence dans ce geste que le bébé roula à terre.

– Demandez-lui où est la femme, maintenant.

La femme se dégagea et se jeta à terre pour récupérer son bébé qui hurlait. Nogo se baissa, l'empoigna et la gifla violemment. Elle serra son enfant contre ses seins et bafouilla une réponse.

– Elle ne sait pas. Elle croit qu'elle est toujours à Debra Maryam.

– Sortez cette sale femelle d'ici ! fit von Schiller en désignant du menton la femme et son enfant.

Nogo les entraîna hors de la pièce.

– Que savez-vous de la femme de Mek Nimmur ? demanda von Schiller quand il revint.

– Elle est d'une famille noble d'Addis-Abeba, parente du ras Tafari Makkonen, l'empereur Hailé Sélassié.

– Si elle est la femme de Mek Nimmur et qu'elle vient du campement, alors elle doit savoir des choses que cette créature ignorait.

– Certainement, Herr von Schiller. Mais elle ne voudra peut-être pas nous les dire.

– Je la veux ! fit von Schiller. Amenez-la ici. Helm lui parlera. Je suis certain qu'il arrivera à lui faire entendre raison.

– Ce n'est pas n'importe qui. Sa famille est très influente, fit Nogo, songeur. Mais d'un autre côté, elle s'est acoquinée avec un bandit notoire. Je n'ai pas besoin d'une autre raison pour l'arrêter. Je vais envoyer un détachement sous les ordres d'un de mes officiers les plus fidèles. (Il hésita un moment.) Si cette femme est interrogée trop brutalement, il vaudrait mieux qu'elle ne puisse pas retourner chez ses proches, à Addis. Ils pourraient nous créer des ennuis. Même à vous, Herr von Schiller.

– Que suggérez-vous ?

– Quand elle aura répondu à vos questions, il y aura un petit accident.

– Faites le nécessaire, ordonna von Schiller. Occupez-vous des détails mais assurez-vous que, s'il faut liquider la femme, cela soit fait avec efficacité. Il y a eu assez de bévues comme ça.

Il regarda Nahoot Guddabi en disant ces mots. L'Égyptien baissa les yeux et rougit sous l'effet de la colère.

Ils avaient passé presque deux jours entiers dans le sanctuaire d'Osiris. Aucun adorateur du dieu n'avait étudié les textes peints sur ces murs, ni examiné les flamboyantes fresques avec autant de passion et de minutie que Nicholas et Royan.

Ils récitaient à tour de rôle, et à voix haute, les extraits que Royan avait relevés sur la stèle de Tanus et notés dans son carnet. Ils les répétaient jusqu'à ce que chacun les connaisse par cœur et, pendant que l'un lisait tout haut, l'autre se concentrait sur les murs dans l'espoir de découvrir un lien entre textes et dessins.

– *Mon amour est une gourde d'eau fraîche dans le désert. Mon amour est une bannière qui se déroule dans le vent. Mon amour est le premier cri d'un nouveau-né*, lut Nicholas.

Royan, qui s'était accroupie devant le sanctuaire, leva les yeux vers lui.

– Taita pouvait être charmant quand il voulait, non ? Quel romantisme !

– Concentrez-vous, voyons ! Nous ne sommes pas en classe de littérature poétique. C'est du sérieux.

– Barbare ! marmonna-t-elle à voix basse en retournant aux inscriptions peintes sur le mur.

– Essayez donc celle-ci : *Nous sommes allongés dans la vallée des multiples liens, l'enfant à sa mère, l'homme à la femme, l'ami à l'ami, le sage à l'élève, le sexe au sexe.*

– C'est la troisième fois de la matinée que vous lisez cette citation. Qu'est-ce qui vous attire tant en elle ?

Elle ne le regardait pas mais son cou s'était coloré d'une teinte pourpre.

– Je regrette ! Je pensais que vous la trouveriez aussi romantique que l'autre. Essayez celle-là, alors : *J'ai souffert, j'ai aimé. J'ai résisté au vent et à la tempête. La flèche a percé ma chair mais ne m'a pas blessé. J'ai évité le chemin trompeur qui s'ouvrait devant moi. J'ai pris l'escalier dérobé qui montait au trône des dieux.*

Royan, accroupie sur ses talons, regarda l'extrémité de la galerie.

– Quelque chose là-dedans, peut-être ? *Le chemin trompeur qui s'ouvrait devant moi. L'escalier dérobé...*

– On piétine, hein ? On se jette sur n'importe quel appât, comme des truites affamées.

Elle se redressa et repoussa les mèches trempées de sueur qui lui collaient au front.

– Oh, Nicky ! Tout cela est tellement déprimant. Nous ne savons même pas par où commencer.

– Courage, ma belle ! fit-il avec une gaieté forcée. Nous allons commencer par le commencement comme nous l'a conseillé votre ami Taita. Laissez-moi essayer celui-là.

La main sur le cœur comme l'aurait fait un acteur victorien, il se mit à déclamer.

– *Le vautour déploie ses ailes puissantes pour accueillir le soleil...*

Ses grimaces la firent rire mais son regard alla se poser au-dessus de son épaule, et elle sursauta violemment.

– Le vautour ! balbutia-t-elle, le doigt pointé vers le mur auquel il tournait le dos.

Il fit volte-face et regarda dans la direction qu'elle indiquait.

Le vautour était là, un oiseau magnifique au regard perçant, au bec jaune et acéré. Ses ailes étaient largement déployées, chaque plume soulignée de couleurs chatoyantes. Il était aussi grand que Nicholas et ses ailes recouvraient la moitié du mur. Ils le regardèrent sans un mot et Royan leva les yeux vers le plafond. Elle lui effleura le bras pour l'inciter à faire pareil.

– Le soleil !

Le disque d'or de Râ était peint sur la plus haute partie du plafond. Son aura semblait repousser les ombres de la galerie. Ses rayons s'étendaient dans toutes les directions mais l'un d'eux suivait la courbe du mur et enveloppait le vautour de sa lumière.

– *Le vautour déploie ses ailes puissantes pour accueillir le soleil*, répéta-t-elle. Est-ce à prendre littéralement ?

Il s'approcha de la fresque et l'examina avec minutie, laissant courir ses mains sur les ailes, le ventre et les ergots. Sous la peinture, le plâtre du mur était parfaitement lisse.

– La tête, Nicky. Regardez la tête de l'oiseau !

Elle sauta pour essayer de l'atteindre mais n'y arriva pas. Elle se tourna vers lui et lui intima, des accents désespérés dans la voix :

– Faites-le, vous êtes bien plus grand que moi.

Il s'aperçut alors qu'une ombre soulignait le côté éclairé de la tête de l'oiseau. Quand il y porta la main, il sentit que la tête était en relief.

– Est-ce que vous voyez une jointure ? demanda Royan.

– Non, c'est lisse. On dirait que ça fait partie intégrante du mur.

– *Le vautour déploie ses ailes puissantes pour accueillir le soleil*, répéta-t-elle avec insistance. Vous ne sentez aucun mouvement ? Essayez de déplacer la tête vers le soleil.

Il pressa de toutes ses forces.

– Rien !

– Ça date de quatre mille ans ! trépigna-t-elle. Bon Dieu, Nicky, s'il y a un mécanisme, il doit être coincé. Plus fort ! Poussez plus fort !

Il plaça les deux mains sur la tête et pressa de toutes ses forces. Les muscles de son cou saillirent et le sang lui congestionna le visage.

– Plus fort !

Ses bras retombèrent et il recula d'un pas.

– Impossible. C'est du solide, ça ne bougera pas.

– Portez-moi. Je veux voir.

– Avec le plus grand plaisir. Du moment que j'ai l'occasion de poser mes mains lascives sur votre corps...

Il se plaça derrière elle, la prit par la taille et la souleva de manière qu'elle puisse atteindre la tête du vautour. Elle tâtonna vivement du bout des doigts et poussa un petit cri de triomphe.

– Nicky, vous avez déclenché quelque chose ! La peinture a craqué autour de la tête. Je le sens. Soulevez-moi plus haut !

Il grogna sous l'effort mais la souleva d'une trentaine de centimètres.

– Oui ! s'exclama-t-elle. Quelque chose s'est déplacé. Il y a une fissure dans le mur, au-dessus de la tête. Regardez !

Il traîna une des caisses de munitions depuis le palier où elles étaient stockées jusque sous l'image du vautour. Une fois perché dessus, il arrivait à la hauteur des yeux de l'oiseau.

Son expression se modifia. Il fouilla vivement dans sa poche et en retira son couteau de poche. Il déplia la lame et la glissa avec précaution le long du contour de la tête. Des miettes de peinture et de plâtre se détachèrent.

– On dirait que la tête est faite d'un bloc indépendant.

– Regardez au-dessus. Plus haut. Le long du rayon de soleil. Y a-t-il une fissure verticale dans le plâtre ?

– Vous savez que vous avez raison ? Mais si j'essaie de l'agrandir, je vais abîmer la fresque. Ça ne vous embête pas ?

Elle n'hésita que quelques secondes.

– Cette tombe sera inondée quand la rivière montera. On la perdra de toute manière. Prenons le risque. Allez-y, Nicky.

Il força la pointe de sa lame dans la fissure et la fit doucement pivoter. Un éclat de peinture de la taille de sa paume se détacha et tomba dans la poussière qui recouvrait le carrelage d'agate du sol.

Il regarda dans la cavité que l'éclat avait laissée dans le plâtre.

– On dirait qu'il y a une entaille ou une rainure dans le mur. Je vais essayer de la dégager.

Il fouilla délicatement de la lame. D'autres éclats de plâtre se détachèrent. La poussière fit éternuer Royan mais elle ne recula pas. Des particules de peinture lui recouvraient les cheveux comme des confettis.

– Oui ! s'exclama-t-il. C'est une rainure verticale.

– Détachez le plâtre autour de la fissure qui entoure la tête du vautour, ordonna-t-elle.

Il essuya la lame de son couteau contre sa jambe de pantalon et se remit au travail.

– Elle bouge, fit-il. On dirait que la tête doit circuler le long de la rainure. Je vais essayer. Reculez-vous.

Il appuya les deux mains sur la tête du vautour et poussa vers le haut. Royan serra les poings et plissa le front, en osmose avec l'effort qu'il fournissait. Il y eut un faible craquement et la tête commença à remonter le long de la rainure. Quand elle fut arrivée en bout de course, Nicholas sauta à terre et recula pour mieux voir la tête de l'oiseau, désormais sans corps, et défigurée par le plâtre arraché.

Après une longue attente pendant laquelle elle retint son souffle, Royan décréta :

– Rien ! Ça n'a absolument rien donné.

– Et la suite de la citation ? Il n'y avait pas que cette histoire de vautour et de soleil, que je sache ?

– Vous avez raison !

Elle lut le reste de la citation avec fièvre.

– *Le chacal aboie et tourne autour de sa queue.*

Elle désigna d'un doigt tremblant la gracile silhouette d'Anubis, le dieu des cimetières à tête de chacal, dessiné sur le mur qui faisait face au vautour qu'ils avaient abîmé. Debout au pied de la gigantesque image d'Osiris, il n'était pas plus grand que le gros orteil bagué de l'époux d'Isis.

Royan courut jusqu'au mur. Quand elle toucha le minuscule chacal, elle se rendit compte que lui aussi était en relief. Elle appuya dessus de toutes ses forces, tentant de le faire pivoter dans un sens puis dans l'autre.

– *Le chacal aboie et tourne autour de sa queue*, fit-elle en haletant. Il doit tourner !

– Attendez, laissez-moi faire.

Nicholas l'écarta doucement et s'agenouilla devant le portrait du dieu à tête noire. Il utilisa encore la lame de son couteau de poche pour écailler le plâtre et l'épaisse couche de peinture.

– On dirait qu'il a été sculpté dans du bois et ensuite fixé là avec du plâtre, dit-il en éprouvant l'assemblage de la pointe de sa lame.

Quand enfin il eut terminé de gratter le plâtre, il essaya de faire tourner Anubis dans le sens des aiguilles d'une montre.

– Impossible, grogna-t-il.

– Ils n'avaient pas de montre à cette époque, fit-elle, agacée. Dans l'autre sens. Essayez dans l'autre sens.

Il obtempéra. Il se produisit un bruit grinçant. Le chacal tourna lentement sur lui-même, jusqu'à ce que son museau noir soit pointé en direction des carreaux jaunes.

Ils reculèrent encore et attendirent, le cœur battant. Nicholas commençait à se sentir profondément frustré.

– Je ne sais pas ce qui doit se produire, grommela-t-il, mais en tout cas, il ne se passe rien.

– La citation n'est pas terminée, souffla Royan. *Le fleuve coule vers la terre. Prends garde, profanateur des lieux sacrés. Crains que l'ire des dieux ne retombe sur toi !*

– Le fleuve ? fit Nicholas. Comme dirait Sapeur, je ne vois pas de foutu fleuve.

L'accent cockney qu'avait pris Nicholas ne fit pas sourire Royan. Elle scrutait la profusion d'images et de textes qui recouvraient les murs qui les encerclaient. Soudain, elle le vit.

– Hâpy ! Le dieu du Nil ! Le fleuve !

Tout en haut du mur, au niveau de la tête du grand Osiris, le dieu du fleuve semblait les observer. Hâpy était un hermaphrodite, avec une poitrine de femme et un sexe d'homme accroché sous son ventre proéminent. Sa gueule d'hippopotame dévoilait des crocs redoutables.

Perché sur sa caisse de munitions, Nicholas tâta l'image du bout des doigts.

– Celle-ci aussi est en relief ! exulta-t-il.

– *Le fleuve coule vers la terre*, récita Royan. Il doit pivoter vers le sol. Essayez, Nicky.

– Laissez-moi le temps de dégager les bords, quand même !

Il employa la pointe de sa lame pour dégager la forme, puis gratta le plâtre en dessous et découvrit une autre rainure verticale qui courait en direction du sol.

– C'est bon, maintenant, déclara-t-il en repliant sa lame. Silence et priez pour moi.

Il posa ses deux mains sur la divinité et exerça une pression régulière vers le bas. Il tira de plus en plus fort, jusqu'à se suspendre complètement au relief d'Hâpy, mais rien ne se produisit.

– Ça ne marche pas.

– Attendez ! J'arrive.

Elle escalada la caisse et passa les bras autour de son cou.

– Tenez-vous bien, prévint-elle.
– Je suppose que chaque gramme compte, fit-il alors qu'elle se pendait de tout son poids à ses épaules. Ça bouge ! cria-t-il.
L'image de Hâpy avait cédé sous ses mains et, dans un bruit grinçant, coulissait le long de la rainure.
Quand la forme ventrue du dieu buta en fin de rainure, Nicholas lâcha prise. Leur perchoir se déroba sous eux et Royan et lui s'effondrèrent sur le sol de la galerie. Nicholas se releva et aida Royan à en faire autant.
– S'est-il passé quelque chose ? demanda-t-elle en regardant avidement autour d'elle.
– Rien. Rien n'a bougé.
– Peut-être y a-t-il un autre...
Un bruit venu du plafond l'interrompit. Ils levèrent les yeux : des coups réguliers faisaient trembler le dôme plâtré.
– Qu'est-ce que c'est ? chuchota Royan. Il y a quelque chose là-haut. On dirait que c'est vivant.
Un géant s'était mis en branle. Après plusieurs milliers d'années d'un sommeil profond, il s'étirait et se retournait.
– Est-ce que...
Elle n'acheva pas. Elle imaginait le dieu en train de revenir à lui dans sa chambre dissimulée dans les hauteurs. Il ouvrait ses grands yeux en amande et, dressé sur un coude, cherchait du regard celui qui avait dérangé son sommeil éternel.
Il y eut un autre craquement, un bruit de roulement comme si le fléau gigantesque d'une formidable balance oscillait, à la recherche de son équilibre. Assourdi d'abord, puis de plus en plus bruyant, le mouvement prit de l'ampleur comme une avalanche en gestation. Puis une détonation retentit.
Une fissure apparut au plafond et zébra toute la longueur de la galerie. Une pluie de poussière tomba de la faille qui s'était créée et, avec une lenteur de cauchemar, le toit céda au-dessus de leurs têtes. Paralysés par une crainte superstitieuse, ils restaient là, incapables de détacher leurs yeux du plafond qui s'effondrait sur eux. Un morceau de maçonnerie vint frapper le visage levé de Nicholas, lui griffant les joues et l'envoyant tituber contre le mur. Le choc et la douleur le tirèrent de sa léthargie.

– L'avertissement de Taita ! balbutia-t-il. L'avertissement de Taita ! La colère des dieux ! (Il saisit Royan par le bras.) Fuyons ! Taita a piégé le plafond !

Ils détalèrent dans la galerie, vers l'ouverture pratiquée dans l'entrée scellée. Des moellons et des plaques de plâtre tombaient en pluie, la poussière envahissait le couloir, les aveuglant à moitié. Le grondement sourd derrière le plafond était devenu un rugissement qui accompagnait la chute du toit. Ils fuyaient sans oser se retourner vers l'avalanche de pierre et de plâtre qui déboulait dans leur direction. Ils allaient être bousculés et ensevelis avant même d'avoir pu atteindre la sortie.

Un morceau de pierre gros comme sa propre tête heurta Royan à l'épaule. Elle sentit ses jambes céder sous elle. Elle serait tombée si Nicholas ne l'avait rattrapée et entraînée le long de l'interminable galerie. La poussière était maintenant tellement épaisse que l'ouverture carrée qui représentait leur seule chance de survie était invisible.

– Courez ! lui cria-t-il. Nous y sommes presque !

Une grosse plaque de plâtre s'écrasa sur le trépied qui soutenait la lampe. Une nuit opaque s'empara de la galerie.

Complètement aveuglé, Nicholas faillit s'arrêter pour retrouver son sens de l'orientation. Mais le toit tout entier menaçait de s'effondrer sur eux d'une seconde à l'autre. Il fonça au jugé, en traînant Royan à sa suite. Il heurta un mur de plein fouet et l'impact lui coupa le souffle. A travers les tourbillons de poussière, il réussit à distinguer l'ouverture carrée qu'éclairaient les lumières installées sur le palier.

Il saisit Royan à bras-le-corps et la souleva de terre. Il la précipita par l'ouverture. Royan poussa un cri en atterrissant lourdement de l'autre côté de la paroi. Un morceau de moellon toucha Nicholas à la nuque et il tomba à genoux, à moitié inconscient. Il se mit à ramper, en proie à la panique. Ses mains tâtonnèrent frénétiquement jusqu'à ce qu'elles trouvent le bord de la fenêtre carrée. Il s'y agrippa et se hissa de toutes ses forces de l'autre côté du mur alors que, derrière lui, le plafond tout entier s'effondrait dans un fracas de tonnerre.

Royan était à genoux sur le palier, dans la lumière blafarde des lampes. Elle rampa jusqu'à lui.

– Ça va ?

Un filet de sang coulait de son cuir chevelu et serpentait le long de sa joue, dessinant une sombre lézarde dans l'épaisse couche de poussière qui lui plâtrait le visage.

Il ne répondit pas mais se releva avec peine. Il attira Royan contre lui.

– Pouvons pas rester là, croassa-t-il.

Une bouffée d'épaisse poussière jaillit de l'ouverture par laquelle ils s'étaient échappés. Elle les recouvrit, déclenchant une formidable quinte de toux et étouffant l'éclat des lampes.

– Ce n'est pas sûr. Tout va se casser la figure d'un moment à l'autre.

Il la traîna jusqu'au sommet des marches qu'ils dévalèrent d'un même élan, se bousculant l'un l'autre, leurs pieds dérapant contre le sol recouvert d'algues et de mousse. A travers la poussière, ils virent se précipiter Sapeur.

– Bordel, qu'est-ce qui se passe ici ? beugla-t-il quand il les vit.

– Aide-moi ! cria Nicholas.

Sapeur prit Royan dans ses bras et ils partirent en courant le long du tunnel. Ils ne s'arrêtèrent pour reprendre leur souffle qu'une fois arrivés à la passerelle qui enjambait le siphon rempli d'eau.

20

Le bureau de poste de Debra Maryam était un petit bâtiment situé dans une rue poussiéreuse qui passait derrière l'église. Ses murs étaient de briques crues et nues et, sous les rayons du soleil, son toit de tôle scintillait comme un miroir. Il y avait une cabine téléphonique devant la porte mais le combiné avait disparu depuis longtemps, volé, ou, plus probablement, enlevé par les soldats pour empêcher qu'il ne serve aux rebelles et aux dissidents.

Tessay passa devant la cabine vide sans même lui accorder un regard. Elle pénétra dans la petite salle bondée d'une population bigarrée, des paysans et des villageois qui formaient une longue file d'attente devant l'unique comptoir où officiait un employé des postes âgé. Certains clients, pressentant une longue attente, avaient étalé des couvertures sur le sol et y campaient en bavardant et fumant pendant que leurs gamins s'ébattaient autour d'eux.

La majorité d'entre eux reconnurent Tessay dès qu'elle passa le seuil de la pièce. Même ceux qui étaient là depuis la première heure s'écartèrent avec respect pour lui permettre de passer. Vingt ans de socialisme à l'africaine n'avaient en rien modifié les réactions féodales des ruraux. Tessay était une noble : elle passait avant tout le monde.

– Merci, mes amis, fit-elle avec un sourire. Vous êtes très aimables mais je vais attendre.

Son refus parut les plonger dans un embarras sans borne et quand le vieux postier se pencha par-dessus son comptoir pour se joindre à l'insistance générale, une des vieilles femmes alla prendre Tessay par le bras et la traîna jusqu'au début de la file d'attente.

– Que Jésus et tous les saints vous bénissent, Woizero Tessay, déclara l'agent des postes avec respect. Bienvenue à Debra Maryam. Que puis-je faire pour vous ?

La foule tout entière se massa autour du comptoir pour ne rien perdre de la réponse de Tessay.

– Je voudrais téléphoner à Addis.

Un murmure parcourut l'assistance. Pour être aussi inhabituelle, la requête devait cacher une affaire d'importance !

– Je vous accompagne au central téléphonique, décréta avec solennité l'agent des postes.

Il coiffa sa casquette bleue pour donner à l'événement toute la mesure de son importance et contourna son bureau en invectivant ceux qui ne s'écartaient pas assez vite devant Dame Soleil. Il l'escorta jusqu'à l'arrière du bâtiment où le central téléphonique occupait une pièce à peine plus grande que des toilettes. Tessay, l'agent des postes et tous les curieux qui purent s'y entasser avec eux entrèrent dans la pièce. L'opérateur, rendu extatique par l'honneur que lui faisait la belle Tessay, hurla dans son casque comme un sergent-major commandant un défilé de tambours.

– Bientôt ! expliqua-t-il à Tessay. Quelques minutes d'attente et vous pourrez parler à l'ambassade britannique d'Addis.

Tessay, qui savait ce que signifiait une petite attente, alla s'installer dans la véranda de la poste. Elle envoya quérir de la nourriture et des flasques de *tej* pour son escorte de moines et une partie de la population de Debra Maryam. Tout ce petit monde pique-niqua joyeusement pendant que Tessay attendait que son appel parvienne à la capitale, relayé par les nombreux villages qui séparaient Debra Maryam d'Addis. Une heure plus tard, l'agent des postes vint lui annoncer avec fierté que son correspondant était au bout du fil.

– Geoffrey Tennant, à l'appareil.

L'accent de la haute bourgeoisie anglaise lui parvenait affaibli par la distance.

– Mr. Tennant, je suis Woizero Tessay.

– J'attendais votre appel, fit Geoffrey, tout réjoui à

l'idée de parler à une jolie femme. Comment allez-vous, très chère ?

Tessay lui communiqua le message de Nicholas.

– Dites à Nicky que c'est comme si c'était fait.

Elle raccrocha et se tourna vers l'agent des postes.

– Je voudrais un autre numéro à Addis. L'ambassade d'Égypte.

La foule de curieux bourdonna avec délices en comprenant que la récréation n'était pas terminée. Tout le monde retourna à la véranda pour un supplément de *tej* et de bavardages.

Le second appel demanda plus de temps. Tessay ne put joindre l'attaché culturel de l'ambassade d'Égypte qu'à cinq heures de l'après-midi. Elle l'avait rencontré lors d'un des innombrables cocktails qui se donnaient dans les milieux diplomatiques d'Addis et lui avait fait une forte impression. Il n'aurait, autrement, jamais accepté de lui parler.

– Vous avez beaucoup de chance de m'avoir, lui dit-il. Nos bureaux ferment en général à quatre heures et demie mais il y a une réunion de l'Organisation de l'Unité Africaine en ce moment et je travaille tard. Que puis-je pour vous, Woizero Tessay ?

Dès qu'elle lui dit le nom et la fonction de la personne au Caire à qui le message de Royan était destiné, son attitude condescendante se modifia du tout au tout. Il nota avec empressement tout ce qu'elle lui disait, lui faisant soigneusement répéter les patronymes des intéressés et les noms des lieux. Enfin, à titre de vérification, il lui relut ses notes.

A la fin de leur conversation, il baissa la voix et glissa, sur un mode plus intime :

– J'ai été très affecté par le drame qui vous a frappée. Le colonel Brusilov était un homme que je tenais dans la plus haute estime. Peut-être qu'à votre prochain séjour à Addis me ferez-vous l'honneur de dîner avec moi ?

– Quelle délicatesse de votre part ! répondit Tessay d'une voix mielleuse. Je serais si heureuse de revoir votre charmante épouse.

Elle raccrocha pendant qu'il se confondait encore en dénégations maladroites.

Le soleil s'était déjà couché derrière la muraille de cumulo-nimbus qui barrait l'horizon et une vague odeur de pluie imprégnait l'atmosphère. Il était trop tard pour entreprendre le voyage de retour, aussi Tessay fut-elle enchantée quand le chef du village lui envoya une de ses fillettes, porteuse d'une invitation à passer la nuit chez lui.

La maison du chef de Debra Maryam était la plus agréable du village. Au lieu d'un *tukul* circulaire, il habitait une maison carrée avec un toit de fer. Sa femme et ses filles avaient préparé un banquet en l'honneur de Tessay auquel tous les notables, prêtres compris, avaient été invités. Tessay ne rejoignit la chambre qui avait été mise à sa disposition que bien après minuit.

Avant de sombrer dans les limbes du sommeil, Tessay écouta les lourdes gouttes de pluie tambouriner contre le toit en tôle ondulée. C'était un bruit réconfortant, même si elle ne pouvait s'empêcher de songer au barrage, là-bas, dans la gorge. Elle s'endormit en espérant que cette averse était un simple avertissement plutôt que le véritable début de la saison des pluies.

Quand elle se réveilla en sursaut beaucoup plus tard, la pluie avait cessé. Derrière la fenêtre voilée d'un rideau, la nuit était noire et silencieuse. Un chien errant aboyait dans le lointain. Elle se demanda ce qui l'avait réveillée et se sentit soudain envahie par un terrible pressentiment, souvenir des temps de Mengistu, lorsque le moindre bruit qui venait troubler la nuit annonçait une descente de la police secrète. Le sentiment qu'elle éprouva était si intense qu'elle ne réussit pas à se rendormir. Elle sortit de son lit et s'habilla sans bruit. Elle avait décidé d'aller réveiller les moines et de prendre la route. Elle ne se sentait vraiment en sécurité qu'en compagnie de Mek Nimmur.

Elle avait enfilé son jodhpur et cherchait ses sandales sous le lit quand elle entendit le bruit d'un moteur de camion. Elle s'approcha de la fenêtre, l'oreille tendue. L'air avait été rafraîchi par la pluie et ses bras et sa poitrine dénudés étaient parcourus de frissons.

Le camion semblait s'approcher du village par le sud, empruntant la piste qui suivait les berges de la rivière. Il arrivait à vive allure. Le malaise qu'elle ressentait s'accentua. Les villageois avaient bavardé avec les moines et nul n'ignorait qu'elle était la femme de Mek Nimmur. Mek était un homme très recherché. Elle se sentit soudain isolée et terriblement vulnérable.

Elle enfila vivement son *shamma* et chaussa ses sandales, puis elle se faufila hors de sa chambre. Le chef du village ronflait puissamment. Elle se glissa dans le couloir qui allait à la cuisine. Le feu agonisait dans l'âtre mais elle distinguait parfaitement les formes des moines endormis. Elle s'agenouilla au chevet du plus proche et le secoua. Mais il avait certainement fait honneur au *tej* et marmonna sans se réveiller.

Le bruit du moteur se rapprochait maintenant et son appréhension se changea en véritable panique. En cas d'urgence, les moines seraient d'un piètre secours. Elle se redressa et s'éloigna en toute hâte vers la porte de derrière.

Le camion était juste devant la porte d'entrée. Ses phares éclairèrent les fenêtres et se reflétèrent dans le couloir. Quand le chauffeur freina, le bruit du moteur se noya dans un glouglou confus. Elle entendit la morsure des pneus dans le gravier de la cour. Puis ce fut des cris et le piétinement d'hommes qui sautaient à terre.

Tessay se figea et tendit l'oreille. Le coup frappé à la porte la fit sursauter. Des cris violents suivirent aussitôt :

– Ouvrez ! Police secrète ! Ouvrez la porte ! Que personne ne sorte !

Tessay courut jusqu'à la porte de derrière. Elle trébucha dans l'obscurité, heurta une table basse couverte de la vaisselle du dîner précédent et renversa des bols qui se brisèrent avec fracas. Aussitôt, les hommes qui tambourinaient contre la porte l'enfoncèrent. Ils firent irruption dans la maison en hurlant et en renversant les meubles dans la lumière des torches qu'ils braquaient partout. Il y eut des éclats de voix quand le chef du village et sa famille se réveillèrent puis elle entendit le bruit mat de coups, suivis de cris de terreur.

Tessay bondit sur la porte et s'escrima contre la serrure. Le vacarme déclenché par les intrus qui fouillaient la maison la rendait fébrile. Elle ouvrit la porte d'un coup et se retrouva dans l'obscurité complète. Incapable de se repérer, elle hésita jusqu'à ce que lui parvienne le murmure du fleuve.

« Si seulement je réussissais à atteindre la rive », songea-t-elle.

Elle s'apprêtait à traverser la cour quand le rayon d'une torche électrique l'aveugla. Une voix rauque retentit :

– La voilà !

Elle détala comme un lièvre affolé et ils se jetèrent à ses trousses avec des aboiements de meute. Elle atteignit la rive et obliqua dans le sens du courant. Un coup de feu retentit derrière elle, elle plongea à terre tandis qu'une balle ronflait au-dessus de sa tête.

– Ne tirez pas, bande de macaques ! fit un officier. Il nous la faut vivante.

Dans les lueurs des torches, son *shamma* blanc palpitait comme les ailes d'une phalène autour d'une flamme de bougie.

– Arrêtez-la ! rugit l'officier. Ne la laissez pas s'échapper !

Mais elle était vive comme une gazelle, ses pieds légers volaient au-dessus du sol. Derrière elle résonnaient les pieds lourdement chaussés de ses poursuivants.

Elle reprit espoir en s'apercevant qu'elle les distançait. Elle était sortie de la zone éclairée par les torches quand elle heurta de plein fouet la barrière de barbelés. Les trois rangées de fil de fer mordirent ses genoux, ses hanches et sa poitrine. Les griffes de métal déchirèrent son vêtement et sa chair. Elles la retinrent comme on ferre un poisson. Des mains l'empoignèrent alors et l'arrachèrent aux câbles de métal. Elle cria de désespoir et de douleur quand les barbillons aiguisés lui lacérèrent la peau. Un des soldats lui prit le poignet pour lui retourner le bras entre les omoplates. Le gémissement qu'il lui arracha lui fit pousser un rugissement sadique.

L'officier les rejoignit en haletant. C'était un homme bien trop gros, qui transpirait abondamment en dépit de la fraîcheur de la nuit. Ses joues luisaient formidablement dans les rayons des torches électriques.

– Ne lui fais pas mal, crétin ! Cette femme n'est pas un criminel. C'est une noble. Emmenez-la au camion mais traitez-la avec respect.

Ils la traînèrent jusqu'au camion, la soulevant presque du sol, et l'installèrent dans la cabine, près d'un chauffeur en uniforme. Le gros officier grimpa à sa suite et elle se retrouva prise en sandwich entre les deux hommes. Les soldats s'entassèrent à l'arrière, le chauffeur débloqua les freins et lança son moteur.

Tessay pleurait doucement. L'officier l'observait à la dérobée. Elle vit dans son expression quelque chose de doux, en contraste total avec son attitude.

– Où m'emmenez-vous ? demanda-t-elle entre ses larmes. Qu'ai-je fait de mal ?

– J'ai reçu l'ordre de vous emmener auprès du colonel Nogo, qui commande la région. Il doit vous interroger à propos des manœuvres des *shufta* dans le Gojam.

Le camion cahota un instant dans les nids-de-poule puis l'officier glissa en anglais :

– Le chauffeur ne parle qu'amharique. Je voulais vous dire que je connaissais votre père, Alto Zemen. C'était un homme bon. Je regrette ce qui s'est passé cette nuit mais je ne suis qu'un lieutenant. Je dois obéir aux ordres.

– Je comprends. Ce n'est pas votre faute.

– Mon nom est Hammed. Si je peux le faire, je vous aiderai. En souvenir d'Alto Zemen.

– Merci, lieutenant Hammed. Je vais avoir besoin d'amis, maintenant.

Pendant qu'ils attendaient que retombe la poussière et qu'ait cessé définitivement l'effondrement du toit, Nicholas fit l'inventaire des blessures de Royan. L'entaille dans sa tempe n'était pas profonde, à peine plus qu'une éraflure. Elle n'avait pas besoin de points de suture. Il se contenta de la désinfecter et d'y appliquer un morceau de sparadrap. Il massa à l'arnica son épaule, toute contusionnée suite à la pierre qu'elle avait reçue. Il s'occupa de ses propres bleus avec moins de cérémonie. Une heure après, il était prêt à retourner dans le tunnel. Il demanda à Royan et Sapeur d'attendre sur la passerelle. Il emporta une perche en bambou et une lampe branchée au générateur Honda.

Il avança avec la plus grande prudence en sondant le plafond à chaque pas. Arrivé sur le palier, il prit connaissance de l'étendue du désastre. L'éboulement du plafond avait détruit la porte d'argile blanche, les coffres de métal qui contenaient les huit statues avaient été renversés et éparpillés, certains étaient enfouis parmi les décombres. Il les dégagea et les ouvrit tous pour en vérifier le contenu. L'épais métal des caisses avait formidablement résisté et aucune des statues n'avait souffert de l'avalanche. Il les traîna un par un jusqu'à la passerelle où il les confia à Sapeur.

Au deuxième voyage, Royan insista pour le suivre.

Même la description qu'il lui fit de l'état précaire du plafond ne la découragea pas.

– Tout est complètement détruit. Tout ce merveilleux travail d'artiste. Je n'arrive pas à croire que c'est ce que voulait Taita.

– Ce n'est pas le cas, fit Nicholas. Il ne cherchait qu'à nous donner une bonne bourrade pour nous aider à passer les sept portes. Et il a failli réussir !

– Ça ne va pas être facile de déblayer tout ça.

– Que voulez-vous dire ? Nous avons sauvé les statues, que demander de plus ? Je crois que c'est le moment d'arrêter les frais et de partir d'ici.

– Partir ? Seriez-vous devenu fou ? fit-elle, furieuse. Vous devez avoir perdu la tête !

– Les statues rembourseront nos frais, expliqua-t-il. Et il nous restera certainement quelque chose à partager entre nous, comme nous l'avions convenu.

– Vous ne pensez pas abandonner maintenant que nous sommes si près du but ?

Sa voix était cinglante.

– La galerie est détruite, commença-t-il pour la raisonner, mais elle frappa le sol du pied et se mit à élever la voix.

– La tombe est toujours là. Bon Dieu, Nicky, Taita ne se serait pas embêté avec un système pareil s'il n'y avait rien d'autre que cette galerie. Nous nous rapprochons, c'est pour cela qu'il a tiré ce coup de semonce. Ne voyez-vous pas que nous lui avons vraiment fait peur ? Nous n'allons pas abandonner alors que le but est à portée de main.

– Royan, soyez raisonnable.

– Non, non et non ! Soyez raisonnable vous-même. Vous allez dégager la galerie, sur-le-champ. Je sais que l'entrée de la tombe est ouverte. Nous allons nettoyer et trouver la véritable entrée, derrière tous ces gravats que Taita nous a jetés à la tête.

– Si vous voulez mon avis, je crois bien que le coup que vous avez pris sur la tête vous a dévissé quelques boulons. Mais je ne vais pas argumenter avec une folle. Nous allons dégager juste ce qu'il faut de ces décombres pour vous montrer qu'il n'y a rien à découvrir là-dedans.

– Le plus gros problème, fit Sapeur quand il apprit ce à quoi ils comptaient s'attaquer, c'est la poussière. Dès qu'on touchera le premier caillou, ça va faire des nuages. Trop pour notre petit ventilateur.

– Bon, convint Nicholas. Il va falloir arroser. Deux chaînes humaines d'ici à la piscine. Une pour remonter les seaux d'eau et une autre pour faire descendre les décombres qu'on aura déblayés.

– Ça va être un sacré boulot, fit Sapeur, lugubre.

– Tu as signé pour ça, je te le signale, répondit Nicholas. C'est pas le moment de pleurnicher.

Les moines, convaincus d'œuvrer pour le Seigneur, acceptèrent la corvée avec le sourire. Ils se passèrent les seaux en chantant. Nicholas, accompagné de Hansith et de son équipe de Buffles, travaillait aux éboulis. Chaque gravat devait être aspergé avant d'être déplacé et évacué et l'entreprise s'avéra longue et difficile. Bientôt, l'escalier se transforma en toboggan bourbeux. Les gravats glissants échappaient aux mains et un nouvel éboulement menaçait toujours.

Le nombre d'hommes qui travaillaient dans l'espace confiné dépassa bien vite les capacités du ventilateur. Dans l'atmosphère chaude et lourde, les ouvriers finirent par se déshabiller, exhibant leurs corps luisant de sueur. Les décombres étaient précipités dans le siphon sans modifier pour autant le niveau de l'eau : ils étaient tout simplement engloutis sans laisser de trace.

Nicholas profita du premier changement d'équipe pour aller respirer un peu d'air frais. Après les souterrains confinés dans lesquels ils transpiraient, même l'obscurité humide du bassin de Taita était bienvenue. Mek Nimmur l'attendait devant le batardeau, le visage grave.

– Nicholas, Tessay est-elle revenue de Debra Maryam ? Elle aurait dû rentrer hier.

– Je ne l'ai pas vue, Mek. Je la croyais avec toi.

– Je voulais être sûr qu'elle n'était pas revenue sans que mes hommes ne s'en aperçoivent. Je vais envoyer une patrouille à sa recherche.

Nicholas sentit la culpabilité lui étreindre la poitrine.

– Je suis désolé, Mek. Je ne pensais pas qu'il y ait le moindre danger quand je l'ai envoyée là-bas.

– Si j'avais moi-même envisagé le moindre risque, je l'aurais empêchée de partir. Je vais envoyer des hommes à sa recherche.

Le retard de Tessay vint s'ajouter aux soucis de

Nicholas. Pendant les jours qui suivirent, il ne cessa de s'inquiéter à son sujet tout en s'absorbant dans le dégagement de la galerie qui semblait ne pas avancer.

Royan passait autant de temps que lui sur le chantier, ils étaient tous les deux aussi sales et couverts de boue que les Buffles qui s'échinaient à leurs côtés. Chaque fragment de fresque découvert arrachait des lamentations à la jeune femme et, avant qu'on ne les jette dans le siphon, elle triait les décombres à la recherche de morceaux que l'on pourrait sauver. Elle récupéra ainsi une plaque qui portait le visage d'Isis et une autre où figurait Thot en entier. Mais l'essentiel des fresques était détruit et irrécupérable.

Au fond du tunnel, il était impossible de différencier le jour et la nuit. Quitter les entrailles de la tombe et s'apercevoir que les étoiles scintillaient dans l'étroite bande de ciel au-dessus du bassin, ou que le soleil brûlait dans le bleu minéral du ciel africain, était une surprise perpétuelle. Ils mangeaient et dormaient uniquement quand leur organisme l'exigeait, sans se soucier du défilé du temps.

Ils retournaient travailler à la tombe après avoir dormi quelques heures sur leurs couchettes, près du bassin, quand un cri sauvage se répercuta dans le tunnel, au-delà de la passerelle de bambou. Aussitôt un concert de hourras et de hurlements de joie retentit fiévreusement.

– Hansith a trouvé quelque chose ! s'exclama Royan. Bon sang, Nicky, j'étais sûre que nous devions rester.

Elle se mit à courir et il lui emboîta le pas. Ils arrivèrent sur le palier au milieu des ouvriers qui gesticulaient, à moitié nus. Nicholas se fraya un passage parmi eux. Hansith avait nettoyé la galerie jusqu'à l'endroit où se trouvait le sanctuaire d'Osiris : au-dessus, le plafond s'était effondré et béait. Parmi les décombres des dalles d'agate jaune, Nicholas identifia le mécanisme que Taita avait dissimulé dans le plafond et qu'ils avaient imprudemment mis en branle. L'élément essentiel du piège était une gigantesque roue de pierre, une sorte de meule qui pesait plusieurs tonnes. Curieux, Nicholas s'arrêta pour l'examiner.

– Quand on lit *Le dieu Fleuve*, on se rend compte combien Taita était fasciné par les roues, dit-il à Royan. Roues de chariots, roues à aubes... et celle-là qui devait être le poids qui actionnait son piège. En manipulant les leviers, nous avons déplacé les cales qui maintenaient ce monstre en place. Une fois qu'elle s'est mise à rouler, elle a libéré toutes les pierres qu'il avait entassées au-dessus de la galerie.

– Pas maintenant, Nicky ! s'exclama Royan. Gardez vos discours pour plus tard. Ce n'est pas le piège de Taita qui a excité Hansith. Il a trouvé quelque chose. Venez !

Ils écartèrent les ouvriers et rejoignirent la haute silhouette de Hansith.

– Que se passe-t-il ? cria Nicholas par-dessus les têtes des hommes. Qu'avez-vous trouvé, Hansith ?

– Ici, *effendi*. Venez vite !

Nicholas s'agenouilla dans les débris du sanctuaire. Hansith arracha une plaque de plâtre qui tenait encore au mur et désigna la cavité ainsi dévoilée. Le coup d'œil que Nicholas y jeta lui fit accélérer le pouls. Un nouveau tunnel s'éloignait à angle droit de la galerie principale.

Il sentit la main de Royan se poser sur son bras et son souffle frôler sa joue.

– Voilà, Nicky. C'est l'entrée de la tombe de Mamose. Cette galerie était du bluff. L'appât de Taita. Voici la véritable tombe.

– Hansith ! cria-t-il d'une voix que l'émotion rendait rauque. Que vos hommes dégagent cette entrée !

Pendant que les hommes déblayaient les lourds rochers, Nicholas et Royan ne perdaient pas une miette du spectacle. Peu à peu, apparut la forme de la porte. C'était un rectangle sombre de deux mètres sur trois. Le linteau et les piliers étaient taillés dans une pierre au grain parfait, et quand Nicholas dirigea sa lampe vers l'intérieur, il découvrit unc volée de marches qui montaient.

Ils transportèrent les câbles et les lampes à l'intérieur de la galerie et les disposèrent à l'entrée du nouveau passage. Mais quand Nicholas voulut poser le pied sur la première marche, il sentit Royan se faufiler près de lui.

– Je viens avec vous, dit-elle avec fermeté.

– C'est certainement piégé. Taita doit vous attendre caché quelque part.

– Pas de ça avec moi, ça ne marche pas ! Je viens, un point c'est tout.

Ils gravirent lentement l'escalier abrupt en s'arrêtant à chaque marche pour ausculter les murs et surveiller leur chemin. Après vingt marches, ils rencontrèrent un palier, flanqué de deux portes, une de chaque côté. En face, l'escalier continuait à grimper.

– Par où ? demanda Nicholas.

– Montons. Nous explorerons ces couloirs plus tard.

Ils continuèrent à monter avec la même prudence. Après vingt autres marches, ils atteignirent un palier semblable au précédent et comme lui flanqué de deux portes.

– On continue, fit Royan sans attendre la question.

Les vingt marches suivantes menaient au même dispositif : un palier, deux portes et une nouvelle volée de marches.

– C'est ridicule ! protesta Nicholas, mais Royan le poussa en avant d'une main nerveuse.

– Nous devons continuer à monter.

Il ne protesta plus. Ils passèrent un nouveau palier, puis un autre, tous reproduisant fidèlement la disposition des précédents.

– Enfin ! s'exclama Nicholas quand ils atteignirent le sommet de l'escalier, flanqué des inévitables portes latérales, mais cette fois interrompu par un mur aveugle. Ça ne va pas plus haut.

– Combien de paliers en tout ? demanda-t-elle. Combien ?

– Huit.

– Huit, c'est ça. Ce chiffre ne vous dit rien ?

Il se tourna vers elle et la dévisagea :

– Vous voulez dire que...

– Je veux dire qu'il y avait huit sanctuaires dans la grande galerie. Maintenant, nous avons huit paliers et il y a toujours huit cases sur une rangée de damier de bao.

Ils restèrent un moment sans mot dire et regardèrent autour d'eux.

– Bon, fit Nicholas, puisque vous êtes si futée, dites-moi quelle porte choisir.

– Am stram gram, chantonna-t-elle. Allons à droite.

Ils n'avaient parcouru que quelques mètres que déjà ils arrivaient à un embranchement en T : un mur et deux passages symétriques de part et d'autre.

– À droite encore, décida-t-elle.

Arrivés devant l'embranchement suivant, Nicholas s'immobilisa et lui fit face.

– Vous avez compris ce qui se passe, j'espère ? dit-il. C'est une autre ruse à la Taita. Nous sommes entrés dans un labyrinthe. Sans notre fil électrique, nous serions bel et bien perdus.

Perplexe, elle se retourna et regarda le chemin par où ils étaient arrivés puis les deux passages qui s'ouvraient devant eux.

– Quand il a construit ça, Taita n'avait pas imaginé l'électricité. Pour lui, les profanateurs de sépulture ne seraient pas plus équipés que lui. Imaginez-vous là-dedans sans câble électrique à suivre pour revenir sur vos pas. Imaginez-vous avec une lampe à huile pour seule source de lumière. Imaginez-vous à court d'huile et perdue dans les ténèbres.

Royan frissonna et s'accrocha à son bras.

– C'est affreux !

– Taita joue de plus en plus sérieusement. Je commençais à trouver le vieux renard sympathique mais je vais bientôt changer d'avis.

Elle frissonna encore.

– Partons, murmura-t-elle. Nous n'aurions jamais dû nous précipiter ici de cette manière. Il faut faire demi-tour et réfléchir. Nous n'avons rien préparé. J'ai l'impression que nous sommes en danger. Je veux dire vraiment en danger, comme dans la galerie.

Ils repartirent sur leurs pas en rembobinant le fil électrique qu'ils avaient déroulé. Les coudes se succédaient et à chaque pas ils éprouvaient la tentation croissante de se mettre à courir. Royan s'accrochait au bras de Nicholas. Ils avaient tous les deux la sensation d'être suivis dans l'obscurité qui se refermait derrière eux par un être intelligent et cruel. Il les suivait, il les surveillait, il attendait son heure.

Le camion de l'armée qui emportait Tessay traversa le village de Debra Maryam puis s'engagea sur la route qui suivait la Dandera, en direction de l'escarpement de la gorge de l'Abbay.

– Ce n'est pas la direction du quartier général de l'armée, fit remarquer Tessay au lieutenant Hammed.

Celui-ci s'agita maladroitement sur son siège sans oser la regarder.

– Le colonel Nogo ne se trouve pas à son quartier général. J'ai reçu l'ordre de vous emmener ailleurs.

– Il n'y a rien dans cette direction, sinon le camp de la compagnie étrangère Pégase, dit-elle.

– Le colonel Nogo l'utilise comme base avancée de sa campagne contre les *shufta* de la vallée, expliqua-t-il. J'ai reçu l'ordre de vous y emmener.

Pendant toute la durée de l'éprouvant voyage sur l'interminable piste défoncée, ils n'échangèrent plus un mot. Ils atteignirent le sommet de l'escarpement vers midi. Là, ils s'engagèrent dans l'embranchement qui menait au camp de Pégase. A la grille, les gardes en treillis se mirent au garde-à-vous quand ils reconnurent Hammed. Le camion alla se garer devant un des préfabriqués.

– Attendez ici, je vous prie.

Hammed descendit du camion et disparut à l'intérieur du bâtiment. Son absence ne dura que quelques minutes.

– Voulez-vous me suivre, Dame Soleil ?

Il l'aida à descendre du camion. Il était gauche et mal à l'aise et n'arrivait toujours pas à la regarder dans les yeux. Il l'escorta jusqu'à l'entrée du préfabriqué et s'effaça pour la laisser passer.

La pièce était meublée avec parcimonie. Tessay se dit qu'elle devait servir de bureau à la compagnie. Elle remarqua la table de conférence qui occupait pratiquement toute la longueur de la pièce, les classeurs et les deux bureaux poussés contre les murs latéraux. Une carte de la région et quelques graphiques accrochés aux murs tenaient lieu de décoration. Il y avait deux hommes installés à la table : elle les reconnut immédiatement.

Le colonel Nogo la regardait avec des yeux froids derrière la monture métallique de ses lunettes. Il était, comme à son habitude, vêtu d'un uniforme immaculé. Son béret marron était posé devant lui. Jack Helm était renversé dans sa chaise, les bras croisés sur le ventre. A première vue, sa coupe en brosse lui donnait l'air d'un jeune garçon mais elle remarqua bientôt combien sa peau était tannée par les intempéries, avec des pattes-d'oie qui griffaient ses tempes. Il portait une chemise et un jean délavé, presque blanc. La boucle de sa ceinture était en argent et représentait la tête d'un mustang ; il avait roulé les manches de sa chemise bien au-dessus de ses biceps et mâchonnait un mégot de cigare hollandais à bon marché qui répandait une odeur âcre et repoussante.

– Parfait, lieutenant, fit Nogo en amharique. Attendez dehors, je vous appellerai si j'ai besoin de vous.

Une fois seule avec les deux hommes, Tessay demanda :

– Pourquoi ai-je été arrêtée, colonel Nogo ?

Aucun des deux hommes ne sembla avoir entendu la question. Ils la regardaient avec un visage dénué d'expression.

– Je demande à connaître les raisons d'un tel traitement, insista-t-elle.

– Vous êtes la complice d'une bande de terroristes notoires, fit Nogo d'une voix douce. Vos actions ont fait de vous une des leurs, une *shufta.*

– Ce n'est pas vrai.

– Vous avez pénétré sur une concession minière de la vallée de l'Abbay, fit Helm. Vous et vos complices avez entrepris des fouilles minières dans une zone appartenant à cette compagnie.

– Il ne s'agit pas de fouilles minières, protesta-t-elle.

– Nous avons d'autres informations. Nous avons la preuve que vous avez construit un barrage sur la Dandera.

– Je n'ai rien à voir avec ça.

– Donc vous ne niez pas l'existence du barrage ?

– Je n'ai rien à voir avec, répéta-t-elle. Je n'appartiens à aucun groupe terroriste et je n'ai pris part à aucune fouille minière.

Ils ne répondirent pas. Nogo nota quelque chose dans son carnet et Helm se leva pour aller se placer devant la fenêtre. Le silence s'éternisa et devint vite insupportable pour Tessay. Elle n'ignorait pas qu'il était voulu, et avait pour but de l'ébranler psychologiquement, mais, néanmoins, il fallait qu'elle le brise.

– J'ai voyagé toute la nuit dans un camion de l'armée, dit-elle. Je suis fatiguée et j'ai besoin d'aller aux toilettes.

– Si ce que vous voulez faire est si urgent, répondit Nogo, vous pouvez le faire ici même. Ni Mr. Helm ni moi n'en serons offensés.

Elle se tourna vers la porte mais Helm traversa la pièce et alla donner un tour de clé. Tessay comprit qu'elle ne devait à aucun prix montrer le moindre signe de faiblesse et, bien qu'elle fût fatiguée et que sa vessie la torturât, elle adopta un air plein d'assurance et marcha d'un pas décidé vers la chaise la plus proche. Elle l'écarta de la table et s'y installa tranquillement.

Nogo la regarda en fronçant les sourcils. Il ne s'attendait pas à ce qu'elle réagisse ainsi.

– Vous connaissez le bandit *shufta* Mek Nimmur, fit-il avec véhémence.

– Non, répondit-elle froidement. Je connais le patriote et le chef démocratique Mek Nimmur. Ce n'est pas un *shufta*.

– Vous êtes sa concubine, sa putain. Je ne m'attendais pas à ce que vous répondiez autrement.

Elle détourna le regard avec mépris. Il éleva la voix.

– Où est Mek Nimmur ? De combien d'hommes dispose-t-il ?

Elle ignora la question et Nogo, que son attitude énervait, se mit à hurler :

– Si vous ne coopérez pas, j'emploierai la méthode forte pour vous faire répondre !

Elle fit pivoter sa chaise vers la fenêtre et, sans mot dire, contempla le paysage. Jake Helm se leva et sortit par la porte qui menait aux autres salles du bâtiment. A travers les minces parois du préfabriqué, Tessay perçut un murmure de conversation. Le rythme et les accents des voix n'étaient ni anglais ni amhariques. Ils parlaient une langue étrangère. Helm, se dit-elle, recevait des consignes de son supérieur. Quelqu'un qui ne voulait pas qu'elle puisse le reconnaître, plus tard.

Helm revint au bout de quelques minutes. Il referma la porte derrière lui et fit un signe de tête à Nogo. Tous deux vinrent se placer face à Tessay.

– Il vaudrait mieux pour tout le monde que cette affaire soit réglée le plus vite possible, lui dit Helm d'une voix douce. Ensuite, vous irez aux toilettes et, moi, j'irai prendre mon petit déjeuner.

Elle le regarda d'un air de défi mais ne répondit pas.

– Le colonel Nogo a essayé d'être raisonnable. De par son statut d'officier, il est contraint à une certaine réserve. Mais moi, fort heureusement, je ne suis astreint à rien de tel. Je vais vous poser les mêmes questions mais, cette fois, vous y répondrez.

Il ôta le mégot de sa bouche et en contempla l'extrémité. Puis il l'expédia d'une pichenette dans un coin de la pièce, tira une boîte plate de sa poche d'où il prit un nouveau cigare. Il l'alluma avec une allumette et un nuage de fumée nauséabonde s'éleva autour de lui.

– Où est Mek Nimmur ?

Tessay haussa les épaules et regarda ailleurs. Il la frappa en pleine face, puis, sans lui laisser le temps de se reprendre, il lui assena un coup de poing à la mâchoire. Elle tomba avec sa chaise. Nogo passa derrière elle et la releva en la prenant par les bras et elle sentit ses doigts lui meurtrir la chair.

– Je n'ai plus de temps à perdre, fit Helm d'une voix neutre en examinant son cigare. Recommençons : où est Mek Nimmur ?

Le tympan gauche de Tessay résonnait comme si le coup l'avait fait éclater. Elle s'était coupé l'intérieur des joues et sa bouche se remplissait de son sang.

– Où est Nimmur ? répéta Helm en se penchant vers elle. Pourquoi vos amis ont-ils barré la Dandera ?

Elle lui cracha violemment au visage. Il recula et s'essuya les yeux d'un revers de main.

– Tenez-la bien, dit-il à Nogo.

Il saisit le devant de son chemisier et le déchira jusqu'à la taille. Nogo ricana et se pencha par-dessus son épaule pour regarder ses seins. Il ricana encore quand Helm prit un des globes de chair à pleine main et pinça le téton entre le pouce et l'index. Il avait la couleur purpurine d'une mûre.

Il la tint ainsi en lui pinçant la chair avec les ongles jusqu'à ce qu'une goutte de sang perle le long de son pouce. Puis il souffla sur l'extrémité de son cigare dont la braise se mit à rougeoyer.

– Où est Mek Nimmur ? fit-il en braquant le cigare sur son sein. Que font-ils dans la vallée de la Dandera ?

Horrifiée, Tessay regarda la braise approcher de sa poitrine. Elle se tordit pour se dégager mais Nogo la tenait fermement. Elle poussa un cri de douleur quand l'extrémité incandescente toucha la pointe de son sein et que la peau délicate se recroquevilla en noircissant.

– L'hiver, fit Royan en étalant l'agrandissement de la quatrième face de la stèle à la lumière de la lampe. C'est sur ce côté que Taita a gravé les phrases qui ont, d'après moi, rapport au damier de bao. Je ne les comprends pas toutes mais, en procédant par élimination, j'ai déterminé que le premier symbole représente un des quatre côtés du damier. Les châteaux du damier, comme il les appelle.

Elle lui montra les pages du carnet sur lesquelles elle avait griffonné ses conjectures.

– Regardez. Le babouin assis représente le château du nord, l'abeille celui du sud, le scorpion l'est et l'oiseau l'ouest. Ces caractères-ci sont des chiffres. Je crois qu'ils désignent les rangées et les cases. Avec ces indications, nous pouvons retrouver les mouvements de ses pierres rouges. Les pierres rouges, précisa-t-elle, sont celles qui ont la valeur la plus forte.

– Et ces vers ? demanda Nicholas. Celui-ci par exemple, qui parle du vent du nord et de la tempête ?

– Je ne suis pas très sûre de leur signification. Connaissant Taita, ce sont peut-être des écrans de fumée. Il n'a jamais essayé de nous rendre les choses faciles. Ils ont peut-être un sens mais nous ne pouvons espérer le découvrir sans comprendre le déplacement des pierres.

Nicholas contempla ses croquis puis sourit d'un air désabusé.

– Il devait être persuadé qu'il serait impossible de déchiffrer ses indices. Il fallait avoir accès à ses deux témoignages à la fois, le septième papyrus et la stèle de Tanus, pour avoir la moindre chance de trouver les clés de la tombe de Mamose.

Royan eut un petit rire satisfait.

– Il devait se croire en parfaite sécurité. Eh bien, on va voir, Maître Taita. Nous verrons si tu es vraiment aussi malin que tu le crois.

De nouveau sérieuse, elle regarda l'escalier qui menait au labyrinthe de Taita.

– Maintenant, il va falloir vérifier si mes croquis et mes théories correspondent à la réalité tangible des murs. On commence par quoi ?

– Le commencement ? suggéra Nicholas. Le dieu a joué le premier coup, n'est-ce pas ce que nous a dit Taita ? Si nous commençons ici, dans le sanctuaire d'Osiris, au pied de l'escalier, alors peut-être pourrons-nous trouver la première rangée de son damier.

– C'est exactement ce que je pense aussi. Supposons que le nord du damier soit ici. Alors nous lançons le protocole des quatre taureaux d'ici.

Explorer ainsi les méandres de l'esprit du scribe en avançant dans le dédale des couloirs et des tunnels qu'il avait construit quatre mille ans plus tôt était un exercice pénible et délicat. Cette fois-là, ils s'aventurèrent dans le labyrinthe avec plus de prudence. Nicholas avait fait une réserve de petits cailloux d'argile blancs dont il se servait comme de craies pour marquer les coudes et les embranchements des tunnels. Ces signes devaient leur servir de points de repère mais aussi concorder avec le modèle dessiné par Royan dans son carnet.

Ils se rendirent bientôt compte qu'ils avaient eu raison de considérer le sanctuaire d'Osiris comme étant le château nord du damier. Galvanisés par leur trouvaille, ils en vinrent à croire qu'avec cette clé il leur suffirait de reproduire les mouvements du jeu pour gagner la partie. Mais la douche froide ne tarda pas : ils s'aperçurent que Taita n'avait pas envisagé un simple damier en deux dimensions mais qu'il avait ajouté le volume à son équation.

L'escalier qui montait depuis le sanctuaire d'Osiris n'était pas le seul chemin qui reliait les huit paliers entre eux. Les couloirs qui s'en éloignaient étaient inclinés de manière imperceptible, vers le haut ou vers le bas. Ils s'engagèrent dans un tunnel, en suivirent les coudes et les virages, sans s'apercevoir qu'ils changeaient de niveau. Il fallut pour cela qu'ils reviennent à l'escalier principal, mais sur un palier plus élevé que celui par lequel ils étaient entrés dans le labyrinthe.

Ils se figèrent et se regardèrent, incrédules. C'est Royan qui brisa le silence horrifié dans lequel les avait plongés cette découverte.

– Je ne me suis même pas rendu compte que nous montions. Toute cette installation est bien plus compliquée que je ne l'avais cru.

– Cela fait penser au modèle des atomes de carbone, fit Nicholas avec une stupeur mêlée d'admiration. Les huit niveaux sont entrelacés. Franchement, je trouve ça terrifiant.

– Maintenant, murmura Royan, je commence à comprendre le sens de ces symboles supplémentaires. Ils désignent les différents niveaux. Il va falloir tout repenser.

– Un bao tridimensionnel, avec des règles inconnues. Quelle chance de le battre nous reste-t-il ? Il nous faudrait un ordinateur. Taita ne se vantait pas sans raison. Ce vieux grigou était un mathématicien de génie.

Il hocha la tête d'un air désabusé et, du rayon de sa lampe, balaya le couloir d'où ils venaient.

– Même en le sachant, on ne voit pas que le couloir penche. Et il a construit tout ça sans niveau ni règle à calcul. Ce labyrinthe est une extraordinaire prouesse d'ingénieur.

– Vous créerez un fan-club plus tard, suggéra-t-elle. Pour le moment, remettons-nous à ces symboles.

– Je vais installer les lampes et les tables de travail à ce niveau, proposa Nicholas. Je crois que nous devrions partir du centre du damier. Ça nous aidera à le visualiser. Pour le moment, je suis complètement perdu.

Le seul bruit que l'on entendait était les sanglots étouffés de la femme qui gisait dans la flaque de son propre sang et de ses urines.

Tuma Nogo, installé à la longue table de conférence, alluma une cigarette. Ses mains tremblaient légèrement, il avait l'air prêt à vomir. Il était un soldat, il avait vécu les années de terreur du régime de Mengistu, il était un homme endurci par la violence et la cruauté mais la scène à laquelle il venait d'assister l'avait bouleversé. Il comprenait maintenant pourquoi von Schiller avait une telle confiance en Helm : cet homme n'avait rien d'humain.

A l'autre bout de la pièce, Helm se lavait les mains dans un petit lavabo. Il les essuya avec soin et revint se placer au-dessus de Tessay en tamponnant les taches de ses vêtements avec la serviette humide.

– Je ne crois pas qu'elle puisse nous en apprendre plus, fit-il de sa voix plate. Je ne crois pas qu'elle nous cache encore quelque chose.

Nogo regarda la femme. Elle avait la poitrine et les joues couvertes de brûlures livides qui ressemblaient à des abcès purulents. Elle avait les yeux fermés et les cils brûlés. Elle avait vaillamment résisté et ce n'est que quand le cigare de Helm s'était posé sur ses paupières qu'elle avait craqué. Les réponses aux questions qu'il posait avaient alors jailli comme un torrent.

Nogo se sentait au bord de la nausée mais il était néanmoins soulagé de ne pas avoir dû, comme le lui avait ordonné Helm, maintenir ouvertes les paupières de la femme pour que le cigare de l'Américain brûle ses globes oculaires larmoyants.

– Surveillez-la, fit Helm en déroulant ses manches de chemise. C'est une coriace. Ne prenez aucun risque avec elle.

Il gagna l'autre extrémité de la pièce et disparut par la porte qu'il laissa entrouverte. Nogo entendit leurs voix mais ils parlaient allemand et il ne comprit donc rien à ce qui se disait. Il devinait pourquoi von Schiller n'avait pas tenu à assister à l'interrogatoire. Il ne devait pas ignorer la manière dont Helm travaillait.

Helm revint dans la pièce et fit un signe de tête au colonel.

– Bien, nous en avons terminé avec elle. Vous savez ce que vous avez à faire.

Nogo se redressa avec nervosité et plaça la main sur le holster qu'il portait au côté.

– Ici ? Maintenant ?

– Ne faites pas l'idiot ! fit Helm d'un ton cassant. Emmenez-la. Loin. Et trouvez quelqu'un pour nettoyer cette merde.

Helm tourna les talons et retourna dans la pièce du fond. Nogo contourna l'endroit où gisait Tessay pour ne pas salir ses bottines de toile.

– Lieutenant Hammed ! beugla-t-il en ouvrant la porte du préfabriqué.

Hammed et Nogo hissèrent Tessay sur ses pieds. Sans oser prononcer une parole, ils l'aidèrent à enfiler ses vêtements en loques. Hammed détournait le regard de son corps nu et des brûlures qui marbraient sa peau. Il lui drapa les épaules de son *shamma* et la conduisit jusqu'à la porte. Il la rattrapa par le coude quand elle trébucha. Il lui fit descendre les marches et la soutint jusqu'au camion. Elle se déplaçait lentement, comme une très vieille femme. Quand elle fut assise sur le siège du passager, elle enfouit son visage brûlé et tuméfié dans ses mains.

D'un signe de tête, Nogo attira Hammed à l'écart. Il lui parla à voix basse. Les ordres qu'il reçut firent se figer les traits du lieutenant. Il essaya de protester, ce qui mit Nogo en colère.

– Et n'oubliez pas ! répéta Nogo. Loin des villages. Assurez-vous qu'il n'y ait pas de témoins. Et revenez immédiatement au rapport.

Les épaules raides, Hammed salua avant de retourner vers le camion. Il s'installa près de Tessay et donna au chauffeur un ordre bref. Le véhicule sortit du campement, en direction de Debra Maryam.

La douleur avait fait perdre à Tessay toute notion du temps écoulé. Un cahot plus violent la secoua sur son siège et fit mollement rouler sa tête. Son visage était si tuméfié qu'elle devait faire un effort pour ouvrir les paupières. Elle pensa tout d'abord que sa vision baissait et qu'elle devenait aveugle mais elle prit conscience que le soleil s'était couché et que l'obscurité qui l'environnait était celle de la nuit. Elle avait passé la journée entière avec Helm.

Elle ressentit une sorte de soulagement en se rendant compte que les brûlures portées à ses paupières ne l'avaient pas rendue aveugle. Elle regarda par le pare-brise : la route ne lui était pas familière.

– Où m'emmenez-vous ? marmonna-t-elle. Ce n'est pas la route qui va au village.

Le lieutenant était prostré contre la fenêtre. Il ne répondit pas. Elle se laissa aller contre le dossier, dans une espèce de brume de douleur et d'épuisement.

Le camion freina brutalement et le chauffeur coupa le contact. Des mains l'arrachèrent brutalement à son siège et la traînèrent dans la lumière des phares. On lui croisa les mains dans le dos et quelqu'un lui ligota les poignets avec un lien en cuir.

– Vous me faites mal, gémit-elle. Vous m'entaillez les poignets.

Tessay sentit qu'elle arrivait aux limites de ses forces et de sa capacité de résistance. Elle se sentait diminuée et misérable, vidée de toute envie de lutter.

Un des soldats tira sur ses poignets liés et l'entraîna vers la route. Deux autres hommes qui portaient des pelles leur emboîtèrent le pas. La lune éclairait suffisamment pour lui permettre de distinguer un bosquet d'eucalyptus, à deux cents mètres de la route. Ils la jetèrent à terre au pied d'un des arbres et celui qui lui avait lié les poignets s'approcha, le fusil négligemment pointé vers elle, une cigarette entre deux doigts de sa main libre. Les autres déposèrent leurs fusils pour se mettre à creuser. Ils semblaient ne lui accorder aucune importance, ils bavardaient de tout et de rien, de football, de la coupe d'Afrique qui devait avoir lieu à Lusaka et des chances de l'Éthiopie à parvenir en finale.

Tessay comprit soudain qu'ils étaient en train de creuser sa tombe. Elle sentit s'assécher les muqueuses de sa bouche endolorie. Elle regarda désespérément autour d'elle mais le lieutenant Hammed était resté dans le camion.

– Je vous en prie, murmura-t-elle au soldat qui la gardait.

Il lui expédia un coup de pied dans le ventre et lui ordonna de ne plus bouger. Allongée à même la terre, Tessay comprit alors que toutes ses tentatives de les attendrir seraient vaines. Elle se mit à pleurer sans bruit, terrassée par la résignation, par sa faiblesse, par la nuit qui l'entourait.

Quand elle releva la tête, la tombe était si profonde qu'elle ne voyait plus les deux hommes qui creusaient toujours. Des pelletées de sable et de terre jaillissaient du trou et retombaient en pluie sur les monticules déjà accumulés. L'homme qui la gardait alla se pencher au-dessus du trou. Il regarda le fond et grommela :

– Bon, ça va, c'est assez profond. Allez chercher le lieutenant.

Les deux soldats grimpèrent hors de la tombe, rassemblèrent leurs outils et s'enfoncèrent dans l'obscurité du bosquet en bavardant cordialement. Ils retournaient au camion et laissaient la jeune femme seule avec son garde.

Elle s'allongea contre le sol en tremblant de froid et de frayeur. Le soldat qui était resté alla s'accroupir au bord de la tombe en tirant sur sa cigarette. Elle songea à le précipiter d'un coup de pied au fond du trou et à s'enfuir à travers les arbres. Elle essaya de s'asseoir. Ses gestes étaient lents et maladroits, elle ne sentait plus ni ses mains ni ses pieds. Elle se força à bouger mais elle entendit les pas du lieutenant Hammed qui revenait et retomba, désespérée.

Hammed portait une torche électrique. Il éclaira la tombe.

– C'est bien, fit-il à voix haute. C'est assez profond. (Il éteignit sa torche et jeta à l'homme accroupi :) Pas de témoins. Retourne au camion. Quand tu entendras les coups de feu, reviens avec les autres m'aider à remplir le trou.

Le garde passa la sangle de son fusil sur son épaule et disparut dans la nuit. Hammed attendit que l'homme fût assez loin avant de bouger. Il s'approcha de Tessay, la força à se lever et la poussa jusqu'au bord de la tombe. Elle sentit alors ses mains fouiller ses vêtements. Elle essaya de le repousser mais ses bras étaient toujours liés dans le dos.

– Je veux votre *shamma.*

Il lui arracha des épaules le vêtement de coton blanc et sauta au fond de la tombe. Elle l'entendit s'affairer un moment.

– Ils doivent voir quelque chose, fit sa voix qui lui parvenait depuis la tombe. Un corps...

Il se hissa hors du trou et s'approcha d'elle en soufflant péniblement. Elle sentit le contact froid de la lame entre ses poignets : il tranchait le lien qui lui retenait les mains. Le brutal retour du sang dans ses mains engourdies lui arracha un gémissement.

– Qu'est-ce que vous faites ? murmura-t-elle, perdue.

Dans la tombe, elle apercevait le *shamma*, disposé pour ressembler à un corps humain.

– Je vous en prie, fit-il à voix basse. Ne parlez pas.

Il la prit par l'épaule et l'entraîna sous le couvert des arbres.

– Couchez-vous.

Il la fit s'allonger à plat ventre, visage contre terre. Il se mit à lui recouvrir le corps de feuilles mortes et de débris de branches.

– Restez là ! N'essayez pas de vous enfuir. Ne bougez pas, ne dites pas un mot avant que nous ne soyons partis.

Il fit rapidement courir le faisceau de sa lampe sur le tas de branches mortes pour s'assurer qu'elle était entièrement recouverte. Puis il retourna en courant à la tombe et dégaina son pistolet. Deux coups de feu éclatèrent dans la nuit, si violents qu'elle sursauta, le cœur affolé.

Puis Hammed appela les autres :

– Venez ! Faut finir le boulot.

Ils arrivèrent au petit trot puis elle entendit les bruits des pelles et des mottes de terre qui tombaient dans la tombe.

– Je ne vois rien, lieutenant, se plaignit une voix. Où est votre torche ?

– Travaille ! T'as pas besoin de lumière pour remplir un trou. Et tassez bien la terre, je ne veux pas qu'on remarque quoi que ce soit !

Allongée par terre, Tessay s'efforçait de maîtriser les violents tremblements qui lui parcouraient le corps. Les bruits que faisaient les pelles cessèrent enfin et la voix de Hammed retentit de nouveau.

– Ça va comme ça ! Vérifiez que vous n'oubliez rien. On retourne au camion.

Les bruits de pas et leurs voix diminuèrent dans le lointain. Elle entendit tousser puis ronfler le moteur du camion. Ses phares illuminèrent le bosquet, il manœuvra et s'éloigna dans la direction d'où ils étaient arrivés.

Elle resta à plat ventre sous le tas de feuilles longtemps après que le bruit du moteur se fut éteint. Elle tremblait toujours autant, de froid et de fatigue. Elle pleurait aussi, tranquillement, sans un bruit, soulagée. Puis elle s'approcha en rampant du tronc d'arbre le plus proche. Il lui servit d'appui pour se relever. Elle s'y adossa, titubant faiblement dans l'obscurité.

C'est alors que la culpabilité l'envahit.

« J'ai trahi Mek, se dit-elle, le cœur au bord des lèvres. J'ai tout raconté à ses ennemis. Je dois le prévenir. Je dois aller le prévenir. »

Elle s'écarta du tronc d'arbre et rejoignit la piste en trébuchant dans l'obscurité.

Jouer la partie de bao était le seul moyen qu'ils avaient de vérifier leur interprétation de l'énigmatique code de Taita. Ils s'aventurèrent dans le labyrinthe avec précaution, évoluant selon les mouvements qu'il avait notés, en prenant soin de marquer les murs à la craie blanche.

La face « hiver » de la stèle comportait dix-huit mouvements. Grâce à l'interprétation que Royan avait faite des symboles, ils réussirent à effectuer les douze premiers. Puis ils se heurtèrent à un cul-de-sac, un mur aveugle, incapables d'aller plus loin.

– Malédiction ! Si seulement je pouvais mettre la main sur cette vieille fripouille !

– Je suis désolée, fit Royan. Je croyais avoir compris. L'erreur doit être au niveau des symboles de la deuxième colonne. Il va falloir les intervertir.

– Nous allons devoir tout reprendre de zéro, grommela Nicholas.

– Recommencer tout au début, oui.

– Comment fera-t-on pour savoir que nous sommes sur la bonne voie ?

– Si le dix-huitième mouvement nous amène à une des combinaisons gagnantes, un équivalent du mat pour le bao, il n'y aura alors plus aucune possibilité de déplacement quelconque : on pourra estimer que nous avons tout fait correctement.

– Et que trouverons-nous une fois arrivés là ?

Elle lui adressa un sourire suave.

– Je vous le dirai quand nous y serons. Du courage, Nicky. Ce n'est que le début, vous savez.

La permutation dans les symboles que proposait Royan ne les emmena pas plus loin que le cinquième mouvement.

– Peut-être que notre supposition que le troisième symbole serait un changement de niveau est incorrecte ? suggéra Nicholas. Recommençons en donnant cette valeur au deuxième symbole.

– Nicky, vous rendez-vous compte de toutes les combinaisons possibles ? Taita connaissait parfaitement les règles de ce jeu, nous n'en avons que de vagues notions. C'est comme si un champion d'échecs essayait d'expliquer la défense indienne à un débutant.

– Et en russe ! A ce train, nous n'arriverons nulle part. Il doit y avoir un autre moyen. Si nous revenions aux vers que Taita a glissés entre les descriptions des mouvements ?

– D'accord. Je lis et vous écoutez, fit-elle en se penchant sur son carnet. L'ennui, c'est que la moindre nuance dans la traduction peut en altérer le sens. Taita adorait les jeux de mots et l'effet d'un jeu de mots peut dépendre du sens d'un seul mot. Une approximation peut suffire à tout mettre par terre.

– Essayez quand même, fit-il. Dites-vous que, de toute manière, même Taita n'avait jamais joué au bao à trois dimensions. S'il nous a laissé un indice, ce doit être au début de la stèle. Concentrons nos efforts sur les deux premières notations et sur les énigmes qui les séparent.

– D'accord. La première notation est l'abeille. Elle est suivie des chiffres 5 et 7 et du sistre.

– Je l'ai tellement entendue, celle-là, que je crois que je ne l'oublierai jamais. Qu'y a-t-il, ensuite ?

– Le premier vers : *Ce que l'on peut nommer peut être connu. Ce qui n'a pas de nom ne peut qu'être deviné. Je vogue avec la marée derrière moi et le vent sur mon visage. Ô ma bien-aimée, sur mes lèvres ton goût est si doux.*

– C'est tout ? demanda-t-il.

– Oui. La deuxième notation, maintenant. Le scorpion, le 2, le 3 et, de nouveau, le sistre.

– Doucement, doucement ! Une chose à la fois. Comment interpréter « *je vogue* » et « *bien-aimée* » ?

Ils travaillèrent jusqu'à ce que la voix de Sapeur les ramène à la réalité. Nicholas se leva, s'étira et consulta sa montre.

– Huit heures. Je ne saurais dire s'il s'agit du matin ou du soir.

Ils attendirent que Sapeur ait gravi les marches qui menaient jusqu'au palier où ils se trouvaient. Son crâne nu luisait et sa chemise était trempée.

– Qu'est-ce qui t'est arrivé ? demanda Nicholas. Tu es tombé dans la piscine ?

– On ne vous a pas appris qu'il pleuvait comme vache qui pisse, dehors ? répondit Sapeur.

Ils le regardèrent, horrifiés.

– Si tôt, murmura Royan. Il ne devait pas pleuvoir avant deux semaines.

Sapeur haussa les épaules.

– Quelqu'un a oublié d'en avertir la météo.

– Pleut-il toujours ? demanda Nicholas. Comment est la rivière ? Le niveau monte-t-il ?

– C'est pour ça que je suis là. Je monte jusqu'au barrage avec les Buffles. Je vais le surveiller. Dès qu'il donnera des signes de faiblesse, j'enverrai quelqu'un vous avertir. Faudra obéir sans discuter et vous tirer le plus vite possible. Ça voudra dire que le barrage risque de céder d'un moment à l'autre.

– N'emmène pas Hansith avec toi, fit Nicholas. J'ai besoin de lui ici.

Sapeur parti, Royan et Nicholas se regardèrent.

– Le temps presse et Taita nous tient, dit Nicholas. Je dois vous prévenir d'une chose. Quand la rivière va commencer à monter...

Elle ne le laissa pas terminer.

– La rivière ! Pas la mer ! Je me suis trompée. J'ai dit « *la marée* », je pensais que Taita faisait allusion à la mer mais il pouvait vouloir dire « *le courant* » ! Pour les Égyptiens, les deux mots étaient les mêmes.

Ils se précipitèrent vers le bureau et sur ses notes.

– *Le courant derrière moi et le vent sur mon visage*, lut Nicholas.

– Sur le Nil, s'exclama Royan, le vent arrive toujours du nord et le courant vient du sud. Taita était face au nord. Le château du nord !

– Nous avons dit que le nord est représenté par le babouin.

– Non ! Je me suis trompée, fit-elle, le visage illuminé par l'intuition. *Ô ma bien-aimée, sur mes lèvres ton goût est si doux*. Le miel ! L'abeille ! J'ai interverti les symboles du nord et du sud.

– Et l'est et l'ouest ? fit-il en fouillant les notes avec un enthousiasme renouvelé. *Mes péchés sont rouges comme la cornaline. Ils m'emprisonnent comme des chaînes de bronze. Ils brûlent mon cœur comme des braises, et je me tourne vers l'étoile du soir.*

– Je ne vois pas...

– « *Brûlent* » est une mauvaise traduction, fit-il avec fièvre. Ce devrait être « *piquent* ». Le scorpion regarde vers l'étoile du soir, qui se lève toujours à l'ouest. Le scorpion est le château de l'ouest, et pas celui de l'est.

– Nous avions mis le damier à l'envers ! s'exclama-t-elle. Jouons la partie de cette manière !

– Il faut d'abord déterminer les niveaux. Le sistre est-il le niveau supérieur ou est-ce les trois épées ?

– Avec ce que nous avons découvert, c'est la seule variable. Nous n'avons que deux possibilités. Nous pouvons d'abord décider que le sistre est le niveau supérieur. Si ça ne marche pas, nous passerons à l'autre hypothèse.

Tout devint plus facile. Les couloirs entrelacés du labyrinthe leur paraissaient bien moins impressionnants, presque familiers. Ils avançaient à grands pas, toujours plus impatients. Ils suivaient les mouvements des pierres du bao imaginaire et, devant eux, la voie était toujours libre.

– Le dix-huitième mouvement, fit Royan d'une voix frémissante. Croisons les doigts. S'il nous mène dans le couloir qui menace le château sud de l'adversaire, alors ce sera échec et mat.

Elle prit une profonde inspiration et se mit à lire à voix haute.

– L'oiseau. Le 3 et le 5. Le symbole des trois épées.

Ils passèrent les cinq angles du niveau inférieur en

prenant comme repères les marques à la craie qu'ils avaient laissées sur les murs.

– Et voilà ! déclara Nicholas.

Ils s'immobilisèrent et regardèrent autour d'eux.

– Il n'y a rien, fit Royan, déçue. Nous sommes passés cinquante fois par ici. Cet angle ressemble à tous les autres.

– C'est exactement ce que voulait Taita. Bon Dieu, vous ne vous attendiez pas à ce qu'il ait marqué le bon endroit d'une croix !

– Et alors ? demanda-t-elle, un peu perdue. Qu'est-ce qu'on fait ?

– Lisez la dernière énigme de la stèle.

– *Les moissons du cœur noir et sacré de la grande Égypte sont généreuses. Je cingle les flancs de mon âne et le bois du soc de ma charrue retourne mon nouveau champ. Je plante la graine, je moissonne le raisin et le blé. Puis je bois le vin et mange le pain. Je respecte le rythme des saisons, je prends soin de la terre.*

Elle le regarda :

– Le rythme des saisons ? Fait-il allusion aux quatre faces de la stèle ? La terre ?

Elle baissa les yeux et regarda les dalles qui recouvraient le sol.

– La promesse d'une récompense, dans la terre ? Sous nos pieds ?

Il frappa les dalles de pierre du talon mais elles sonnaient plein.

– Il n'y a qu'un seul moyen de le savoir. Hansith ! Venez par ici !

L'écho de sa voix résonna dans les couloirs d'une manière étrange.

Sapeur, juché sur sa pelleteuse, pestait contre les Buffles sous la pluie, sachant très bien qu'ils ne comprenaient rien à ses insultes. La pluie leur assenait ses rafales régulières venues des montagnes. Ce n'était pas encore les cataractes de la saison des pluies mais la rivière montait malgré tout, virant lentement au gris-bleu des alluvions arrachées aux hauteurs.

Il savait bien que le déluge ne faisait que commencer. Le tonnerre qui grondait sa menace sourde entre les pics des montagnes comme un lion en chasse n'était que le prélude à la vaste offensive céleste qui se préparait.

Bien que la rivière arrivât au niveau supérieur des gabions et s'engouffrât en rugissant dans le canal de dérivation qu'il avait creusé, il la tenait encore en respect.

Les Buffles remplissaient les paniers qu'ils avaient confectionnés avec les derniers mètres de toile métallique. Dès que ceux-ci furent pleins et fermés, Sapeur les prit dans la pelle frontale du tracteur et descendit la rive de la Dandera. Il renforça tous les points qui donnaient des signes de faiblesse. Rien ne pourrait résister à la force de la rivière une fois qu'elle serait passée par-dessus le barrage. Elle était capable d'emporter un gabion rempli de cailloux comme une vulgaire branche de baobab. Et il suffirait d'une seule brèche dans le barrage pour que toute la structure cède. Sapeur ne se faisait aucune illusion sur la vitesse à laquelle la rivière accomplirait son fatal exploit.

Il n'allait surtout pas attendre que se produise la première fissure pour prévenir Nicholas et Royan. La rivière irait beaucoup plus vite que le messager qu'il enverrait, et donc, à peine le barrage ébranlé, ce serait déjà trop tard. Il allait devoir se fier à son jugement. Il plissa les paupières à cause des rafales qui lui balayaient le visage. Son instinct lui criait de leur demander de sortir du gouffre sur-le-champ : le niveau de l'eau n'était plus qu'à trente centimètres du bord supérieur du barrage.

Mais il n'ignorait pas que Nicholas serait vert de rage s'il le faisait évacuer prématurément. Il avait compris tout ce que son ami avait investi dans cette affaire. Les conséquences financières d'un échec seraient désastreuses pour le major. Nicholas n'était pas très loin de la faillite et c'était son ami.

Les rafales de pluie cessèrent d'un coup. Un soleil brûlant perça l'épaisse couche de nuages. Les flots de la rivière ne semblèrent pas diminuer mais, au moins, le niveau de l'eau ne montait plus.

– Une heure de répit, grommela-t-il.

Il manœuvra le levier de vitesse et dévala la pente de la rive pour mettre un nouveau gabion dans l'eau.

Nicholas et l'équipe de Hansith travaillaient d'arrache-pied. Ils soulevaient les dalles de pierre qui recouvraient le sol du plus bas niveau du labyrinthe. Les joints qui maintenaient les plaques entre elles étaient si bien faits qu'ils avaient toutes les peines du monde à les briser, même avec des pieds-de-biche. Pour gagner du temps, Nicholas prit le pénible parti de procéder brutalement. Quatre des hommes les plus costauds travaillaient avec des masses faites avec des blocs de minerai de fer fixés à des pieux en bois. Ils fracassaient les plaques de pierre afin de les soulever plus facilement. Les dégâts qu'ils infligeaient au site lui brisaient le cœur mais les travaux avançaient beaucoup plus vite.

L'humeur joviale des hommes était, depuis un moment, retombée. Ils peinaient depuis trop longtemps dans l'environnement confiné du labyrinthe et, surtout, ils étaient conscients de la crue qui gonflait la rivière, là-haut, dans la gorge. Ils avaient le visage fermé et ne riaient plus guère. Mais ce qui inquiétait le plus Nicholas était le rapport que lui avait fait Hansith : seize de ses hommes avaient déserté. Ils avaient roulé leur paquetage en silence, raflé les quelques outils qu'ils avaient pu trouver sur le campement et étaient partis en pleine nuit.

Il était inutile d'envoyer quelqu'un à leurs trousses : ils avaient une trop longue avance. Le pire était que, comme toujours en Afrique, une fois la graine semée, la plante allait croître à une vitesse folle. Nicholas s'attendait donc à ce que d'autres hommes imitent les déserteurs.

Il plaisantait et essayait de s'amuser avec eux pour qu'ils ne devinent pas la tension à laquelle il était soumis. Il travaillait au milieu d'eux, transpirant dans les mêmes tranchées dans le but de les retenir. Mais il se doutait bien qu'à moins de découvrir quelque chose sous les dalles de pierre il se réveillerait le lendemain pour découvrir que Hansith et les moines eux-mêmes étaient partis.

Les premières dalles avaient été soulevées dans un angle du labyrinthe. De là, ils avaient commencé à travailler dans toutes les directions. Chaque coup de marteau qui brisait le revêtement de pierre déchirait quelque chose en lui. Dessous, apparaissait la roche. Et aucun joint, aucune ouverture.

– Ça n'a rien de très prometteur, murmura-t-il à Royan qui était venue lui apporter à boire.

Elle aussi arborait un visage des plus sombres en versant dans ses mains en coupe de l'eau pour qu'il puisse se rincer le visage.

– J'ai dû me tromper encore une fois, fit-elle. C'est typique de Taita d'avoir trouvé des combinaisons qui donnent des solutions qui semblent les bonnes. Vous ne croyez pas qu'il faudrait essayer l'autre...

Elle fut interrompue par les cris de Hansith.

– Par la Vierge Marie, *effendi* ! Vite, venez vite.

Ils firent volte-face d'un seul mouvement. Royan laissa choir la flasque qui se brisa à ses pieds. Insensible à l'eau qui lui avait inondé les jambes, elle se rua à l'endroit où Hansith s'était immobilisé, la masse prête à frapper.

– Qu'est-ce...

Sous le pavement, Hansith avait découvert une rangée de pierres. Elles allaient d'un bord à l'autre du couloir, incluses dans les parois et parfaitement jointoyées. Elles étaient lisses et polies, vierges de toute gravure.

– Qu'est-ce que c'est ? demanda Royan.

– Un autre pavement ou une dalle qui couvre une ouverture dans le sol. Il faut les soulever pour savoir.

Les nouvelles dalles étaient trop épaisses pour être brisées. Il fallut creuser autour de la première pour pouvoir la soulever. Ils durent se mettre à cinq pour réussir l'opération.

Royan s'agenouilla pour regarder dessous.

– Il y a une ouverture ! Une sorte de galerie !

La première dalle soulevée, il fut plus facile d'écarter les autres. Quand ils les eurent toutes écartées, Nicholas braqua le rayon de sa lampe dans le puits obscur qui était apparu. Son ouverture allait d'un bord à l'autre du couloir et, sous un plafond assez élevé pour que Nicholas puisse s'y tenir debout, un escalier descendait selon un angle de quarante-cinq degrés.

– Un nouvel escalier. Ce doit être le bon. A ce stade, Taita lui-même doit avoir épuisé les fausses pistes !

Les ouvriers se pressaient derrière eux. Leur humeur maussade s'était dissipée devant la découverte qu'ils avaient faite et la promesse des dollars d'argent supplémentaires qu'elle signifiait.

– Allons-nous descendre, Nicky ? Je sais que nous devrions être prudents et rechercher les pièges éventuels mais il nous reste si peu de temps.

– Vous avez raison, comme toujours. De toute

manière, nous n'avons plus le temps de prendre trop de précautions.

Elle lui prit la main avec un rire désinvolte.

– Descendons ensemble, alors !

Ils s'engagèrent dans l'escalier, avec la lampe qui éloignait les ombres.

– Il y a une salle, en bas ! s'exclama Royan.

– On dirait un entrepôt. Que signifient tous ces objets alignés contre les murs ? Il doit y en avoir des centaines. Des cercueils ? Des sarcophages ?

Les formes sombres étaient quasiment humaines. Dressées côte à côte, en rangs, elles faisaient le tour de la salle carrée.

– Je crois, fit Royan, que ce sont des paniers à grains. Et ceux-ci ont l'air d'amphores pour le vin. Ce doit être des offrandes pour le mort.

– S'il s'agit d'un entrepôt funéraire, alors nous sommes proches de la tombe.

– Oui ! s'exclama-t-elle. Regardez, il y a une porte au bout de la salle. Éclairez-la !

Ils franchirent les quelques marches qui restaient en courant presque. Mais à peine eurent-ils posé le pied sur le sol encombré de paniers en roseau et de poteries qu'ils se heurtèrent à une barrière invisible qui les projeta en arrière.

– Seigneur ! fit Nicholas en se prenant la gorge à deux mains. Reculez. Il faut reculer.

Royan tomba à genoux, en suffoquant.

– Nicky !

Elle essaya de crier mais son souffle semblait prisonnier de ses poumons. Un cercle d'acier lui enserrait la poitrine et, en se refermant, la vidait de son souffle.

– Nicky ! Aidez-moi !

Elle se débattait comme un poisson rejeté sur la berge. Ses forces la quittaient, sa vision s'assombrissait. Elle n'avait même plus l'énergie de se redresser.

Il se pencha sur elle et essaya de la relever mais il était aussi faible qu'elle. Ses jambes se dérobaient sous lui, incapables de soutenir son propre poids.

« Quatre minutes, songea-t-il avec désespoir. C'est tout ce qui nous reste. Quatre minutes avant la mort cérébrale. Il nous faut de l'air. »

Il glissa ses bras sous les siens et croisa les mains sur sa poitrine. Il essaya encore de la soulever mais toutes ses forces l'avaient abandonné. Il recula vers l'escalier qu'ils avaient descendu avec tant de légèreté. Chaque pas lui demandait un effort surhumain. Royan était complètement inconsciente, elle gisait dans ses bras, les jambes traînant mollement contre le sol.

La première marche de l'escalier lui heurta les talons et il manqua basculer en arrière. Il monta les marches en la hissant derrière lui. Il aurait voulu crier le nom de Hansith mais il n'avait plus assez d'air dans les poumons pour proférer le moindre son.

« Si tu la laisses tomber maintenant, elle est morte. »

Il réussit à gravir cinq autres marches, les poumons en feu. Ses forces l'abandonnaient un peu plus à chaque pas et sa vision était floue et distordue.

« Laissez-moi respirer, supplia-t-il. Par pitié, mon Dieu, laissez-moi respirer. »

Comme en réponse à sa prière, il sentit le précieux oxygène pénétrer dans sa gorge et lui remplir les poumons. Ses forces lui revinrent, il put resserrer sa prise autour de Royan et la soulever. Il monta les marches qui restaient en la portant dans ses bras et franchit l'entrée en titubant pour s'effondrer aux pieds de Hansith.

– Que se passe-t-il, *effendi* ? Que vous est-il arrivé ?

Nicholas n'avait plus assez de souffle pour lui répondre. Il allongea Royan pour lui faire le bouche-à-bouche et lui gifla les joues.

– Allez ! supplia-t-il. Parlez-moi ! Dites quelque chose !

Il se pencha sur elle, lui couvrit la bouche de la sienne et lui souffla dans la gorge jusqu'à ce qu'il sente sa poitrine qui se soulevait.

Il se redressa et compta jusqu'à trois.

– Je vous en prie, ma chérie, respirez !

Elle avait le visage livide et cireux d'un cadavre. Il se pencha encore. Quand il lui remplit une nouvelle fois les poumons, il la sentit frémir.

– C'est ça, ma chérie. Respirez ! Respirez pour moi.

A la troisième tentative, elle le repoussa et s'assit maladroitement. Elle regarda le cercle de visages qui l'entouraient avec des mines anxieuses. Le visage de Nicholas, pâle parmi les visages noirs des hommes, retint son regard.

– Nicky ! Qu'est-ce que c'était ?

– Je ne saurais dire, mais nous en avons tous les deux été victimes. Comment vous sentez-vous ?

– J'ai eu l'impression qu'une main invisible me serrait la gorge pour m'étrangler. Je ne pouvais plus respirer, je me suis évanouie.

– Une sorte de gaz doit remplir les zones inférieures du couloir. Vous êtes restée évanouie moins de deux minutes. Quatre minutes sans oxygène suffisent à tuer le cerveau.

– J'ai affreusement mal au crâne, fit-elle en se pressant les tempes du bout des doigts. Je vous ai entendu m'appeler, vous m'avez appelée « ma chérie ».

– Ma langue a dû fourcher.

Il la remit debout. Quand elle vacilla contre lui, ses seins étaient doux et tièdes.

– Merci une fois de plus, Nicky. Je vous dois tant. Je ne crois pas pouvoir jamais m'acquitter de ma dette.

– Je suis sûr qu'on va pouvoir trouver quelque chose.

Elle prit soudain conscience des regards des hommes posés sur elle. Elle se dégagea.

– De quel type de gaz s'agit-il ? Comment est-il arrivé là ? Croyez-vous que ce soit un autre des tours de Taita ?

– Ce doit être un gaz dû à la décomposition. Il est resté au fond des galeries donc il doit être plus lourd que l'air. A mon avis, ce doit être du dioxyde de carbone. Ou du méthane. Le méthane est plus lourd que l'air, non ?

– Croyez-vous que Taita l'ait fait exprès ?

– Je ne sais pas mais ces paniers et ces jarres me semblent suspects. Il faut que je puisse en examiner le contenu.

Il lui caressa les joues avec tendresse.

– Comment vous sentez-vous ? Et votre mal de tête ?

– Ça va mieux. Que va-t-on faire, maintenant ?

– Nous allons chasser ce gaz de là et le plus vite possible.

Il se servit de la bougie de sa trousse de secours pour mesurer le niveau où arrivait le gaz dans le puits. Il l'alluma et descendit l'escalier en la tenant au ras du sol. La flamme qui brûlait régulièrement s'éteignit brusquement alors qu'il restait six marches à descendre.

Il marqua le niveau d'un trait de craie et appela Royan.

– Bon, au moins ce n'est pas du méthane puisque je suis toujours là. Ce doit être du dioxyde de carbone.

– Comme essai, c'est plutôt radical ! Si tout avait sauté, ce serait du méthane.

– Hansith, apportez le ventilateur, demanda Nicholas au moine.

Retenant son souffle comme s'il faisait de la plongée, Nicholas alla déposer le ventilateur au centre de la salle. Il le fit tourner à sa vitesse maximale et retourna en courant à la surface où il prit une longue et profonde inspiration.

– Combien de temps faudra-t-il pour évacuer tout le gaz ? demanda Royan.

– J'irai faire le test de la chandelle tous les quarts d'heure.

Il fallut une heure pour disperser le gaz. Nicholas demanda alors à Hansith de faire descendre un fagot et d'allumer un feu au centre de la pièce pour accélérer la circulation de l'air.

En attendant, Royan et Nicholas allèrent examiner le contenu d'un des paniers.

– Le vieux rusé ! s'exclama Nicholas avec un brin d'admiration. On dirait un mélange de fumier, d'herbes et de feuilles mortes.

Ils renversèrent l'une des jarres. Elle était remplie d'une poudre blanche. Nicholas en prit une poignée qu'il effrita entre ses doigts et qu'il renifla avec méfiance.

– De la chaux ! Elle est sèche depuis longtemps et ne sent plus rien mais Taita l'avait certainement arrosée d'un acide. Du vinaigre, peut-être. De l'urine aurait fait l'affaire. En s'infiltrant dans la pierre à chaux, elle a produit du dioxyde de carbone.

– C'était donc un piège ! s'exclama Royan.

– Taita avait parfaitement compris les processus de la décomposition. Il savait quels gaz allaient produire ces mixtures. En plus de toutes les qualités dont il se vantait, il aurait fait un parfait chimiste.

– Et, qui plus est, il devait savoir que sans déplacement d'air ces gaz lourds et inertes resteraient dans cette pièce indéfiniment. Le puits doit être en forme de U. Je suis certaine que ce couloir remonte. En fait, j'aperçois des marches, d'ici.

– Nous nous rendrons bientôt compte si vous avez raison, fit-il. Parce que c'est exactement là où nous allons. En haut de cet escalier !

21

Sapeur avait placé des tumulus de pierres le long des berges de la rivière afin de contrôler le niveau de l'eau. Il le surveillait comme un financier surveille sa bande de téléscripteur.

La dernière averse remontait à six heures auparavant. Les lourds nuages qui pesaient sur la vallée s'étaient dissous dans la fournaise lumineuse du soleil. D'autres s'accumulaient au-dessus de l'horizon, au nord, en rangées sombres et menaçantes qui rapetissaient même les montagnes. Le déluge pouvait noyer les hauts plateaux n'importe quand. Sapeur se demandait combien de temps il faudrait à la crue pour arriver dans les gorges de l'Abbay.

Il sauta au bas de la pelleteuse pour examiner ses cairns de plus près. En une heure, les eaux avaient baissé de près de trente centimètres. Il s'efforça de ne pas trop exulter : après tout, quinze minutes avaient suffi à la rivière pour monter d'autant. Le résultat final était inévitable. Les pluies allaient arriver, la rivière allait déborder, le barrage serait balayé. Il regarda son ouvrage en hochant la tête avec résignation.

Il avait fait tout ce qui était en son pouvoir pour reculer l'instant fatidique. Il avait élevé le barrage de plus d'un mètre et bâti un contrefort supplémentaire pour le consolider. Il n'y avait rien d'autre à faire qu'attendre.

Il retourna s'adosser à son engin de métal jaune. Les Buffles étaient affalés le long de la rive, comme des blessés sur un champ de bataille. Ils avaient travaillé pendant deux jours entiers pour contenir la rivière. Maintenant, ils étaient épuisés et, quand la rivière allait recommencer à faire des siennes, il serait inutile d'exiger d'eux le moindre effort.

Certains des ouvriers qui s'étaient allongés s'assirent et se tournèrent vers l'amont du cours d'eau. Leurs voix parvinrent jusqu'à lui. Quelque chose avait éveillé leur intérêt. Il grimpa sur son tracteur pour regarder lui aussi. Mek Nimmur arrivait le long de la piste, en compagnie de deux de ses lieutenants.

Mek héla Sapeur de loin.

– Alors, et votre barrage ? Il va bientôt pleuvoir sur les montagnes. Vous n'arriverez pas à tenir très longtemps.

Il parlait en arabe, mais ses gestes en direction du ciel et des montagnes étaient assez clairs. Sapeur alla au-devant de lui. Ils se serrèrent la main cordialement. Ils s'étaient mutuellement reconnu les qualités physiques et professionnelles qu'ils admiraient tous les deux.

Mek fit venir celui de ses lieutenants qui parlait anglais. L'homme assuma aussitôt son rôle d'interprète.

– Il n'y a pas que le temps qui m'inquiète, fit Mek à voix basse. J'ai appris que les forces gouvernementales se disposent à nous attaquer. Un bataillon entier aurait quitté Debra Maryam tandis qu'un autre parti du monastère remonte la rivière.

– Un mouvement en tenailles, hein ? fit Sapeur.

Mek attendit la traduction puis il hocha la tête avec gravité.

– Ils sont nettement plus nombreux que nous. Je ne sais pas combien de temps je serai capable de les retenir quand ils attaqueront. Mes hommes sont formés à la guérilla. Nous ne savons que frapper et nous enfuir. Je viens vous avertir d'être prêt à lever le camp à n'importe quel moment.

– Ne vous inquiétez pas pour moi, je suis un sprinter. Ma spécialité, c'est le cent mètres. Il vaudrait mieux s'inquiéter de Nicholas et de Royan qui sont dans leur fichu trou à rats.

– J'y vais mais je voudrais convenir d'un rendez-vous. Si nous sommes séparés les uns des autres, retrouvons-nous au monastère. C'est là que Nicholas a planqué les canots.

– Okay, Mek...

Il s'interrompit. Les hommes affalés sur la berge avaient été perturbés par une nouvelle arrivée.

– Que se passe-t-il ?

– C'est une de mes patrouilles qui revient, fit Mek en plissant les yeux pour mieux voir.

Il reconnut soudain la mince silhouette que ses hommes portaient sur un brancard de leur fabrication. Tessay se redressa faiblement quand elle le vit accourir. Les soldats posèrent le brancard et Mek s'agenouilla près d'elle pour la prendre dans ses bras. Ils restèrent ainsi un long moment puis Mek lui prit le visage dans les mains pour examiner ses traits enflés et abîmés. Certaines des brûlures commençaient à s'infecter et ses yeux étaient plus gonflés que jamais.

– Qui t'a fait ça ? demanda-t-il doucement.

– J'ai dû tout leur dire, fit-elle dans un soupir. Le nombre d'hommes que tu as avec toi. Ce que tu fais ici avec Nicholas. Tout. Je regrette, Mek, je t'ai trahi.

– Qui ? Qui t'a fait ça ?

– Nogo et Helm, l'Américain.

Il l'étreignait avec la tendresse d'un père qui berce son enfant, mais ses yeux brûlaient d'un éclat terrible.

La chambre basse était entièrement vidée de son gaz. Le feu qu'avait allumé Hansith brûlait normalement, l'air chaud dissipait les dernières vapeurs toxiques. Royan s'était maintenant parfaitement remise de son évanouissement mais elle avait perdu beaucoup de sa confiance. Elle laissa Nicholas passer le premier dans l'escalier qui partait à l'autre extrémité de la salle.

– C'était un piège idéal, lui fit remarquer Nicholas. On peut dire que Taita savait ce qu'il faisait en installant cette partie du tunnel.

– Il escomptait que les éventuels intrus succomberaient à ses pièges diaboliques, s'égareraient dans le labyrinthe ou abandonneraient la partie, dit-elle.

– Essayez-vous de me convaincre que nous avons passé la dernière ligne de défense de Taita ? Et qu'il n'a plus aucun tour en réserve ?

– Non, c'est moi que j'essaie de convaincre. Et sans grand succès, je l'avoue. Je ne lui fais plus du tout confiance. Je m'attends au pire. Que le toit s'effondre sur moi à n'importe quel moment. Ou que le sol s'ouvre sous nos pas et que nous soyons précipités dans je ne sais quelle fournaise.

Ils avaient descendu quarante marches pour arriver dans la chambre des gaz et l'escalier qu'ils gravissaient était la copie conforme du précédent. Il montait selon le même angle et ses marches avaient les mêmes proportions. En arrivant au niveau de la quarantième marche, Nicholas promena sa torche sur l'arcade qui s'ouvrait devant eux. Ils furent éblouis par une profusion de formes et de couleurs resplendissant comme des fleurs du désert après la pluie. Des peintures, d'une richesse et d'une exécution prodigieuses, recouvraient les murs et le plafond.

– Taita ! s'écria Royan. Ce sont ses peintures. Il n'y a pas deux artistes comme lui. Je reconnaîtrais son travail n'importe où.

Immobiles sur la dernière marche, ils ne se lassaient pas du spectacle. Comparées à celles-ci, les fresques de la longue galerie étaient pâles et maladroites, comme les piètres copies qu'elles étaient.

Ils avancèrent lentement, presque sans s'en apercevoir. L'arcade était bordée de part et d'autre de petites alcôves qui évoquaient les boutiques d'un bazar oriental. L'entrée de chacune était gardée par de hautes colonnes qui montaient à l'assaut du plafond. Elles étaient toutes sculptées à l'image d'un des dieux du panthéon et, ensemble, étayaient une immense voûte.

En passant devant les premières alcôves, Nicholas la prit par le bras.

– Les chambres du trésor de Pharaon, murmura-t-il.

Elles étaient remplies du sol au plafond d'objets merveilleux.

– La salle des meubles.

Ils distinguaient des chaises, des tabourets, des lits et des divans. Royan s'aventura dans la pièce la plus proche et posa une main timide sur un trône royal. Les bras du meuble étaient des serpents de bronze et de lapis-lazuli, ses pieds des pattes de lion aux griffes d'or, le siège et le dossier étaient gravés de scènes de chasse et une paire d'ailes gigantesques dominaient tout l'ensemble.

Des mains industrieuses avaient empilé une incroyable profusion de meubles autour du trône. Ils remarquèrent un divan clos par de ravissants volets d'ivoire et d'ébène. La plus grande partie des objets étaient démontés et donc méconnaissables. Les métaux précieux, les pierres de couleur luisaient doucement avec l'extravagante richesse d'un kaléidoscope. Toutes les alcôves étaient remplies de pièces merveilleuses. Les murs qui les séparaient étaient décorés de panneaux illustrant le *Livre des Morts* et le voyage de Pharaon à travers les portes, avec les pièges et les épreuves, les monstres et les démons qui attendaient, le long de son chemin.

– Voilà les tableaux qui manquaient à la fausse tombe de la grande galerie, fit Royan. Regardez le visage du roi. On dirait un être vivant.

La fresque la plus proche représentait le grand Osiris emmenant Pharaon en le tenant par la main. Il le protégeait des monstres qui, tapis des deux côtés, attendaient le moment de se jeter sur lui. On découvrait le visage du roi tel qu'il devait vraiment être : un homme bon, aimable, aux traits plutôt débonnaires.

– Regardez ces silhouettes, fit remarquer Nicholas. Ce ne sont pas ces mannequins de bois qui avancent le sempiternel pied droit. Ce sont de vrais hommes et de vraies femmes. Ils sont anatomiquement parfaits. L'artiste a compris les lois de la perspective, il a étudié le corps humain.

Ils s'arrêtèrent devant les alcôves suivantes pour regarder les trésors qu'elles recelaient.

– Des armes ! Regardez ce char !

Les panneaux du véhicule dorés à la feuille éblouissaient littéralement. Les harnais et les rênes attendaient les chevaux qui le lanceraient sur le champ de bataille, les carquois fixés sur les flancs débordaient de flèches et de javelots. Le cartouche de Mamose ornait chacun des boucliers latéraux.

Autour du splendide véhicule, s'empilaient des arcs de guerre dont les bois étaient ficelés par des fils de bronze et d'or. Il y avait des poignards à manche d'ivoire et des épées aux lames de bronze étincelant. Il y avait des rangées de lances et de piques, des boucliers en bronze décorés de scènes guerrières et du nom du divin Mamose, des casques et des cuirasses en peau de crocodile. Et il y avait, rangés contre les murs de l'alcôve, les uniformes et les insignes des plus grands bataillons d'Égypte endossés par des statues en bois du roi grandeur nature.

Dans l'allée où ils avançaient, ils découvrirent

d'autres peintures, d'autres fresques qui racontaient la vie et la mort du roi. Il jouait avec ses filles et distrayait son fils, le prince. Il pêchait, chassait avec ses faucons. Il tenait conseil avec ses ministres et ses nomarques, il badinait avec ses femmes et ses concubines, il célébrait le culte en compagnie des prêtres du temple.

– C'est une chronique de la vie des temps anciens, souffla Royan, éblouie. Je ne connais aucune autre découverte de cette importance.

Chaque personnage figurant sur les fresques avait été peint d'après nature. Les visages avaient tous des expressions différentes, croquées par l'œil plein d'humour et d'humanité d'un grand artiste.

– Là, ce doit être Taita ! fit Royan en désignant l'autoportrait de l'eunuque sur un des panneaux. Je me demande s'il a pris des libertés d'artiste ou s'il était vraiment aussi beau ?

Ils s'arrêtèrent pour admirer le visage de leur adversaire. L'exécution était si habile que les yeux perçants et intelligents semblaient les fixer. Un petit sourire énigmatique flottait sur ses lèvres. La peinture avait été vernie, aussi était-elle parfaitement conservée. Elle avait l'air d'avoir été faite la veille : les lèvres de Taita étaient humides et ses yeux pétillaient de vie.

– Il a la peau claire et ses yeux sont bleus ! s'exclama Royan. Mais ses cheveux roux sont teints au henné.

– C'est curieux de penser que, bien qu'il soit mort depuis une éternité, il a failli réussir à nous tuer, fit Nicholas à voix basse.

– Où est-il né ? Il ne l'a jamais mentionné dans ses rouleaux. En Grèce ou en Italie ? Venait-il d'une tribu germanique, des hordes vikings ? Nous ne le saurons jamais. Lui-même ne devait avoir aucune idée de ses origines.

– Le voilà, ici aussi ! s'exclama Nicholas en désignant un autre panneau où le visage de l'eunuque apparaissait parmi ceux de la foule qui, agenouillée devant le trône, rendait grâce à Pharaon et à sa reine.

Ils passèrent des salles pleines d'assiettes, de gobelets, de bols d'albâtre et de bronze incrustés d'argent et d'or, de miroirs de bronze poli, de rouleaux de soie précieuse et de coton, de draps de laine, réduits par le temps à des paquets noircis, d'une matière informe. Ils découvrirent les scènes des batailles contre les Hyksos, Pharaon transpercé par la flèche du roi hyksos et, sur le panneau suivant, Taita en chirurgien, penché sur lui avec ses instruments à la main, lui retirant de la poitrine la pointe maculée de sang.

Dans d'autres alcôves étaient stockés des centaines de coffres en bois de cèdre. Tous portaient le cartouche royal de Mamose ainsi que des scènes montrant le roi à sa toilette : on le voyait rasé par ses barbiers, habillé par ses valets, on lui fardait les yeux de khôl et on lui blanchissait le visage à l'antimoine avant de rehausser ses traits d'écarlate.

– Ces coffres doivent contenir les cosmétiques royaux, murmura Royan. Et les vêtements de Pharaon. Il devait avoir un costume pour chaque occasion de sa vie dans l'au-delà. Comme je suis impatiente de les déballer pour les examiner !

Les fresques suivantes représentaient les noces du roi et de la jeune vierge, maîtresse de Taita. Le visage de la reine Lostris était rendu avec un soin amoureux. Le peintre avait exalté sa beauté, ses coups de pinceau avaient caressé ses seins nus et s'étaient attardés sur chacune de ses vertus pour lui faire incarner la perfection féminine.

– Comme Taita devait l'aimer, murmura Royan avec une pointe d'envie dans la voix. Cela se voit à chaque détail.

Nicholas sourit doucement et lui entoura les épaules de ses bras.

Les alcôves suivantes étaient elles aussi pleines de coffres de bois. Les couvercles portaient des miniatures du roi paré de tous ses bijoux : ses doigts et ses orteils étaient alourdis de bagues et sa poitrine arborait tous ses médaillons. Des bracelets d'or ornaient ses bras et ses poignets. Sur un des portraits, il était coiffé de la double couronne des deux royaumes de l'Égypte unie. Sur un autre, c'était la couronne bleue qui pesait sur sa tête tandis qu'un troisième le montrait avec le *nemes* d'or aux ailes de lapis-lazuli qui retombaient sur ses oreilles.

– Si ces coffres contiennent les trésors peints sur leur couvercle...

Nicholas se tut, incapable de poursuivre le fil de ses pensées. L'idée d'autant de richesses était affolante et son imagination vacillait devant une telle abondance.

– Vous souvenez-vous de ce que Taita écrit sur ses rouleaux ? demanda Royan. *Je ne crois pas que pareil trésor ait jamais été accumulé au même moment et dans le même lieu.* Je pense que tout est ici, chaque pierre précieuse, chaque once d'or. Le trésor de Mamose est intact.

Ils arrivèrent enfin au bout de la fabuleuse arcade. Elle était fermée par une série d'écrans et de paravents, des tabernacles qui avaient jadis été de lin fin mais qui aujourd'hui s'effilochaient telles d'antiques toiles d'araignée. Les étoiles et les rosettes en or qui les décoraient étaient encore accrochées à la trame, comme des poissons dans le filet d'un pêcheur. A travers ces toiles vaporeuses de soie morte, entre les étoiles d'or, ils devinèrent l'arche d'une nouvelle porte.

– Ce doit être l'entrée de la tombe, murmura Royan. Il n'y a plus qu'un mince voile entre le roi et nous.

Ils hésitaient à franchir le seuil, saisis par une étrange réticence à accomplir ce dernier pas.

Mek Nimmur, comme tous les guerriers endurcis, avait vu et soigné toutes les blessures que pouvait recevoir un homme sur un champ de bataille. Sa petite armée de guérilla n'avait pas de médecin, ni même d'infirmier. Mek soignait lui-même ses blessés à l'aide d'une trousse médicale qui ne le quittait jamais.

Il avait fait transporter Tessay dans une des huttes proches de la carrière où il lui retira ses vêtements en lambeaux. Il nettoya ses brûlures et ses plaies et recouvrit les plus profondes de pansements. Puis il la retourna gentiment sur le ventre et prépara une seringue d'antibiotique. Tessay frémit quand il enfonça l'aiguille.

– Je ne suis pas un très bon docteur, fit-il.

– Je n'en voudrais pas d'autre. Oh, Mek ! J'ai cru que je ne te reverrais jamais. J'ai eu moins peur de la mort que de ça.

Il l'aida à enfiler les vêtements qu'il avait tirés de son propre sac, un sweat-shirt et un pantalon beaucoup trop larges pour elle. Il remonta les manches sur ses bras avec des gestes d'amant plutôt que de soldat.

– Je dois être affreuse, murmura-t-elle entre ses lèvres craquelées et noircies.

– Tu es belle. Pour moi, tu seras toujours belle.

Il lui caressa la joue délicatement, en prenant garde de ne pas toucher ses blessures. C'est à cet instant qu'ils entendirent la mitraillette. Le bruit était très éloigné, il arrivait porté par les vents du nord. Mek se leva d'un bond.

– Ça commence. Nogo attaque.

– C'est ma faute. Je lui ai dit...

– Non, coupa-t-il d'un ton ferme. Tu n'es responsable de rien. Tu as fait ce que tu devais faire. Sinon, ils t'auraient fait encore plus mal. Même si tu n'avais rien dit, ils nous auraient attaqués.

Il ramassa son ceinturon et le boucla autour de sa taille. Au loin retentissaient les déflagrations des mortiers.

– Je dois y aller, lui dit-il.

– Je sais. Ne t'inquiète pas pour moi.

– Je m'inquiéterai toujours. Mes hommes vont te porter au monastère. C'est le point de ralliement. Attends-moi là. Je ne crois pas pouvoir retenir Nogo très longtemps. Il est trop puissant. Je te rejoindrai bientôt.

– Je t'aime, chuchota-t-elle. Je t'attendrai éternellement.

– Tu es ma femme, fit-il de sa voix de basse.

Puis il se détourna et franchit en se baissant le seuil de la hutte.

Quand Nicholas effleura les voiles, ceux-ci se rompirent et glissèrent sur le carrelage. Les rosettes d'or tintèrent en heurtant la pierre. L'ouverture était assez grande pour qu'ils puissent passer tous les deux. Ils se retrouvèrent devant une porte gardée d'un côté par une statue colossale du grand Osiris qui tenait dans ses mains croisées sur sa poitrine le fléau et la crosse, et, de l'autre, par sa femme Isis. Elle était coiffée des cornes et de la lune. Les dieux à l'expression sereine fixaient l'éternité d'un regard énigmatique. Nicholas et Royan passèrent entre les deux statues hautes de plus trois mètres et pénétrèrent enfin dans la véritable tombe de Mamose.

Le plafond était voûté et les fresques qui recouvraient les murs présentaient un style nouveau : classique, presque formel. Les nuances des couleurs étaient plus profondes, sombres parfois, et les formes plus compliquées. La chambre était bien plus petite qu'ils ne l'avaient imaginé. Elle était juste assez grande pour accueillir le sarcophage de granite du divin Mamose.

Le sarcophage reposait à hauteur d'homme. Ses côtés étaient ornés de bas-reliefs gravés mettant en scène Pharaon et les autres dieux. Le couvercle de pierre avait la forme de l'effigie grandeur nature du roi allongé. Ils virent tout de suite qu'il n'avait pas été bougé : les sceaux d'argile posés par les prêtres d'Osiris étaient intacts. La tombe n'avait jamais été visitée, sa momie dormait d'un sommeil millénaire.

Ils furent surtout surpris par un objet qui détonnait dans le décor classique de la tombe. C'était une petite figurine humaine, un shaouabti d'une qualité d'exécution exceptionnelle. Nicholas et Royan reconnurent aussitôt les traits du personnage représenté. Ils avaient vu ce visage quelques minutes auparavant, peint sur les murs de l'arcade qui menait à cette tombe.

Les paroles de Taita, immortalisées sur ses rouleaux, semblaient résonner dans l'enceinte de la tombe et fuser dans l'air comme des lucioles.

Une fois devant le sarcophage royal, je congédiai les ouvriers. Je serais le dernier à quitter cette tombe, après moi l'entrée serait scellée.

Une fois seul, je défis mon paquet et en tirai Lanata. Tanus lui avait donné le nom de ma maîtresse et je l'avais fabriqué pour lui. C'était notre dernier présent. Je le déposai sur la pierre du couvercle scellé au sarcophage.

Mon paquet contenait autre chose. C'était un shaouabti que j'avais sculpté dans le bois. Je le déposai au pied du sarcophage. J'étais resté assis en face d'un triple miroir de cuivre pendant la fabrication de la statuette. Elle me reproduisait fidèlement.

Sur la base où reposait le Taita miniature, j'avais écrit ces mots...

Royan s'agenouilla au pied du cercueil et ramassa la petite figurine. Elle la retourna avec précaution et lut les hiéroglyphes gravés sur son socle.

Nicholas s'agenouilla près d'elle.

– Lisez-les-moi, demanda-t-il.

– *Mon nom est Taita*, fit-elle à voix basse. *Je suis un médecin et un poète. Je suis un architecte et un philosophe. Je suis ton ami. Je réponds de toi.*

– Alors, tout est vrai, murmura Nicholas.

Royan replaça la figurine à l'endroit exact où elle l'avait prise. Toujours à genoux, elle se tourna vers lui.

– Je n'ai jamais rien vécu de semblable. Je voudrais que cet instant dure toujours.

– Il durera toujours, ma chérie. Pour nous, tout ne fait que commencer.

Mek Nimmur les regardait approcher. Ils contournaient le pied de la colline. Il fallait l'œil acéré d'un guérillero pour les distinguer dans les épaisses broussailles où ils se déplaçaient. Mek éprouva un pincement au cœur : il avait combattu la tyrannie de Mengistu avec la plupart de ces hommes, il avait même tout appris à certains et, maintenant, ils étaient après lui. Tel était le cycle de la guerre et de la violence qui ravageait le continent. Les luttes incessantes étaient nourries par des inimitiés tribales ancestrales mais aussi par la cupidité de politiciens corrompus qui défendaient des idéologies caduques.

Mais, songea-t-il avec amertume, l'heure n'était pas à la dialectique. Il se concentra sur la stratégie à mettre au point. Les hommes qu'il allait devoir affronter étaient des professionnels, il le voyait à la manière dont ils avançaient, telles des ombres à travers les épineux. Il savait que chaque silhouette qu'il repérait équivalait à une douzaine d'hommes mieux cachés.

Ses effectifs étaient regroupés non loin de lui : quatorze hommes disséminés parmi les rochers. Ils ne pouvaient espérer frapper fort que s'ils gardaient l'avantage de la surprise. Puis, quand Nogo installerait ses mortiers au sommet des collines, il faudrait battre en retraite.

Il regarda le ciel en se demandant si Nogo ferait appel à une couverture aérienne. Un Tupolev mettrait trente-cinq minutes pour arriver d'Addis. Il sentait déjà l'odeur du napalm dans l'air humide et voyait déferler sur eux les nuages enflammés. Le napalm était la seule chose que craignaient vraiment ses hommes. Mais, se dit-il, il n'y aurait pas de frappe aérienne. Pas cette fois. Nogo et son maître, von Schiller, voulaient mettre la main sur ce qui se trouvait dans la tombe que Nicholas Quenton-Harper avait découverte dans la vallée et ils n'allaient certainement pas partager le trésor avec les gros bonnets qui faisaient la politique d'Addis. Ils n'allaient pas attirer l'attention du gouvernement sur la petite guerre privée qu'ils menaient ici : il n'y aurait pas de Tupolev.

Il reporta son regard sur la colline. L'ennemi déployait toute son habileté et se dirigeait vers la piste qui longeait la Dandera. Bientôt, il enverrait une patrouille pour protéger leur flanc avant qu'ils ne puissent se déployer. Oui, ils arrivaient. Huit hommes, non, dix, se détachaient en tête et avançaient avec prudence sur la pente, en contrebas.

« Qu'ils approchent, se dit-il. J'aimerais les avoir tous d'un coup mais c'est trop demander. Je me contenterai de quatre ou cinq et tant mieux s'il reste quelques blessés pour brailler dans les épineux. Il n'y a rien de tel pour foutre la trouille à ses camarades qu'un homme qui hurle parce qu'il a les entrailles à l'air. »

De l'autre côté du monticule, il pouvait voir le museau de sa mitraillette RPD. L'arme légère était parfaitement en ligne avec l'avancée des intrus. Salim, le tireur, était un expert. Peut-être, après tout, pourrait-il en tuer plus de cinq ?

« Nous verrons, se dit Mek. Mais il faudra trouver le moment juste. »

Le promontoire rocheux en dessous de lui était ouvert par une faille.

« Ils ne vont pas s'exposer sur le rocher, présuma-t-il. Ils vont essayer de se faufiler par la faille. Ce sera le bon moment. »

Salim ne le perdait pas des yeux. Il attendait le signal. Mek regarda au pied de la pente.

« Oui, pensa-t-il. Ils se regroupent. Le gros à gauche n'est plus dans le rang. Les deux suivants se dirigent vers le trou. »

Les tenues de camouflage des hommes de Nogo se fondaient parfaitement dans les broussailles. Les canons des armes avaient été emmaillotés de chiffons et de filets de camouflage pour éviter les reflets du soleil. Ils étaient pratiquement invisibles, seuls leurs mouvements et la couleur de leur peau les trahissaient. Ils étaient si proches maintenant que Mek pouvait voir leurs globes oculaires. Mais leur mitrailleur était toujours invisible. C'était lui qui devait recevoir la première balle.

« Ah, pensa-t-il avec soulagement. Le voilà. Sur le flanc droit. J'ai failli ne pas le voir. »

L'homme était petit et râblé. Il avait de larges épaules

et de longs bras qui lui donnaient une allure simiesque. Il portait son arme contre la hanche. C'était une RPD 7.62 mm, de fabrication soviétique. Il avait été trahi par l'éclat du cuivre de la ceinture de cartouches passée autour de ses épaules.

Mek contourna le rocher qui lui servait de couverture. Il régla la cadence de tir de son AKM en position rapide et appuya la joue contre le bois de la crosse. C'était son arme personnelle. Un armurier d'Addis lui avait poli le mécanisme et le canon, toutes modifications visant à lui permettre de placer à cent mètres toutes ses balles dans un cercle de six centimètres.

L'homme à la RPD n'était plus qu'à cinquante mètres. Mek jeta un œil sur sa droite pour s'assurer que les trois autres s'approchaient du trou où Salim les cueillerait d'une seule rafale. Puis il visa la boucle du ceinturon du mitrailleur à la RPD et tira trois coups.

La détonation fit vibrer ses tympans. Mek vit les balles frapper et dessiner une ligne dans le torse de l'homme. La première balle entra dans le bas du ventre, la deuxième déchira le diaphragme et la troisième se ficha dans la gorge. L'homme virevolta, ses bras s'envolèrent et il s'abattit en arrière dans les buissons qui l'engloutirent.

Autour de Mek, ses hommes tiraient. Il se demanda combien d'hommes Salim avait abattus. Devant, les soldats s'étaient tous mis à couvert. La brume légère de la poudre bleuissait l'atmosphère. Ils ripostaient et les buissons tremblaient, agités par le recul et les aboiements de leurs armes.

Puis, perçant le rugissement des armes à feu et les sifflements des ricochets dans les rochers, un cri retentit :

– Je suis touché. Au nom d'Allah, aidez-moi !

Ses hurlements de douleur se répercutèrent entre les collines et, peu à peu, les tirs s'espacèrent. Mek glissa un nouveau chargement dans le magasin de son AKM.

– Chante, petit oiseau. Chante ! murmura-t-il.

Il fallut les forces combinées de Nicholas, Hansith et huit autres hommes pour soulever le couvercle du sarcophage. Titubant sous le poids, ils allèrent le déposer contre le mur de la tombe. Puis Nicholas et Royan montèrent sur l'estrade pour regarder à l'intérieur du tombeau.

Un cercueil de bois était parfaitement encastré dans la cavité de pierre. Son couvercle avait la forme du corps du pharaon, représenté dans l'attitude que l'on faisait prendre aux rois morts : allongé, les mains croisées sur la poitrine et serrées sur le fléau et la crosse. Le bois du cercueil était doré à la feuille et incrusté de pierres semi-précieuses. L'expression du gisant était sereine.

Ils soulevèrent le couvercle qui tenait par des sceaux d'or et une épaisse couche de résine séchée. Le cercueil en contenait un autre, logé là avec la même étonnante exactitude. Ils l'ouvrirent et découvrirent un nouveau cercueil. Comme des poupées russes, les cercueils emboîtés se succédaient, toujours plus petits.

Ils ouvrirent sept cercueils à l'ornementation chaque fois plus précieuse. Le septième était en or pur et avait la taille d'un homme. La lumière des lampes, renvoyée par le métal poli, jetait des éclats jusqu'au fond de la tombe.

Le cercueil était rempli de fleurs. Leurs pétales avaient une couleur sépia et il ne s'en dégageait plus que l'odeur des siècles passés. Elles tombèrent en poussière au premier contact, révélant un fin drap de lin qui avait pris les teintes brunâtres de leurs sécrétions. Sous les plis autrefois blancs, l'or luisait encore.

Nicholas et Royan écartèrent le tissu. Il craqua et s'effrita sous leurs doigts fébriles. La vision du masque mortuaire du roi leur arracha un cri. A peine plus grand qu'une tête d'homme, il reproduisait parfaitement le visage du mort. Chaque détail de la face de Pharaon était fixé pour l'éternité. Le mort avait des yeux d'obsidienne et de cristal de roche qui vous fixaient avec un air de reproche triste.

Il leur fallut un certain temps pour se résoudre à soulever le masque de la momie. Dessous, ils découvrirent de nouvelles preuves de la substitution survenue quatre mille ans auparavant. La momie était trop grande pour le cercueil, elle avait été défaite de ses bandelettes pour pouvoir loger dans l'étroite boîte en or.

– Une momie royale aurait été couverte d'amulettes et de charmes, fit remarquer Royan. Ce corps est celui d'un noble, pas celui d'un roi.

Nicholas écarta une bandelette qui recouvrait la tête : une épaisse boucle de cheveux tressés apparut.

– D'après ses portraits, Mamose avait les cheveux teints au henné, murmura-t-il. Regardez ça.

La tresse avait les couleurs que l'hiver donne à l'herbe de la savane : or et argent mêlés.

– Le doute n'est plus possible, il s'agit du corps de Tanus. L'ami de Taita et l'amant de la reine.

– Oui, souffla Royan, les larmes aux yeux. C'est le vrai père du fils de Lostris, le père de l'enfant qui fut le pharaon Tamose, l'ancêtre d'une grande lignée de rois. L'homme dont le sang court à travers l'histoire de l'Égypte antique.

– À sa manière il était l'égal d'un pharaon, conclut calmement Nicholas.

Ce fut Royan qui réagit la première.

– La rivière ! s'écria-t-elle d'une voix tendue. Nous n'allons pas abandonner tout ceci quand la rivière montera !

– Nous ne pouvons pas non plus espérer tout emporter. Il faut choisir les plus belles pièces, ou les plus importantes, et les emballer. Dieu seul sait combien de temps il nous reste.

Ils se mirent au travail d'arrache-pied. Ils ne pouvaient songer à emporter les statues ou les fresques, ni les meubles, ni les armes, pas plus que la vaisselle ou un quelconque élément de garde-robe. L'énorme char allait lui aussi rester à l'endroit où il avait passé des milliers d'années.

Ils ôtèrent le masque de la momie et Nicholas envoya chercher Mai Metemma. Pour recevoir la relique sacrée qui lui avait été promise, le vieil abbé arriva accompagné d'une vingtaine de moines. Ils s'emparèrent respectueusement du cercueil d'or et l'emportèrent en psalmodiant à voix basse.

– Avec eux au moins, fit Royan, le héros sera traité avec respect. (Puis elle regarda autour d'elle.) Nous ne pouvons pas laisser la tombe dans cet état, avec les cercueils éparpillés et leurs couvercles déplacés. On pourrait croire que des pilleurs de tombes ont été à l'œuvre !

– C'est ce que nous sommes, précisa Nicholas. Des pilleurs de tombes.

– Non, protesta-t-elle, nous sommes des archéologues et nous allons nous comporter comme tels.

Ils remirent, un à un, les six cercueils dans le grand

sarcophage et refermèrent l'énorme couvercle de pierre. Puis ils choisirent et emballèrent les objets qu'ils allaient emporter.

La plus importante de leurs découvertes était, évidemment, le masque mortuaire. Ils le protégèrent du mieux qu'ils purent et le rangèrent, avec la figurine de Taita, dans une des caisses. Sur le couvercle de la caisse, Royan écrivit : *« Masque et shaouabti de Taita »*.

L'urgence les contraignait à des choix arbitraires. Ils renoncèrent à forcer les coffres en bois de cèdre qui remplissaient les alcôves de l'arcade : il s'agissait là de pièces inestimables. Ils se fièrent aux miniatures des médaillons, lesquelles semblaient un inventaire assez fidèle du contenu. Dans un coffre dont le médaillon montrait Pharaon coiffé de sa couronne de guerre bleue, ils trouvèrent ladite couronne, calée par des coussinets de cuir moulés aux dimensions.

Malgré le peu de temps qui leur restait, ils ne purent s'empêcher de s'attarder et de s'émerveiller devant le contenu de certains coffres. Ils découvrirent la couronne bleue mais aussi la couronne rouge et blanche des royaumes réunis et le merveilleux *nemes*. Les trois couronnes étaient dans un parfait état de conservation, elles semblaient avoir été ôtées du front de Pharaon le matin même.

Ils durent se plier à une règle essentielle : les objets choisis devaient être assez petits pour entrer dans les caisses de munitions. Ce qui était trop grand devait être écarté, quelles qu'en soient la valeur et l'importance historique. Fort heureusement, un certain nombre des coffres renfermant les bijoux royaux s'emboîtaient parfaitement dans les caisses de métal. Certains éléments plus volumineux, comme les couronnes ou les grands pectoraux d'or, durent être emballés séparément.

Ils rassemblèrent les caisses remplies sur le palier de l'entrée. Avec les caisses qui renfermaient les statues des huit dieux de la longue galerie, ils en étaient à un total de quarante-huit quand la voix à l'accent inimitable de Sapeur parvint jusqu'à eux.

– Major, où diable es-tu ? Tu ne peux pas lambiner plus longtemps. Magne-toi le train ! La rivière est en crue, le barrage va céder d'un moment à l'autre !

Sapeur gagna en hâte le sommet de l'escalier. Il s'immobilisa, émerveillé par les splendeurs de l'arcade funéraire du pharaon Mamose. Il lui fallut quelques minutes pour se remettre du choc et redevenir l'être prosaïque qu'il était.

– Il y a urgence, major ! C'est une question de minutes, pas d'heures. Le fichu barrage va péter. Et avec ça, Mek se bat dans les collines autour du gouffre. On entend les coups de feu depuis le bassin de Taita. C'est du sérieux. Royan et toi avez intérêt à filer en vitesse !

– Bien, Sapeur. On s'en va. Retourne dans la salle située au bas de l'escalier. Tu as vu les caisses qui s'y trouvent ? Que les hommes les emportent et foncent avec au monastère. Je veux que tu t'occupes de cette manœuvre. Nous te suivrons avec ce qui reste.

– Fais pas le con, major. Ta vie ne vaut pas ce tas de vieilleries. Magne-toi.

– Fais ce que je te dis, Sapeur. Et veille à ne pas parler ainsi de ces trésors devant Royan. Tu pourrais t'attirer de sacrés ennuis.

Sapeur haussa les épaules.

– Tu ne diras pas que je ne t'ai pas prévenu, fit-il avant de faire demi-tour et de dévaler l'escalier.

– Tu sais où sont rangés les canots, lui cria Nicholas. Si tu y arrives avant moi, gonfle-les et amarre les caisses dessus. On ne tardera pas.

Aussitôt Sapeur parti, Nicholas retourna auprès de Royan qui s'affairait toujours autour du trésor.

– Ça y est ! cria-t-il. Plus de temps à perdre. Il faut partir d'ici.

– Nicky, nous ne pouvons pas laisser...

– Hors d'ici ! Il faut partir. A moins que vous ne vouliez partager la tombe de Tanus pour l'éternité.

– Ne pourrais-je pas...

– Non ! fit-il en la prenant par le bras. Vous êtes inconsciente. Tout de suite ! Le barrage va céder d'un moment à l'autre.

Elle se dégagea et piocha dans le coffre ouvert à ses pieds. Elle s'empara de poignées de bijoux qu'elle fourra dans ses poches.

– Je ne peux pas laisser ça ici !

Il la prit par la taille et la jeta en travers de son épaule.

– C'est sérieux, vous dis-je !

– Nicky ! Reposez-moi !

Elle se débattit en donnant de grands coups de pied mais il n'interrompit pas sa course. Au pied de l'escalier, Hansith et ses hommes emportaient les dernières caisses dans l'escalier qui montait vers la grande galerie. Ils portaient leur chargement sur la tête et gravissaient les marches à grandes enjambées.

Nicholas reposa Royan.

– Promettez-moi de vous conduire normalement. Ceci n'est pas un jeu. C'est sérieux. Nous risquons de mourir ici.

– Je sais, fit-elle d'un air penaud. Mais je ne peux pas supporter l'idée de tout abandonner.

– Ça suffit ! Partons.

Il la prit par la main et l'entraîna avec lui. Au bout de quelques marches, elle se dégagea et se mit à courir. Elle le dépassa et arriva avant lui au sommet de l'escalier.

Les porteurs, malgré leur fardeau, avançaient à bonne allure. Nicholas et Royan enfilèrent les couloirs du labyrinthe. Ils se fièrent aux signes laissés sur les murs et arrivèrent dans la galerie effondrée sans s'être une seule fois égarés. Sapeur les attendait devant les décombres de la porte scellée. Il poussa un grognement de satisfaction quand il les aperçut, au milieu des porteurs essoufflés.

– Je croyais t'avoir dit d'aller préparer les canots ! lui cria Nicholas.

– Je n'avais pas confiance. Tu peux être tellement bête ! Je voulais être certain que tu n'allais pas traîner là-bas.

– Sapeur, je suis sincèrement touché.

Ils traversèrent le tunnel au pas de course et passèrent le pont qui enjambait le siphon inondé.

Où est Mek ? demanda Nicholas à Sapeur qui trottait devant lui. As-tu vu Tessay ?

– Tessay est revenue. Elle était dans un sale état. Quelqu'un l'a terriblement amochée.

– Que lui est-il arrivé ? Où est-elle ?

– Elle est tombée dans les pattes des gorilles de von Schiller. Ils lui en ont fait voir de toutes les couleurs. Les hommes de Mek l'ont emmenée au monastère. Elle nous attend près des canots.

– Dieu soit loué, murmura Nicholas. Et Mek ?

– Il essaye de retenir Nogo qui est passé à l'attaque.

Les fusils, les grenades et les mortiers sont à la fête depuis ce matin. Il va battre en retraite et lui aussi nous attendra aux canots.

Ils franchirent les derniers mètres en pataugeant dans un mélange de boue et d'eau qui leur arrivait aux chevilles. Ils escaladèrent le batardeau posé sur le bord du bassin de Taita. Les porteurs de Hansith escaladaient déjà l'échafaudage de bambou, avec chacun une des caisses de munitions.

C'est alors que Nicholas entendit un bruit qu'il reconnut immédiatement.

– Une mitraillette ! dit-il à Royan. Mek se bat mais ils sont sacrément proches.

– Mon sac ! s'exclama la jeune femme en s'élançant vers sa hutte. Je dois prendre mes affaires.

– Vous n'aurez besoin ni de votre trousse de maquillage, ni de votre pyjama. Et j'ai votre passeport avec moi.

Il la prit par le bras et la ramena au pied de l'échelle.

– En fait, ce dont vous avez besoin, c'est de mettre le plus d'espace possible entre vous et Nogo. Allez, hop !

Ils gravirent l'échafaudage en toute hâte. Quand elle émergea au sommet de la falaise, Royan s'aperçut avec surprise que le soleil était au zénith. Dans les couloirs sombres et froids de la tombe, elle avait perdu la notion du temps. Elle leva le visage et, tout en écoutant Nicholas faire l'appel des porteurs pour s'assurer qu'il n'en était pas resté en arrière, se laissa caresser avec délices par les rayons brûlants.

Sapeur, à la tête de leur petit groupe, s'engagea sur la piste qui serpentait à travers la forêt d'épineux. Nicholas et Royan laissèrent passer les porteurs un à un devant eux et ils leur emboîtèrent le pas.

Le bruit des combats s'était rapproché. Les détonations des armes automatiques donnaient des ailes aux porteurs et le groupe traversa la forêt au pas de course pour atteindre la piste du monastère avant que Nogo ne lui coupe la retraite.

Ils rencontrèrent, à une croisée de chemins, des *shufta* qui transportaient une civière. Eux aussi allaient au monastère. Nicholas crut d'abord qu'ils portaient un des hommes de Mek qui aurait été blessé. Il lui fallut quelques secondes pour reconnaître le visage enflé et brûlé de Tessay.

– Tessay ! Qui vous a fait ça ?

Elle raconta ses épreuves d'une voix hachée, en levant vers lui de grands yeux sombres d'enfant blessé.

– Helm ! balbutia Nicholas. J'aimerais un jour mettre la main sur ce salaud.

Royan les rejoignit. La vision du visage de Tessay lui arracha un cri d'horreur. Elle s'accroupit aussitôt près d'elle, alors que Nicholas interrogeait brièvement un des *shufta*.

– Mezra, que se passe-t-il de votre côté ?

– Une des troupes de Nogo est entrée dans la gorge, par l'est. Nous nous sommes retrouvés débordés, il a fallu reculer. Cette manière de combattre n'est pas la nôtre.

– Je sais, fit Nicholas. La guérilla ne doit pas cesser de se déplacer. Où est Mek Nimmur ?

– Il bat en retraite par la rive orientale du gouffre.

Ils entendirent alors une rafale derrière eux.

– C'est lui ! Nogo est à ses trousses.

– Quels sont vos ordres ?

– Emmener Dame Soleil aux canots et attendre Mek Nimmur.

– Parfait ! fit Nicholas. Nous allons avec vous.

Le Jet Ranger volait à basse altitude, en suivant les accidents du terrain sans jamais s'élever vraiment. Helm savait que les *shufta* de Mek Nimmur étaient équipés de lance-roquettes qui, dans les mains d'un homme bien entraîné, étaient une arme mortelle. Surtout contre un engin volant à l'altitude du Jet Ranger. Le pilote se servait du terrain qu'il survolait comme d'une protection, il se faufilait à l'intérieur des vallées pour éviter d'offrir aux soldats une cible trop évidente.

Les nuages gorgés de pluie s'entassaient au pied de l'escarpement, en couvercle au-dessus de la gorge de l'Abbay. L'hélicoptère volait en dessous, dans de brusques rafales de vent qui éparpillaient de lourdes gouttes d'eau sur son pare-brise et le secouaient sans ménagement. Le pilote, penché en avant, accordait toute son attention au vol. Helm était à sa droite, et côte à côte à l'arrière, von Schiller et Nahoot Guddabi regardaient de tous leurs yeux par les vitres les pentes fortement boisées de la vallée qui défilaient autour d'eux, comme à portée de main.

La radio crachotait à intervalles réguliers. Ils entendaient les hommes de Nogo demander des renforts avec des phrases brèves, ou communiquer des détails sur les cibles qu'ils avaient atteintes. Le pilote traduisait les jacassements de la radio, en tournant la tête quand il s'adressait à von Schiller.

– Il y a de violents combats sur les bords du précipice mais les *shufta* sont en fuite. Nogo contrôle bien ses forces. Ils viennent de déloger une troupe qui se trouvait dans les collines, à l'est, fit-il en désignant du doigt son côté gauche. Et ils pilonnent les *shufta* au mortier.

– Sont-ils arrivés à l'endroit où travaillait Quenton-Harper ?

– Je n'en suis pas sûr. C'est assez confus.

Le pilote tendit l'oreille vers les éclats de voix qui faisaient vibrer le haut-parleur de la radio.

– Je crois que cette fois, c'était Nogo, fit-il.

– Rappelez-le ! ordonna von Schiller à Helm. Demandez-lui s'il a localisé le site de la tombe.

Helm décrocha le microphone fixé sous le tableau de bord.

– Pétale de rose, ici Bismarck. Me recevez-vous ?

Il y eut un silence émaillé de craquements puis la voix de Nogo retentit. Il parlait anglais.

– A vous, Bismarck.

– Vous êtes-vous assuré de l'objectif principal ?

– Affirmatif, Bismarck. Tout est entre nos mains. Il n'y a plus aucune résistance. J'envoie des hommes pour inspecter le site.

Helm se tourna vers von Schiller.

– Nogo a quelques hommes à lui au fond du précipice. Nous pouvons atterrir.

– Dites-lui qu'aucun de ses hommes ne doit approcher du site avant que je ne sois là. Je dois être le premier. Que ce soit bien clair.

Pendant que Helm transmettait les ordres à Nogo, von Schiller tapota sur l'épaule du pilote.

– Dans combien de temps atteindrons-nous l'objectif ?

– Cinq minutes, monsieur.

– Survolez le site avant d'atterrir. Assurez-vous que Nogo contrôle effectivement tout.

Le pilote tira sur le manche et le bruit des rotors se modifia alors qu'ils changeaient d'allure. L'hélicoptère passa en vol stationnaire, le pilote indiqua le sol du doigt.

– Qu'est-ce que c'est ? demanda von Schiller. Que voyez-vous ?

– Le barrage, répondit Helm. Le barrage de Quenton-Harper. Il a abattu un sacré boulot.

La grande étendue d'eau prisonnière reflétait le gris morne des nuages. Elle prenait progressivement les couleurs des eaux qui ruisselaient depuis les hauteurs et se déversaient dans la vallée dans un fracas d'écume blanchâtre.

– Personne ! commenta Helm. Les hommes de Harper sont tous partis.

– Qu'est-ce que c'est, cet objet jaune, sur la rive ? demanda von Schiller.

– C'est la pelleteuse. Vous vous rappelez ? Mon informateur en a parlé.

– Ne perdons plus de temps, ordonna von Schiller. Il n'y a plus rien à voir ici. Allons-y !

Helm frappa le pilote sur l'épaule et lui indiqua l'aval de la rivière.

Sapeur les attendait au point de jonction avec la piste, à l'endroit où la rivière détournée se ruait en torrent dans la vallée. Une bonne partie de la piste avait été emportée. Les porteurs, les caisses en équilibre sur la tête, allongeaient leur colonne sur le coteau qui dominait le cours d'eau.

La civière de Tessay était en fin de colonne, encadrée par Royan et Nicholas qui la stabilisaient chacun d'une main.

– Où est Hansith ? cria Nicholas à Sapeur en plissant les yeux pour distinguer la haute silhouette du moine parmi les porteurs.

– Je le croyais avec vous, répondit Sapeur. Je ne l'ai pas vu depuis que nous sommes sortis du gouffre.

Nicholas se retourna.

– Maudit soit-il ! grommela-t-il. Nous ne pouvons pas faire demi-tour. Il se débrouillera pour rejoindre le monastère.

Le battement lointain et familier des rotors d'hélicoptère leur parvint, à travers l'épaisse masse cotonneuse des nuages humides.

– L'hélicoptère de Pégase ! Il semblerait que von

Schiller file droit vers le bassin de Taita. Il doit savoir depuis le début où nous travaillions. Il ne perd pas de temps. Il est comme un vautour qui a senti un cadavre.

Royan regardait aussi le ciel pour essayer d'apercevoir l'hélicoptère, le visage en feu, des boucles de cheveux trempés de sueur collées sur ses joues.

– Si ces porcs pénètrent dans notre tombe, ce sera une profanation terrible, fit-elle, furieuse.

Nicholas la prit par le bras et la regarda avec une expression déterminée.

– Vous avez raison. Allez au monastère avec Tessay. Je vous rejoindrai plus tard.

Sans lui laisser le temps d'ouvrir la bouche, il courut rejoindre Sapeur.

– Je te confie les femmes, Sapeur. Prends-en soin.

– Où allez-vous, Nicky ? demanda Royan qui l'avait rattrapé. Qu'allez-vous faire ?

– Un petit peu de ménage. Ça prendra deux minutes.

– Vous n'allez pas retourner là-bas ? fit-elle, horrifiée. Vous allez vous faire tuer, ou pire. Vous avez vu ce que Helm a fait à Tessay...

– Ne vous inquiétez pas, mon chou.

Et avant qu'elle n'ait compris ce qu'il allait faire, il l'embrassa à pleine bouche.

– Prenez soin de Tessay. Je vous retrouverai aux canots.

Il fit demi-tour et s'élança à grandes enjambées dans la vallée. Il s'éloigna si vite qu'elle ne put le retenir.

– Nicky ! hurla-t-elle d'une voix désespérée.

Il fit la sourde oreille et continua à courir en amont de la rivière détournée, vers le barrage.

Le Jet Ranger suivait la course capricieuse de la rivière. L'étroit espace qui séparait les falaises s'ouvraient par moments au-dessous d'eux. Le précipice était presque à sec, des mares d'eau stagnante luisaient parfois dans ses ombres profondes.

– Les voilà ! fit Helm. Il y a un petit groupe d'hommes sur les bords.

– Assurez-vous que ce ne sont pas des *shufta* !

La peur altérait la voix de von Schiller.

– Pas du tout ! le rassura Helm. Je reconnais Nogo. Et ce grand type en *shamma* blanc, c'est le moine Hansith Sherif, notre informateur. Vous pouvez atterrir !

cria-t-il à l'adresse du pilote. Tenez ! Nogo nous fait signe.

Nogo et Hansith se précipitèrent à l'instant où les patins de l'hélicoptère touchaient le sol. Ils aidèrent von Schiller à descendre de la cabine et l'éloignèrent des rotors qui tournoyaient.

– Mes hommes contrôlent l'endroit, affirma Nogo. Nous avons chassé les *shufta* vers la vallée. Cet homme est Hansith Sherif, celui qui travaillait avec Harper dans la tombe. Il connaît chaque centimètre des tunnels.

– Il parle anglais ? demanda von Schiller avec un regard impatient au grand moine.

– Un peu, répondit Hansith.

– C'est bon, c'est bon ! lui dit von Schiller avec un grand sourire. Montrez-moi le chemin. Je vous suis. Allez, Guddabi, c'est le moment de gagner l'argent que je vous donne.

Hansith les conduisit à l'échafaudage. Von Schiller s'arrêta et jeta un œil nerveux dans les profondeurs du précipice. La structure de bambou paraissait bien fragile et la descente longue et effrayante. Von Schiller était sur le point de protester quand Nahoot Guddabi se mit à piailler.

– Il ne croit quand même pas que nous allons descendre ça ?

La peur qu'éprouvait l'Égyptien galvanisa von Schiller. Il se retourna et le regarda avec une joie sadique.

– C'est le seul moyen d'arriver à la tombe. Suivez cet homme.

Helm posa une main rugueuse sur l'épaule de Nahoot qui hésitait toujours et le poussa en avant.

– Allez-y ! Vous nous faites perdre du temps.

Nahoot s'aventura sur l'échafaudage avec réticence. Von Schiller lui emboîta le pas. La structure de bambou tremblait et ondulait sous leur poids et le vide au-dessous d'eux semblait les aspirer. Ils atteignirent enfin la corniche qui entourait le fond du bassin de Taita. Ils s'arrêtèrent, regardant autour d'eux, à la fois émerveillés et surpris.

– Où se trouve le tunnel ? demanda von Schiller dès qu'il eut repris son souffle.

Hansith le pria de le suivre jusqu'au mur du batardeau. Von Schiller marqua une pause et s'adressa à Helm et Nogo.

– Je veux que vous restiez ici. Montez la garde. J'entrerai dans la tombe avec Guddabi et le moine. Je vous ferai appeler si j'ai besoin de vous.

– Je préférerais être avec vous pour vous protéger, Herr von Schiller, commença Helm, mais le vieil homme fronça les sourcils.

– Faites ce que je dis !

Aidé de Hansith, il descendit maladroitement le muret et pénétra dans le tunnel. Nahoot Guddabi suivait de près.

– L'éclairage ? D'où vient l'électricité ? demanda von Schiller.

– Il y a un générateur, expliqua Hansith.

Ils entendirent le grondement tranquille de l'engin, quelque part devant eux. Ils ne dirent pas un mot pendant tout le temps que dura la traversée du tunnel. Puis ils découvrirent le pont qui traversait l'eau noire du siphon.

– Tout ça est très rudimentaire ! protesta Nahoot. Ça ne me rappelle en rien les tombes égyptiennes que j'ai inspectées. Je pense que nous avons été bernés. C'est tout au plus un ouvrage éthiopien.

– Pas de jugement hâtif ! fit von Schiller. Attendez d'avoir vu ce que cet homme a à nous montrer.

Pour traverser la passerelle qui ondoyait sur ses rondins de baobab flottant, von Schiller se tint à l'épaule de Hansith. Il se hissa sur le bord opposé avec un soupir de soulagement. Ils enfilèrent la section du tunnel qui montait et passèrent devant la marque laissée par les hautes eaux.

En voyant les parois se transformer en murs de pierre maçonnée, Nahoot ne put s'empêcher de faire une remarque.

– Ah ! J'ai d'abord pensé qu'on nous avait trompés mais là, on voit bien l'influence égyptienne.

Ils arrivèrent au palier qui ouvrait sur la galerie en ruine et où ronronnait le générateur. Nahoot et von Schiller étaient en nage.

– Tout ça a l'air de plus en plus prometteur. Ça pourrait bien être une tombe royale, fit Nahoot qui exultait.

Von Schiller désigna les plaques de plâtre empilées contre le mur, là où les avaient laissées Nicholas et Royan. Nahoot tomba à genoux et les examina avec fièvre. Sa voix était parcourue de tremblements quand il s'écria :

– Le cartouche de Mamose et le sceau du scribe Taita !

Il leva vers von Schiller des yeux étincelants.

– Il n'y a plus de doutes, maintenant. Comme je l'avais promis, je vous ai amené jusqu'à la tombe.

Von Schiller le regarda, le souffle coupé par tant de toupet. Il renifla avec dédain et avança pour scruter la longue galerie.

– Tout est abîmé ! s'écria-t-il, horrifié. La tombe a été détruite.

– Non, non ! intervint Hansith. Venez par là. Il y a un autre tunnel.

Pendant qu'ils enjambaient les décombres, Hansith leur expliqua dans son anglais approximatif comment le toit de la galerie s'était effondré et comment lui, Hansith, avait découvert la véritable entrée, dissimulée sous les gravats.

Nahoot s'arrêtait à chaque pas pour examiner les débris et s'extasier devant les morceaux de fresque qui avaient échappé à l'effondrement du plafond.

– Elles devaient être splendides. Un ouvrage classique d'une remarquable exécution...

– Il y a encore d'autres choses, promit Hansith. Beaucoup plus.

– Laissez tout cela ! cingla von Schiller à Nahoot. Le temps presse. Nous devons aller directement à la chambre funéraire.

Hansith les guida jusqu'à l'escalier secret qui menait au labyrinthe figurant le damier de bao. Puis il s'engagea dans le niveau inférieur.

– Comment Harper et cette femme ont-ils réussi à se retrouver dans ce dédale ? s'étonna von Schiller. C'est un véritable terrier de lapin.

– Un autre escalier secret !

Nahoot était stupéfait. Il descendit en bafouillant vers la chambre où se trouvaient les amphores, intactes depuis des milliers d'années. Puis ils montèrent la dernière volée de marches, vers l'arcade funéraire.

La splendeur des fresques et la majesté des statues des dieux qui gardaient le couloir les figèrent sur place. Ils restaient côte à côte, paralysés par l'admiration.

– Je ne m'attendais pas à une chose pareille, murmura von Schiller. Ça dépasse mes rêves les plus insensés.

– Ces chambres sont pleines de trésors, fit remarquer Hansith. Vous y trouverez des choses que vous n'avez encore jamais vues. Harper en a emporté un peu avec lui, quelques petites boîtes. Il a laissé beaucoup de marchandises, des coffres.

– Où est le cercueil ? Où est le corps qui était dans la tombe ? demanda von Schiller.

– Harper a donné le corps et son cercueil d'or à l'abbé. Ils l'ont emporté au monastère.

– Nogo ira nous le chercher. Ne vous inquiétez pas pour ça, Herr von Schiller.

Comme si cette promesse avait rompu un sortilège, ils se mirent en marche. Lentement tout d'abord, puis en courant. Von Schiller pénétra dans la première alcôve du pas mal assuré de ses vieilles jambes raidies, mais en riant comme un enfant devant un arbre de Noël surchargé de cadeaux.

– Incroyable !

Il prit un coffret en bois de cèdre sur la pile la plus proche et ôta le couvercle d'une main tremblante. Quand il en découvrit le contenu, il resta sans voix. Il s'agenouilla devant le coffret et fondit en larmes sous le coup de l'émotion.

Nicholas tablait sur le fait que les hommes de Nogo longeraient le sommet de la falaise pour atteindre le bassin de Taita et délaisseraient l'ancien lit de la rivière. Il comptait le remonter jusqu'au barrage. Hormis des arrêts réguliers où il tendait l'oreille et scrutait le lointain, il ne prit aucune précaution particulière pour passer inaperçu et éviter les hommes de Nogo. Il ne lui restait guère de temps. Les autres, là-bas aux canots, n'allaient pas l'attendre éternellement. Ils ne prendraient aucun risque inutile.

Une arme automatique cracha deux fois dans le lointain. Le bruit provenait du bassin qui se trouvait en contrebas. Nicholas avait fait le bon choix, il arrivait au barrage sans avoir rencontré un seul homme de Nogo. Il n'essaya pas de forcer la chance : avant d'approcher vraiment, il gravit une colline pour vérifier que le colonel n'avait pas laissé de gardes autour du barrage.

La pelleteuse jaune était toujours sur la rive, là où l'avait abandonnée Sapeur. Il n'y avait aucune trace de garde éthiopien. Il poussa un soupir de soulagement et essuya la sueur qui lui coulait dans les yeux d'un revers de manche.

Il voyait parfaitement l'eau lécher le sommet du mur et jaillir par les interstices entre les gabions. Le barrage semblait pourtant tenir le coup. Encore trente centimètres de crue, et la rivière défoncerait l'ouvrage.

« Bravo, Sapeur, songea-t-il. Tu as fait un sacré boulot. »

L'eau qui descendait des montagnes était bien plus déchaînée que la dernière fois qu'il était venu ici. La rivière mordait sur ses rives, et quelques arbres et des buissons étaient déjà sur le point d'être submergés. Ils se courbaient et ployaient dans le courant qui les malmenait. La rivière était d'un gris maussade, elle filait, vive et hostile, tourbillonnant contre le barrage avant de trouver l'embouchure du canal par où elle s'engouffrait avec des râles de bête sauvage. Libre enfin, elle se jetait dans la vallée, écumante et débordant d'embruns.

L'escarpement était obscurci par des couches de nuages menaçants qui roulaient jusqu'à l'horizon. Une rafale de vent glacial souffla autour de lui. Il descendit vers le barrage en dérapant le long de la pente. Le vent se chargea de pluie avant qu'il n'ait atteint le fond.

Il grimpa sur le siège de la pelleteuse. Il eut un moment de panique quand il crut que Sapeur avait emporté la clé de contact. Il tâtonna quelques secondes puis laissa échapper un soupir de soulagement.

« Sapeur, tu l'as échappé belle. Je t'aurais tordu le cou de mes propres mains. »

Il tourna la clé et attendit que la lumière du tableau de bord passe du rouge au vert.

– Allez ! marmonna-t-il avec impatience.

Ces quelques secondes d'attente lui parurent durer une vie entière. La lumière verte apparut soudain et il tourna la clé à fond. Le moteur démarra du premier coup.

– Vingt sur vingt, Sapeur. Tout est pardonné.

Il attendit que le moteur soit chaud en guettant les collines alentour, redoutant que le bruit de l'engin n'attire l'attention des gorilles de Nogo. Mais aucun signe de vie n'apparaissait sur les hauteurs battues par la pluie.

Il enclencha la première vitesse de la pelleteuse et s'engagea sur la rive. L'eau qui avait réussi à s'infiltrer derrière le barrage arrivait à peine à hauteur de moyeux. L'engin tressauta en se frayant un chemin dans le lit encombré par les rochers. Nicholas arrêta la pelleteuse au milieu du lit de la rivière pour étudier le barrage et trouver l'endroit où il était le moins solide. Puis il se plaça dans l'axe du centre du barrage, face à l'endroit où Sapeur avait ancré le radeau de troncs d'arbres.

– Désolé pour tout ton boulot, fit-il en guise d'excuse pour Sapeur.

Il fit pivoter la pelle d'acier pour la mettre dans la bonne position, puis il attaqua le mur. En reculant et en revenant à la charge, il réussit à glisser la pelle sous le gabion qu'il avait sélectionné et à le soulever. Il repartit pour aller jeter le lourd panier par-dessus la chute d'eau. Puis il revint se remettre au travail.

C'était une entreprise lente et pénible. La pression du courant avait comprimé les gabions, les soudant si bien entre eux qu'il fallut dix minutes pour arracher le second gabion. Il le disposa au même endroit que le précédent et vérifia la jauge du carburant. Le réservoir était quasiment vide. Sapeur avait dû juger inutile de le remplir.

Le moteur se mit à crachoter comme s'il arrivait à bout d'énergie. Il fit rapidement demi-tour de manière à changer l'inclinaison de la pelleteuse et faire couler l'essence qui stagnait dans le réservoir. Le moteur toussa encore et se remit à ronfler avec puissance. Nicholas changea rapidement de vitesse et fonça vers le barrage.

« Finis les raffinements, se dit-il. A partir de maintenant, on fonce dans le tas. »

Les deux gabions qu'il avait ôtés avaient exposé un coin du radeau. C'était là le point le plus faible du barrage. Il éleva la pelle au maximum puis l'abaissa avec soin, centimètre par centimètre, jusqu'à ce qu'elle accroche l'extrémité du tronc d'arbre le plus épais. Il bloqua le système hydraulique et passa en marche arrière. Il donna toute la puissance du moteur qui rugissait en crachant une épaisse fumée bleue.

Il ne se passa rien. Le tronc d'arbre était solidement enfoncé et le barrage résistait grâce aux remparts de gabions sur lesquels il s'appuyait, et grâce aussi à la pression de l'eau. Nicholas libéra tous les gaz. Les pneus gémirent et dérapèrent contre les rochers. Ils projetaient une immense gerbe d'eau derrière eux et arrachaient au lit de la rivière des jets de pierres et de gravier.

– Allez ! supplia Nicholas. Allez, tu peux le faire.

Le rythme du moteur faiblit à nouveau. Il toussa et cracha, s'arrêtant presque.

– Par pitié ! Essaie encore.

Comme s'il l'avait entendu, le moteur repartit. Il râla un moment puis il se lança à plein régime.

– C'est ça, ma belle ! cria Nicholas.

Le tronc d'arbre céda avec un bruit de canonnière. Un morceau vola par-dessus le barrage, laissant une longue ouverture par laquelle la rivière s'engouffra.

– C'est parti ! s'exclama Nicholas en sautant de la pelleteuse.

Il savait qu'il n'aurait pas le temps de sortir l'engin du lit de la rivière, qu'il irait bien plus vite à pied. Le courant s'enroula autour de ses jambes comme une lanière de fouet. Il jeta un regard par-dessus son épaule et vit éclater le barrage. Le chef-d'œuvre de Sapeur explosa par le centre, dans un geyser d'eaux furieuses. Il réussit à faire quelques pas vers la rive avant que le courant ne l'emporte. Il fut alors balayé et jeté par-dessus la chute d'eau dans la gueule avide du précipice.

– La crosse et le sceptre du pharaon ! s'écria von Schiller d'une voix rauque en sortant les objets du coffret de cèdre.

– Et voilà sa fausse barbe et son médaillon de cérémonie.

Nahoot était à genoux près de lui, à même les dalles de pierre de la tombe, au pied de la grande statue d'Osiris. Cet instant splendide et merveilleux où ils faisaient le compte des trésors fabuleux de l'Égypte avait balayé entre eux toute mésentente.

– C'est la plus grande découverte archéologique de tous les temps, chuchota von Schiller d'une voix tremblante.

Il tira un mouchoir de sa poche pour essuyer la sueur qui lui couvrait les joues.

– Il y a là des années de travail, lui dit Nahoot avec sérieux. Cette collection incroyable devra être évaluée et classée. Ce sera, pour le monde entier, la collection von Schiller. Votre nom sera perpétué jusqu'à la nuit des temps. Vous avez réalisé le rêve égyptien de l'immortalité. Vous ne serez jamais oublié. Vous vivrez éternellement.

L'enchantement transfigura le visage de von Schiller. Il n'avait même pas envisagé cette possibilité. Jusqu'ici, le trésor était à lui. Il n'avait pas eu l'intention de le partager avec quiconque sauf, d'une certaine manière, avec Utte Kemper. Mais Nahoot avait évoqué son vieux rêve impossible. Peut-être s'arrangerait-il pour que le public accède à son trésor ? Après sa mort, bien entendu.

Puis il écarta cette idée saugrenue. Il n'allait pas déprécier ce trésor en le partageant avec la plèbe. Ces richesses avaient été réunies pour les funérailles d'un pharaon. Von Schiller n'était-il pas l'équivalent moderne d'un pharaon ?

– Non ! répondit-il violemment. C'est à moi, rien qu'à moi. Quand je mourrai, tout cela restera avec moi. Tout. J'ai tout prévu. C'est dans mon testament. Mes fils sauront ce qu'il faut faire. Tout reposera avec moi dans ma propre tombe. Ma tombe royale.

Nahoot le dévisagea, hagard. Il se rendait compte d'une chose qu'il n'avait pas remarquée jusqu'ici : le vieil homme était fou. Son obsession l'avait fait basculer dans la démence la plus complète. L'Égyptien se dit que ce n'était pas le moment de discuter. Plus tard, il trouverait le moyen d'arracher le trésor à l'Allemand. Il inclina la tête, feignant la soumission.

– Vous avez raison, Herr von Schiller. C'est la meilleure manière d'en disposer. Vous méritez un tel enterrement. Mais, voyez-vous, notre souci le plus immédiat doit être de l'emporter d'ici en bon état. Helm nous a prévenus que le barrage risquait de céder. Nous devrions d'ailleurs le faire venir. Et Nogo, aussi. Que ses hommes vident la tombe. Nous transporterons le trésor par hélicoptère jusqu'au camp de Pégase. Là, j'emballerai tout pour le voyage en Allemagne.

– Oui ! Oui ! fit von Schiller en se redressant maladroitement, soudain terrorisé à l'idée d'être privé de son trésor par la rivière en crue. Envoyez ce moine, quel est son nom ? Hansith, c'est ça. Envoyez-le chercher Helm. Qu'il vienne immédiatement.

Nahoot se releva d'un bond.

– Hansith ! Où êtes-vous ?

Le moine attendait à l'entrée de la chambre mortuaire. Il était à genoux, en prières devant le sarcophage qui avait contenu le corps d'un saint. Il était déchiré entre la foi et la cupidité. Quand il entendit crier son nom, il se leva et s'empressa d'aller rejoindre von Schiller et Nahoot.

– Retournez là où nous avons laissé les autres, commença Nahoot, mais une expression étrange modifia les traits de Hansith qui leva la main pour obtenir le silence. Quoi ? Vous avez entendu quelque chose ?

Hansith secoua la tête.

– Taisez-vous ! Écoutez ! Vous n'entendez pas ?

– Il n'y a rien...

Nahoot s'interrompit, les yeux remplis de terreur. Il percevait un doux bruissement subtil comme le soupir d'un zéphyr d'été.

– Qu'y a-t-il ? demanda von Schiller.

– L'eau ! chuchota Nahoot. L'eau arrive !

– La rivière ! hurla Hansith. Elle envahit le tunnel !

Il tourna les talons et dévala l'arcade funéraire.

– Nous allons rester prisonniers ici ! s'écria Nahoot en lui emboîtant le pas.

– Attendez-moi !

Von Schiller essayait de suivre mais les deux hommes s'éloignaient à grandes enjambées. Le moine arriva bien avant eux à l'escalier et gravit les marches quatre à quatre.

– Hansith ! Revenez ! C'est un ordre ! criait désespérément Nahoot dans son sillage.

Le moine filait comme l'éclair. L'Égyptien eut tout juste le temps d'apercevoir l'éclair blanc de sa robe qui disparaissait dans le premier tournant du labyrinthe.

– Guddabi, où êtes-vous ?

La voix chevrotante de von Schiller rebondissait contre les parois du tunnel. Nahoot fila sans répondre dans le couloir qu'avait pris le moine. Il se jeta dans le labyrinthe sans un regard pour les marques blanches portées sur le mur. Il crut entendre les pas de Hansith qui s'éloignait en courant mais, après le troisième coude, il comprit qu'il s'était complètement égaré.

Il s'arrêta, le cœur battant, avec le goût amer de la peur dans la gorge.

– Hansith ! Où êtes-vous ? s'écria-t-il comme un fou.

La voix de von Schiller lui répondit en résonnant étrangement à travers les couloirs.

– Guddabi ! Guddabi ! Ne me laissez pas.

– Silence ! hurla-t-il. La ferme, vieux fou !

Le souffle court, les tympans assourdis par les pulsations de son propre sang, il s'efforçait en vain de percevoir le bruit de la course de Hansith. Mais il n'y avait que la rivière, dont le tendre murmure semblait émaner des murs eux-mêmes.

– Non ! s'écria-t-il. Ne m'abandonnez pas !

Pris de panique, il s'élança dans le labyrinthe en courant aveuglément, droit devant lui.

22

Aiguillonné par la crainte d'une mort atroce, Hansith traversa le dédale du labyrinthe sans s'égarer un seule fois. Mais il se tordit la cheville en arrivant à l'escalier central. Il bascula en avant et dévala l'abrupte succession de marches, pour heurter brutalement le sol d'agate de la longue galerie.

Il se releva péniblement, étourdi et meurtri. Il essaya de reprendre sa course mais sa jambe se déroba et il s'effondra encore. Sa cheville ne le soutenait plus. Il réussit à se relever et descendit l'interminable galerie en clopinant, appuyé d'une main contre le mur en ruine. Il arriva à la porte et se démena comme un diable pour passer à travers. Sur le palier où il atterrit, près du générateur, le bruit de l'eau était plus fort. Il montait du tunnel, grondement sourd qui couvrait presque le ronron régulier du générateur.

– Jésus-Christ, Sauveur miséricordieux, Vierge Marie, sauvez-moi !

Il boitilla ainsi en priant tout le long du tunnel. Il s'effondra deux fois encore avant d'arriver au niveau inférieur. Il regarda devant lui : en contrebas, dans la lumière blafarde des lampes pendues au plafond du tunnel, le siphon tournoyait avec une trompeuse lenteur. D'abord, il ne le reconnut pas : il était totalement transformé. L'eau dont il était rempli lapait le bord du tunnel où il se tenait. Maelström immense qui tournoyait sans cesse, il débordait, et l'eau qui s'y déversait était aspirée par la bonde invisible aussi rapidement qu'elle jaillissait de la gueule du tunnel, sur le bord opposé. La passerelle tanguait sur son ponton à moitié submergé, elle s'agitait et tirait sur les câbles qui la retenaient comme un cheval sauvage tire sur sa longe.

Le bassin de Taita déversait un torrent rugissant dans la section du tunnel qui aboutissait au siphon. Le boyau se remplissait à vue d'œil, l'eau arrivait déjà à mi-hauteur des parois.

– Je dois sortir par là !

Encore une fois, il se força à se relever. Il atteignit la passerelle mais elle oscillait tant qu'il se laissa tomber à quatre pattes. C'est en rampant qu'il traversa la frêle structure.

– Je vous en supplie, mon Dieu, et vous, saint Michel, aidez-moi ! Ne me laissez pas mourir comme ça !

Parvenu de l'autre côté, il tâtonna contre les murs du tunnel pour trouver une prise. Du bout des doigts il dénicha un trou où il s'accrocha pour se hisser dans la bouche qui vomissait. Le torrent le frappa de toute sa force. Il resta un moment immobile, écrasé par le flot, incapable d'avancer d'un millimètre. Si sa prise cédait, il serait précipité dans le siphon et aspiré par ses insondables profondeurs.

Les ampoules électriques fixées le long du plafond du tunnel brûlaient toujours. Il arrivait presque à voir le bassin de Taita et aussi l'échafaudage de bambou, seule échappatoire vers le sommet du précipice. Il y avait là une soixantaine de mètres à parcourir. Il rassembla toutes ses forces et se tira en avant, à la recherche d'un autre point d'appui. Ses ongles se brisèrent, la pulpe de ses doigts éclata contre le rocher, mais il avançait.

Maintenant, il apercevait le jour, vers le bassin de Taita. Il lui restait une douzaine de mètres à parcourir. Il allait y arriver ! Il allait sortir du piège mortel qu'était devenu le puits. C'est alors qu'il entendit le bruit. Dans un râle plus violent et plus rauque, le flot venait d'emporter ce qui restait du barrage. La masse d'eau plongea dans le bassin et trouva aussitôt l'entrée du puits dans laquelle elle s'engouffra comme une lame de fond. Elle emplit entièrement le tunnel, arrachant les ampoules d'un seul coup. Hansith se retrouva plongé dans l'obscurité.

La vague le heurta de plein fouet. Il eut l'impression d'avoir été frappé par quelque chose de solide, une avalanche de rochers à laquelle il ne put résister. L'eau l'arracha à sa prise et l'emporta. Il dévala la portion de tunnel qu'il avait franchie si difficilement et s'abîma dans le siphon. L'obscurité et la vitesse des eaux lui firent perdre tout sens de l'orientation.

La bonde l'aspira d'un trait, et la pression de l'eau commença son travail de meule. Un de ses tympans explosa, il ouvrit la bouche pour hurler, l'eau lui envahit la gorge et les poumons. Sa dernière sensation fut celle de la paroi contre laquelle il s'écrasait. Les os de son épaule éclatèrent, ses poumons imbibés l'empêchèrent de crier et bientôt le néant remplaça la douleur.

Son cadavre fut entraîné dans le tunnel souterrain où il fut déchiré et désarticulé par les saillies des parois. Il n'y avait plus rien d'humain dans la chose qui ressortit de l'autre côté de la montagne, au milieu de la fontaine aux papillons. Des lambeaux de son corps, emportés par la Dandera, finirent au loin, dans le cours puissant et tranquille du Nil Bleu.

L'eau qui se déversait par le trou pratiqué dans le barrage emporta la pelleteuse et la projeta par-dessus la chute d'eau comme un simple jouet. Nicholas eut le temps de la voir virevolter dans les airs. Il tomba à sa suite, en se félicitant de ne pas s'être trouvé dans la carcasse de métal jaune qui l'aurait certainement écrasé dans sa chute. L'énorme machine frappa la surface du bassin en soulevant un geyser d'écume blanche avant de disparaître.

Nicholas la suivait de près. Le flot qui le portait amortit sa chute et, au lieu de s'écraser contre les rochers exposés en contrebas, il rebondit dans le torrent. Il émergea cinquante mètres plus bas. Il écarta les mèches plaquées sur ses yeux et regarda rapidement autour de lui.

La pelleteuse avait disparu, engloutie dans le bassin au pied de la cataracte. Devant lui, il aperçut un îlot rocheux. Une douzaine de brasses vigoureuses l'y emmenèrent et il s'accrocha à une saillie. Autour de lui, les parois du précipice lui rappelaient la dernière fois où il avait été prisonnier de la rivière. L'excitation puérile qu'il avait éprouvée quand le barrage avait cédé s'était envolée.

Jamais il ne pourrait gravir les falaises lisses qui le dominaient de toutes parts et que l'eau avait érodées et privées de toute prise. Il essaya d'évaluer les chances qu'il avait de parvenir à remonter le courant jusqu'au pied des cascades. Là-bas, il semblait qu'une sorte de cheminée, une faille, permettait d'accéder au sommet. Mais l'escalade serait difficile et dangereuse.

Les chutes d'eau étaient moins importantes qu'on aurait pu s'y attendre au vu du lac énorme que retenait le barrage. Mais l'essentiel des gabions devait être toujours en place et ce torrent n'être que l'eau qui s'infiltrait dans le trou pratiqué dans le barrage. Les gabions, toutefois, n'allaient pas tarder à céder. La rivière allait bientôt les balayer pour pouvoir couler librement. Il abandonna l'idée de nager jusqu'au pied de la cascade.

« Je ne peux pas rester sur sa trajectoire, songea-t-il avec désespoir en s'imaginant emporté par le courant furieux qui pouvait jaillir à n'importe quel instant. Si seulement je pouvais atteindre le bord ! Peut-être trouverai-je une corniche pour me hisser au-dessus du flot. »

Mais c'était là un espoir vain : il avait déjà nagé tout le long du canyon sans trouver la moindre aspérité sur les parois lisses.

« Fuir à la nage ? se dit-il. L'espoir est mince, mais c'est le seul qu'il me reste. »

Il se débarrassa de ses boots et se prépara. Il était sur le point de quitter son refuge quand il entendit céder ce qui restait du barrage.

Il y eut un rugissement tonitruant, le craquement des troncs qui éclataient, le grincement des gabions qui étaient emportés comme de simples boîtes de conserve, et une vague d'eau grise s'élança par-dessus le sommet de la cataracte, faisant voltiger avec elle un mur de décombres.

« Seigneur, c'est trop tard ! »

Il se lança dans le courant en nageant comme un dément, espérant être porté plutôt qu'avalé par la vague ; celle-ci approchait en tonitruant, elle remplissait le précipice d'un bord à l'autre, haute de près de cinq mètres et coiffée d'une crête repliée en boucle. Un souvenir de jeunesse lui revint : il était à Cape Saint Vincent, attendant une vague splendide, flottant dans l'eau alors qu'elle arrivait sur lui comme une formidable muraille liquide.

« Le surf ! se dit-il soudain. Prends-la comme si tu allais surfer ! »

Il battit l'eau plus vigoureusement pour gagner la vitesse qui lui permettrait de chevaucher la montagne d'eau. Il la sentit s'emparer de lui et le soulever si rapidement que ses tripes se convulsèrent. Et il se retrouva perché sur le sommet de la vague. Il cambra le dos et tendit les bras en arrière, dans la position classique du surfer, tête baissée, la moitié supérieure du corps jaillissant hors de l'eau comme une proue, les jambes tendues en guise de gouvernail. Après quelques secondes terrifiantes, il s'aperçut qu'il surfait vraiment et qu'il contrôlait la situation. La panique s'évanouit, remplacée par une exaltation folle.

« Vingt nœuds ! »

Le défilé des murs du canyon lui donnait une estimation approximative de sa vitesse. Il s'éloigna de la paroi en glissant sur la vague pour rejoindre le centre de la crête. Le flot puissant, la délirante sensation de vitesse et de danger l'emportaient.

L'eau qui montait dans la gorge recouvrait les rochers aiguisés comme des poignards et lui permettait de glisser sans danger. La vague adoucissait les chutes et les cataractes, si bien qu'au lieu de les passer en tombant comme une pierre, il glissait à toute vitesse. Quelques brasses et des battements de jambes suffisaient à le maintenir sur la crête.

– Mince, c'est génial ! s'exclama-t-il en riant. On payerait des fortunes pour pouvoir faire ça. Le saut à l'élastique, c'est de la gnognotte à côté !

Deux kilomètres plus loin, la vague commença à changer de forme. En se répandant dans le canyon, elle perdit aussi de sa vitesse. Bientôt, elle n'aurait pas assez de puissance pour le garder en position de surf. Il regarda vivement autour de lui. Parmi les décombres du barrage qui l'accompagnaient, il vit flotter un des troncs d'arbres utilisés pour le radeau avec lequel Sapeur avait bouché le barrage.

Il se dirigea vers l'énorme morceau de bois. Il mesurait bien dix mètres de long et il flottait à moitié dans le courant en montrant un dos qui évoquait celui d'une baleine. Ses branches avaient été sectionnées à coups de hache et les moignons qui restaient faisaient d'excellentes poignées. Nicholas se hissa sur le tronc, puis s'allongea sur le ventre. Très vite, il récupéra son souffle et sentit toutes ses forces lui revenir.

Le flot avait perdu de sa vigueur initiale, mais il dévalait quand même la gorge à une allure formidable.

« Pas moins de dix nœuds, estima-t-il. Quand ce paquet d'eau va tomber dans le bassin de Taita, je plains von Schiller et ceux qui l'auront suivi dans la tombe. Ils vont y rester au moins quatre mille ans ! »

Il rejeta la tête en arrière et poussa un cri de triomphe.

« Ça a marché ! Que l'enfer m'engloutisse si tout n'a pas marché comme je voulais. »

Le virage que prit le tronc d'arbre pour se ruer vers une des parois lui fit ravaler ses éclats de rire.

« Oh, oh ! Des ennuis en perspective. »

Il se pencha sur un côté du tronc et donna quelques vigoureux coups de pied auxquels sa grossière embarcation réagit en se recentrant lourdement dans le courant. Il ne put éviter la collision mais celle-ci fut au moins amortie.

Chaque minute renforçait à la fois sa confiance en soi et son habileté à manœuvrer.

« Je suis sûr que je peux atteindre ainsi le monastère ! A cette vitesse, j'arriverai aux canots avant Sapeur et Royan. »

Il reconnut la partie du précipice qui défilait autour de lui.

« C'est le virage qui débouche sur le bassin de Taita. J'y serai dans une minute ou deux. L'échafaudage aura certainement été balayé. »

Il se hissa autant que possible sur son tronc d'arbre. Les chutes qui dominaient le bassin de Taita approchaient à vive allure. Il se prépara au grand plongeon qui l'attendait.

Avant de tomber, il eut une vision fugitive du bassin rocheux tout entier. L'échafaudage en bambou était toujours là, bien qu'en piètre état. La partie inférieure avait disparu mais le haut restait accroché à la falaise, effleurant la surface du courant. Nicholas s'aperçut que deux hommes étaient prisonniers de la frêle structure. Ils se cramponnaient aux échelles avec l'énergie du désespoir et tentaient de gagner le haut de la falaise.

C'est dans cette fraction de seconde que Nicholas vit briller des lunettes à monture d'acier sous un béret marron. Il se rendit compte que l'homme qui se trouvait le plus près du sommet de la falaise était Tuma Nogo. Le colonel réussit alors à atteindre le haut de l'échafaudage et disparut de l'autre côté de la crête de la falaise. Ce fut la dernière vision qu'eut Nicholas avant d'être emporté par la chute d'eau. Son tronc d'arbre prit de la vitesse puis bascula et tomba, quasiment à la verticale. Son extrémité frappa la surface du bassin et il sombra en pivotant, cul par-dessus tête. Nicholas s'accrocha aux poignées de fortune du tronc et, peu à peu, son embarcation retrouva son axe de flottaison.

Le tronc d'arbre s'attarda un moment dans les tourbillons qui se creusaient au pied des chutes. Puis le courant s'en empara de nouveau et il accéléra, emporté à travers le bassin de Taita comme un lourd navire de guerre.

Nicholas profita de cette seconde de répit pour examiner les environs du bassin de Taita. Il s'aperçut tout de suite que l'entrée du tunnel était complètement immergée. Une sensation triomphale s'empara de lui. Le tombeau était à nouveau à l'abri des déprédations des pilleurs de tombes !

Il leva alors les yeux vers les restes de l'échafaudage en bambou qui pendaient contre la falaise. L'autre homme tenait toujours bon, à six mètres au-dessus de l'eau, paralysé comme le serait un chat perché sur les plus hautes branches d'un arbre secoué par le vent.

Nicholas se rendit compte que le tronc d'arbre virait en direction de l'échafaudage branlant. Il allait essayer de l'en éloigner quand l'homme perché sur la structure tourna son visage vers lui et le regarda. C'était un Blanc. Nicholas le dévisagea et ressentit l'aiguillon de la haine en le reconnaissant.

– Helm ! s'exclama-t-il. Jake Helm !

L'image de Tamre, le petit épileptique qui avait été écrasé par l'avalanche, et celle du visage brûlé et abîmé de Tessay, s'imposèrent brutalement à lui. L'émotion et la haine qu'il ressentit fusionnèrent et, au lieu de repousser son tronc loin de l'échafaudage, il inversa son élan et se dirigea vers la falaise. Pendant un court instant Nicholas crut avoir manqué son but mais au dernier moment la tête du tronc pivota et alla buter contre l'extrémité de la structure en bambou où elle s'encastra.

Les perches de bambou craquèrent sous le choc puis éclatèrent comme du bois sec. La frêle structure s'arracha tout entière à la paroi et s'effondra au-dessus du tronc d'arbre. Helm lâcha prise et tomba, pieds en avant. Il toucha l'eau à proximité du tronc et s'enfonça profondément. Pendant qu'il était encore sous l'eau, Nicholas se redressa et, assis à califourchon sur son tronc d'arbre, attrapa une longue perche de bambou qui flottait à portée de sa main.

Le tronc s'engagea dans un courant qui allait à contresens de la rivière en crue puis vira lentement dans les eaux tranquilles qui bordaient le flot principal. Nicholas soupesa la perche et l'éprouva en la balançant d'avant en arrière comme une batte de base-ball. Puis il l'appuya contre son épaule et attendit que Helm apparaisse.

La tête ruisselante du Texan creva la surface une seconde plus tard. Les yeux fermés, il recracha de l'eau en toussant et essaya d'aspirer une bouffée d'air. Nicholas visa le sommet de son crâne et balança la perche de toutes ses forces. Helm ouvrit les yeux juste à cet instant. Il vit arriver le coup et, vif comme une couleuvre d'eau, rentra la tête dans les épaules pour éviter le bâton. La perche frôla le côté de la tête aux cheveux blonds coupés court et dérapa. Nicholas perdit l'équilibre et, avant qu'il n'ait pu retrouver une position stable, Helm s'était rempli les poumons et avait plongé.

Nicholas affermit sa prise autour de la perche. Il était prêt à frapper une seconde fois. Il scruta la surface boueuse en pestant contre sa propre maladresse qui lui avait fait manquer son coup alors qu'il avait l'avantage de la surprise. Maintenant que Helm était prévenu, il ne se faisait aucune illusion sur ce qui allait se passer.

Les secondes passèrent sans que son adversaire se manifeste. Nicholas regardait autour de lui avec anxiété, en tentant de deviner à quel endroit allait émerger Helm. Pendant une minute interminable, il ne se produisit absolument rien. Il inclina la perche et modifia sa prise de manière à être prêt à frapper dans n'importe quelle direction.

Soudain, une poigne de fer lui saisit la cheville gauche et il fut arraché au tronc d'arbre et précipité dans la rivière. Il s'enfonça sous l'eau et sentit les doigts de Helm agripper violemment son visage. Il en attrapa un au hasard et le retourna vers le poignet. Il sentit craquer l'articulation mais la douleur ne fit que renforcer la détermination de Helm. Un de ses longs bras musculeux se noua autour du cou de Nicholas comme un tentacule de pieuvre.

Les deux hommes crevèrent la surface ensemble. Ils aspirèrent tous les deux une bouffée d'air frais puis Helm appuya sur la tête de Nicholas dont la bouche ouverte se remplit d'eau. La clé qui lui serrait le cou se durcit, lui comprimant les vertèbres. C'était une prise mortelle. Avec un point d'appui, Helm n'aurait eu qu'à serrer légèrement plus pour lui briser la nuque. Nicholas se laissa aller dans le sens de la pression et, en basculant, empêcha Helm d'exercer sur lui toute sa force. Ce faisant, il vit passer le visage de Helm au-dessus de lui. Déformé et agrandi par l'eau grise, il lui parut monstrueux.

Quand Helm lui passa par-dessus, Nicholas glissa les deux mains autour de ses hanches et le retint de toutes ses forces avant de lui envoyer son genou entre les jambes. Helm se contorsionna et desserra son étreinte autour du cou de Nicholas. Ce dernier en profita pour allonger le bras et saisir à pleine main les testicules de Helm qu'il tordit sauvagement. Un rictus de douleur déforma le visage de l'homme qui flottait à quelques centimètres de lui. Helm s'écarta et lâcha le cou de Nicholas pour lui saisir le poignet avec les deux mains.

Ils réapparurent à la surface de l'eau, tout près du tronc qui dérivait. Nicholas s'aperçut que le courant les entraînait vers la sortie du bassin de Taita. Il lâcha les couilles de Helm et lui décocha un coup de poing en plein visage, mais ils étaient si proches l'un de l'autre que le coup porta à peine. Le poing glissa contre la joue de Helm. Nicholas essaya de lui passer un bras autour du cou pour l'étrangler à son tour mais Helm rentra la tête dans les épaules et échappa à la prise. Puis, avec la fulgurance d'une vipère qui frappe, il enfonça les dents dans le menton de Nicholas.

Pour celui-ci, ce geste était totalement inattendu et la douleur que lui causaient ces dents qui s'enfonçaient dans sa chair était atroce. Il poussa un cri rauque et envoya les doigts en direction des yeux de Helm. Il essaya de faire pénétrer ses ongles sous les paupières crispées mais Helm fermait les yeux plus fort tout en mordant plus profondément. Le sang de Nicholas ressortait par les commissures de la bouche de Helm.

Le tronc passa à quelques centimètres de la tête de

Helm. Nicholas le prit par les oreilles pour tenter de lui tordre le cou. Derrière sa nuque, le tronc présentait une saillie à l'endroit où la hache avait sectionné une branche. La coupe avait été faite de biais et le morceau qui restait était taillé en pointe. Nicholas aligna la nuque de Helm sur la saillie. Il sentit les dents de son adversaire se rejoindre autour de sa chair. Elles avaient mordu dans sa lèvre inférieure et le sang lui emplissait la bouche. Maintenant, Helm secouait la tête, comme un pit-bull de combat. Bientôt, il arracherait une pleine bouchée de chair au visage de Nicholas.

Nicholas se précipita en avant, de toutes les forces que lui donnait la douleur, et lui projeta la tête contre la saillie. La pointe de bois se ficha à la base du crâne. Elle pénétra comme un clou, tranchant net le cordon médullaire. Les mâchoires de Helm se détendirent pendant que son corps était parcouru d'un spasme violent. Nicholas s'écarta de lui. Un morceau de chair pendouillait à son menton et le sang jaillissait de la blessure.

Helm était empalé à la saillie comme une carcasse au croc d'un boucher, ses membres se contorsionnaient, les traits de son visage étaient convulsés et ses paupières tremblaient comme celles d'un épileptique. Ses globes oculaires pivotèrent à l'intérieur de son crâne jusqu'à ce que seule la sclérotique apparaisse, blancheur éclatante dans la dense obscurité du gouffre.

Nicholas s'accrocha au tronc, près du corps du Texan. Il resta un instant sans bouger, hors d'haleine, avec le sang qui gouttait de son menton à sa poitrine. Le poids fit lentement pivoter le tronc d'arbre et Helm se décrocha. Sa peau se rompit avec un bruit de soie déchirée, ses vertèbres grincèrent contre le bois et son cadavre flotta un instant dans les remous où il commença à sombrer.

Nicholas ne pouvait se résoudre à l'abandonner ainsi. Il recracha une bouchée de salive et de sang et rattrapa Helm par le col. Il lui maintint le visage sous l'eau pendant que le courant les faisait de nouveau accélérer. Nicholas attendit jusqu'à être certain d'avoir noyé la plus petite étincelle de vie du corps de Helm, puis le courant le lui arracha des mains et l'avala dans ses eaux grises et turbulentes.

– J'enverrai ton souvenir à Tessay ! lança Nicholas au cadavre qui disparaissait.

Il se hissa sur le tronc d'arbre et manœuvra pour conserver son équilibre. Arrivé au pont suspendu, il s'accrocha aux lianes et se laissa glisser du tronc d'arbre. Il regagna la rive, échappant au plongeon que faisait la rivière avant de se mêler aux puissantes eaux du Nil, à un kilomètre de là.

Assis sur la berge, il arracha une bande de tissu à sa chemise puis il se banda le menton du mieux qu'il put et noua le pansement derrière sa nuque. Le sang gouttait à travers le coton mais, en serrant son bandage davantage, il finit par étancher l'écoulement.

Il se redressa maladroitement et se fraya un passage à travers la dense végétation qui bordait le cours d'eau. Il gagna la piste qui descendait au monastère et la suivit en vacillant sur ses pieds nus. Il ne s'arrêta qu'une fois, quand il entendit le bruit de l'hélicoptère qui décollait du sommet de la falaise, au-dessus du gouffre.

– On dirait que Tuma Nogo a réussi à s'en sortir. Je me demande ce qui est arrivé à von Schiller et à l'Égyptien, murmura-t-il. De toute manière, ni l'un ni l'autre ne pourront atteindre la tombe. A moins de construire à leur tour un barrage sur la rivière... Bon Dieu, et si von Schiller était dans la tombe quand la rivière s'est libérée ?

Il se mit à rire puis secoua la tête.

– Faut pas rêver ! La justice n'est jamais aussi radicale.

Il hocha la tête de nouveau, mais la secousse infligée à sa blessure lui arracha un gémissement de douleur. Il repartit en maintenant d'une main sa mâchoire bandée. Il se mit à trotter dès qu'il atteignit l'escalier dallé qui descendait au monastère.

Nahoot Guddabi se heurta à von Schiller au détour d'un couloir du labyrinthe. Curieusement, bien qu'il ne pût lui être d'aucun secours, la présence du vieil homme le rasséréna et fit refluer la panique qui, à tout instant, menaçait de lui faire perdre la raison. Hansith parti, le labyrinthe se transformait en un endroit de cauchemar, si bien que n'importe quelle compagnie devenait une bénédiction. Les deux hommes restèrent accrochés l'un à l'autre quelques secondes, comme deux enfants perdus dans la forêt.

Von Schiller tenait toujours les objets qu'ils examinaient quand Hansith s'était brutalement enfui. Il brandissait d'une main la crosse d'or de Pharaon et de l'autre le fléau d'apparat.

– Où est le moine ? s'écria-t-il. Pourquoi vous êtes-vous enfui ? Pourquoi m'avez-vous abandonné ? Nous devons trouver comment sortir de ces tunnels, espèce d'idiot. Vous ne vous rendez pas compte du danger ?

– Comment voulez-vous que je trouve la sortie ? commença Nahoot avant de s'interrompre brusquement.

Il venait de remarquer les inscriptions à la craie portées sur le mur, derrière von Schiller. Pour la première fois, il comprit leur véritable importance.

– J'ai trouvé ! s'exclama-t-il. Harper et Al Simma ont laissé des marques sur les murs. Venez avec moi !

Il s'engagea dans le tunnel en suivant les marques de craie blanche. Ils arrivèrent à l'escalier central près d'une heure après Hansith. Pendant qu'ils avançaient le long de la galerie, le bruit que faisait la rivière grandissait et se muait en un sifflement pénétrant qui évoquait le souffle d'un dragon endormi.

Nahoot se mit à courir, avec à sa suite von Schiller qui flageolait sur ses vieilles jambes, considérablement affaiblies par la peur.

– Attendez-moi ! cria-t-il.

Nahoot n'écoutait plus ses gémissements. Il baissa la tête pour passer par l'ouverture découpée dans la porte plâtrée. Sur le palier, le générateur tournait toujours. Nahoot s'engagea dans l'escalier sans lui accorder un regard. Il tourna le coin en hâte et s'immobilisa devant le tunnel qui était, désormais, immergé jusqu'au niveau des hautes eaux. Le siphon avait disparu, la passerelle aussi, tout était noyé sous quinze mètres d'eau.

La Dandera, gardienne de la tombe depuis la nuit des temps, avait repris son poste. Sombre et implacable, elle scellait l'entrée de la tombe comme elle l'avait fait pendant quatre mille ans.

– Allah ! chuchota Nahoot. Allah, prends pitié de nous !

Von Schiller arriva en courant et se figea à côté de lui. Ils regardèrent le puits inondé avec la même expression horrifiée puis von Schiller se laissa lentement glisser contre le mur.

– Nous sommes pris au piège, souffla-t-il.

A ces mots, Nahoot se mit à pleurer. Il tomba à genoux et commença à prier, d'une voix haut perchée et monocorde. Sa plainte rendit von Schiller fou furieux.

– Assez ! hurla-t-il. Ça ne nous aidera pas le moins du monde.

Il abattit le fléau d'or sur l'échine de Nahoot. Celui-ci poussa un cri et rampa hors de portée des coups du vieillard.

– Il faut trouver un moyen de sortir d'ici, commanda von Schiller en reprenant le rôle auquel il était habitué. Il doit y avoir un autre moyen de sortir d'ici, ajouta-t-il d'une voix plus calme. Nous allons chercher. S'il y a une ouverture qui donne sur l'extérieur, alors nous sentirons le courant d'air. Oui ! s'exclama-t-il, de plus en plus sûr de lui. C'est exactement ce que nous allons faire. Éteignez ce ventilateur : nous allons essayer de trouver les courants d'air.

Nahoot réagit vivement à sa voix autoritaire. Il retourna en hâte vers le ventilateur pour en tourner la manette.

– Vous avez un briquet, lui dit von Schiller. Nous allons faire des torches avec ça, ajouta-t-il en désignant les photos et les papiers que Royan avait laissés sur la table, près de la porte. La fumée nous aidera à détecter les courants d'air.

Pendant les deux heures qui suivirent, ils arpentèrent tous les niveaux du tombeau en brandissant à bout de bras leurs torches improvisées, et en guettant le moindre mouvement de fumée. Ils ne détectèrent nulle part le moindre déplacement d'air et finirent par retourner près du puits inondé où ils contemplèrent, abattus, la plate étendue d'eau noire.

– C'est le seul moyen de sortir d'ici, marmonna von Schiller.

– Je me demande si le moine s'est échappé par là, fit Nahoot en se laissant glisser au pied du mur.

– Il n'y a pas d'autre issue.

Le silence retomba. Ils s'entendaient mutuellement respirer. Il était impossible d'évaluer le temps qui passait et, maintenant que la rivière avait retrouvé son niveau normal, aucun mouvement ne venait plus troubler la surface du puits. Le seul bruit, celui lointain et étouffé du courant qui s'engouffrait dans le siphon, rendait le silence plus oppressant encore.

Nahoot parla le premier.
– L'essence du générateur. Elle va s'épuiser. Je n'ai pas vu de réserve...
L'idée de ce qui allait se produire quand le petit réservoir du générateur serait vide les tétanisa. Ils pensèrent alors aux ténèbres.
Von Schiller se mit à crier :
– Vous allez sortir ! Vous allez passer par le puits et revenir avec des secours. C'est un ordre.
Nahoot le dévisagea sans y croire.
– Il y a plus de cent mètres de tunnel jusqu'à l'extérieur et la rivière est en crue...
Von Schiller se redressa d'un bond et s'approcha de Nahoot, l'expression menaçante.
– Le moine est parti par là. C'est la seule issue. Vous allez nager et vous allez chercher Helm et Nogo. Helm saura quoi faire. Il trouvera le moyen de me sortir d'ici.
– Vous êtes fou.
Nahoot recula mais von Schiller le suivit.
– Je vous ordonne de le faire !
– Vieux fou !
Nahoot essaya de se lever mais von Schiller fit tournoyer le lourd fléau d'or. Le coup, violent et inattendu, prit Nahoot en pleine figure et l'expédia sur le dos. La lèvre fendue et deux incisives brisées, il commença à pleurnicher.
– Vous êtes malade ! Vous n'avez pas le droit...
Von Schiller frappa encore et encore, lui labourant le visage et les épaules tandis que les lourdes chaînes d'or du fouet lacéraient le fin coton de la chemise de Nahoot.
– Je vous tuerai ! s'écria von Schiller. Si vous n'obéissez pas, je vous tuerai !
– Assez ! gémit Nahoot. Je vous en prie, assez ! J'irai mais arrêtez, s'il vous plaît.
Il s'éloigna de von Schiller en rampant, se traîna contre les dalles du tunnel et entra dans l'eau.
– Laissez-moi le temps de me préparer, supplia-t-il.
– Tout de suite ! fit von Schiller en le menaçant du fouet. Il doit y avoir assez d'air dans le tunnel. Vous trouverez le moyen de sortir.
Nahoot puisa un peu d'eau dans ses mains en coupe pour s'inonder le visage et rincer le sang qui coulait de sa joue fendue.

– Je dois ôter mes vêtements, mes chaussures, gémit-il pour gagner du temps, mais von Schiller veillait à ce qu'il ne sorte pas de l'eau.

– Faites-le à l'endroit où vous vous trouvez, ordonna-t-il en levant le lourd fouet.

Son autre main brandissait la massive crosse de cérémonie. Nahoot se dit qu'un seul coup de cette arme lui ouvrirait le crâne comme une noix.

Debout dans l'eau jusqu'aux genoux, il retira ses chaussures en vacillant sur un pied puis sur l'autre. Puis il retira son caleçon avec une lenteur contrainte. Il avait les épaules profondément entaillées par les coups de fléau et du sang coulait le long de son dos comme des serpents écarlates.

Il fallait calmer le vieil homme, se disait-il. Il allait plonger mais il ne nagerait pas longtemps. Il irait s'accrocher à un mur et resterait là, jusqu'à ne plus avoir de souffle. Puis il reviendrait.

– Allez-y ! cria von Schiller. Vous perdez du temps. Ne croyez pas que je vous laisserai vous en sortir comme ça !

Nahoot s'aventura dans le puits jusqu'à la poitrine. Il s'immobilisa et respira plusieurs fois profondément. Puis il retint son souffle et plongea. Von Schiller, immobile au bord de l'étang, scrutait la surface en essayant d'en percer les noirs mystères. Dans la lumière des lampes, le sang que perdait Nahoot teintait légèrement les rides de l'eau.

Une minute s'écoula. Soudain, de profonds remous troublèrent l'eau et un bras jaillit des profondeurs, les doigts écartés et la main tendue dans une terrible supplique. Il resta là un moment puis il s'enfonça lentement et disparut.

Von Schiller allongea le cou.

– Guddabi ! s'écria-t-il avec colère. A quoi jouez-vous ?

Un autre remous agita la dalle d'eau sombre, quelque chose dans le fond lança un éclair de miroir englouti.

– Guddabi !

Comme pour accourir à ses ordres, la tête de Nahoot creva la surface. Sa peau avait une effrayante teinte cireuse et sa bouche était démesurément ouverte sur un cri silencieux. Autour de lui, l'eau bouillonnait comme agitée par un banc de poissons. Sous le regard incrédule de von Schiller, un nuage sombre s'épanouit autour de la tête de Nahoot, teintant la surface d'un rouge de pétale de rose. Il fallut un moment à von Schiller pour comprendre qu'il s'agissait du sang de Nahoot.

Il distingua alors les longues formes sinueuses qui se tordaient autour de Nahoot en lui dévorant la chair. L'Égyptien leva encore le bras et tendit la main en direction de von Schiller. C'était un membre à moitié dévoré, déformé par les vastes demi-lunes de chair arrachées par les mâchoires voraces.

Von Schiller recula avec des hurlements horrifiés. Les yeux de Nahoot, sombres et dilatés, l'accusaient. Sans le quitter du regard, il poussa un cri sauvage qui n'avait rien d'humain.

Sous les yeux de von Schiller paralysé, une anguille géante jaillit des profondeurs, la gueule distendue sur des dents qui brillaient comme des tessons de verre. Elle referma les mâchoires sur la gorge de Nahoot. Il n'essaya pas d'arracher la créature. Il était déjà quasiment mort et gardait les yeux fixés sur von Schiller pendant que l'anguille, pendue à son cou, enroulait ses anneaux en une boule luisante.

La tête de Nahoot disparut lentement. Pendant de longues minutes, l'eau fut agitée par les mouvements des anguilles voraces. Puis, peu à peu, l'eau retrouva sa tranquillité sereine, son immobilité noire et glacée.

Von Schiller tourna les talons et s'enfuit. Il remonta l'escalier, traversa le palier où ronronnait le générateur et courut au hasard, le plus loin possible de l'atroce piscine. Il ne savait pas où il allait et s'engouffrait dans les premiers couloirs qui s'ouvraient devant lui. Au pied de l'escalier central, il heurta un mur. Étourdi, il s'effondra et resta allongé contre les dalles d'agate jaune, avec une grosse bosse pourpre qui lui gonflait le front.

Il se releva lentement et, hagard et confus, tenta de gravir les marches de l'escalier. Son esprit cédait par pans, il basculait dans la démence, précipité par la peur et l'horreur. Il tomba encore et parcourut le reste du couloir à quatre pattes. Arrivé à l'embranchement suivant, il se redressa et repartit en titubant.

L'escalier qui descendait à la salle piégée par Taita s'ouvrit sous ses pieds. Il dévala les marches, les jambes tordues et la poitrine meurtrie. Il se retrouva debout une nouvelle fois. Il vacilla le long des rangées d'amphores, grimpa l'escalier qui se trouvait devant lui et s'engagea dans l'arcade peinte qui menait à la tombe du pharaon Mamose.

Échevelé, les yeux exorbités, il trébucha entre les murs couverts de fresques quand soudain les lumières baissèrent. Un moment, elles ne montrèrent plus qu'une lueur jaunâtre puis redevinrent claires, le temps qu'il fallut au générateur pour pomper les dernières gouttes de son réservoir. Von Schiller s'immobilisa au centre de l'arcade et leva vers les lampes un regard désespéré. Il savait ce qui se préparait. Les ampoules brûlèrent encore une minute, brillantes et pimpantes, puis pâlirent et s'éteignirent.

Les ténèbres le recouvrirent comme le velours épais d'une toge funéraire. Elles étaient si profondes, si absolues qu'elles semblaient avoir un poids et une texture. Il les sentit envahir sa bouche, comme pour violer son corps et le faire suffoquer.

Éperdu et affolé, il s'enfuit comme un animal aveugle et dépourvu de repère. Il se cogna de pleine face à un obstacle en pierre et s'effondra, étourdi. Il sentit ruisseler des gouttes de sang tiède sur son visage. Il n'arrivait plus à respirer. Il se mit à gémir, à suffoquer puis, lentement, il se recroquevilla sur lui-même, comme un fœtus s'enroule au creux d'un ventre.

Il se demanda combien de temps il lui faudrait pour mourir. Des jours, voire des semaines... Il se rapprocha de l'obstacle qu'il avait heurté et se pelotonna contre lui. Dans les ténèbres, il ne reconnut pas le grand sarcophage de granite de Mamose. Il gisait dans la nuit du tombeau, environné des trésors funéraires d'un empereur. Il attendait sa propre mort, lente et inexorable.

Le monastère de Saint-Fromentius était désert. Les moines, quand ils avaient entendu les détonations et le vacarme de la bataille qui faisait rage dans la gorge, avaient rassemblé leurs trésors et s'étaient enfuis.

Nicholas traversa le long cloître abandonné. Il marqua une pause au sommet du grand escalier qui descendait jusqu'au Nil et au sanctuaire de l'Épiphanie où étaient rangés les canots. Hors d'haleine, il fouilla du regard le bassin obscur qui s'étendait en contrebas. La lumière du soleil y arrivait à peine, occultée par les nuées mouvantes que les chutes argentées déployaient dans les profondeurs. Il lui était impossible de dire si Sapeur et Royan l'y attendaient déjà.

Il rajusta autour de son menton le bandage qui était entièrement rouge de sang puis amorça la descente de l'escalier. Il entendit alors la voix de Royan qui montait depuis les brumes aux reflets argentés : elle l'appelait par son nom. La jeune femme lui apparut soudain, elle gravissait les marches glissantes et couvertes de mousse et venait à sa rencontre.

– Nicholas ! Oh, merci mon Dieu ! J'ai cru que vous ne reviendriez pas.

Elle se serait jetée dans ses bras mais elle vit le bandage et son visage maculé de sang. Elle se figea et le regarda, interloquée.

– Sainte Vierge, murmura-t-elle. Que vous est-il arrivé, Nicky ?

– Une petite bagarre avec Jake Helm. Ce n'est qu'une égratignure, mais pour les baisers, il faudra attendre un peu.

Il la prit par l'épaule et s'engagea avec elle dans l'escalier.

– Où sont les autres ?

– Tout le monde est là. Sapeur et Mek gonflent les canots et les chargent.

– Tessay ?

– Elle va bien.

Ils descendirent les dernières marches et arrivèrent à la jetée, en contrebas du sanctuaire de l'Épiphanie. Le Nil était monté de trois mètres depuis la dernière visite de Nicholas. Le courant roulait des remous sauvages et bourbeux, il filait à vive allure dans des nuées d'embruns si épais qu'on n'apercevait qu'à peine les falaises de la rive opposée.

Les cinq canots Avon avaient été tirés sur la berge. Quatre étaient déjà gonflés et le dernier palpitait sous l'effet de la pression qui s'échappait de la bonbonne d'air comprimé. Mek et Sapeur chargeaient les caisses et les fixaient à l'aide de filets de nylon vert.

Sapeur leva les yeux vers Nicholas et une expression de surprise comique se peignit sur ses traits.

– Que diable est-il arrivé à ta figure ?

– Je te le raconterai un jour, fit Nicholas avant d'aller prendre Mek dans ses bras. Merci, mon vieux, lui dit-il. Tes hommes se sont bien battus et tu m'as attendu.

Il regarda les soldats blessés qui avaient été allongés au pied de la falaise.

– Beaucoup de pertes ?

– Trois morts et les six blessés que tu vois là. Si Nogo avait mis la pression, ça aurait été pire.

– C'est déjà trop, fit Nicholas.

– Même un seul blessé aurait été de trop.

– Où sont tes autres hommes ?

– Ils filent vers la frontière. J'ai juste gardé ceux qui m'aideront à manœuvrer les embarcations.

Mek défit le bandage qui maintenait le menton de Nicholas. Quand elle vit la blessure, Royan étouffa un cri mais Mek se contenta de sourire.

– On dirait que tu as été mordu par un requin.

– C'est exactement ce qui est arrivé, fit Nicholas.

– Il te faut au moins douze points de suture, déclara Mek.

Il cria à un de ses hommes de lui apporter sa trousse de soins puis fit asseoir Nicholas sur le plat-bord d'un des bateaux.

– Désolé, je n'ai pas d'anesthésiant.

Il versa l'antiseptique directement de la bouteille sur la blessure. Nicholas laissa échapper un gémissement de douleur.

– Ça pique, hein ? Et je n'ai pas encore commencé à recoudre.

– Ces gentilles attentions seront consignées à ton nom dans mon livre d'or, promit Nicholas.

Avec un sourire cruel, Mek ouvrit le sachet stérile qui contenait l'aiguille et le catgut. Il se mit à l'ouvrage et, tout en maintenant serrées les lèvres de la plaie et en tirant soigneusement sur le fil, il se mit à parler. Il murmurait à voix basse, de manière que seul Nicholas puisse entendre.

– Nogo a posté au moins une compagnie entière à l'affût, en aval. D'après mes éclaireurs, il les a placés pour qu'ils couvrent les deux rives.

– Il ignore toujours que nous avons des canots, n'est-ce pas ? demanda Nicholas entre ses dents.

– Je crois, mais il sait beaucoup de choses sur nos intentions. Il devait avoir un informateur parmi tes ouvriers. Et il dispose de l'hélicoptère. Dès que les nuages se seront dissipés, il nous repérera.

– Le fleuve est le seul moyen de s'échapper. Prions que le ciel reste couvert.

Mek serra son dernier nœud et appliqua un pansement sur le menton de Nicholas au moment même où Sapeur achevait de gonfler le dernier canot.

Quatre des hommes de Mek apportèrent le brancard de Tessay. Mek l'aida à s'installer dans un canot. Après s'être assuré qu'elle avait une poignée de sécurité à portée de main, il retourna à l'endroit où étaient étendus les blessés pour les aider à rejoindre les bateaux. Puis il retourna auprès de Nicholas.

– Tu as retrouvé ta radio ? fit-il en regardant la mallette en fibre de verre que Nicholas avait passée à son épaule.

– Sans elle, nous serions très embêtés, fit celui-ci en tapotant la mallette avec affection.

– Je prendrai le commandement du canot où se trouve Tessay.

– Parfait, dit Nicholas. Royan viendra avec moi dans celui de tête.

– Tu devrais me laisser en tête, suggéra Mek.

– Que connais-tu de la descente des fleuves en canot ? demanda Nicholas. Je suis le seul ici à avoir navigué sur ce fleuve.

– C'était il y a vingt ans, souligna Mek.

– Je suis en meilleure forme aujourd'hui qu'à cette époque, fit Nicholas. Ne discute pas, Mek. Tu viendras en deuxième et Sapeur sera derrière toi. Y a-t-il des hommes parmi tes soldats qui connaissent suffisamment le fleuve pour prendre les deux autres canots en charge ?

– Tous mes soldats connaissent le fleuve.

Il cria quelques ordres puis chacun rejoignit l'embarcation qui lui avait été attribuée. Nicholas aida Royan à franchir le plat-bord de la leur puis il aida à sa mise à l'eau. Dès que l'esquif flotta librement, lui et ses hommes grimpèrent à bord et chacun s'arma d'une pagaie.

A la manière dont ils se penchèrent sur leur pagaie, Nicholas reconnut les experts dont s'était vanté Mek. Ils ramaient puissamment, avec régularité, et le canot insubmersible s'élança comme une flèche dans le courant du Nil.

Les canots Avon avaient été conçus pour accueillir seize personnes, et ils étaient à peine chargés. Les caisses de métal qui contenaient les objets funéraires étaient encombrantes mais elles ne pesaient guère, et l'équipage de chaque canot n'excédait pas une douzaine de personnes.

– Le pire est devant nous, fit remarquer Nicholas à Royan. Et ce jusqu'à la frontière soudanaise.

Il était debout à la proue et de là avait une vue parfaite du fleuve. Royan, accroupie à ses pieds, s'accrochait à une des poignées de sécurité en se faisant toute petite pour ne pas gêner les rameurs.

Ils traversèrent le grand bassin de pierre creusé au pied des chutes et Nicholas s'aligna sur les étroits passages par où le fleuve s'engageait pour gagner l'ouest. Il regarda le ciel et vit, à travers les embruns, s'accumuler les nuages chargés de pluie. Colorés d'un pourpre intense, ils pesaient sur les hauteurs des falaises.

– La chance semble être de notre côté, dit-il à Royan. Avec ce temps, même un hélicoptère sera incapable de nous retrouver.

Il jeta un regard à sa Rolex dont le verre était embué par les embruns.

– La nuit tombera dans deux heures. Nous devons parcourir le plus de kilomètres avant d'être obligés de nous arrêter.

Derrière lui, la petite flottille tanguait dans le courant. Les canots jaune vif perçaient à la fois les embruns et la lumière maussade du fond de la gorge. Il leva le poing fermé. C'était le signal du départ. Mek l'imita en fendant d'un grand sourire le buisson de sa barbe.

Le fleuve les emporta et ils filèrent entre ses portails de pierre. Les hommes levèrent leurs rames et laissèrent le courant faire son office. Ils s'accroupirent le long du plat-bord.

La crue avait noyé pratiquement tous les rochers mais leurs crêtes immergées marquaient la surface de panaches blancs, aux endroits où l'eau se creusait de vagues et de remous. Les flots grimpaient à l'assaut des deux rives, aspergeant les falaises de la gorge inférieure.

Nicholas regardait droit devant. Il devait décider à l'avance du chemin qu'il fallait emprunter et guider le bateau d'une main sûre. Tout dépendait de sa capacité à interpréter les caprices du fleuve. Il y avait longtemps qu'il ne s'était pas livré à cet exercice et il sentait durcir, au fond de son estomac, la boule compacte de la peur. Les premiers rapides se profilèrent devant eux. Ils les chevauchèrent à vive allure, Nicholas gardant le cap avec de délicates manœuvres de gouvernail. Ils arrivèrent sans encombre au pied de la cascade.

– C'est simple comme bonjour ! s'esclaffa Royan.

– Ne dites pas ça ! Le mauvais œil veille.

Nicholas se prépara pour les prochains rapides qui arrivaient sur eux à une allure impressionnante. Il glissa le canot entre deux saillies rocheuses et ils furent projetés en avant, entraînés par l'accélération de la chute de l'eau. C'est à la moitié du parcours qu'il vit la vague qui se dressait au milieu du fleuve. Il pesa sur le gouvernail pour la contourner mais le courant les précipitait droit dessus.

Comme un cheval qui attaque une barrière, ils avancèrent sur la vague. Ils plongèrent avec une violence qui leur retourna l'estomac. Le canot se plia en deux, proue quasiment contre poupe, et il passa le creux de la vague.

L'équipage fut sérieusement secoué. Sans le manche du gouvernail auquel il s'agrippait, Nicholas aurait été catapulté par-dessus bord. Royan s'aplatit au fond du canot et s'accrocha de toutes ses forces à sa poignée. Le bateau rebondit contre les vagues et retrouva d'un coup sa forme initiale. Il flotta un moment dans les airs puis s'abattit, menaçant de chavirer.

Un des hommes tomba dans le fleuve mais le courant l'emportait à la même vitesse que le bateau, ce qui permit à ses camarades de se pencher pour l'aider à remonter à bord. Le chargement avait été mis sens dessus dessous mais les filets avaient maintenu ensemble toutes les caisses sur le bateau.

– Pourquoi avez-vous fait ça ? cria Royan. Dire que je commençais à vous faire confiance !

– Juste un petit essai, répondit-il. Je voulais savoir si vous étiez vraiment coriace.

– Mais je suis une vraie mauviette. Ce n'est pas la peine d'insister.

Nicholas regarda derrière eux. Le bateau de Mek subissait le même sort que le leur, mais les canots suivants tirèrent de la leçon les conséquences qui s'imposaient et ils réussirent à contourner l'obstacle. Les eaux turbulentes du fleuve devinrent alors le seul objectif de Nicholas et son univers se limita aux immenses falaises de la gorge inférieure. Il n'arrivait pas à savoir si l'eau qui fouettait son visage et son menton blessé était de la pluie ou des embruns. C'était, par moments, un mélange des deux. Elle arrivait à l'horizontale et l'aveuglait à moitié.

Une heure après, il commit une seconde erreur d'appréciation et ils manquèrent chavirer en passant de nouveaux rapides. Deux hommes d'équipage passèrent par-dessus bord. Ils réussirent à manœuvrer pour en repêcher un mais l'autre heurta un rocher et coula à pic avant qu'ils ne l'aient rejoint.

Royan, soudain, poussa un cri pour prévenir Nicholas.

– L'hélicoptère ! Vous l'entendez ?

A moitié assourdi par les rugissements du fleuve, il leva les yeux : les nuages promenaient leurs ventres gras et gris sur les pics des falaises, et un bruit de rotors lui parvint, affaibli et lointain.

– Il est au-dessus des nuages ! répondit-il en essuyant l'eau qui ruisselait sur son visage. Ils n'arriveront pas à nous repérer.

Les ténèbres de la nuit africaine tombèrent, accrues par l'épaisse couche de nuages. Ils voguaient à vive allure sur une portion de rivière tranquille quand soudain les eaux parurent s'ouvrir sous eux. Projetés dans l'espace, ils eurent l'impression de tomber sans fin. Ils heurtèrent l'eau dix mètres plus bas et se retrouvèrent dans le bassin, au pied de la cataracte, dans un complet désordre d'hommes et de bateaux. Là, le fleuve semblait reprendre des forces, il tournoyait tranquillement sur lui-même pour se préparer à une nouvelle charge folle à travers les gorges.

Un des canots s'était retourné. L'équipage des autres bateaux se mit à pagayer pour tirer les survivants hors de l'eau et sauver les rames et le reste de l'équipement. Il fallut leurs efforts conjugués pour retourner le canot. Il faisait pratiquement nuit quand ils arrivèrent au bout de leurs peines.

– Comptez les caisses, ordonna Nicholas. Combien en avons-nous perdu ?

Il eut du mal à croire à sa chance quand Sapeur répondit :

– Onze à bord. Elles sont toutes là et intactes.

Ils étaient tous épuisés, trempés et grelottaient de froid. Continuer ainsi, dans l'obscurité, aurait été suicidaire. Nicholas chercha Mek du regard.

– Il y a des eaux calmes dans un renfoncement de la falaise, fit Mek. Nous arriverons bien à trouver de quoi nous amarrer pour la nuit.

Un arbre rabougri mais solide poussait dans une fissure verticale du rocher. Ils s'en servirent comme d'une bitte d'amarrage à laquelle ils attachèrent les canots. Ils s'installèrent pour la nuit. Il était inutile d'espérer boire ou manger chaud. Ils se contentèrent de conserves et de morceaux de pain *injera* trempé.

Mek passa de son bateau à celui de Nicholas. Il se laissa tomber près de lui et lui passa le bras autour du cou. Ses lèvres contre son oreille, il lui murmura :

– J'ai fait l'appel. Nous avons perdu un homme lors de notre dernière chute. Nous ne le retrouverons jamais.

– Je ne m'en sors pas très bien, reconnut Nicholas. Peut-être devrais-tu prendre ma place. Demain...

Mek lui pressa l'épaule.

– Tu n'as rien à te reprocher. Personne n'aurait mieux fait. C'était cette dernière chute.

Ils se turent et l'écoutèrent tonitruer, au loin, dans les ténèbres.

– Quelle distance avons-nous couverte ? demanda Nicholas. Et que nous reste-t-il à parcourir ?

– C'est quasiment impossible à dire. Je dirais que nous avons fait la moitié du parcours. Nous devrions arriver à la frontière demain dans l'après-midi.

Ils se turent encore puis Mek demanda :

– Nous sommes le combien, aujourd'hui ? J'ai complètement perdu la notion du temps.

– Moi aussi, fit Nicholas en retournant le poignet pour lire le cadran de sa montre. Seigneur Dieu ! Nous sommes déjà le 30.

– Ton avion sera à Roseires après-demain.

– Le 1er avril. Y serons-nous ?

– Qui sait ? Y a-t-il des chances pour que ton gros copain soit en retard ?

– Jannie est un pro. Il n'est jamais en retard.

Le silence retomba puis Nicholas demanda :

– Une fois arrivé à Roseires, que vas-tu faire de ta part du butin ? Veux-tu l'emporter avec toi ?

– Quand tu seras en sécurité dans l'avion de ton gros copain, nous essaierons de mettre le plus de distance entre Nogo et nous. Je ne voudrais pas m'embarrasser d'une charge supplémentaire. Garde ma part, vends-la et envoie-moi l'argent. J'en aurai besoin pour continuer la lutte.

– Tu me fais confiance ?

– Tu es mon ami.

– Les amis sont les plus faciles à berner, fit Nicholas. Ils ne s'y attendent jamais.

Mek lui assena une claque sur l'épaule en riant.

– Tu ferais mieux de dormir. Nous allons devoir pagayer dur, demain.

Il se leva et vacilla, en équilibre dans le fond du canot qui se balançait doucement au gré du courant.

– Dors bien, mon vieux.

Il enjamba le plat-bord et rejoignit Tessay qui l'attendait.

Nicholas s'adossa au flanc pneumatique du bateau et prit Royan dans ses bras. Elle se glissa entre ses genoux et s'appuya sur sa poitrine, en grelottant. Au bout de quelques minutes, ses frissons se calmèrent.

– Vous faites une excellente bouillotte, murmura-t-elle.

– C'est une bonne raison pour me garder avec vous, non ? répondit-il en caressant sa chevelure trempée.

Elle ne répondit pas mais se pelotonna contre lui et, bientôt, son souffle se ralentit et elle s'endormit. Nicholas avait froid, il était parcouru de crampes, ses épaules lui faisaient mal et les paumes de ses mains étaient écorchées par les efforts exercés sur le manche du gouvernail, il n'arrivait pourtant pas à s'endormir aussi simplement qu'elle l'avait fait. Leur objectif, la piste d'aviation de Roseires, était de plus en plus proche mais des problèmes nouveaux s'annonçaient.

Il sentit Royan frémir contre sa poitrine. Elle murmurait des phrases qu'il avait du mal à comprendre. Elle parlait dans son sommeil. Il la serra doucement contre lui pour qu'elle se calme. Il commençait à s'assoupir à son tour quand elle parla, cette fois en articulant clairement :

– Je regrette, Nicky. Ne me haïssez pas, je ne pouvais pas vous laisser...

Ses paroles suivantes se perdirent dans un bredouillement incompréhensible.

Il était complètement éveillé maintenant. Les mots de Royan avaient amplifié ses doutes et ses craintes. Il ne dormit que par intermittence, cette nuit-là. Son repos était perturbé par des rêves aussi angoissants que ceux qui devaient tourmenter Royan.

Il la secoua en douceur juste un peu avant l'aube. Elle gémit et se réveilla lentement, avec réticence.

Ils avalèrent les bouchées de conserve froide qui restaient de la veille puis, quand l'aube illumina suffisamment la gorge pour éclairer la surface du fleuve et les rochers, ils larguèrent leurs amarres et la théorie des canots jaunes s'allongea dans le courant. La lutte contre le fleuve pouvait recommencer.

La couche de nuages était toujours aussi épaisse et aussi basse. Des rafales de pluie les inondaient par intervalles. Ils voguèrent toute la matinée. Le courant était moins violent et moins dangereux et les rives, plus basses, semblaient moins agressives.

Vers le milieu de l'après-midi, sous des nuages toujours aussi denses et bas, le fleuve contourna une longue série de caps et de promontoires avant d'attaquer une succession de rapides. Nicholas avait acquis une certaine expérience car ils les franchirent sans incident. Il avait l'impression que les étendues d'eau blanche étaient chaque fois moins turbulentes.

– Je crois que nous avons passé le pire, dit-il à Royan. La pente du fleuve et les chutes sont plus douces, on dirait qu'il s'aplatit à l'approche des plaines du Soudan.

– Sommes-nous loin de Roseires ?

– Je ne sais pas mais la frontière ne doit pas être très loin, maintenant.

Nicholas et Mek gardaient les éléments de leur flottille proches les uns des autres, de manière que les ordres puissent être relayés commodément.

Nicholas s'aperçut, au sortir d'un méandre, que le fleuve étendait devant eux des flots tranquilles. Il sourit à Royan, détendu.

– Que diriez-vous d'un dîner au Dorchester, dimanche prochain ? On y sert les meilleures côtes de bœuf de Londres.

Il crut voir, avant qu'elle ne réponde avec un sourire éblouissant, une ombre traverser son regard :

– Ça m'a l'air très bien.

– Et après ça, nous retournerons à la maison nous

effondrer devant la télé. On regardera *Le match du jour*. A moins que nous disputions notre propre petit match privé.

– Vous êtes grossier, fit-elle en riant, mais c'est assez tentant.

Il s'apprêtait à se pencher sur elle et à l'embrasser pour le plaisir de la voir rougir quand il vit danser devant leur proue une succession de petits geysers blancs. Il entendit les rafales quelques secondes après. C'était le crépitement d'une mitraillette soviétique RPD. Il se jeta sur Royan pour lui faire un rempart de son corps.

Mek s'était mis à crier des ordres brefs.

– Tirez et couvrez-vous !

Ses hommes se débarrassèrent de leurs pagaies et empoignèrent leurs armes. Ils ouvrirent le feu en direction de la courbe que faisait la rive et d'où provenait l'attaque.

Leurs agresseurs étaient parfaitement dissimulés par les rochers et les épineux. Il était impossible de trouver une cible contre laquelle riposter. Pourtant, la seule réponse possible à une telle embuscade était de décocher un tir nourri de manière à forcer l'agresseur à rester couvert.

Une balle traversa le nylon du bateau tout près de la tête de Royan et alla s'écraser contre une des caisses de métal. Les côtés de leur embarcation n'offraient aucune protection contre la lourde fusillade qui s'abattait sur eux. Un des hommes de l'équipage fut frappé en pleine tête. La balle lui fit sauter le haut du crâne. Il bascula par-dessus bord. Royan poussa un cri, horrifiée. Nicholas s'empara du fusil du mort et vida le chargeur en direction de la rive, lâchant de courtes rafales sur les buissons qui abritaient l'assaillant.

Le canot filait toujours dans le courant, virant éperdument autour de son gouvernail à l'abandon. Une minute s'écoula avant qu'ils soient finalement emportés loin du virage de l'embuscade.

Nicholas laissa choir le fusil et cria à l'adresse de Mek :

– Ça va ?

– J'ai un homme touché, répondit celui-ci. Sinon, ça va.

L'attaque avait fait en tout un mort et trois blessés.

Aucune des blessures n'était sérieuse et, bien que les bateaux fussent touchés, leurs compartiments étanches les gardaient à flot.

Mek fit approcher son canot de celui de Nicholas.

– Je commençais à croire que nous avions échappé à Nogo.

– Nous nous en sommes plutôt bien sortis, répondit Nicholas. Nous les avons surpris : ils ne s'attendaient pas à ce que nous soyons sur l'eau.

– Eh bien, maintenant les surprises sont terminées. Tu peux parier qu'ils sont accrochés à leur radio, et que Nogo sait où nous sommes et où nous allons. Il ne nous reste plus qu'à espérer que les nuages restent aussi denses et aussi bas.

– Combien de temps avant la frontière soudanaise ?

– Pas plus de deux heures, je dirais.

– Le point de passage est gardé ? demanda Nicholas.

– Non. Il n'y a rien là-bas. Rien que la brousse déserte, des deux côtés.

– Pourvu qu'elle reste déserte, marmonna Nicholas.

Ils entendirent l'hélicoptère une demi-heure après la fusillade. Il volait au-dessus des nuages, à la verticale de l'endroit où ils se trouvaient. Toujours invisible, il se dirigea en aval du fleuve. Il revint vingt minutes après, s'éloigna puis revint, toujours caché par les nuages.

– A quoi joue-t-il ? demanda Mek à Nicholas. On dirait qu'il patrouille le fleuve, mais il ne peut rien voir à cause des nuages.

– A mon avis, il emmène des troupes en aval pour nous couper la route. Maintenant qu'il sait que nous sommes en bateau, il sait aussi que nous ne pouvons aller que dans une seule direction. Nogo n'est pas du genre à se soucier des frontières. Il a dû réaliser que nous allions à Roseires. Il nous attendra à l'endroit où nous rejoindrons la rive.

Mek approcha encore son canot. Il fit passer un cordage entre les deux de manière à les garder côte à côte et parler plus facilement.

– Je n'aime pas ça, Nicholas. Nous leur fonçons droit dessus. Tu as une idée ?

Nicholas réfléchit une longue minute.

– Connais-tu cet endroit du fleuve ? Saurais-tu dire avec précision où nous sommes ?

Mek secoua la tête.

– Quand nous passons la frontière, je me tiens toujours à l'écart du fleuve, mais je reconnaîtrai le vieux moulin à sucre de Roseires quand nous y serons. Il est à six kilomètres en amont de la piste d'aviation.

– Il est vide ?

– Oui. Il est abandonné depuis le début de la guerre, depuis vingt ans.

– Avec cette couche de nuages, il fera nuit dans une heure, fit Nicholas. Le fleuve est plus lent maintenant, il n'est plus aussi dangereux. Nous pouvons prendre le risque de voyager pendant la nuit. Nogo ne doit certainement pas s'y attendre. Nous pourrons peut-être lui échapper.

– C'est tout ce que tu proposes ? demanda Mek en riant. C'est un plan qui ressemble beaucoup à la stratégie de l'autruche. On ferme les yeux et on prie pour que tout aille bien.

– Si quelqu'un peut me dire où nous sommes et à quelle heure Jannie arrivera, je pourrai trouver quelque chose de plus sophistiqué.

Les nerfs tendus, ils pagayèrent dans le soir prématuré, sous l'épaisse couverture de nuages. Même avec l'obscurité qui les enveloppait de plus en plus, l'équipage gardait l'arme prête et braquée vers les rives du fleuve, décidé à riposter immédiatement.

– Nous avons dû passer la frontière il y a une heure, fit Mek à Nicholas. Le vieux moulin ne doit pas être bien loin.

– Comment le reconnaîtras-tu dans l'obscurité ?

– Il y a les ruines d'une jetée de pierre, sur la berge. On y chargeait les bateaux qui emportaient le sucre à Khartoum.

La nuit tomba brusquement, au grand soulagement de Nicholas. Les rives du fleuve semblèrent reculer, et l'obscurité les dissimulait aux regards hostiles. Ils lièrent leurs canots les uns aux autres pour ne pas se perdre et suivirent en silence le fil du courant. Ils frôlaient la rive de si près qu'ils touchèrent plus d'une fois le fond et un des hommes dut se glisser dans l'eau pour les dégager.

Les piles de la jetée de Roseires leur apparurent d'un seul coup. Le canot de Nicholas les heurta de plein fouet avant même qu'il n'eût le temps de réagir avec son gouvernail. L'équipage, qui se tenait prêt, se jeta dans l'eau pour tirer la flottille au sec. Mek sauta instantanément sur la berge et, accompagné d'une vingtaine d'hommes, s'enfonça dans les fourrés pour prévenir une embuscade des hommes de Nogo.

Le reste de la flottille débarqua moins discrètement au goût de Nicholas et on commença à sortir les blessés et le chargement de caisses. Nicholas prit Royan sur son dos et la porta jusqu'au rivage. Puis il retourna chercher Tessay. Grâce au repos forcé du voyage, la jeune femme avait recouvré une bonne partie de ses forces. Elle s'agrippa à ses épaules et se laissa porter sur la berge.

Une fois au sec, il la laissa glisser au sol et lui demanda :

– Comment vous sentez-vous ?

– Bien mieux maintenant, merci, Nicholas.

– Je n'ai pas eu l'occasion de vous poser la question, dit-il rapidement, mais avez-vous réussi à transmettre le message de Royan quand vous êtes allée téléphoner à Debra Maryam ?

– Bien sûr. J'ai dit à Royan que j'avais transmis son message à Moussad, de l'ambassade d'Égypte. Elle ne vous a rien dit ?

Nicholas accusa le coup. Il avait l'impression d'avoir été frappé à l'estomac. Il sourit néanmoins et répondit d'un ton dégagé :

– Ça a dû lui échapper. De toute manière, ce n'est pas très important. Merci, Tessay.

Mek émergea soudain de l'obscurité.

– On dirait le marché aux chameaux ! protesta-t-il à voix basse. Nogo pourrait nous entendre à des kilomètres.

Il prit rapidement la direction des opérations et organisa l'installation du petit groupe sur la rive du fleuve. Une fois les caisses déchargées, il fit tirer les bateaux dans les taillis de roseaux et ouvrir les valves des flotteurs. Il les fit ensuite recouvrir de débris de roseaux. Puis les caisses furent partagées entre les hommes de Mek. Sapeur se cala une caisse sous chaque bras, Nicholas se chargea de la radio et de sa trousse de secours et installa la boîte contenant le masque mortuaire de Pharaon et la figurine de Taita en équilibre sur son crâne.

Mek chargea ses éclaireurs d'inspecter le chemin qui menait à la piste d'aviation pour s'assurer qu'ils ne risquaient aucune embuscade. Puis les autres lui emboîtèrent le pas, en file indienne, le long du chemin défoncé et envahi par la végétation. Au bout d'un kilomètre, les nuages s'écartèrent sur un ciel étoilé. La lumière du croissant de lune fit se découper dans la nuit la cheminée du vieux moulin.

Malgré le clair de lune, leur progression était ralentie et même interrompue par les longues pauses dont avaient besoin les brancardiers qui transportaient les blessés. Ils atteignirent la piste d'aviation après trois heures du matin, alors que la lune s'était couchée. Ils empilèrent les caisses de métal dans le bosquet d'acacias qui, à leur arrivée, avait abrité la pelleteuse et les palettes d'équipement pour la construction du barrage.

Bien qu'ils fussent tous épuisés, Mek organisa un tour de garde autour du campement. A la lumière d'un petit feu abrité derrière un écran, les deux femmes s'occupèrent des blessés.

Sapeur, à l'aide de la seule lampe-torche qui fonctionnait toujours, éclaira Nicholas qui installait la radio. Quand il ouvrit le coffret en fibre de verre qui protégeait le petit poste, Nicholas se rendit compte avec un intense soulagement que, malgré leur périple sur le Nil, les joints de caoutchouc avaient parfaitement joué leur rôle d'isolant. La lampe-témoin s'alluma dès qu'il mit le contact. Il se régla sur les ondes courtes et capta le programme matinal de Radio Nairobi. La voix d'Yvonne Chaka Chaka, dont il aimait le timbre et le style, s'éleva. Il éteignit très vite, afin d'économiser la batterie. Il alla s'installer sous les acacias pour essayer de dormir un peu avant le lever du jour. Mais le sommeil le fuyait. Le sentiment d'avoir été trahi, et la colère aussi, étaient bien trop violents.

23

Tuma Nogo regardait le soleil arracher sa lourde tête enflammée à la surface du Nil. Ils volaient à un ou deux mètres de l'eau afin d'échapper aux radars de l'armée soudanaise. La station de Khartoum était capable, même à cette distance, de les repérer sans peine. Les relations avec les Soudanais étaient très tendues et, devant la violation de leurs frontières, ils pouvaient donner une réponse des plus radicales.

Nogo se sentait un peu perdu. Depuis la débâcle des gorges de la Dandera, tout semblait aller de travers. Il avait perdu tous ses alliés. Ce n'est qu'après leur disparition qu'il avait pris conscience de la manière dont il s'était reposé sur Helm et von Schiller. Maintenant il se retrouvait seul et, déjà, les erreurs tactiques s'accumulaient. Il était pourtant fermement décidé à poursuivre les fugitifs et à les arrêter, il était prêt pour cela à pénétrer le plus loin possible sur le territoire soudanais.

Au cours des dernières semaines, à force de surprendre des conversations entre von Schiller et l'Égyptien, il avait fini par comprendre que Harper et Mek Nimmur se trouvaient en possession d'un trésor d'une valeur stupéfiante – il avait entendu parler de dizaine de milliards de dollars.

Il avait également fini par comprendre que, von Schiller et Helm disparus, le trésor pouvait être à lui seul. Il n'y avait plus personne pour s'interposer. Il y avait bien les *shufta* que dirigeaient Mek Nimmur et l'Anglais, mais lui, Nogo, disposait de forces bien supérieures. Il avait même un hélicoptère.

Si seulement il pouvait repérer les fugitifs ! Il les écraserait sans peine, il ne laisserait aucun survivant, et personne n'irait raconter des fables à Addis. Une fois Mek Nimmur et l'Anglais éliminés, ainsi que toute leur clique, il utiliserait l'hélicoptère pour transporter le butin hors du pays. Ce serait vite réglé. Il y avait un homme à Nairobi, et un second à Khartoum, avec qui il avait déjà traité. Ils lui avaient acheté de l'ivoire de contrebande et du haschisch, ils sauraient comment tirer le meilleur parti du butin. Mais c'étaient, l'un comme l'autre, de véritables crapules. Il avait donc décidé de ne pas faire confiance à une seule personne, mais de partager les risques : ainsi, si l'un d'eux le trahissait...

Il se laissa aller à l'idée de la fortune, à savourer tout ce qu'il pourrait obtenir grâce à elle. De beaux vêtements. Des voitures. De la terre et du bétail. Des femmes, blanches, noires, brunes, toutes les femmes, une nouvelle chaque jour. Il s'arracha à sa rêverie. Il fallait avant tout retrouver les fugitifs qui s'étaient volatilisés.

Il n'avait pas pensé une seule seconde que Harper et Mek Nimmur puissent avoir caché des canots pneumatiques quelque part dans le monastère. C'était là une information que Hansith ne leur avait pas rapportée. Helm et lui avaient fait le pari qu'ils s'échapperaient à pied et c'était sur cette hypothèse que reposaient tous les plans qu'ils avaient mis au point pour les rattraper avant la frontière. Sur ordre de Helm, il avait fait placer des bidons d'essence près de la frontière. Sans ces réserves de carburant, il aurait été depuis longtemps obligé d'abandonner la chasse.

Si Nogo avait placé ses hommes de manière à couvrir les pistes qui longeaient les rives du fleuve en direction de l'ouest, il n'avait pas songé, en revanche, à faire surveiller le fleuve lui-même. C'est quasiment par hasard qu'une de ses patrouilles avait repéré la petite flotte de canots jaunes qui dérivait dans le courant. Ils n'avaient pas eu le temps de tendre une embuscade efficace. Ils avaient mitraillé les bateaux mais ceux-ci leur avaient facilement échappé.

L'homme qui commandait la patrouille avait immédiatement rapporté par radio le contact qu'il venait d'avoir avec Mek Nimmur. Nogo avait alors emmené ses hommes à la frontière soudanaise afin de couper la route à la flottille. Mais le Jet Ranger ne pouvait transporter que six hommes armés et toute l'opération avait pris un temps extravagant. A la tombée de la nuit, il n'avait déplacé que soixante de ses hommes.

Il avait passé toute la nuit dans la crainte que la flottille ne lui échappe et à l'aube ils s'étaient de nouveau envolés à bord du Jet – grâce à Dieu, les nuages s'étaient dispersés pendant la nuit. Il y avait toujours quelques cumulus en hauteur mais ils pouvaient désormais survoler le fleuve à une altitude assez basse pour repérer le moindre mouvement de la flotte de Mek Nimmur.

Ils avaient commencé par patrouiller la section éthiopienne du fleuve, de la frontière jusqu'à l'endroit où Mek Nimmur et Harper avaient été mitraillés. Nogo avait ensuite forcé le pilote à franchir la frontière mais, après soixante milles nautiques au-dessus du territoire soudanais, celui-ci s'était révolté. Le canon du Tokarev braqué sur sa nuque n'avait en rien altéré son obstination : il avait fait faire demi-tour à son engin et était reparti en arrière.

Maintenant, Nogo ruminait sa défaite avec la sensation que l'on s'était joué de lui. Enfoncé dans le siège avant, il essayait de deviner ce qui avait bien pu arriver à sa proie. Il vit surgir, contre le ciel du petit matin, la cheminée du moulin à sucre abandonné. Il la regarda d'un air vindicatif : ils étaient déjà passé par là, quelques minutes auparavant, alors qu'ils suivaient le courant.

– Dirigez-vous vers la rive nord, ordonna-t-il au pilote.

L'homme eut un moment d'hésitation au cours duquel il dévisagea Nogo. Puis il obéit. La fabrique n'avait plus de toit et ses fenêtres étaient des rectangles vides au milieu de murs effondrés. Les cuves et les machines avaient été emportées depuis des années : le bâtiment n'était plus qu'une coquille vide. Le pilote mit son appareil en vol stationnaire pour permettre à Nogo de scruter la zone tout à son aise. Il n'y avait là aucun endroit où l'on puisse se cacher. Nogo secoua la tête avec dépit :

– Rien. On les a perdus. Remontons le fleuve.

Le pilote obéit avec empressement. Il redressa l'appareil et vira en direction du fleuve. Nogo, qui gardait un œil sur les taillis de joncs le long des berges, aperçut un éclair jaune.

– Attendez ! Il y a quelque chose par là. Demi-tour !
L'hélicoptère fit du surplace au-dessus du terrain. Nogo fit signe au pilote de descendre.
– Plus bas ! Posons-nous.
Les patins avaient à peine touché le sol que les six soldats armés jusqu'aux dents jaillirent de l'appareil et s'installèrent en position de défense. Nogo sauta à terre et se faufila parmi les joncs. Les canots dégonflés avaient été pliés et hâtivement dissimulés. La terre tout autour avait été retournée par des pieds bottés, et les traces de pas allaient en direction de l'intérieur des terres. Les hommes qui les avaient laissées devaient être lourdement chargés : elles s'enfonçaient profondément dans le sable mou.
Nogo retourna à l'hélicoptère au pas de course. Il passa la tête par la portière de la cabine.
– Y a-t-il une piste d'aviation dans le secteur ? cria-t-il au pilote.
– Il n'y en a aucune sur les cartes.
– Il doit y en avoir une. La fabrique de sucre devait avoir son terrain d'aviation.
– S'il y en a une, elle doit être abandonnée depuis des années.
– On la trouvera ! Les traces de Mek Nimmur nous y amèneront. Mais il me faut plus d'hommes. Mek Nimmur a au moins cinquante de ses *shufta* avec lui.
Il laissa les six soldats en faction près du moulin et repartit à vide à la frontière pour ramener le premier contingent de renforts.

– Grosse Dolly ! Répondez, Grosse Dolly. Ici, Pharaon. Me recevez-vous ?
Nicholas lança son premier appel une heure avant le lever du soleil.
– Je connais bien Jannie, il aura décidé d'arriver pendant la nuit de manière à être ici dès que la lumière sera suffisante pour éclairer la piste d'atterrissage.
– Si le gros bonhomme vient, souligna Mek Nimmur.
– Il viendra, dit Nicholas, sûr de lui. Jannie ne m'a jamais laissé tomber.
Il porta le micro à ses lèvres.
– Grosse Dolly ! Répondez, Grosse Dolly.
Les parasites grésillaient doucement. Nicholas se remit avec soin sur le canal et lança un appel tous les quarts d'heure.

Soudain, Royan fit un bond et s'exclama avec fièvre :

– Le voilà. J'entends les moteurs de Grosse Dolly. Écoutez !

Nicholas et Mek coururent à découvert du bosquet d'acacias, le visage levé vers le ciel, les yeux braqués en direction du nord.

– Il ne peut pas s'agir de l'Hercule, s'écria Nicholas. C'est un autre engin. (Il se tourna vers le sud, vers le fleuve.) Et puis il ne vient pas de la bonne direction.

– Très juste, fit Mek. C'est un engin à moteur unique. Et il n'a pas les ailes fixes. On entend tourner les rotors.

– L'hélicoptère de Pégase ! Ils nous ont retrouvés !

Le bruit des rotors s'estompa graduellement. Nicholas poussa un soupir de soulagement.

– Ils ne nous ont pas vus. Ils ne peuvent pas avoir remarqué les bateaux.

Ils retournèrent sous les acacias et Nicholas se réinstalla derrière la radio. Il n'obtint aucune réponse de Jannie. Vingt minutes plus tard, le bruit du Jet Ranger retentit de nouveau. Ils tendirent l'oreille avec anxiété.

– Il repart, fit Nicholas.

Puis, après le même intervalle de temps, les rotors de l'hélicoptère se firent de nouveau entendre.

– Nogo manigance quelque chose, fit Mek, inquiet.

– A quoi penses-tu ? demanda Nicholas qui se laissait gagner par l'humeur de son ami.

Quand Mek s'inquiétait, c'est qu'il y avait une raison suffisamment bonne pour cela !

– Je ne sais pas. Nogo a peut-être repéré les bateaux et il ramène des renforts pour mieux s'occuper de nous.

Il sortit encore du couvert et écouta attentivement. Puis il revint près de Nicholas qui était resté accroupi derrière la radio.

– Continue, lui dit-il. Moi, je vais m'assurer que mes hommes sont prêts à accueillir Nogo.

Pendant les trois heures qui suivirent, l'hélicoptère fit la navette le long du Nil, mais l'absence d'une véritable action de la part de Nogo finit par les plonger dans une sorte d'indifférence. Maintenant, quand il entendait le Jet Ranger, Nicholas levait à peine les yeux.

Soudain, le poste se mit à crachoter. Nicholas sursauta violemment.

– Pharaon ! C'est Grosse Dolly. Tu m'entends ?

– Ici, Pharaon, balbutia Nicholas. Dis-moi des mots doux, Grosse Dolly.

– J'atteindrai ta position dans une heure et demie.

– Tu seras le bienvenu, affirma Nicholas avec ferveur.

Il raccrocha le microphone et se tourna vers les deux jeunes femmes en souriant.

– Jannie arrive, il sera...

Il s'interrompit. Son sourire se mua en une expression de consternation : du fleuve lui parvint le bruit de mitraille caractéristique de l'AK-47, suivi quelques secondes après de l'explosion d'une grenade.

– Bon sang de bon sang ! grommela-t-il. C'était trop beau pour durer. Nogo est là.

Il s'empara du micro et déclara d'une voix blanche :

– Grosse Dolly, les méchants sont entrés en scène ! Tu vas devoir nous tirer d'un sacré merdier.

– Accroche-toi à ta couronne, Pharaon ! J'arrive !

Pendant la demi-heure qui suivit, les bruits de la bataille qui se déroulait près du fleuve s'intensifièrent au point que la mitraille n'était plus qu'un vacarme continu, se rapprochant sans cesse de l'extrémité de la piste. Les hommes de Mek, dispersés en ligne entre le terrain d'aviation et le fleuve, battaient en retraite sous la pression des soldats de Nogo. Et toutes les vingt minutes retentissait le moteur de l'hélicoptère qui amenait des renforts.

Nicholas et Sapeur étaient les seuls hommes valides restés dans le bosquet d'acacias. Ils déménagèrent en hâte les caisses de métal vers la lisière des arbres de manière qu'elles soient chargées rapidement dès que Grosse Dolly aurait atterri.

Nicholas tria le chargement en se fiant aux étiqucttcs que Royan avait collées sur les couvercles. La caisse contenant le masque mortuaire et la figurine de Taita serait embarquée la première, suivie par les trois couronnes. La valeur de ces caisses dépassait de beaucoup celle du reste du trésor.

Une fois cette précaution prise, Nicholas alla s'accroupir près des blessés. Il s'adressa tour à tour à chacun des hommes, il les remercia pour leur aide et leur proposa de les emmener en avion à un endroit où ils recevraient des soins appropriés. Il promit à chacun de faire en sorte qu'une fois ses blessures guéries il puisse retourner librement en Éthiopie.

Sept d'entre eux – dont les blessures étaient superficielles et qui pouvaient encore marcher – refusèrent de quitter Mek Nimmur. Les autres acceptèrent à contrecœur d'être évacués, mais uniquement après l'intervention de Tessay, qui les persuada en réitérant les promesses de Nicholas. Puis Sapeur et lui aidèrent les volontaires à gagner la lisière du bosquet, là où Jannie arrêterait Grosse Dolly pour commencer le chargement.

– Et vous ? demanda Nicholas à Tessay. Vous venez avec nous ? Vous n'êtes pas assez rétablie.

– Tant que je tiens debout, fit Tessay en riant, je ne quitterai pas Mek Nimmur.

– Je ne vois pas ce que vous trouvez à ce voyou ! Je lui ai parlé de sa part du butin. Il veut que je l'emporte. Il ne tient pas à être surchargé.

– Je sais. Mek et moi en avons discuté. Nous avons besoin de cet argent pour continuer le combat, ici.

Une violente explosion les assourdit quelques instants. Tessay s'accroupit vivement. Une épaisse colonne de fumée obscurcit les abords du bosquet, des éclats de métal voltigèrent au-dessus d'eux, dans une pluie de feuilles et de morceaux de branches.

– Sainte Vierge ! Qu'est-ce que c'était ? s'écria Tessay.

– Un mortier, expliqua Nicholas qui n'avait pas bougé d'un centimètre. Il aboie beaucoup mais ne mord pas. Nogo l'a certainement apporté ici au cours de son dernier vol.

– Quand l'Hercule arrive-t-il ?

– Je vais appeler Jannie.

Pendant que Nicholas s'affairait près de la radio, Tessay vint discuter avec Royan.

– Vous, les Anglais, vous êtes toujours aussi détendus ?

– Ne me le demandez pas. Je suis égyptienne et je suis terrifiée.

Elle enlaça Tessay et lui sourit.

– Vous allez me manquer, Dame Soleil.

Tessay l'embrassa impulsivement et Royan la serra contre elle.

– Peut-être nous reverrons-nous quand les choses iront mieux.

– Je l'espère, fit Royan. Je l'espère de tout cœur.

– Grosse Dolly, dit Nicholas dans le microphone, ici Pharaon. Quelle est ta position ?

– Pharaon, nous sommes à vingt minutes et on se magne. Tu as bouffé des fayots ou c'est un mortier qu'on a entendu ?

– Tu aurais dû faire du cabaret avec un humour pareil, répondit Nicholas. Les méchants ont pris le contrôle de l'extrémité sud du terrain d'aviation. Tu devrais arriver par le nord. Le vent vient de l'ouest, à cinq nœuds environ.

– Bien reçu, Pharaon. Combien de passagers et de bagages ?

– Six passagers à évacuer plus trois autres. Et cinquante-deux caisses, environ deux cent cinquante kilos.

– Ça vaut à peine le voyage.

– Grosse Dolly, il y a un autre engin dans le secteur. Un hélicoptère Jet Ranger rouge et vert. Ennemi mais non armé.

– Bien reçu, Pharaon. Je t'appelle quand j'arrive.

Nicholas alla retrouver les femmes qui attendaient près des blessés.

– Dans une minute, leur dit-il. Juste le temps d'une tasse de thé.

Il ajouta quelques brindilles dans les braises du feu de la nuit précédente puis il fouilla son sac à la recherche du dernier de ses sachets de thé pendant que Sapeur plaçait sur les flammes une bouilloire noircie.

Ils n'avaient qu'une tasse qu'ils se partagèrent.

– Les dames d'abord, fit Nicholas en la passant à Royan.

Elle avala une gorgée qui lui brûla les lèvres.

– Délicieux ! Cette fois, ajouta-t-elle en hochant la tête, c'est bien Grosse Dolly que j'entends.

Nicholas tendit l'oreille et acquiesça.

– Je crois que vous avez raison !

Il se leva et alla jusqu'à la radio.

– Grosse Dolly, nous t'entendons.

– Atterrissage dans cinq minutes, Pharaon.

Nicholas regarda en direction de la longue piste d'atterrissage. Les hommes de Mek rebroussaient chemin, ils filaient d'un pas léger entre les buissons d'épineux et envoyaient des rafales en direction du fleuve. Nogo mettait le paquet, maintenant.

– Magne-toi, Jannie, murmura-t-il à part lui.

Il était inquiet mais il tourna vers les deux jeunes femmes un visage serein.

– Nous avons tout le temps de finir notre thé. Ne vous bousculez pas.

Le bruit des moteurs de Grosse Dolly couvrait désormais celui des détonations. Elle apparut soudain, si basse qu'elle semblait frôler le sommet des épineux. Elle était énorme et son envergure couvrait toute la largeur de la piste d'atterrissage. Quand Jannie renversa les moteurs, elle cracha un long panache de fumée brune.

Grosse Dolly passa à toute allure devant le bosquet. Jannie leur fit un signe de main à travers la vitre du cockpit. Quand son engin eut assez ralenti, il se dressa sur les freins et tira le manche à balai. Grosse Dolly virevolta et revint sur ses traces en rugissant. Sa rampe de chargement s'abaissa avant même qu'elle ne soit arrivée à leur hauteur.

Fred attendait sur l'écoutille ouverte. Il sauta à terre et courut aider Sapeur et Nicholas qui s'occupaient des blessés. Cinq minutes suffirent pour les porter dans l'avion. Ils s'attaquèrent ensuite au chargement des caisses.

Un tir de mortier explosa à cent cinquante mètres derrière l'Hercule, suivi quelques secondes après d'un obus qui tomba plus près.

– Des tirs de réglage, fit Nicholas.

– Nous sommes dans leur ligne de tir maintenant ! cria Fred. Il faut filer d'ici. Laissez tomber les caisses qui restent. On se tire !

Il ne restait que quatre caisses sous les branches d'acacias. Nicholas et Sapeur, sourds à l'ordre de Fred, dévalèrent la rampe au pas de course. Ils s'emparèrent chacun de deux caisses et détalèrent vers l'avion. La rampe remontait déjà et, ronflant de tous ses moteurs, Grosse Dolly s'ébranlait. Ils balancèrent les caisses par-dessus la rampe, sautèrent pour agripper une prise et se hissèrent à bord. Nicholas pénétra le premier dans l'avion et il tira Sapeur derrière lui. Quand il regarda en bas, Tessay n'était plus qu'une silhouette minuscule dans les arbres.

– Embrassez Mek de ma part ! lui cria-t-il.

– Vous savez comment nous contacter ! répondit-elle.

– Au revoir, Tessay !

Les énormes moteurs couvrirent la voix de Royan. Un tourbillon de poussière balaya le visage de Tessay qui s'enfuit sous les arbres, les mains sur le visage. La rampe se referma en soupirant et la jeune femme disparut à leurs yeux.

Nicholas passa un bras autour de l'épaule de Royan et l'entraîna au fond de la cale. Il l'installa sur un siège, à l'entrée du cockpit.

– Attachez-vous ! ordonna-t-il avant de rejoindre les pilotes.

– Tiens, je croyais que tu voulais rester là-bas, fit Jannie en guise d'accueil. Accroche-toi, on y va !

Nicholas s'agrippa au dossier du siège du pilote tandis que Jannie et Fred lâchaient tous les gaz. Grosse Dolly bondit en avant. Un coup d'œil par-dessus l'épaule de Jannie révéla à Nicholas des formes humaines en tenue de camouflage, tapies entre les épineux du bout de la piste. Certaines décochèrent quelques rafales en direction de l'avion qui filait droit sur eux.

– Grosse Dolly est coriace, ces pétards ne la chatouilleront même pas.

Les troupes ennemies passèrent en un éclair et Jannie redressa le nez de l'avion qui gagna de l'altitude.

– Bienvenue à bord, les aminches. Merci d'avoir choisi Africair. Prochain arrêt, Malte ! Oh, oh ! D'où sort cette crotte de mouche ?

Le Jet Ranger s'élevait d'un bosquet d'épineux poussé sur les rives du Nil. Le pilote, dans sa position, ne pouvait pas voir l'Hercule qui arrivait sur lui et continuait à monter tranquillement.

– Nous sommes trop bas ! cria Fred à son père. Impossible de virer.

Le Jet Ranger était si proche que Nicholas voyait parfaitement Tuma Nogo. Ses verres reflétaient le soleil comme les yeux d'un aveugle. Quand il aperçut l'énorme machine qui arrivait sur lui, un rictus de terreur déforma son visage. Le pilote fit un effort désespéré pour éviter la collision. Il réussit à renverser son petit appareil qui se glissa sous le ventre énorme de l'Hercule. Dans le cockpit de l'avion, les deux pilotes sentirent à peine le contact des deux fuselages.

L'hélicoptère bascula néanmoins sous l'impact, son nez pivota en direction du sol et, pendant que Grosse Dolly montait tranquillement vers son altitude de croisière, le pilote du Jet Ranger s'efforçait vainement de reprendre le contrôle de l'engin qui piquait vers le sol.

A soixante mètres du sol, les turbulences créées par les énormes moteurs qui propulsaient l'Hercule frappèrent l'hélicoptère avec une force d'avalanche.

Comme une feuille morte dans le vent d'automne, l'engin fut balayé et culbuta sur lui-même. Il heurta le sol et son fuselage se plia comme une feuille d'aluminium. Quand l'explosion des réservoirs libéra la boule de feu qui ravaga le Jet Ranger, Nogo était déjà mort.

Une fois que Grosse Dolly eut atteint son altitude de croisière, Jannie vira vers le nord. Ils purent alors regarder le terrain d'aviation de Roseires qui rapetissait derrière la grande aile de l'Hercule. La colonne de fumée noire qui s'élevait de l'hélicoptère avait l'épaisseur du goudron. Elle dérivait vers l'ouest, poussée par un vent léger.

– Tu disais que c'était eux, les méchants ? demanda Jannie. Il vaut mieux que ça leur soit arrivé à eux plutôt qu'à nous, n'est-ce pas ?

Grosse Dolly survolait tranquillement les grandes plaines du désert soudanais. Nicholas quitta le cockpit et rejoignit les autres dans l'habitacle principal de l'avion.

– Si nous installions les blessés plus confortablement ? proposa-t-il.

Sapeur et Royan défirent leurs ceintures de sécurité et se rendirent auprès des hommes allongés sur les civières qu'on avait déposées en hâte lors de la fuite de Roseires.

Nicholas alla ensuite dans la petite cuisine de fortune. Il ouvrit une conserve de soupe et coupa du pain en tranches. Pendant que l'eau du thé chauffait, il tira un flacon de comprimés blancs de sa trousse de secours et en réduisit cinq en poudre qu'il versa dans deux gobelets de thé. Royan avait assez de sang anglais dans les veines pour être incapable de refuser une tasse de thé.

Après qu'ils eurent servi la soupe et le pain aux blessés, elle accepta avec gratitude la tasse que lui tendait Nicholas. Pendant qu'elle et Sapeur sirotaient leur breuvage, Nicholas retourna dans le cockpit.

– Dans combien de temps arriverons-nous à la frontière égyptienne ? demanda-t-il à Jannie.

– Quatre heures et vingt minutes.

– Serait-ce possible de ne pas survoler le territoire égyptien ?

Jannie se retourna et le dévisagea, ébahi.

– Nous pouvons toujours faire un crochet par l'ouest, mais c'est le pays de Kadhafi. Ça nous fera sept heures de vol en plus, nous serons à cours d'essence et nous serons obligés d'atterrir quelque part en plein Sahara. (Il leva un sourcil.) Dis donc, mon garçon, d'où te vient une question aussi bête ?

– C'était juste une idée comme ça.

– Ah, oui ? Eh bien oublie-la, veux-tu ? Je ne veux plus en entendre parler. Plus jamais.

– Tu n'en entendras plus parler, mon vieux, fit Nicholas en lui tapotant l'épaule.

Dans l'habitacle principal, Sapeur et Royan s'étaient installés sur les deux couchettes qu'ils avaient dépliées. Le gobelet de Royan était posé à ses pieds. Il était vide. Quand Nicholas s'assit à côté d'elle, elle toucha délicatement le pansement taché de sang qui lui recouvrait le menton.

– Vous devriez me laisser jeter un œil dessus.

Pendant qu'elle nettoyait les points de suture avec un tampon imbibé d'alcool, ses doigts frais caressaient sa peau enflammée et brûlante. Nicholas se laissait faire, étreint par un sentiment de culpabilité qui allait grandissant.

Sapeur fut le premier à ressentir les effets du thé soporifique. Il s'allongea tranquillement, ferma les yeux et, sans faire plus de manières, se mit à ronfler. Quelques minutes après, Royan s'effondrait contre l'épaule de Nicholas. Il l'allongea sur la couchette et lui remonta une couverture jusqu'au menton. Puis il lui déposa un baiser sur le front.

– Quoi que vous ayez fait, comment pourrais-je vous haïr ? murmura-t-il d'une voix douce.

Il alla s'enfermer dans les toilettes. Il avait tout son temps. Sapeur et Royan ne se réveilleraient pas avant plusieurs heures tandis que Jannie et Fred, aux anges dans leur cockpit, écoutaient une cassette de Dolly Parton.

Quand il eut terminé, Nicholas regarda sa montre. Tous ces préparatifs l'avaient occupé près de deux heures. Il se lava soigneusement les mains, examina une dernière fois l'état de la petite cabine puis il en sortit. Dans l'habitacle, Sapeur et Royan n'avaient pas bougé et dormaient toujours aussi profondément. Il alla dans le cockpit. En l'entendant arriver, Fred retira son casque et se tourna vers lui.

– C'est l'eau du Nil. Un vrai poison. Tu es bien resté deux heures dans les gogues. Je suis un peu surpris que tu existes encore.

Ignorant le trait d'humour, Nicholas se pencha vers Jannie.

– Où sommes-nous ?

Jannie fit couler un gros doigt sur la carte qu'il avait dépliée contre sa bedaine.

– On passe la frontière égyptienne dans une heure vingt.

Nicholas resta derrière Jannie jusqu'à ce que celui-ci décroche son micro en grommelant :

– Bon, à moi de jouer ! Allô, la tour d'Abou Simbel, fit-il avec un fort accent du Moyen-Orient, ici Zulu Whiskey Uniform Cinq Zéro Zéro.

La tour de contrôle égyptienne répondit par un parfait silence.

– Il doit être avec une pute, rouspéta Jannie. Faut lui donner le temps de remettre son caleçon.

La tour d'Abou Simbel répondit au cinquième appel. Jannie exposa longuement son plan de vol et, après cinq minutes de réflexion, le navigateur de la tour de contrôle d'Abou Simbel l'autorisa à continuer vers le nord, avec ordre de rappeler une fois au-dessus d'Assouan.

Ils volèrent sans encombre une heure de plus. Nicholas sentait ses nerfs se tendre un peu plus à chaque minute. Soudain, sans crier gare, jaillit devant eux l'éclair d'argent d'un avion de chasse. Il se posta devant la proue de Grosse Dolly. La manœuvre arracha un cri de surprise et de colère à Jannie. Deux autres avions de l'armée surgirent alors de part et d'autre de leur avion, si proches que les turbulences qu'ils provoquaient les secouèrent.

C'était des Mig 21 aux couleurs des forces armées égyptiennes, équipés de missiles air-air dont on voyait, sous le triangle des ailes, pointer les ogives menaçantes.

Ils levèrent tous les trois la tête et regardèrent à travers la bulle de Perspex qui fermait le cockpit. A plusieurs mètres au-dessus d'eux, trois Mig volaient en formation contre le bleu du ciel africain.

– ZWU 500, ici Red Leader, de l'armée de l'air des forces populaires égyptiennes. Veuillez vous conformer à mes ordres.

Jannie regarda Nicholas avec une expression désespérée.

– Y a un truc qui a merdé. Comment nous ont-ils repérés ?

– Tu ferais mieux de lui obéir, papa, déclara Fred d'un ton morne. Sinon on va retrouver nos miettes dispersées un peu partout.

Jannie haussa les épaules et répondit d'un ton piteux :

– Red Leader, ici ZWU 500. Nous allons coopérer. Quelles sont vos intentions ?

– Votre nouvelle destination est 053. Exécution immédiate.

Jannie fit pivoter Grosse Dolly vers l'est avant de se pencher sur sa carte.

– Assouan ! s'exclama-t-il. Ils nous emmènent à Assouan. Je ferais mieux de les avertir que nous transportons des blessés.

Nicholas retourna réveiller Royan. Elle se redressa, tout étourdie, et tituba jusqu'aux toilettes. Elle en émergea dix minutes après, les cheveux parfaitement brossés et l'œil vif. Elle semblait complètement remise des effets de la potion qu'elle avait avalée.

Le Nil apparut de nouveau puis ce fut Assouan, distribuée sur les deux rives, nichée sous la première cataracte et les eaux contenues du grand barrage.

L'officier de la tour de contrôle de l'aéroport d'Assouan transmit ses ordres à Jannie et Grosse Dolly survola dignement le tarmac pour s'aligner en direction de la piste d'atterrissage. Les avions de chasse qui les avaient escortés depuis le désert avaient disparu mais trahissaient leur présence par de brèves communications radio.

Dès que Grosse Dolly se posa, la voix de l'officier de la tour se fit entendre à nouveau :

– Prenez la première piste sur votre droite.

Jannie obtempéra. Ils découvrirent alors un petit véhicule au milieu de la piste. Il portait une pancarte sur son toit où on lisait, en anglais et en arabe : *Suivez-moi.*

Le véhicule les mena jusqu'à des hangars de béton devant lesquels se tenait un agent de piste en combinaison kaki. A grand renfort de raquettes, il les dirigea sur une place de parking. Aussitôt Grosse Dolly immobilisée, quatre autochenilles blindées se précipitèrent pour encercler l'avion, tourelles et canons braqués.

Jannie, obéissant toujours aux instructions de la tour, coupa les gaz et abaissa sa rampe de chargement. A l'intérieur de l'avion, personne ne parlait plus. Ils restaient groupés et regardaient d'un air maussade par les fenêtres du cockpit.

Une Cadillac blanche, escortée de motards armés et suivie d'une ambulance militaire et d'un trois tonnes, passa les grilles de l'aéroport et vint s'immobiliser devant la rampe de l'Hercule. Le chauffeur mit pied à terre et alla ouvrir la portière à son passager qui, tranquillement, émergea dans la lumière douce de la fin d'après-midi. A son attitude calme et pleine d'assurance on reconnaissait le personnage important, habitué à commander. Il portait un costume d'été, des souliers blancs, un panama de même couleur et des lunettes de soleil aux verres très sombres. Il gravit la rampe de l'avion, suivi de deux hommes qui devaient être des secrétaires.

Il ôta ses lunettes, les glissa dans sa poche et, quand il reconnut Royan, sourit et souleva son chapeau.

– Docteur Al Simma ! Royan ! Vous avez réussi ! Félicitations !

Il lui serra la main avec effusion puis se tourna vers Nicholas.

– Vous devez être Sir Nicholas Quenton-Harper. Je suis enchanté de faire votre connaissance. Royan, voudriez-vous nous présenter ?

Royan s'exécuta sans oser croiser le regard de Nicholas.

– Nicholas, puis-je vous présenter Son Excellence Atalan Abou Sin, ministre de la Culture et du Tourisme du gouvernement égyptien ?

– Vous pouvez, fit Nicholas avec froideur. Quel plaisir inattendu, monsieur le ministre !

Le ministre eut un geste de la main vers les caisses empilées dans le ventre de l'avion.

– Je voudrais exprimer la reconnaissance du président et du peuple égyptien pour votre geste. Vous rendez à notre pays d'inestimables vestiges de notre histoire lointaine mais glorieuse.

– Je vous en prie, fit Nicholas sans quitter Royan du regard, ce n'est pas grand-chose.

– Au contraire, Sir Nicholas, c'est d'une importance capitale, répondit Atalan Abou Sin avec un sourire d'une délicieuse civilité. Nous n'ignorons pas l'investissement que tout cela représente pour vous. Nous ne voulons pas que ce geste, d'une générosité extrême, vous coûte quoi que ce soit. Le docteur Al Simma m'a fait savoir que l'expédition que vous avez mise sur pied pour retrouver ces trésors vous a coûté un quart de million de livres sterling.

Il tira une enveloppe de sa poche et la tendit à Nicholas.

– Voici un chèque bancaire de la Banque Centrale d'Égypte. Il ne peut être annulé et il sera honoré n'importe où dans le monde. C'est, précisa-t-il, un chèque de deux cent cinquante mille livres.

– C'est d'une grande générosité, monsieur, fit Nicholas avec ironie.

Il glissa l'enveloppe dans sa poche.

– C'est une idée du docteur Al Simma, je présume ?

– Bien entendu, répondit Atalan Abou Sin avec un sourire radieux. Royan vous tient en la plus haute estime.

– Vraiment ? murmura Nicholas en la regardant avec une expression neutre.

– Pour ma part, ajouta le ministre, je dois vous remettre un modeste présent. De la part de notre président lui-même.

Il claqua des doigts et un des secrétaires présenta un coffret de cuir dont il souleva le couvercle.

Une magnifique décoration reposait sur un coussin de velours rouge. C'était une étoile incrustée de perles et de diamants. Le centre de l'étoile représentait un lion rampant, en or. Atalan Abou Sin prit l'étoile et s'approcha de Nicholas.

– L'ordre du Grand Lion d'Égypte, déclara-t-il en lui passant le ruban écarlate autour du cou.

L'étoile resplendissait contre la chemise de Nicholas largement maculée de sueur, de poussière et de la boue du Nil. Puis le ministre fit un pas en arrière et esquissa un geste en direction du colonel qui attendait au pied de la rampe. Aussitôt une troupe d'hommes en uniforme grimpa en formation à l'intérieur de l'avion. Ils avaient des ordres précis : ils commencèrent par s'occuper des blessés éthiopiens.

– Votre pilote a eu la bonne idée de nous signaler la présence de blessés à votre bord. Soyez assuré qu'ils recevront les meilleurs soins, promit Atalan Abou Sin alors que les brancards étaient emportés vers l'ambulance.

Les soldats revinrent se charger des caisses qu'ils rangèrent avec précaution dans le trois tonnes. Dix minutes suffirent pour vider Grosse Dolly. Les motards armés se mirent en position autour du véhicule et le convoi s'ébranla.

Abou Sin tendit une main courtoise à Nicholas, qui la serra avec résignation.

– Sir Nicholas, je suis désolé de vous avoir retardé ainsi. Je me doute que vous devez être pressé de reprendre votre voyage. Toutefois, puis-je faire quelque chose pour vous ? Avez-vous suffisamment de carburant ?

Nicholas se tourna vers Jannie qui haussa les épaules :

– Ça va, on a tout ce qu'il faut comme jus. Merci, monsieur.

– Nous comptons construire une annexe au musée de Louxor pour abriter les objets funéraires de la tombe du pharaon Mamose que vous nous avez rapportés, déclara Atalan Abou Sin à Nicholas. Vous recevrez une invitation personnelle du président Moubarak pour assister, en invité d'honneur, à l'inauguration. Le docteur Al Simma, qui a été nommée directrice du Département des Antiquités, aura la charge de cette annexe. Elle sera enchantée, j'en suis sûr, de vous faire l'honneur de ses collections lors de votre visite.

Il s'inclina devant Sapeur et les deux pilotes.

– Que Dieu vous accompagne.

Il fit demi-tour et descendit la rampe. Royan fit le geste de le suivre mais Nicholas l'interpella.

– Royan !

Elle se figea et se tourna lentement vers lui. Elle croisa son regard à contrecœur. C'était la première fois depuis leur atterrissage forcé.

– Je ne méritais pas un tel traitement, dit-il simplement.

Il s'aperçut alors qu'elle pleurait. Ses lèvres tremblaient et les larmes coulaient lentement sur ses joues.

– Je suis désolée, Nicky, mais vous devez comprendre. Je ne suis pas une voleuse. Tout ceci appartient à l'Égypte, pas à nous.
– Alors tout ce qui s'est passé entre nous était un mensonge ? demanda-t-il, implacable.
– Non ! gémit-elle. Je...
Elle s'interrompit et s'enfuit le long de la rampe, vers le chauffeur qui maintenait grande ouverte la portière de la limousine. Elle se glissa sur la banquette sans un regard derrière elle. La Cadillac démarra et s'éloigna vers la grille de l'aéroport.
– Allez, hop ! fit Jannie. On se taille avant que ces types ne changent d'avis.
– Excellente idée, répondit Nicholas avec amertume.

Dès qu'ils eurent pris de l'altitude, la tour de contrôle d'Assouan les autorisa à mettre cap au nord, vers les rives de la Méditerranée. Dans le cockpit, les quatre hommes regardèrent serpenter les anneaux verts du Nil. Jannie rompit le silence le premier.
– Je suppose que je peux dire adieu à mon blé ?
– Je ne suis pas venu que pour l'argent, fit Sapeur à son tour, mais je n'aurais pas craché dessus. Bébé a besoin de chaussures neuves.
– Qui veut une tasse de thé ? demanda Nicholas comme s'il n'avait pas entendu.
– Ce serait sympa, répondit Jannie. Pas aussi sympa que les soixante plaques que tu me dois mais sympa, quand même.
Ils survolèrent El Alamein et les monuments aux morts alliés et allemands, puis ce fut l'immense étendue bleue de la Méditerranée. Nicholas attendit que la côte égyptienne eut disparu derrière eux pour pousser un long soupir.
– Ah, hommes de peu de foi ! accusa-t-il. Vous ai-je jamais laissés tomber ? Vous serez tous payés intégralement.
Ils le dévisagèrent en silence. Puis Jannie exprima leurs doutes :
– Et comment ?
– File-moi un coup de main, Sapeur, demanda Nicholas.
Ils descendirent l'escalier, vers l'habitacle principal. Incapable de contenir sa curiosité, Jannie confia les commandes à Fred et les suivit.

Nicholas s'arrêta devant les toilettes. Depuis le pas de la porte, Jannie et Sapeur le regardèrent soulever le couvercle des toilettes chimiques. Quand il le vit s'affairer avec son tournevis sur le panneau secret, Jannie sourit. Grosse Dolly était un avion de contrebandier et ce genre de petites modifications à son dispositif intérieur prouvait à quel point Jannie et Fred s'étaient donné du mal pour l'adapter à cette fonction imprévue. Le fuselage tout entier recelait des alcôves secrètes de ce type. Le panneau dissimulé derrière les toilettes était des plus sûrs : jamais un fidèle aux principes de l'islam n'irait fouiller un endroit aussi impur.

– C'est pour ça que tu es resté là-dedans si longtemps ! s'esclaffa Jannie.

Son sourire s'effaça devant l'objet extraordinaire que Nicholas tira des entrailles de l'alcôve secrète.

– Dieu du ciel, c'est quoi ce truc ?

– La couronne de guerre de l'ancienne Égypte, expliqua Nicholas en la tendant à Sapeur. Dépose-la sur la couchette. Traite-la avec beaucoup de soins !

Il plongea une nouvelle fois le bras dans l'alcôve.

– Celle-ci est le *nemes*, fit-il en la tendant à Jannie. Et voilà la couronne rouge et blanche des deux royaumes. Et voilà le masque mortuaire du pharaon Mamose. Et, pour finir en beauté : la figurine du scribe Taita.

Ils déposèrent les trésors sur la couchette pour mieux les admirer.

– Je t'ai aidé à rapporter les frises de pierre et les petits bronzes mais je n'ai jamais vu un truc pareil, murmura Jannie.

– Attends une minute, fit Sapeur, qu'est-ce qu'il y avait dans les caisses que les types ont débarquées à Assouan ?

– Cinq bidons de quatre litres de produits chimiques pour les chiottes. Plus une demi-douzaine de bonbonnes d'oxygène, pour faire bon poids.

Sapeur se fendit d'un sourire angélique.

– Tu les as échangés. Mais comment diable savais-tu que Royan allait nous doubler ?

– Elle avait raison quand elle a dit que je devais comprendre qu'elle n'était pas une voleuse. Toute cette histoire ne lui ressemblait pas. Elle est trop droite et honnête. On ne peut pas dire la même chose de la compagnie ici présente.

– Merci du compliment, fit Jannie un peu sèchement. Mais elle a dû te donner d'autres raisons de te méfier.

– Certes. Le premier doute m'est venu quand en Angleterre, à peine revenue d'Éthiopie, elle a filé droit au Caire. J'ai commencé à penser qu'elle préparait quelque chose. Tout s'est précisé quand j'ai appris qu'elle avait fait passer un message à l'ambassade égyptienne de Addis. J'ai compris qu'elle les avait mis au courant de notre retour.

– La petite salope perfide ! s'esclaffa Jannie.

– Fais attention à ce que tu dis, toi ! coupa Nicholas d'un ton cinglant. Royan est une femme honnête, convenable, patriote. Elle a, de plus, un cœur d'or et...

– Hum, fit Jannie avec un clin d'œil en direction de Sapeur. Ma langue a fourché, excuse-moi.

Nicholas n'avait installé que deux des couronnes de l'ancienne Égypte sur le plateau de noyer de la table de conférence. Il les avait placées sur les têtes de deux marbres romains que lui avait prêtés un marchand avec qui il traitait souvent, ici, à Zurich. Il avait tiré les volets des grandes fenêtres et arrangé l'éclairage de manière à montrer les couronnes sous leur meilleur jour. La salle de conférences privée qu'il avait louée se trouvait dans le bâtiment de la banque Leu, sur Bahnhofstrasse.

Il profita d'être encore seul pour vérifier son installation. Tout était impeccable. Il alla se poster devant le miroir en pied fixé contre un des murs et ajusta le nœud de sa vieille cravate de Sandhurst. Ses points de suture avaient été enlevés. Mek Nimmur avait fait du bon boulot : la cicatrice était nette et propre. Il portait un costume de son tailleur de Savile Row, à discrètes rayures blanches et assez vieux pour ne pas paraître trop apprêté. Le seul élément de sa tenue qui brillait était ses chaussures, faites sur mesure chez Lobb, sur St James's Street.

L'interphone ronronna discrètement et il décrocha.

– Mr. Walsh demande à vous voir, Sir Nicholas, annonça le réceptionniste.

– Faites-le monter, je vous prie.

Nicholas ouvrit la porte au premier coup de sonnette. Planté sur le seuil, Walsh le dévisageait.

– J'espère que vous n'allez pas me faire perdre mon temps, Harper. J'arrive de Fort Worth.

Nicholas avait appelé son ranch au Texas une trentaine d'heures auparavant. Walsh avait dû sauter dans son jet après avoir raccroché.

– Mon nom est Quenton-Harper, pas Harper.

– D'accord, Quenton-Harper. Mais arrêtez votre cirque, fit Walsh. Qu'avez-vous à me montrer ?

– Moi aussi, je suis enchanté de vous revoir, Mr. Walsh, fit Nicholas en s'effaçant. Entrez, je vous prie.

Walsh pénétra dans la pièce. C'était un homme de grande taille, aux épaules massives. Ses mâchoires s'affaissaient, sa peau était profondément ridée et son nez était fortement busqué. Avec ses mains dans le dos, il avait l'air d'un vautour sur une barrière. D'après le magazine *Forbes*, il pesait 1,7 milliard de dollars.

Nicholas connaissait les deux hommes qui pénétrèrent à sa suite dans la pièce. Le monde des antiquités était une famille restreinte et les rapports qui y étaient développés frôlaient l'inceste. Le premier des gentlemen était titulaire d'une chaire d'histoire ancienne à l'université de Dallas, l'autre était le plus renommé des marchands d'antiquités américains.

Walsh se figea si soudainement que les deux autres hommes le heurtèrent. Il ne parut pas s'en apercevoir.

– Dieu du ciel ! murmura-t-il, les yeux brillants de désir. Sont-elles fausses ?

– Aussi fausses que les bronzes d'Hannibal et que les bas-reliefs d'Hammourabi que vous m'avez achetés, répondit Nicholas.

Walsh s'approcha des couronnes comme un archevêque s'approche de l'autel.

– Elles doivent être récentes ! Autrement, j'en aurais entendu parler.

– Récemment exhumées, oui, confirma Nicholas. Vous êtes le premier à les admirer.

– Mamose ! fit Walsh en déchiffrant le cartouche de l'*uraeus*. Alors la rumeur disait vrai. Vous avez découvert une nouvelle tombe.

– Si on peut appeler nouvelle une tombe vieille de près de quatre mille ans.

Walsh et ses conseillers se groupèrent autour de la table. Ils étaient pâles et ne disaient rien.

– Laissez-nous, Harper, demanda Walsh. Je vous ferai venir quand j'aurai besoin de vous.

– Sir Nicholas, je vous prie.
– S'il vous plaît, Sir Nicholas, laissez-nous.
Nicholas revint une heure après. Les trois hommes étaient assis autour de la table, comme s'il leur était inconcevable de s'éloigner des deux couronnes.
Walsh renvoya ses deux conseillers d'un signe de tête et attaqua aussitôt :
– Combien ?
– Quinze millions de dollars, répliqua Nicholas.
– Ça fait sept millions cinq chacune.
– Non. Quinze millions chacune. Trente millions les deux.
Walsh chancela.
– Vous êtes cinglé, ou quoi ?
– Certains le disent, fit Nicholas avec un sourire.
– Vingt-deux et demi.
– Le prix n'est pas à discuter, fit Nicholas en hochant la tête.
– Soyez raisonnable, Harper.
– La raison n'a jamais été un de mes vices. Désolé.
– Moi aussi, fit Walsh en se levant. Une autre fois, peut-être.
Mains dans le dos, il s'éloigna vers la porte. Quand il l'ouvrit, Nicholas le rappela :
– Mr. Walsh !
L'homme se retourna, l'air avide.
– Oui ?
– La prochaine fois, appelez-moi Nicholas et je vous appellerai Peter. Comme de vieux amis.
– C'est tout ce que vous aviez à me dire ?
– Oui. Pourquoi ?
– Allez au diable ! fit Walsh en revenant sur ses pas pour se laisser choir dans sa chaise. Allez au diable ! répéta-t-il. Bon. Comment voulez-vous les toucher ?
– Deux chèques. Quinze millions chacun.
Walsh pressa le bouton de l'interphone.
– Envoyez-moi M. Montfleuri, le chef comptable, ordonna-t-il d'une voix morne.

Nicholas était à son bureau de Quenton Park. Il regardait les boiseries qui recouvraient le mur, en face de lui. Elles provenaient d'une des abbayes catholiques révoquées par Henry VIII en 1536 et avaient été achetées par son grand-père près d'un siècle auparavant, mais elles venaient seulement d'être installées ici.

Il glissa la main sous son bureau et pressa le bouton qui s'y trouvait dissimulé. Une partie des boiseries coulissa en silence et révéla la vitrine blindée encastrée dans le mur. Les lampes du plafond s'allumèrent automatiquement et illuminèrent l'intérieur de la vitrine. Les spots avaient été disposés de manière à ne créer aucun reflet qui puisse gêner le regard. Le masque mortuaire de Mamose et la double couronne resplendissaient de toute leur gloire.

Il se versa un whisky dans le verre de cristal posé devant lui et sirota le breuvage, tout entier à sa joie de propriétaire. Mais il se rendit vite compte qu'il manquait quelque chose. Il s'empara de la figurine de Taita qui reposait sur son bureau et lui parla comme s'il s'adressait au scribe en personne :

– Toi, tu connaissais vraiment la solitude, n'est-ce pas ? Tu savais ce qu'on éprouve quand on aime quelqu'un d'inaccessible.

Il reposa la statuette et décrocha le téléphone. Il composa un numéro international. Un homme qui parlait arabe répondit après trois sonneries.

– Le bureau du directeur des Antiquités. Que puis-je faire pour vous ?

– Je voudrais parler au docteur Al Simma.

– Ne quittez pas, je vous prie. Je vous la passe.

– Docteur Al Simma, j'écoute.

La voix de Royan fit courir un frisson le long de la colonne vertébrale de Nicholas.

– Royan, dit-il.

Dans le long silence qui suivit, l'émotion qu'elle ressentait était presque palpable.

– Vous ! Je ne pensais pas avoir un jour de vos nouvelles.

– Je voudrais vous féliciter pour votre nouveau poste.

– Vous m'avez escroquée, dit-elle. Vous avez échangé le contenu de trois caisses.

– Un sage a dit un jour que les amis sont ceux que l'on berne le plus facilement car ils ne se méfient pas. Vous devriez le savoir mieux qu'une autre, Royan.

– Vous les avez vendues. J'ai appris que Peter Walsh les avait payées vingt millions.

– Trente, rectifia Nicholas. Mais uniquement pour la bleue et le *nemes*. A l'heure où je vous parle, la rouge et blanche est devant moi. Le masque mortuaire aussi.

– Maintenant vous pouvez effacer vos dettes de la Lloyd's. Vous devez être content.

– Vous ne le croirez pas mais les résultats de la Lloyd's ont été meilleurs que prévus. Je n'étais pas ruiné, finalement.

– Comme dirait ma mère, chapeau bas !

– J'ai envoyé la moitié de la somme à Mek Nimmur et Tessay.

– C'est au moins pour une bonne cause, fit-elle, sur la défensive. C'est tout ce que vous avez à me dire ?

– Non. Il y a quelque chose qui va vous amuser. Votre auteur favori, Wilbur Smith, va écrire l'histoire de notre découverte de la tombe. Le livre s'appellera *le Septième Papyrus*. Il sortira l'année prochaine. Je vous enverrai un exemplaire dédicacé.

– J'espère que, cette fois-ci, il s'en tiendra aux faits.

Il y eut un long silence que Royan brisa finalement :

– J'ai une montagne de travail qui m'attend. Si vous n'avez rien d'autre à dire...

– En fait, si.

– Oui ?

– Voulez-vous m'épouser ?

Après une longue pause où il écouta son souffle qui s'était accéléré, elle demanda :

– Pourquoi demander une chose aussi improbable ?

– Parce que je commence à me rendre compte que je vous aime beaucoup.

Elle se tut encore puis dit, d'une voix ténue :

– D'accord.

– Que voulez-vous dire, d'accord ?

– Je veux dire d'accord, je vous épouserai.

– Pourquoi accepter une chose aussi improbable ?

– Parce que je commence à me rendre compte qu'en dépit de tout je vous aime, moi aussi.

– Il y a un vol d'Air Égypte qui décolle de Heathrow à cinq heures et demie, cet après-midi. En conduisant comme un fou, je pourrais le prendre. Mais j'arriverai au Caire plutôt tard.

– Je serai à l'aéroport, quelle que soit l'heure.

– Je suis parti !

Il raccrocha et alla jusqu'à la porte. Puis il fit demi-tour pour prendre la statuette de Taita.

– Viens ici, vieux renard. Tu rentres à la maison. Cadeau de mariage.

ÉPILOGUE

Ils se promenaient le long de la corniche dans les lumières mauves du couchant. Le Nil serpentait en contrebas, éternellement vert, lent et secret, dépositaire des mystères du passé. Ils s'arrêtèrent au pied des ruines du temple de Ramsès, là où la grande barge de Mamose avait accosté, avec Taita et sa maîtresse bien-aimée. Ils se penchèrent par-dessus le rempart de pierre de l'enceinte et regardèrent au-delà du fleuve, vers les collines déjà sombres.

Le temple funéraire et la grande chaussée de Mamose avaient disparu dans la nuit des temps. D'autres rois avaient élevé leurs propres monuments sur ces fondations. Personne n'avait jamais découvert la tombe que Mamose n'avait jamais occupée, mais elle devait se trouver près de l'entrée secrète par laquelle Duraid Al Simma avait eu accès à la tombe de Lostris.

Sans mot dire, dans le silence de l'amitié partagée, ils regardèrent les ténèbres s'installer. Un bateau de croisière remontait le courant. Sur son pont, les touristes amassés étaient encore sous le charme après une traversée de dix jours depuis Le Caire ; ils se montraient les uns aux autres les formidables colonnes et les murs gravés du temple de Ramsès. Leurs voix se perdaient dans la sérénité vespérale du désert.

Royan prit Tessay par le bras et les deux femmes s'éloignèrent. Minces toutes les deux, jeunes, dorées comme le miel, elles faisaient un tableau charmant. Leur rire était gai et doux, leurs cheveux noirs frémissaient dans l'air suave qui venait du désert. Nicholas et

Mek Nimmur marchaient derrière, chacun suivant du regard la femme qu'il aimait.

– Alors te voilà devenu un des gros bonnets d'Addis ? Toi le dur, le soldat, te voilà politicien. J'ai du mal à le croire, Mek.

– Il y a un temps pour tout, fit Mek avec gravité. Pour la guerre et pour la paix.

– Je vois que comme tout politicien tu manies à merveille le cliché et la platitude, fit Nicholas, moqueur. Mais comment est-ce arrivé, Mek ? Comment, de sale bandit *shufta*, as-tu fait pour atterrir au ministère de la Défense ?

– L'argent de la couronne bleue a beaucoup aidé, admit Mek. Mais ils se sont aussi rendu compte qu'il ne pourrait jamais y avoir d'élections démocratiques sans que je sois candidat. Finalement, ils étaient assez pressés de m'avoir à leur bord.

– Le détail qui me gêne, c'est que tu as dû leur donner cet argent durement gagné, se lamenta Nicholas. Enfin, Mek, quinze millions, ça ne se trouve pas sous le sabot d'un cheval !

– Je ne leur ai pas donné, rectifia Mek. Je l'ai versé dans les coffres de l'État. Je garde un œil dessus, tu sais.

– Oui, mais quinze millions, c'est beaucoup d'argent. J'ai beau essayer, je n'arrive pas à accepter une pareille folie. Cela dit, j'approuve tout à fait ta décision de te présenter aux prochaines élections présidentielles.

Ils regardèrent tous deux la mince silhouette de Tessay et sa masse de boucles brunes.

– Je ne te vois pas en ministre de la Défense mais je dois dire qu'elle fait un délicieux ministre de la Culture et du Tourisme dans votre gouvernement provisoire.

– Elle fera un vice-président encore plus formidable après notre victoire, en août.

– Nous traversons ici, fit alors Royan en se tournant vers eux.

Ils étaient arrivés à hauteur de la nouvelle annexe du musée de Louxor. Les deux femmes se laissèrent rattraper et chacune passa un bras sous celui de son mari. Ils traversèrent le vaste boulevard en se faufilant entre les calèches. Nicholas effleura la joue de Royan de ses lèvres.

– Vous êtes vraiment délicieuse, Lady Quenton-Harper.

– Vous me faites rougir, Sir Nicky. Vous savez bien que je n'ai pas encore l'habitude d'être appelée ainsi.

Ils marquèrent une pause à l'entrée du musée. Le plafond reposait sur de hautes colonnes, versions réduites de celles du temple de Karnak. Les murs étaient de grès jaune, les lignes générales du bâtiment sobres et simples et l'ensemble très impressionnant.

Royan les conduisit aux portes d'entrée du musée qui n'était pas encore ouvert au public. Le président égyptien était attendu le lendemain, et Mek et Tessay devaient représenter le gouvernement éthiopien lors de la cérémonie d'inauguration. Les gardes saluèrent Royan avec déférence et se précipitèrent pour pousser les lourdes portes de cuivre.

L'intérieur était frais, la climatisation ayant été soigneusement étudiée en vue de la conservation des objets exposés. Les vitrines, incluses dans les murs, montraient les merveilleux trésors de Mamose. Les pièces, classées selon leur importance archéologique, étincelaient dans leurs nids de satin bleu, la couleur royale du pharaon Mamose.

Les quatre visiteurs avançaient dans un silence respectueux. Parfois l'un d'eux posait à voix basse une question à Royan. Ils s'arrêtèrent sur le seuil de la dernière salle, celle qui abritait les pièces les plus rares de toute la collection.

– Dire que tout ceci n'est qu'une partie de l'énorme trésor qui reste dans la tombe de Mamose, murmura Tessay. J'ai beaucoup de mal à attendre que l'aventure reprenne.

– Oh, s'exclama Mek avec un sourire hypocrite, j'ai oublié de vous dire que le Smithsonian Institute a confirmé sa participation dans les travaux d'ouverture de la tombe. Ce sera une *joint venture* entre l'Institut et les gouvernements de nos deux pays, l'Éthiopie et l'Égypte.

– Quelle nouvelle extraordinaire ! s'exclama Royan. Ce tombeau va devenir un des plus importants sites archéologiques du monde. Et, grâce aux touristes, une formidable source de revenus pour l'Éthiopie...

– Pas si vite, coupa Mek, ils ont mis une condition à leur participation.

– Laquelle ? fit Royan, avec inquiétude.

– Ils insistent pour que vous dirigiez le projet.

Elle battit des mains de ravissement puis adopta une expression faussement sérieuse.

– Mais je n'accepte qu'à une condition.

– Laquelle ? demanda Mek.

– Pour les fouilles, je choisirai moi-même mon assistant.

Mek laissa exploser un rire qui tenait plus du rugissement.

– On sait qui c'est ! fit-il en assenant une claque sur l'épaule de Nicholas. Mais veillez à ce qu'aucun objet ne reste accroché à ses petits doigts pleins de colle !

Royan passa le bras autour de la taille de Nicholas.

– Il est complètement transformé, maintenant. Je vais vous en donner la preuve.

Sans lâcher son mari, elle les précéda dans la dernière salle du musée. Mek et Tessay restèrent figés sur le seuil, éblouis par le contenu de la vitrine blindée, isolée au centre de la pièce. Dans la brillante lumière des spots, la couronne rouge et blanche des royaumes de Haute et Basse Égypte voisinait avec le masque mortuaire du pharaon Mamose.

Mek Nimmur avança lentement jusqu'à la vitrine et lut la plaque de cuivre qui y était fixée.

– *Prêt permanent de Sir Nicholas et Lady Quenton-Harper.*

Il regarda Nicholas d'un air incrédule.

– Et c'est toi qui me reprochais d'avoir donné l'argent de la couronne bleue ! s'exclama-t-il. Comment es-tu arrivé à abandonner ta part du butin, Nicholas ?

– Ça ne s'est pas fait tout seul, soupira Nicholas. Mais j'ai été mis au pied du mur par une certaine personne qui, à dire vrai, n'est pas à des kilomètres de nous.

– Ne plaignez pas ce pauvre garçon, fit Royan en riant. Il a toujours l'argent de Peter Walsh caché quelque part en Suisse. Je n'ai pas réussi à le convaincre de tout rendre à qui de droit.

– Si nous arrêtions ce déballage d'affaires privées ? fit Nicholas. Le soleil est couché depuis longtemps et c'est l'heure du whisky. Je crois avoir vu une bouteille de Laphroaig au bar de l'hôtel. Si nous allions vérifier que je ne me suis pas trompé ?

Il prit Royan par le bras et s'éloigna tandis que les autres suivaient en riant de son embarras.

Achevé d'imprimer en septembre 1998
par Maury-Eurolivres
45300 Manchecourt

Dépôt légal : avril 1997

Imprimé en France

ÉGALEMENT CHEZ POCKET
LITTÉRATURE « GÉNÉRALE »

ALBERONI FRANCESCO
Le choc amoureux
L'érotisme
L'amitié
Le vol nuptial
Les envieux
La morale

ARNAUD GEORGES
Le salaire de la peur

BARJAVEL RENÉ
Les chemins de Katmandou
Les dames à la licorne
Le grand secret
La nuit des temps
Une rose au paradis

BERBEROVA NINA
Histoire de la baronne Boudberg
Tchaïkovski

BERNANOS GEORGES
Journal d'un curé de campagne
Nouvelle histoire de Mouchette
Un crime

BESSON PATRICK
Le dîner de filles

BLANC HENRI-FRÉDÉRIC
Combats de fauves au crépuscule
Jeu de massacre

BOULGAKOV MIKHAÏL
Le maître et Marguerite
La garde blanche

BOULLE PIERRE
La baleine des Malouines
L'épreuve des hommes blancs
La planète des singes
Le pont de la rivière Kwaï
William Conrad

BOYLE T. C.
Water Music

BRAGANCE ANNE
Anibal
Le voyageur de noces
Le chagrin des Resslingen

BRONTË CHARLOTTE
Jane Eyre

BURGESS ANTHONY
L'orange mécanique
Le testament de l'orange

BUZZATI DINO
Le désert des Tartares
Le K
Nouvelles (Bilingue)
Un amour

CARRIÈRE JEAN
L'épervier de Maheux

CARRIÈRE JEAN-CLAUDE
La controverse de Valladolid
Le Mahabharata
La paix des braves
Simon le mage

CESBRON GILBERT
Il est minuit, Docteur Schweitzer

CHANDERNAGOR FRANÇOISE
L'allée du roi

CHANG JUNG
Les cygnes sauvages

CHATEAUREYNAUD G.-O.
Le congrès de fantomologie
Le château de verre
La faculté des songes

CHOLODENKO MARC
Le roi des fées

CLAVEL BERNARD
Le carcajou
Les colonnes du ciel
1. La saison des loups
2. La lumière du lac
3. La femme de guerre
4. Marie Bon pain
5. Compagnons du Nouveau Monde

La grande patience
1. La maison des autres
2. Celui qui voulait voir la mer
3. Le cœur des vivants
4. Les fruits de l'hiver

COURRIÈRE YVES
Joseph Kessel

DAVID-NÉEL ALEXANDRA
Au pays des brigands gentilshommes
Le bouddhisme du Bouddha
Immortalité et réincarnation
L'Inde où j'ai vécu
Journal, tome 1 et tome 2
Le Lama aux cinq sagesses
Magie d'amour et magie noire
Mystiques et magiciens du Tibet
La puissance du néant
Le sortilège du mystère
Sous une nuée d'orages
Voyage d'une Parisienne à Lhassa
La lampe de sagesse
La vie surhumaine de Guésar de Ling

DENIAU JEAN-FRANÇOIS
La Désirade
L'empire nocturne
Le secret du roi des serpents
Un héros très discret
Mémoires de 7 vies

FERNANDEZ DOMINIQUE
Le promeneur amoureux

FITZGERALD SCOTT
Un diamant gros comme le Ritz

FORESTER CECIL SCOTT
Aspirant de marine
Lieutenant de marine
Seul maître à bord
Trésor de guerre
Retour à bon port
Le vaisseau de ligne
Pavillon haut
Le seigneur de la mer
Lord Hornblower
Mission aux Antilles

FRANCE ANATOLE
Crainquebille
L'île des pingouins

FRANCK DAN/VAUTRIN JEAN
La dame de Berlin
Le temps des cerises
Les noces de Guernica
Mademoiselle Chat

GENEVOIX MAURICE
Beau François
Bestiaire enchanté
Bestiaire sans oubli
La forêt perdue
Le jardin dans l'île
La Loire, Agnès et les garçons
Le roman de Renard
Tendre bestiaire

GIROUD FRANÇOISE
Alma Mahler
Jenny Marx
Cœur de tigre
Cosima la sublime

GRÈCE MICHEL DE
Le dernier sultan
L'envers du soleil – Louis XIV
La femme sacrée
Le palais des larmes
La Bouboulina

HERMARY-VIEILLE CATHERINE
Un amour fou
Lola

INOUÉ YASUSHI
Le geste des Sanada

Jacq Christian
L'affaire Toutankhamon
Champollion l'Egyptien
Maître Hiram et le roi Salomon
Pour l'amour de Philae
Le Juge d'Egypte
1. La pyramide assassinée
2. La loi du désert
3. La justice du Vizir

La reine soleil
Barrage sur le Nil
Le moine et le vénérable
Sagesse égyptienne
Ramsès
1. Le fils de la lumière
2. Le temple des millions d'années
3. La bataille de Kadesh
4. La dame d'Abou Simbel
5. Sous l'acacia d'Occident

Joyce James
Les gens de Dublin

Kafka Franz
Le château
Le procès

Kazantzaki Nikos
Alexis Zorba
Le Christ recrucifié
La dernière tentation du Christ
Lettre au Greco
Le pauvre d'Assise

Kessel Joseph
Les amants du Tage
L'armée des ombres
Le coup de grâce
Fortune carréc
Pour l'honneur

Lainé Pascal
Elena

Lapierre Alexandra
L'absent
La lionne du boulevard
Fanny Stevenson

Lapierre Dominique
La cité de la joie

Lapierre Dominique et Collins Larry
Cette nuit la liberté
Le cinquième cavalier
Ô Jérusalem
... ou tu porteras mon deuil
Paris brûle-t-il ?

Lawrence D.H.
L'amant de Lady Chatterley

Léautaud Paul
Le petit ouvrage inachevé

Levi Primo
Si c'est un homme

Lewis Roy
Le dernier roi socialiste
Pourquoi j'ai mangé mon père

Loti Pierre
Pêcheur d'Islande

Mauriac François
Le romancier et ses personnages
Le sagouin

Messina Anna
La maison dans l'impasse

Michener James A.
Alaska
1. La citadelle de glace
2. La ceinture de feu

Caraïbes (2 tomes)
Hawaii (2 tomes)
Mexique
Docteur Zorn

Mimouni Rachid
De la barbarie en général et de l'intégrisme en particulier
Le fleuve détourné
Une peine à vivre
Tombéza
La malédiction
Le printemps n'en sera que plus beau
Chroniques de Tanger

Monteilhet Hubert
Néropolis

Montupet Janine
La dentellière d'Alençon
La jeune amante
Un goût de miel et de bonheur sauvage

Morgièvre Richard
Fausto
Andrée
Cueille le jour

Nakagami Kenji
La mer aux arbres morts
Mille ans de plaisir

Nasr Eddin Hodja
Sublimes paroles et idioties

Nin Anaïs
Henry et June (Carnets secrets)

Perec Georges
Les choses

Queffelec Yann
La femme sous l'horizon
Le maître des chimères
Prends garde au loup
La menace

Radiguet Raymond
Le diable au corps

Ramuz C.F.
La pensée remonte les fleuves

Rey Françoise
La femme de papier
La rencontre
Nuits d'encre
Marcel facteur

Rouanet Marie
Nous les filles
La marche lente des glaciers

Sagan Françoise
Aimez-vous Brahms..
... et toute ma sympathie
Bonjour tristesse
La chamade
Le chien couchant
Dans un mois, dans un an
Les faux-fuyants
Le garde du cœur
La laisse
Les merveilleux nuages
Musiques de scènes
Répliques
Sarah Bernhardt
Un certain sourire
Un orage immobile
Un piano dans l'herbe
Un profil perdu
Un chagrin de passage
Les violons parfois
Le lit défait
Un peu de soleil dans l'eau froide
Des bleus à l'âme

Salinger Jerome-David
L'attrape-cœur
Nouvelles

Stocker Bram
Dracula

Tartt Donna
Le maître des illusions

Troyat Henri
Faux jour
La fosse commune
Grandeur nature
Le mort saisit le vif
Les semailles et les moissons
1. Les semailles et les moissons
2. Amélie
3. La Grive
4. Tendre et violente Elisabeth
5. La rencontre

La tête sur les épaules

Vialatte Alexandre
Antiquité du grand chosier
Badonce et les créatures
Les bananes de Königsberg
Les champignons du détroit de Behring
Chronique des grands micmacs

Dernières nouvelles de l'homme
L'éléphant est irréfutable
L'éloge du homard et autres insectes utiles
Et c'est ainsi qu'Allah est grand
La porte de Bath Rahbim

WALLACE LEWIS
Ben-Hur

WALTARI MIKA
Les amants de Byzance
Jean le Pérégrin